Das ›wunderbare Schauspiel indischen Alltags
um die Jahrhundertwende,
– ein Strom von Leben,
wie es ihn nirgendwo sonst in der Welt gibt‹,
breitet sich aus vor dem Auge des Lesers.
Rudyard Kipling,
der beliebte englische Schriftsteller,
zeichnet am abenteuerlichen Schicksal
des Waisenjungen Kimball O'Hara
das unverfälschte Bild eines Landes,
in dem östliche und westliche Kultur,
erschreckende Armut und grenzenloser Reichtum,
malerische Exotik und nüchterne Realität
unvermittelt aufeinandertreffen.

Kim

Rudyard Kipling

1988
Gustav Kiepenheuer Verlag
Leipzig und Weimar

Originaltitel: ›Kim‹
Aus dem Englischen übertragen von Hans Reisiger,
revidiert und mit Anmerkungen versehen
von Ralph F. H. Böttcher

© 1925 Paul List Verlag, Leipzig
(für die deutsche Übersetzung)
© 1988 Gustav Kiepenheuer Verlag Leipzig und Weimar
(für diese Ausgabe)

ISBN 3-378-00234-4

Gustav Kiepenheuer Verlag Leipzig und Weimar
Erste Auflage
Lizenz Nr. 396/265/41/88 LSV 7321
Gesamtherstellung: Druckerei Neues Deutschland, Berlin
Schrift: Baskerville
Gestaltung: Peter Mauksch
Printed in the German Democratic Republic
Bestell-Nr. 812 197 9
00740

Erstes Kapitel

Die ihr vorbei am Höllenlicht
Den schmalen Pfad steigt zum Gericht,
Schmält das Gebet des Heiden nicht
Zu Buddha in Kamakura!

Er saß, allen behördlichen Vorschriften zum Trotz, rittlings auf der Kanone Zam-Zammah, die auf ihrem Backsteinsockel gegenüber dem alten Ajaib-Gher stand – dem Wunderhaus, wie die Eingeborenen das Museum von Lahore nennen. Wer Zam-Zammah, ›den feuerspeienden Drachen‹, hat, besitzt das Pandschab; denn das große grünbronzene Stück ist immer erste Beute des Siegers.

Eine Rechtfertigung hatte Kim für sich – er hatte Lala Dinanaths Sohn von der Lafette mit Tritten hinunterbefördert –, da den Engländern das Pandschab gehörte, und Kim war Engländer. Zwar war er schwarz gebrannt wie nur irgendein Eingeborener, gebrauchte mit Vorliebe die Landessprache und radebrechte die eigene Muttersprache nur in einem undeutlichen Singsang, verkehrte auch mit den kleinen Basarbuben auf völlig gleichem Fuß; dennoch war Kim ein Weißer – ein armer Weißer, einer von den allerärmsten. Die Mischlingsfrau, die ihn betreute (sie rauchte Opium und hatte angeblich einen Altmöbelladen an dem Platz, wo die billigen Droschken stehen), sagte den Missionaren, sie sei die Schwester von Kims Mutter. Seine Mutter aber war Kindermädchen in der Familie eines Obersten gewesen und hatte Kimball O'Hara geheiratet, einen jungen Fahnen-Sergeanten von den Mavericks, einem irischen Regiment. Dieser trat später in den Dienst der Sind-Pandschab-Delhi-Eisenbahnlinie, und sein Regiment kehrte ohne ihn in die Heimat zurück. O'Haras Frau starb in Firozpur an der Cholera; er ergab sich dem Trunk und trieb sich mit dem scharfäugigen, dreijährigen Kinde an der Bahnlinie herum. Vereine und Geistliche, um den Knaben besorgt, suchten ihn einzufangen; aber O'Hara verzog sich nach anderwärts, bis er zu guter Letzt auf das Weib traf, das Opium rauchte, und von ihr den Geschmack daran lernte und starb, wie eben arme Weiße in Indien sterben. Seine Hinterlassenschaft bestand aus drei Schriftstükken; das eine nannte er sein ›ne varietur‹, weil diese Worte unter seinem Namenszug geschrieben standen; das andere seinen Entlassungsschein; das dritte war Kims Geburtsurkunde. Diese Dinge, pflegte er in seinen glorreichen Opiumstunden zu sagen, würden den kleinen Kimball noch einmal zu einem Manne machen. Auf keinen Fall dürfte Kim sich von den Papieren trennen, denn sie hingen mit einer großartigen Magie zusammen – einer Magie, wie sie die Männer drüben hinter dem Museum übten, in dem großen blau und weißen Jadoo-Gher – dem Magischen Hause, wie wir die Freimaurerloge nennen. Es würde, sprach O'Hara, eines Tages noch alles zum Rechten kommen, und Kims Horn würde hoch erhoben werden zwischen Säulen – ungeheuren Säulen – der Schönheit und Kraft. Der Oberst selbst, auf einem Pferde reitend an der Spitze des feinsten Regiments der Welt, würde Kim aufwarten – dem kleinen Kim, der es besser haben sollte als sein Vater. Neunhundert Teufel erster Klasse, deren Gott ein Roter Stier auf grünem Felde wäre, würden Kim dienen, wenn sie nicht O'Hara vergessen hätten – den armen O'Hara, den Vorarbeiter auf der Strecke von Firozpur. Danach pflegte er in seinem zerbrochenen Binsenstuhl auf der Veranda bitterlich zu weinen. So geschah es, daß nach seinem Tode das Weib Pergament, Papier und Geburtsschein in ein ledernes Amulettetui einnähte und es Kim um den Hals hängte.

»Und eines Tages«, sprach sie, sich der Prophezeiungen O'Haras verworren erinnernd, »wird ein großer Roter Stier auf einem grünen Felde zu dir kommen und der Oberst, auf seinem großen Pferde reitend, ja, und« – ins Englische fallend – »neunhundert Teufel.«

»Oh«, sagte Kim, »ich werde daran denken. Ein Roter Stier wird kommen und ein Oberst auf einem Pferde. Aber vorher, hat mein Vater gesagt, kommen die zwei Männer, die erst alles dafür zurechtmachen müssen. So haben sie's immer gemacht, hat mein Vater gesagt, und so ist es überhaupt immer, wenn Männer Magie machen.«

Hätte die Frau Kim mit seinen Papieren nach dem hiesigen Jadoo-Gher geschickt, so wäre er natürlich von der Provinzialloge übernommen und in das Freimaurer-Waisenhaus im Gebirge geschickt worden; aber was sie von Magie gehört hatte, machte sie mißtrauisch. Auch Kim hatte seine eigenen Ansichten. Als er in die Flegeljahre kam, lernte er, Missionare und weiße Leute von ernstem Ansehen, die zu fragen pflegten, wer er sei und was er treibe, zu meiden. Denn Kim trieb, mit großartigem Erfolg, gar nichts. Zwar die wundervolle, wallumgürtete Stadt Lahore kannte er durch und durch, vom Delhi-Tor bis zum äußersten Festungsgraben; stand auf du und du mit Leuten, die ein Dasein führten, seltsamer als alles, was Harun ar-Raschid sich hätte träumen lassen, und er lebte selbst ein Leben, toll wie aus ›Tausendundeiner Nacht‹ – aber Missionare und Beamte von Wohlfahrtsanstalten hatten keinen Sinn für derlei Reize. Sein Spitzname in der ganzen Stadt war ›Kleiner Freund aller Welt‹, und sehr oft hatte er, da er geschmeidig und unauffällig war, nächtens auf dem Gewirr der Hausdächer Botschaften auszutragen für feine junge Gekken. Liebeshändel, natürlich! – Soviel begriff er davon; denn allen Unfug hatte er kennengelernt, seit er sprechen konnte – aber was er daran liebte, war das Abenteuer um seiner selbst willen, die verstohlene Pirsch durch dunkle Abflüsse und Gäßchen, die Kletterei durch ein Wasserrohr, Anblick und Leute der Frauenwelt auf den flachen Dächern und jähe Flucht von Dach zu Dach im Schutze des schwülen Dunkels. Dann gab es heilige Männer, aschebeschmierte Fakire vor ihren Backsteinzellen unter den Bäumen am Fluß, mit denen er ganz vertraulich stand, die er begrüßte, wenn sie von ihren Bettelfahrten zurückkehrten, und mit denen er, wenn niemand dabei war, aus derselben Schüssel aß. Die Frau, die ihn in Obhut hatte, drang unter Tränen in ihn, er solle europäische Kleider tragen – Hosen, ein Hemd und einen Schlapphut. Kim fand es bequemer, in Hindu- oder Mohammedanertracht zu schlüpfen, wenn er in gewissen Geschäften unterwegs war. Einer der jungen Lebemänner – derjenige, den man in der Nacht des Erdbebens tot auf dem Grund des Brunnens fand – hatte ihm einst einen vollständigen Anzug aus Hindustoff, das Gewand eines Straßenjungen niederer Kaste, geschenkt, und Kim verstaute es heimlich zwischen einigen Balken auf Nila Rams Zimmerplatz, hinter dem Pandschab Gerichtshof, dort, wo die duftenden Deodarstämme zum Austrocknen lagern, nachdem sie den Ravi herabgetrieben. War Geschäft oder Unfug im Gange, so holte Kim seinen Schatz hervor und kam dann erst beim Morgengrauen durch die Veranda ins Haus zurück, völlig erschöpft vom Juchzen hinter einem Hochzeitszug her oder vom Johlen bei einem Hindufest. Manchmal stand Essen im Hause, doch öfter nicht; dann kehrte er wieder um und schmauste mit seinen eingeborenen Freunden.

Mit den Hacken gegen Zam-Zammah trommelnd, unterbrach er bisweilen sein ›König-vom-Schloß‹-Spiel mit dem kleinen Chota Lal und Abdullah, dem Sohn des Zuckerbäckers, um dem eingeborenen Polizisten, der bei den Schuhreihen vor der Museumstür Wache stand, irgendeine Frechheit zuzurufen. Der dicke Pandschabi grinste nachsichtig: er kannte Kim schon lange. Ebenso der Wasserträger, der die trockene Straße aus seinem ziegenledernen Sack besprengte. Ebenso Jawahir Singh, der Museumstischler, der über neue Kisten gebückt stand, wie überhaupt alle Welt ringsum, ausgenommen die Bauern vom Lande, die zu dem Wunderhaus kamen, um die Dinge zu schauen, die in ihrer eigenen Provinz und anderswo hergestellt wurden. Das Museum war bestimmt für die Erzeugnisse indischer Kunst und Industrie, und jeder Wißbegierige konnte den Kurator um Auskunft fragen.

»Runter! Runter mit dir! Laß mich rauf!« schrie Abdullah, auf Zam-Zammahs Rad kletternd.

»Dein Vater war Pastetenkoch, deine Mutter stahl das *ghi*«, sang Kim. »Alle Muselmänner sind längst von Zam-Zammah heruntergefallen!«

»Laß *mich* rauf!« kreischte der kleine Chota Lal unter seiner goldbestickten Mütze. Sein Vater war vielleicht eine halbe Million Sterling wert; aber Indien ist das einzige demokratische Land der Welt.

»Die Hindus sind auch von Zam-Zammah heruntergefallen. Die Muselmänner stießen sie runter. Dein Vater war Pastetenkoch ...«

Er hielt inne; denn um die Ecke, vom brausenden Moti-Basar her, kam schwerfälligen Ganges ein Mann, wie ihn Kim, der alle Kasten zu kennen glaubte, nie zuvor gesehen. Er war nahezu sechs Fuß hoch, gekleidet in schwarz-braunem Stoff, einer Pferdedecke ähnlich, der Falte an Falte schlug, und nicht eine Falte konnte Kim in Zusammenhang bringen mit irgendeinem bekannten Gewerbe oder Beruf. An seinem Gürtel hingen ein eiserner Federbehälter von durchbrochener Arbeit und ein hölzerner Rosenkranz, wie ihn heilige Männer tragen. Auf dem Haupte hatte er eine Art riesigen Mützenhuts. Sein Gesicht war gelb und runzlig wie das von Fook Shing, dem chinesischen Schuhmacher im Basar. Seine Augen zogen sich in den Winkeln hoch und sahen aus wie kleine Schlitze aus Onyx.

»Wer ist das?« fragte Kim seine Kameraden.

»Vielleicht ist es ein Mann«, sprach Abdullah hinstarrend, den Finger im Munde.

»Ohne Zweifel«, erwiderte Kim, »aber kein Mann, den *ich* in Indien je gesehen habe.«

»Ein Priester vielleicht«, meinte Chota Lal, den Rosenkranz erspähend. »Schau, er geht in das Wunderhaus!«

»Nein, nein«, sagte der Polizist kopfschüttelnd. »Ich verstehe deine Rede nicht.« Der Konstabler sprach Pandschabi. »He, Freund aller Welt! Was sagt er?«

»Schick ihn hierher«, rief Kim, von Zam-Zammah herabkletternd und seine nackten Füße schwenkend. »Er ist ein Fremder, und du bist ein Büffel.«

Der Mann drehte sich hilflos um und schob sich zu den Knaben hin. Er war alt, und sein wollenes Obergewand roch noch nach dem beizenden Wermut der Gebirgspässe.

»O Kinder, was ist dieses große Haus?« fragte er in sehr reinem Urdu.

»Das Ajaib-Gher, das Wunderhaus!« Kim gab ihm keinen Titel, wie Lala oder Mian. Er konnte das Glaubensbekenntnis des Mannes nicht erraten.

9

»Ah! das Wunderhaus! Kann da ein jeder hinein?«

»Es steht über der Tür geschrieben – jeder kann hinein.«

»Ohne Bezahlung?«

»Ich gehe ein und aus. Und *ich* bin kein Bankier«, lachte Kim.

»Ach! Ich bin ein alter Mann, ich wußte es nicht.« Dann, seinen Rosenkranz fingernd, wandte er sich halb dem Museum zu.

»Welcher Kaste gehörst du an? Wo ist dein Haus? Kommst du von weit her?« fragte Kim.

»Ich kam über Kulu, von jenseits des Kailas – aber was wißt ihr! Von den Bergen, wo« – er seufzte – »Luft und Wasser frisch und kühl sind.«

»Aha! Khitai (ein Chinese)«, sagte Abdullah stolz. Fook Shing hatte ihn einmal aus dem Laden gejagt, weil er den Joß angespuckt hatte, der über den Stiefeln thronte.

»Pahari« (ein Bergbewohner), meinte der kleine Chota Lal.

»Ach Kind! Ein Bergbewohner, von Bergen, die du niemals sehen wirst. Hast du schon von Bhotiyal (Tibet) gehört? Ich bin kein Khitai, aber ein Bhotiya (Tibetaner), wenn du es wissen mußt – ein Lama – oder meinetwegen in deiner Sprache: ein Guru.«

»Ein Guru aus Tibet«, rief Kim. »So einen Mann hab ich noch nie gesehen. Sind sie Hindus in Tibet?«

»Wir sind Pilger des Mittleren Pfads und leben in Frieden in unseren Lamaklöstern, und ich gehe, um die Vier Heiligen Plätze zu sehen, bevor ich sterbe. Nun wißt ihr, die ihr Kinder seid, soviel wie ich, der ich alt bin.« Er lächelte wohlwollend auf die Kinder herab.

»Hast du gegessen?«

Er tappte auf seiner Brust herum und zog eine abgenutzte hölzerne Bettelschale hervor. Die Knaben nickten. Alle Priester ihrer Bekanntschaft bettelten.

»Ich mag noch nicht essen.« Er drehte seinen Kopf wie eine alte Schildkröte in der Sonne. »Ist es wahr, daß viele Bildnisse sind im Wunderhaus von Lahore?«

Er wiederholte die letzten Worte wie jemand, der sich eine Adresse merkt.

»Das ist wahr«, sagte Abdullah. »Es ist voll von heidnischen *buts* (Götzen). Du bist auch ein Götzendiener.«

»Hör nicht auf *ihn*«, sprach Kim. »Das Haus gehört der Regierung, und Götzendienerei gibt es nicht drin; nur einen Sahib mit weißem Bart. Komm mit mir, ich will dich führen.«

»Fremde Priester fressen Knaben«, wisperte Chota Lal.

»Und er ist ein Fremder und ein *but-parast* (Götzendiener)«, sagte Abdullah, der Mohammedaner.

Kim lachte. »Er ist fremd. Lauft eurer Mutter unter die Schürze, da seid ihr sicher. Komm!«

Kim schob sich durch das Drehkreuz am Eingang, der alte Mann folgte und blieb erstaunt stehen. In der Eingangshalle standen die größeren Figuren gräko-buddhistischer Skulptur, gemeißelt – Gelehrte mögen wissen, vor wie langer Zeit – von vergessenen Künstlern, deren Hände nicht ohne Geschick nach dem geheimnisvoll überlieferten griechischen Stil getastet hatten. Da waren Hunderte von Ausstellungsstücken, Figurenfriese in Relief, Fragmente von Statuen und Steinplatten voller Figuren, die die Backsteinwände der buddhistischen *stupas* und *viharas* des Nordens bedeckt hatten und nun, ausgegraben und etikettiert, den Stolz des Museums bildeten. Staunend, mit offenem Munde, wandte der Lama sich von einem zum andern, bis er endlich in verzückter Spannung stillstand vor einem großen Hochrelief, das eine Krönung oder Apotheose des Buddha darstellte. Der ›Herr‹ war auf einer Lotosblume sitzend dargestellt, deren Blätter so tief unterhöhlt waren, daß sie fast losgelöst erschienen. Eine anbetende Hierarchie von Königen, Ältesten und Buddhavorläufern umgab ihn. Darunter lotosbedeckte Wasser mit Fischen und Wasservögeln. Zwei Dewas mit Schmetterlingsflügeln hielten einen Kranz über seinem Haupt; zwei andere trugen den Sonnenschirm, überragt vom juwelenstrahlenden Kopfschmuck des Bodhisat.

»Der Herr! Der Herr! Es ist Sakyamuni selbst«, sprach der Lama halb schluchzend und begann mit verhaltener Stimme die wundervolle buddhistische Anrufung:

»Zu Ihm der Weg – Gesetzespfad –
Den Mayas Schoß getragen hat,
Anandas Herrn – den Bodhisat.
Und er ist hier! Das Allerweiseste Gesetz ist auch hier. Meine
Pilgerfahrt hat glücklich begonnen. Und was für ein Werk!
Was für ein Werk!«

»Dort ist der Sahib«, sagte Kim und schlängelte sich zwischen den Kasten der Kunstgewerbe- und Industrieabteilung
hindurch beiseite. Ein weißbärtiger Engländer blickte zu dem
Lama herüber, der sich feierlich umdrehte und ihn grüßte
und nach einigem Herumtasten ein Notizbuch und einen
Streifen Papier zum Vorschein brachte.

»Ja, das ist mein Name«, sagte der Engländer, lächelnd
über die plumpe, kindliche Schrift.

»Einer von uns, der die Pilgerfahrt nach den Heiligen Plätzen gemacht hat – er ist jetzt Abt des Lung-Cho-Klosters –,
gab mir das«, stammelte der Lama. »Er sprach zu mir von
diesen.« Seine magere Hand wies zitternd rundumher.

»Willkommen denn, o Lama von Tibet. Hier sind die Götterbilder; und ich bin hier« – er blickte dem Lama ins Gesicht –, »um Wissen zu sammeln. Komm mit in mein Arbeitszimmer.« Der alte Mann zitterte vor Erregung.

Das Büro war nur ein kleiner hölzerner, von der skulpturengefüllten Galerie abgeteilter Verschlag. Kim legte sich nieder, mit dem Ohr gegen einen Riß in der von Hitze gespaltenen Zederntür, um, seinem angeborenen Instinkt getreu, zu
horchen und zu spähen.

Das meiste von dem Gespräch ging über seine Begriffe.
Der Lama, anfangs zögernd, sprach zu dem Kurator von seinem Lamakloster, Such-zen, gegenüber den Farbigen Felsen,
über hundert Tagereisen von hier. Der Kurator holte ein großes Buch mit Fotografien herbei und zeigte ihm leibhaftig das
Kloster: thronend auf seiner Klippe, mit dem Blick in das
Riesental vielfarbiger Felsenschichten.

»Oh, ja, ja!« Der Lama setzte eine Hornbrille chinesischer
Arbeit auf. »Hier ist die kleine Tür, durch die wir das Holz
für den Winter tragen. Und du, der Engländer, kennst das?
Der jetzt Abt von Lung-Cho ist, sagte es mir, aber ich glaubte

es nicht. Der Herr – der Erhabene – man ehrt ihn auch hier? Und man kennt sein Leben?«

»Es ist alles auf den Steinen gemeißelt. Komm und schau, wenn du ausgeruht bist.«

Der Lama schlurfte hinaus in die Haupthalle und schritt, dem Kurator zur Seite, durch die Sammlungen mit der Andacht des Gläubigen und mit dem Verständnis des Kenners.

Szene auf Szene der wundervollen Geschichte erkannte er auf den verwitterten Steinen wieder, hie und da ein wenig verwirrt durch den ungewohnten griechischen Stil, aber entzückt wie ein Kind bei jedem neuen Fund. Wo die Reihenfolge gestört war, wie bei der Verkündigung, ergänzte der Kurator sie aus dem Berg seiner Bücher – französischen und deutschen, mit Fotografien und Abbildungen.

Hier war der fromme Asita, Pendant des Simeon der christlichen Geschichte, das heilige Kind auf den Knien haltend, während Vater und Mutter lauschten; und hier waren Vorgänge aus der Legende des Vetters Devadatta. Hier war das böse Weib, nun völlig zerknirscht, das mit schändlicher Lüge den Herrn der Unreinheit beschuldigt hatte; hier die Predigt im Wildpark; das Wunder, das die Feueranbeter bekehrte; hier war der Bodhisat als Prinz im königlichen Schmuck; die wunderbare Geburt; der Tod zu Kusinagara, wo der schwache Jünger in Ohnmacht fiel. Fast unzählige Wiederholungen der Meditation unter dem Bodhibaum waren da, und die Anbetung der Almosenschale war überall zu sehen. Nach wenigen Minuten schon merkte der Kurator, daß sein Gast kein gewöhnlicher, rosenkranzleiernder Bettler war, sondern ein ganzer Gelehrter. Und sie gingen alles noch einmal durch; der Lama schnupfend, seine Brillengläser putzend und mit Eilzugtempo ein wunderliches Gemisch von Urdu und Tibetanisch redend. Er hatte von den Reisen der chinesischen Pilger Fo-Hian und Hwen-Thiang gehört und war begierig zu hören, ob Übersetzungen ihrer Berichte existierten. Mit angehaltenem Atem wendete er hilflos die Blätter von Beal und Stanislas Julien um. »Es ist alles hier – ein verschlossener Schatz für mich.« Dann suchte er sich zu beruhigen, um ehrfurchtsvoll den Bruchstücken zu lauschen, die ihm in aller Eile in

Urdu wiedergegeben wurden. Zum erstenmal hörte er von den Arbeiten europäischer Gelehrter, die mit Hilfe dieser und hundert anderer Dokumente die heiligen Plätze des Buddhismus festgestellt haben. Dann wurde ihm eine mächtige Karte gezeigt, voll gelber Striche und Punkte. Der braune Finger folgte dem Stift des Kurators von Punkt zu Punkt. Da war Kapilavastu, da das Königreich der Mitte und hier Mahabodhi, das Mekka des Buddhismus; und hier war Kusinagara, der traurige Schauplatz von des Heiligen Tod. Der alte Mann beugte für eine Weile schweigend das Haupt über die Blätter; der Kurator zündete sich eine neue Pfeife an. Kim war eingeschlafen. Als er erwachte, war ihm die Unterhaltung, die immer noch fortging, besser verständlich.

»Und so geschah es, o Brunnen der Weisheit, daß ich beschloß, nach den Heiligen Plätzen zu pilgern, die Sein Fuß betreten hat – nach dem Geburtsort, selbst nach Kapila; dann nach Mahabodhi, was dasselbe ist wie Buddh Gaya – nach dem Kloster – dem Wildpark – nach dem Ort seines Todes.«

Der Lama senkte die Stimme. »Und ich komme allein hierher. Seit fünf, sieben, achtzehn – vierzig Jahren trag ich's im Sinn, daß das Alte Gesetz nicht wohl befolgt wird. Es ist, du weißt es, überladen mit Teufelei, Zauberei und Götzendienst. Just wie das Kind da draußen eben sagte; ja, wie selbst das Kind sagte, mit *but-parasti*.«

»So geht es mit jeder Glaubenslehre.«

»Meinst du? Die Bücher meines Klosters habe ich gelesen, und sie waren vertrocknetes Mark; und das spätere Ritual, mit dem wir vom Reformierten Gesetz uns beladen haben – auch das hatte keinen Wert in diesen alten Augen. Selbst die Jünger des Erhabenen leben in endloser Fehde miteinander. Es ist alles Wahn! Ja, *maya*, Wahn! Aber ich trage ein anderes Verlangen« – das gefurchte gelbe Gesicht näherte sich bis auf drei Zoll dem des Kurators, und der lange Nagel des Zeigefingers tippte auf den Tisch. »Eure Gelehrten sind in diesen Büchern den heiligen Füßen auf allen Wanderungen gefolgt; aber es gibt Dinge, denen sie nicht nachgeforscht haben. Ich weiß nichts – nichts weiß ich –, aber ich gehe, um mich frei zu machen von dem Rad der Dinge, auf einem offenen, breiten Weg.« Er lächelte mit naivem Triumph. »Als Pilger nach den Heiligen Plätzen erwerbe ich Verdienst. Aber da ist noch mehr. Höre auf etwas Wahres. Als unser gnadenreicher Herr noch ein Jüngling war und eine Lebensgefährtin suchte, meinten die Männer an seines Vaters Hof, daß er zu zart zur Heirat wäre. Du weißt das?«

Der Kurator nickte, neugierig, was nun folgen würde.

»So forderten sie die dreifache Kraftprobe gegen alle Bewerber. Bei der Bogenprobe zerbrach unser Herr den Bogen, den sie ihm gaben, und forderte einen, den keiner spannen könnte. Du weißt?«

»Es steht geschrieben. Ich hab es gelesen.«

»Und jedes andere Ziel überschießend, flog der Pfeil immer weiter und weiter und außer Sicht. Endlich fiel er; und wo er die Erde berührte, da brach ein Wasserstrahl aus, der alsbald zum Flusse wurde. Und durch unseres Herrn Gnade und das Verdienst, das er erwarb, bevor er sich frei machte, erhielt der Fluß die Eigenschaft, jede Spur und jeden Flecken von Sünde abzuwaschen von dem, der in ihm badet.«

»So steht es geschrieben«, sagte der Kurator traurig.

Der Lama tat einen tiefen Atemzug. »Wo ist dieser Fluß? O Brunnen der Weisheit, wo fiel der Pfeil?«

»Ach, mein Bruder, ich weiß es nicht«, sagte der Kurator.

»O nein, du hast es wohl nur vergessen – das eine nur, das du mir nicht gesagt hast. Sicher, du mußt es wissen! Sieh, ich bin ein alter Mann! Ich frage dich, mein Haupt zwischen deinen Füßen – o Brunnen der Weisheit! Wir *wissen*, er spannte den Bogen! Wir *wissen*, der Pfeil fiel! Wir *wissen*, der Wasserstrahl sprang hervor! Wo also ist der Fluß? Mein Traum hieß mich ihn finden. So kam ich. Ich bin hier. Aber wo ist der Fluß?«

»Wenn ich es wüßte, denkst du, ich würde es nicht laut hinausrufen?«

»Durch ihn«, fuhr der Lama fort, ohne ihn zu beachten, »erlangt man Befreiung vom Rad der Dinge. Der Fluß des Pfeils! Denke noch einmal nach! Vielleicht nur ein kleines

Flüßchen, in der Hitze ausgetrocknet? Aber der Heilige würde einen alten Mann nicht so täuschen.«

»Ich weiß es nicht. Ich weiß es nicht.«

Der Lama brachte sein tausendrunzliges Gesicht wiederum auf Handbreite dem des Engländers nahe. »Ich sehe, du weißt es nicht. Da du der Lehre nicht angehörst, ist dir dieses verborgen.«

»Ja! – Verborgen – verborgen.«

»Wir sind beide in Banden, du und ich, mein Bruder. Aber ich« – er erhob sich mit einem Schwung seiner weichen schweren Hülle – »ich gehe, um mich frei zu machen. Komm mit!«

»Ich bin gebunden«, sagte der Kurator. »Aber wohin gehst du?«

»Erst nach Kasi (Benares), wohin sonst? Dort im Jaina-Tempel dieser Stadt werde ich einen von der reinen Lehre treffen. Auch er ist ein Sucher im geheimen, und von ihm kann ich möglicherweise lernen. Kann sein, daß er mit mir nach Buddh Gaya geht. Von da nördlich und westlich nach Kapilavastu, und dort will ich nach dem Flusse suchen. Nein, überall, wohin ich gehe, will ich suchen – denn die Stelle, wo der Pfeil fiel, ist nicht bekannt.«

»Und wie willst du gehen? Es ist weit bis Delhi, und weiter noch bis Benares.«

»Auf der Heerstraße und mit den Zügen. Von Pathankot, nachdem ich die Berge verlassen hatte, kam ich hierher mit einem Zug. Er fährt schnell. Anfangs wunderte ich mich über die hohen Stangen an der Seite des Weges, die ihre Fäden immer wieder schnappen und schnappen«, er malte mit der Hand das Steigen und Sinken der Telegraphendrähte neben dem sausenden Zug. »Aber dann fühlte ich mich so eingepfercht und wünschte, ich hätte gehen können, wie ich's gewohnt bin.«

»Und du kennst deinen Weg genau?« fragte der Kurator.

»Oh, da braucht man nur zu fragen und Geld zu zahlen; die angestellten Personen befördern jeden nach dem gewünschten Ort. Das wußte ich schon in meinem Lamakloster aus sicherem Bericht«, sagte der Lama stolz.

»Und wann gehst du?« Der Kurator lächelte über die Mischung von Altväterfrömmigkeit und modernem Fortschritt, wie sie jetzt für Indien so bezeichnend ist.

»So bald als möglich. Ich folge den Stätten Seines Lebens, bis ich zum Fluß des Pfeiles komme. Es gibt überdies ein geschriebenes Papier mit den Stunden der Züge, die südwärts gehen.«

»Und deine Nahrung?« Lamas führen in der Regel einen guten Batzen Geld irgendwo bei sich, aber der Kurator wünschte sich davon zu überzeugen.

»Auf der Reise trage ich die Bettelschale wie unser Meister. Ja. Wie er ging, so gehe ich, die Ruhe meines Klosters verlassend. Als ich aus den Bergen kam, hatte ich einen *chela* (Schüler) bei mir, der für mich bettelte, wie es die Regel fordert; aber in Kulu, wo wir ein Weilchen hielten, befiel ihn ein Fieber, und er starb. Ich habe nun keinen *chela*, aber ich will die Almosenschale tragen und so den Mildtätigen Gelegenheit bieten, Verdienst zu erwerben.« Er nickte tapfer mit dem Kopf. Gelehrte Doktoren eines Lamaklosters betteln nicht; aber der Lama war in diesem Punkt Idealist.

»Sei es so«, sagte der Kurator lächelnd. »Gönne nun mir, Verdienst zu erwerben. Wir sind beide Kenner, du und ich. Hier ist ein neues Buch von weißem, englischem Papier, hier sind gespitzte Bleistifte, zwei und drei, dicke und dünne – alle für einen Schreiber gut. Nun leihe mir deine Brille.«

Der Kurator sah durch die Gläser. Sie waren arg zerkratzt, aber die Stärke war fast genau wie die seiner eigenen Brille, die er dem Lama in die Hand gleiten ließ mit den Worten: »Versuche diese.«

»Eine Feder! Eine wahre Feder auf dem Gesicht!« Der alte Mann bewegte entzückt den Kopf und zog die Nase in Falten. »Kaum fühle ich sie! Wie klar ich sehe!«

»Die Gläser sind *bilaur*, Kristall, und bekommen nie Schrammen. Mögen sie dir zu deinem Flusse verhelfen, denn sie sind dein!«

»Ich will sie nehmen, und die Stifte und das weiße Notizbuch«, sagte der Lama, »als Zeichen der Freundschaft zwischen Priester und Priester – und nun ...«, er tappte an sei-

nem Gürtel herum, löste den durchbrochenen eisernen Federbehälter los und legte ihn auf des Kurators Tisch. »Das ist
zum Andenken zwischen dir und mir – mein Federbehälter.
Es ist etwas Altes – so wie ich.«

Es war eine Arbeit von altem Muster, chinesisch, aus einem
Eisen, wie es heut nicht mehr gegossen wird; und das Samm-
lerherz in der Brust des Kurators hatte vom ersten Augenblick an damit geliebäugelt. Um keinen Preis wollte der Lama
seine Gabe zurücknehmen.

»Wenn ich zurückkehre und den Fluß gefunden habe, will
ich dir ein geschriebenes Bild von der Padma Samthora bringen – so wie ich es in dem Lamakloster auf Seide zu machen
pflegte. Ja – und von dem Rad des Lebens«, lachte er halblaut, »denn wir sind beide Kenner, du und ich.«

Der Kurator hätte ihn gern noch zurückgehalten: denn es
gibt nur wenige auf der Welt, die noch das Geheimnis der alten buddhistischen Pinsel- und Federkunst besitzen, die halb
Schreiben, halb Zeichnen ist. Aber der Lama wallte schon davon, das Haupt hoch in der Luft, stand einen Augenblick still
vor der großen Statue eines Bodhisat in Meditation und
rauschte dann durch das Drehkreuz.

Kim folgte wie ein Schatten. Was er erlauscht hatte, erregte
ihn wild. Dieser Mann war seinem kundigen Herzen völlig
neu, und er wollte ihn weiter erforschen, genauso wie er ein
neues Gebäude oder ein ungewohntes Fest in Lahore erforscht hätte. Der Lama war sein Fund, und er gedachte Besitz von ihm zu ergreifen. Kims Mutter war nicht umsonst
eine Irländerin.

Der alte Mann machte halt bei Zam-Zammah und schaute
sich um, bis sein Auge auf Kim fiel. Seine Pilgerbegeisterung
hatte sich für kurze Zeit gelegt, und er fühlte sich alt, verlassen und sehr hungrig.

»Nicht unter der Kanone sitzen!« rief der Polizist erhaben.

»Hu! Du Eule!« war Kims Erwiderung an Stelle des Lamas.
»Setz dich nur unter die Kanone, wenn du Lust hast. Wann
hast du der Milchfrau die Pantoffeln gestohlen, Dunnoo?«

Das war eine völlig grundlose Beschuldigung, dem Kitzel
des Augenblicks entsprungen; aber sie machte Dunnoo ver-

stummen, der wußte, daß Kims gellende Stimme Legionen von bösen Basarbuben aufrufen konnte, wenn's not tat.

»Und wen hast du angebetet da drinnen?« fragte Kim leutselig, im Schatten neben dem Lama kauernd.

»Ich betete niemanden an, Kind. Ich verneigte mich vor dem Vortrefflichen Gesetz.«

Kim akzeptierte diese neue Gottheit ohne Gemütsbewegung. Er kannte schon eine ganze Anzahl.

»Und was tust du nun?«

»Ich bettle. Ich erinnere mich jetzt, es ist lange her, seit ich gegessen und getrunken habe. Wie ist der Brauch in dieser Stadt, wenn man Mildtätigkeit sucht? Tut man es schweigend, wie in Tibet, oder mit Worten?«

»Die in Schweigen betteln, verhungern in Schweigen«, antwortete Kim mit einem landläufigen Sprichwort. Der Lama versuchte sich zu erheben, sank aber zurück und seufzte nach seinem Schüler, der im fernen Kulu gestorben war. Kim schaute – mit schiefem Kopf, nachdenklich und interessiert.

»Gib mir die Schale. Ich kenne die Leute in dieser Stadt – alle, die barmherzig sind. Gib her, und ich bringe sie dir gefüllt zurück.« Einfach wie ein Kind, reichte der alte Mann ihm die Schale.

»Ruhe du. *Ich* kenne die Leute.«

Er trottete fort zu der offenen Bude einer *kunjri* – einer Gemüsehändlerin niederer Kaste –, die gegenüber der Straßenbahnlinie am Moti-Basar stand. Die Frau kannte Kim seit langem.

»Oho«, rief sie, »bist du ein Yogi geworden, mit deiner Bettlerschale?«

»Nein«, sagte Kim stolz. »Es ist ein fremder Priester in der Stadt – ein Mann, wie ich noch nie einen gesehen habe.«

»Alter Priester – junger Tiger«, sprach das Weib ärgerlich. »Ich hab die fremden Priester satt! Die fallen wie Fliegen über unsere Waren her. Ist der Vater meines Sohnes ein Brunnen der Barmherzigkeit, um allen zu geben, die betteln?«

»Nein«, sagte Kim; »dein Mann ist mehr ein *yagi* (Brummbär) als ein Yogi (heiliger Mann). Aber dieser Priester ist neu.

Der Sahib im Wunderhaus hat zu ihm gesprochen wie ein Bruder. O meine Mutter, fülle mir die Schale! Er wartet!«

»Schale› ist gut! Diesen kuhbäuchigen Freßkorb! Du hast ebensoviel Anstand wie der heilige Stier des Schiwa; der hat mir heute früh schon einen Korb voll Zwiebeln halb aufgefressen, und jetzt soll ich wahrhaftig noch deine Schale füllen. Da kommt er schon wieder.«

Der ungeheure, mausgraue Brahmini-Bulle dieses Stadtviertels schob sich mit wiegenden Schultern durch die vielfarbige Menge, einen gestohlenen Pisang im Maul. Er hielt gerade auf die Bude zu, sich seiner Privilegien als geheiligtes Tier wohl bewußt, senkte den Kopf und schnüffelte heftig an der Reihe von Körben herum, ehe er seine Wahl traf. Da flog Kims harte kleine Ferse hoch und traf ihn auf die feuchte blaue Nase. Er grunzte ärgerlich und stapfte über die Bahnschienen zurück; sein Widerrist zitterte vor Wut.

»Schau, ich habe dir mehr gespart, als die Schale dreimal kostet. Nun, Mutter, ein bißchen Reis und gedörrten Fisch darauf – ja, und etwas Currygemüse.«

Ein Knurren kam aus dem Hintergrund der Bude, wo ein Mann lag.

»Er hat den Stier verjagt«, sagte die Frau halblaut. »Es ist gut, den Armen zu geben.« Sie nahm die Schale und gab sie, mit heißem Reis gefüllt, zurück.

»Aber mein Yogi ist keine Kuh«, sagte Kim würdevoll, mit seinen Fingern ein Loch in den Reisberg machend. »Ein bißchen Curry ist gut, und einen gebackenen Kuchen und ein paar eingemachte Früchte würde er gerne essen, glaub ich.«

»Das Loch ist so groß wie dein Kopf«, sagte das Weib ärgerlich. Aber sie füllte es trotzdem mit gutem, dampfendem Currygemüse, klappte einen getrockneten Kuchen obenauf mit einem Stückchen geklärter Butter, pappte ein Häufchen Tamarindenkonserve an die Seite – und Kim betrachtete wohlgefällig die Ladung.

»So ist's gut. Wenn ich im Basar bin, soll der Stier nicht wieder an diese Bude kommen. Er ist ein frecher Bettelmann.«

»Und du?« lachte die Frau. »Aber sprich nicht schlecht von

Stieren. Hast du mir nicht erzählt, daß eines Tages ein Roter Stier aus einem Feld kommen wird, um dir zu helfen? Nun halte alles gerade und bitte den heiligen Mann um Segen für mich. Vielleicht weiß er auch ein Mittel für die schmerzenden Augen meiner Tochter. Frag ihn auch danach, o du kleiner Freund aller Welt.«

Doch Kim war fortgetanzt noch vor Schluß dieser Rede, herrenlosen Hunden und hungrigen Bekanntschaften sorgfältig aus dem Wege gehend.

»So betteln wir, die wir die Sache verstehen«, sprach er stolz zu dem Lama, der beim Anblick des Inhalts der Schale die Augen aufsperrte. »Iß nun, und – ich will mit dir essen. *Ohé, bhistie!*« schrie er dem Wasserträger zu, der die Anlagen vor dem Museum begoß, »bring Wasser. Wir Männer sind durstig.«

»Wir Männer!« lachte der *bhistie.* »Ist ein Schlauch voll genug für so ein Paar? Trinkt meinetwegen, im Namen des Erbarmers.«

Er goß einen dünnen Strahl in Kims Hände, der nach Landessitte trank. Der Lama aber tat es nicht anders, als daß er einen Becher aus seinem unerschöpflichen Obergewand zog und mit größter Feierlichkeit trank.

»*Pardesi* (ein Fremder)«, erklärte Kim, als der alte Mann in unbekannter Sprache etwas sagte, was offenbar ein Segen war.

Sie schmausten hochbefriedigt zusammen, bis die Bettelschale geleert war. Dann nahm der Lama eine Prise aus einer umfangreichen hölzernen Schnupftabaksdose, ließ seinen Rosenkranz eine Weile durch die Finger gleiten und fiel, indes der Schatten von Zam-Zammah länger wurde, in den leichten Schlaf des Alters.

Kim schlenderte zu der nächsten Tabakhändlerin hinüber, einer recht muntern jungen Mohammedanerin, und erbettelte sich eine stänkrige Zigarre von der Sorte, wie sie den Studenten der Pandschab-Universität verkauft werden, die englische Sitten nachahmen. Dann rauchte er und dachte nach, die Knie am Kinn, unterm Bauch der Kanone; und das Ergebnis seines Denkens war ein jäher, verstohlener Aufbruch in der Richtung von Nila Rams Zimmerplatz.

Der Lama erwachte erst, als das abendliche Leben der Stadt mit Lampenanzünden und der Rückkehr der weißgekleideten Kontoristen und Angestellten aus den Regierungsbüros begann. Er glotzte verwirrt nach allen Seiten, aber niemand beachtete ihn, außer einem Hinduknirps in isabellfarbenem Gewand und schmutzigem Turban. Plötzlich beugte der Lama den Kopf auf die Knie und begann zu wehklagen.

»Was ist los?« fragte der Knabe, vor ihm stehend. »Bist du beraubt worden?«

»Ach, mein neuer *chela*, er ist von mir gegangen, und ich weiß nicht, wo er ist.«

»Und was für ein Mann war dein Schüler?«

»Es war ein Knabe, der zu mir kam an Stelle dessen, der mir gestorben ist. Wohl, weil ich Verdienst erworben, indem ich mich vor dem Gesetz verbeugte da drinnen.« Er wies nach dem Museum hin. »Er kam zu mir und zeigte mir den Weg, den ich verloren hatte. Er führte mich in das Wunderhaus, und durch seine Rede bekam ich Mut, mit dem Hüter der Götterbilder zu reden; das machte mich heiter und stark. Und als ich matt vor Hunger war, da bettelte er für mich, wie ein *chela* für seinen Lehrer. Plötzlich wurde er mir gesendet. Plötzlich ist er verschwunden. Ich hatte im Sinn, ihn das Gesetz zu lehren auf dem Wege nach Benares.«

Kim stand verwundert. Er hatte das Gespräch im Museum belauscht und wußte, daß der alte Mann die Wahrheit redete. Und Wahrheit ist ein Ding, das ein Eingeborener selten einem Fremden darbietet.

»Aber ich sehe nun, daß er mir zu einem bestimmten Zweck geschickt war. Daran erkenne ich, daß ich einen gewissen Fluß, den ich suche, finden soll.«

»Den Fluß des Pfeils?« fragte Kim mit überlegenem Lächeln.

»Ist das wieder eine Sendung?« rief der Lama. »Zu niemand hab ich von meiner Suche gesprochen, außer zu dem Priester der Bilder. Wer bist du?«

»Dein *chela*«, sagte Kim einfach, auf den Fersen kauernd. »Ich habe noch nie in meinem Leben jemand gesehen wie dich. Ich gehe mit dir nach Benares. Und außerdem denke ich, daß ein so alter Mann wie du, der zu jedem Hergelaufenen noch am späten Abend die Wahrheit spricht, einen Schüler sehr nötig hat.«

»Aber der Fluß – der Fluß des Pfeils?«

»Oh, das hörte ich, als du mit dem Engländer sprachst. Ich lag an der Tür.

Der Lama seufzte. »Ich dachte schon, du wärst mir als Führer geschickt. So etwas geschieht zuweilen – aber ich bin nicht würdig. Du kennst also den Fluß nicht?«

»Nicht ich.« Kim lachte etwas verlegen. »Ich bin auf der Suche nach – nach einem Stier – einem Roten Stier auf einem grünen Feld, der mir helfen soll.« Nach Knabenart war Kim, wenn ein Bekannter einen Plan hatte, gleich mit einem eigenen bei der Hand; und wirklich hatte er eine volle Viertelstunde lang über die Prophezeiung seines Vaters nachgedacht.

»Helfen zu was, Kind?« fragte der Lama.

»Gott weiß, aber so hat mir's mein Vater gesagt. Ich hörte deine Rede in dem Wunderhaus von all den neuen fremden Orten in den Bergen; und wenn einer, der so alt und so wenig ... so gewohnt ist, die Wahrheit zu sprechen – auszieht wegen einer solchen Kleinigkeit wie einem Fluß, so hab ich mir gedacht, daß ich auch auf die Reise gehen muß. Wenn es unser Schicksal ist, diese Dinge zu finden, so werden wir sie finden – du deinen Fluß und ich meinen Stier – und die hohen Säulen und noch allerhand anderes, was ich vergessen habe.«

»Es sind keine Säulen, sondern ein Rad, von dem ich frei werden möchte«, sagte der Lama.

»Das ist alles einerlei. Vielleicht machen sie mich zum König«, sagte Kim, heiter auf alles gefaßt.

»Ich will dich andere und bessere Wünsche lehren auf unserem Wege«, erwiderte der Lama mit der Würde des Meisters. »Laß uns nach Benares gehen.«

»Nicht bei Nacht. Diebe treiben sich herum. Warte, bis es Tag ist.«

»Aber hier ist kein Platz zum Schlafen.« Der alte Mann war an die Ordnung seines Klosters gewöhnt, und wenn er auch am Boden schlief, wie es die Regel verlangte, so legte er doch in diesen Dingen Wert auf einigen Anstand.

»Wir werden im Kaschmir-Serail gutes Quartier finden«, meinte Kim, über seine Verlegenheit lachend. »Ich habe einen Freund dort, komm!«

Die heißen, vollen Basare strahlten von Licht, als sie sich ihren Weg durch das Gedränge aller Rassen Oberindiens bahnten, und der Lama nachtwandelte hindurch wie im Traum. Er sah zum erstenmal eine große, gewerbetreibende Stadt, und die überfüllten Straßenbahnen mit den ewig kreischenden Bremsen erschreckten ihn. Halb geschoben, halb gezogen gelangte er an das hohe Tor des Kaschmir-Serails: dieses riesigen offenen Vierecks gegenüber der Bahnstation, umgrenzt von gewölbten Kreuzgängen, wo die Kamel- und Pferdekarawanen bei der Rückkehr von Zentralasien einkehren. Hier war allerart Volk aus dem Norden, gekoppelte Ponys und kniende Kamele versorgend, Ballen und Bündel auf- und abladend, Wasser zur Abendmahlzeit an kreischenden Winden aus Brunnen schöpfend, Heu aufschüttend vor den wiehernden, wildäugigen Hengsten, die bissigen Karawanenhunde knuffend, Kameltreiber lohnend, neue Knechte anwerbend, schreiend, fluchend, streitend, feilschend auf dem gepferchten Platz. Die Kreuzgänge, durch drei oder vier gemauerte Stufen erhöht, waren die Zuflucht um dieses stürmende Meer. Die meisten waren an Händler vermietet, so wie bei uns die Bogen einer Unterführung. Der Raum zwischen Pfeiler und Pfeiler war mit Ziegeln oder Brettern in Kammern geteilt, die schwere Holztüren mit plumpen Vorlegeschlössern von einheimischer Arbeit sicherten. Verschlossene Türen zeigten an, daß der Besitzer abwesend war, und irgendein rohes – zuweilen sehr rohes – Farb- oder Kreidegekritzel sagte, wohin er gegangen sei. Etwa so: ›Lutuf Ullah ist nach Kurdistan gereist.‹ Darunter vielleicht in groben Versen: ›O Allah, der du leidest, daß Läuse auf dem Rock eines Kabuli leben, warum erlaubst du, daß diese Laus Lutuf so lange lebt?‹

Kim, den Lama zwischen aufgeregten Menschen und erregten Tieren deckend, drückte sich an den Gängen entlang bis ans äußerste Ende zunächst der Bahnstation, wo Mahbub Ali, der Pferdehändler, hauste, wenn er hereinkam von jenem geheimnisvollen Land jenseits der Pässe des Nordens.

Kim hatte in seinem kurzen Leben – besonders zwischen seinem zehnten und dreizehnten Jahr – schon allerhand mit Mahbub zu tun gehabt, und der große aufgedunsene Afghane mit dem scharlachrot gefärbten Bart (denn er war kein Jüngling mehr und wollte seine grauen Haare nicht zeigen) wußte den Wert des Knaben als Nachrichtenquelle zu schätzen. Manchmal betraute er Kim damit, einen Mann zu beobachten, der durchaus nichts mit Pferden zu tun hatte, ihm einen ganzen Tag lang zu folgen und sich jeden Menschen, mit dem er sprach, zu merken. Kim entledigte sich alsdann am Abend seines Berichts, und Mahbub lauschte ohne Wort noch Bewegung. Kim wußte, es handelte sich um irgendeine Intrige; aber er wußte auch, daß alles darauf ankam, zu keinem Menschen davon zu reden, außer zu Mahbub, der ihm herrliche Mahlzeiten gab, ganz heiß aus der Garküche am oberen Ende des Serails, und einmal sogar acht Anna in bar.

»Er ist da«, sagte Kim, ein übelgelauntes Kamel auf die Nase knuffend. »Ohé, Mahbub Ali!« Er machte vor einem dunklen Bogen halt und schlüpfte hinter den verwunderten Lama.

Der Pferdehändler lag, seinen gestickten Bokhariotgürtel tief unterm Bauch gelöst, träge an einer riesigen silbernen Hookah ziehend, auf einem Paar Satteltaschen aus Seidenteppich. Er wendete bei dem Ruf kaum merklich den Kopf, und als er nur die hohe stumme Gestalt sah, gluckste ein Lachen in seiner Brust.

»Allah! Ein Lama! Ein roter Lama! Es ist weit von Lahore zu den Pässen. Was tust du hier?«

Der Lama hielt mechanisch die Bettelschale hin.

»Gottes Fluch über alle Ungläubigen!« sagte Mahbub. »Ich gebe keinem lausigen Tibetaner was; aber frag meine Baltis da drüben hinter den Kamelen; die wissen vielleicht deinen Segen zu schätzen. He! Pferdeknechte, hier ist ein Landsmann von euch. Schaut, ob er hungrig ist.«

Ein geschorener, geduckter Balti, der mit den Pferden heruntergekommen und angeblich eine Art entlaufner Buddhist war, katzbuckelte dem Priester entgegen und ersuchte in dikken Kehllauten den Heiligen, sich an das Feuer der Pferdeknechte zu setzen.

»Geh!« sagte Kim, ihn leise stoßend, und der Lama storchte davon und ließ Kim am Rande des Kreuzgangs zurück.

»Geh!« sagte auch Mahbub Ali, sich wieder seiner Hookah zuwendend. »Kleiner Hindu, mach dich fort. Gottes Fluch auf alle Ungläubigen! Bettle bei denen von meinen Leuten, die deines Glaubens sind.«

»Maharaj«, wimmerte Kim, die Hindi-Anrede gebrauchend und den Spaß gründlich auskostend, »mein Vater ist tot – meine Mutter ist tot – mein Magen ist leer.«

»Bettle bei meinen Pferdeknechten, sage ich. Es müssen auch ein paar Hindus unter meinen Leuten sein.«

»Oh, Mahbub Ali, bin *ich* denn ein Hindu?« sagte Kim auf englisch.

Der Händler gab kein Zeichen des Staunens, blickte nur unter zottigen Brauen.

»Kleiner Freund aller Welt«, sagte er, »was soll das heißen?«

»Nichts. Ich bin jetzt der Schüler dieses heiligen Mannes, und wir gehen zusammen auf die Pilgerschaft – nach Benares, sagt er. Er ist ganz verrückt darauf, und ich habe die Stadt Lahore satt. Ich brauche andere Luft und Wasser.«

»Aber für wen arbeitest du? Warum kommst du zu mir?« Die Stimme war barsch vor Argwohn.

»Zu wem sonst sollt ich gehen? Ich habe kein Geld. Ohne Geld ist schlecht reisen. Du wirst den Offizieren viele Pferde verkaufen. Es sind sehr feine Pferde, diese neuen, ich habe sie gesehen. Gib mir eine Rupie, Mahbub Ali, und wenn ich zu meinem Reichtum komme, will ich dir einen Schuldschein geben und zahlen.«

»Hm«, machte Mahbub Ali, schnell überlegend. »Du hast mich noch nie belogen. Ruf deinen Lama – bleib hinten im Dunkeln.«

»Oh, er wird dasselbe sagen wie ich«, lachte Kim.

»Wir gehen nach Benares«, sprach der Lama, sobald er den

Sinn von Mahbub Alis Fragen begriff. »Ich und der Knabe. Ich gehe, um einen gewissen Fluß zu suchen.«

»Mag sein – aber der Knabe?«

»Er ist mein Schüler. Er ward mir gesendet, glaube ich, um mich zu dem Fluß zu führen. Unter einer Kanone saß ich, als er plötzlich kam. Solche Dinge sind den Glücklichen, denen Führung gewährt wurde, schon vorgekommen. Aber ich besinne mich jetzt, er sagte, er wäre von dieser Welt – ein Hindu.«

»Und sein Name?«

»Danach habe ich nicht gefragt. Ist er nicht mein Schüler?«

»Sein Land – seine Rasse – sein Dorf? Muselman, Sikh, Hindu, Jaina, niedere Kaste oder hohe?«

»Warum sollte ich fragen? Es gibt weder hoch noch niedrig auf dem Mittleren Pfad. Wenn er mein *chela* ist, darf – will – kann jemand ihn mir nehmen? Denn, siehst du, ohne ihn würde ich meinen Fluß nicht finden.« Er wiegte feierlich sein Haupt.

»Niemand soll ihn dir nehmen. Geh, setz dich zu meinen Baltis«, sagte Mahbub Ali, und der Lama, beruhigt durch das Versprechen, trottete fort.

»Ist er nicht ganz verrückt?« fragte Kim, wieder ins Licht hervorkommend. »Warum sollte ich dich belügen, Hadschi?«

Mahbub paffte schweigend an seiner Hookah. Dann begann er, fast flüsternd: »Ambala liegt auf dem Weg nach Benares – wenn ihr beiden wirklich dahin geht –«

»Tck! Tck! Ich sage dir, er versteht nicht zu lügen – wie wir beide wissen.«

»– und wenn du eine Botschaft bis Ambala für mich besorgen willst, werde ich dir Geld geben. Es handelt sich um ein Pferd – einen weißen Hengst, den ich einem Offizier bei meiner letzten Rückkehr von den Pässen verkaufte. Aber damals – tritt näher und halt deine Hände hoch, als ob du bettelst – war der Stammbaum des weißen Hengstes noch nicht vollständig festgestellt, und der Offizier, der jetzt in Ambala ist, trug mir auf, das in Ordnung zu bringen.« (Hier beschrieb Mahbub das Pferd und das Äußere des Offiziers.) »Also, die

Botschaft an den Offizier lautet: ›Der Stammbaum des weißen Hengstes ist vollständig festgestellt.‹ Daran wird er erkennen, daß du von mir kommst. Er wird dann fragen: ›Welchen Beweis hast du?‹, und du wirst antworten: ›Mahbub Ali hat mir den Beweis gegeben.‹«

»Und das alles um einen weißen Hengst«, kicherte Kim mit flammenden Augen.

»Den Stammbaum will ich dir jetzt geben – auf meine Art – und ein paar Grobheiten dazu.« Ein Schatten glitt hinter Kim vorbei und ein käuendes Kamel. Mahbub Ali hob die Stimme:

»Allah! Bist du der einzige Bettler in der Stadt? Deine Mutter ist tot, dein Vater ist tot. So ist's bei allen. Na, meinetwegen …« Er drehte sich um, als fühle er nach etwas auf dem Fußboden neben sich, und warf dem Knaben ein Stück weiches, fettiges Moslembrot zu. »Geh und leg dich für diese Nacht zu meinen Pferdeknechten, du und der Lama. Morgen werd ich dich vielleicht in Dienst nehmen.«

Kim schlich sich fort, die Zähne im Brot, und wie erwartet, fand er ein kleines Päckchen gefalteten Leinenpapiers, in Wachstaft gewickelt, nebst drei Silberrupien – gewaltiger Reichtum. Er lächelte und schob Geld und Papier in sein ledernes Amulettetui. Der Lama, von Mahbubs Baltis üppig bewirtet, schlief schon in einem Winkel der Ställe. Kim legte sich neben ihn und lachte. Er wußte, daß er Mahbub Ali einen Dienst erwies, und nicht ein einziges Augenblickchen glaubte er an das Märchen vom Stammbaum des Hengstes.

Aber Kim ahnte nicht, daß Mahbub Ali, bekannt als einer der besten Pferdehändler im Pandschab, als reicher und unternehmender Handelsmann, dessen Karawanen tief bis in Gott weiß welche Länder drangen, eingeschrieben war in eins der Geheimbücher des indischen Überwachungsdepartements als C.25 B. Zwei- oder dreimal jährlich pflegte C.25 einen kleinen Bericht einzusenden, trocken erzählt, aber höchst-interessant, und in den meisten Fällen – es wurde kontrolliert an Hand der Feststellungen von R.17 und M.4 – durchaus zutreffend. Diese Berichte betrafen alle möglichen abgelegenen Gebirgsfürstentümer, Forschungsreisende nichtenglischer Nationalität und den Handel mit Gewehren – kurzum, sie bildeten einen kleinen Teil jener großen Masse von ›Informationsmaterial‹, auf Grund dessen die indische Regierung ihre Maßnahmen trifft. Neuerdings jedoch waren fünf verbündete Könige, die sich den Teufel was zu verbünden hatten, durch eine freundliche Macht im Norden darauf aufmerksam gemacht worden, daß Neuigkeiten aus ihren Territorien nach Britisch-Indien durchsickerten. Die Premierminister dieser Könige waren ernstlich beunruhigt und unternahmen Schritte auf orientalische Manier. Unter manchen anderen hatten sie den Prahlhans, den rotbärtigen Roßtäuscher, in Verdacht, dessen Karawanen, bis zum Bauch im Schnee, ihre Machtbereiche durchpflügten. Wenigstens war seine diesjährige Karawane beim Abstieg zweimal überfallen und beschossen worden; wie Mahbubs Leute angaben, von drei fremden Strolchen, die zu diesem Geschäft gedungen oder sonstwie daran interessiert sein mochten. Deshalb hatte Mahbub vermieden, sich in der ungesunden Stadt Peschawar aufzuhalten, und war ohne Aufenthalt durchmarschiert bis Lahore, wo er, der seine Landsleute kannte, sich auf merkwürdige Ereignisse gefaßt hielt.

Und Mahbub Ali barg etwas bei sich, daß er nicht eine Stunde länger als nötig zu behalten wünschte – ein Päckchen dichtgefalteten Leinenpapiers, in Wachstaft gewickelt –, einen unpersönlichen, nicht adressierten Bericht mit fünf mikroskopisch kleinen Nadelstichen in einer Ecke, der die fünf verbündeten Könige, die teilnahmsvolle nördliche Macht, einen Hindubankier in Peschawar, die Firma einer Gewehrfabrik in Belgien und einen wichtigen, halb unabhängigen mohammedanischen Herrscher des Südens aufs schmählichste verriet. Dies war das Werk von R.17, das Mahbub jenseits des Dora-Passes an sich nahm und für R.17 weitertrug, da dieser, umständehalber, über die er keine Macht hatte, seinen Beobachtungsposten nicht verlassen konnte. Dynamit war mild und harmlos neben diesem Rapport von C.25, und selbst ein Orientale mit den Begriffen eines Orientalen vom Wert der Zeit konnte sich sagen, daß er je früher, je besser in die richtigen Hände gelangen mußte. Mahbub fühlte kein besonderes

Verlangen, eines gewaltsamen Todes zu sterben, da zwei oder drei Familienblutfehden jenseits der Grenze noch unerledigt an seinen Händen hingen; erst wenn diese Schuld beglichen sein würde, gedachte er sich als mehr oder weniger tugendhafter Bürger zur Ruhe zu setzen. Seit seiner Ankunft vor zwei Tagen hatte er das Tor des Serails noch nicht durchschritten, wohl aber in möglichst auffälliger Weise Telegramme verschickt nach Bombay, wo er einen Teil seines Geldes auf der Bank hatte, nach Delhi, wo ein Unterpartner seines eigenen Clans Pferde an den Agenten eines Radschputana-Staates verkaufte, und nach Ambala, wo ein Engländer ungeduldig den Stammbaum eines weißen Hengstes einforderte. Der öffentliche Briefschreiber, der Englisch verstand, verfaßte vortreffliche Telegramme wie: ›Creighton, Laurel-Bank, Ambala. – Pferd ist Araber wie bereits gemeldet. Bedaure Verzögerung Stammbaum, welchen übersetze.‹ Und später an dieselbe Adresse: ›Bedaure sehr Verspätung. Sende Stammbaum baldigst.‹ Seinem Unterpartner in Delhi drahtete er: ›Lutuf Ullah. – Drahtete 2000 Rupien Eurem Konto, Luchman Narains Bank.‹ Das war alles ganz kaufmännisch, aber jedes dieser Telegramme wurde besprochen und wieder besprochen von gewissen Persönlichkeiten, die sich dafür interessieren zu müssen glaubten, bevor sie aus den Händen eines einfältigen Balti, der sie unterwegs alle möglichen Leute lesen ließ, zur Bahnstation gelangten.

Als Mahbub, in seiner eigenen bilderreichen Sprache zu reden, so den Brunnen der Nachforschung mit dem Stab der Vorsicht getrübt hatte, war Kim, vom Himmel gesandt, ihm in die Hände gefallen; und Mahbub Ali, ebenso rasch entschlossen wie gewissenlos und gewöhnt, jede plötzliche Chance zu nutzen, hatte ihn vom Fleck weg in seinen Dienst gepreßt.

Ein wandernder Lama mit einem dienenden Knaben niederer Kaste mochte wohl einen Augenblick Interesse erregen auf seiner Fahrt durch Indien, das Land der Pilger; aber kein Mensch würde einen Verdacht auf sie haben oder, was noch wichtiger war, sie berauben.

Er rief nach frischem Feuer für seine Hookah und überdachte die Lage. Wenn es zum Allerschlimmsten kam und dem Knaben etwas zustieß, so würde das Papier niemanden belasten. Und er würde in aller Ruhe nach Ambala gehen und – auf eine gewisse Gefahr hin, neuen Verdacht zu erregen – seine Geschichte mündlich den betreffenden Personen wiederholen.

Aber der Rapport von R.17 war der Kernpunkt der ganzen Sache, und kam er nicht in die rechten Hände, so war das höchst ungelegen. Immerhin, Gott war groß, und Mahbub Ali war sich bewußt, vorläufig sein möglichstes getan zu haben. Kim war das einzige Wesen in der Welt, das ihn niemals belogen hatte. Das wäre ein verhängnisvoller Fleck auf Kims Charakter gewesen, hätte Mahbub nicht gewußt, daß Kim andere Leute, zu seinen eigenen Zwecken oder in Mahbubs Interesse, anlügen konnte wie ein Orientale.

Alsdann wogte Mahbub Ali quer durch den Serail zu der Pforte der Harpyien, die ihre Augen malen und den Fremdling in ihren Netzen fangen. Nicht ohne einige Mühe fand er das Mädchen, das, wie er Grund zu vermuten hatte, die Busenfreundin eines glattwangigen Kaschmirpundits war, der seinem einfältigen Balti wegen der Telegramme aufgelauert hatte. Es war ein höchst törichtes Unternehmen; denn alsbald fingen sie an, gegen des Propheten Gesetz, parfümierten Branntwein zu trinken, und Mahbub geriet in den schönsten Rausch; die Pforten seines Mundes lösten sich, und er verfolgte die Blume des Entzückens mit den Füßen der Trunkenheit, bis er platt in die Kissen fiel, wo die Blume des Entzückens mit Hilfe eines glattwangigen Kaschmirpundits ihn von Kopf bis Fuß höchst gründlich durchsuchte.

Um dieselbe Stunde etwa hörte Kim in Mahbubs verlassenem Verschlag leise Tritte. Der Roßhändler hatte, sonderbar genug, die Tür unverschlossen gelassen, und seine Leute draußen waren vollauf beschäftigt, zur Feier ihrer Rückkehr nach Indien ein ganzes Schaf zu verschmausen, das Mahbubs Großmut gespendet hatte. Ein geschmeidiger junger Gentleman aus Delhi, bewaffnet mit einem Schlüsselbund, den die Blume von dem Gürtel des Bewußtlosen gehakt hatte, durchsuchte alle Koffer und Ballen, Decken und Satteltaschen in

Mahbubs Besitz noch systematischer, als die Blume und der Pundit den Besitzer selbst.

»Und mir scheint«, sagte die Blume eine Stunde später verächtlich, einen gerundeten Ellbogen auf dem schnarchenden leblosen Körper, »er ist nichts weiter als ein Schwein von afghanischem Roßtäuscher, das nur an Weiber und Pferde denkt. Und übrigens hat er's vielleicht schon fortgeschickt, wenn überhaupt so was da war.«

»Nein – ein Ding, das fünf Könige betrifft, würde er dicht an seinem schwarzen Herzen tragen«, sagte der Pundit. »Hast du nichts gefunden?«

Der eintretende Delhimann lachte und rückte seinen Turban zurecht. »Ich habe die Sohlen seiner Pantoffeln durchsucht, wie die Blume seine Kleider. Dies ist nicht der Mann. Es muß ein anderer sein. Ich lasse nichts unbesehen.«

»Sie haben nicht gesagt, er wäre der Mann«, sprach nachdenklich der Pundit. »Sie sagten: ›Seht zu, ob es der Mann ist, da unsere Nachrichten unklar sind.‹«

»Der Norden ist voll von Pferdehändlern wie ein alter Rock von Läusen. Das ist Sikandar Khan, Nur Ali Beg und Farrukh Shah – alles Führer von Kafilas –, die dort Geschäfte machen«, sagte die Blume.

»Die sind noch nicht zurückgekommen«, meinte der Pundit. »Du mußt sie später einfangen.«

»Pah!« erwiderte die Blume mit tiefem Abscheu, Mahbubs Kopf von ihrem Schoß rollend. »Ich verdiene mein Geld. Farrukh Shah ist ein Bär, Ali Beg ist ein Prahlhans, und der alte Sikandar Khan – pfui! Geh! Ich will nun schlafen. Dieses Schwein wird sich vor Tagesgrauen nicht rühren.«

Als Mahbub erwachte, hielt die Blume ihm eine gestrenge Rede über die Sünde der Trunkenheit. Asiaten zucken nicht mit der Wimper, wenn sie einen Feind überlistet haben; Mahbub Ali aber war sehr nahe daran, es dennoch zu tun, als er sich räusperte, den Gürtel festschnallte und unter die frühen Morgensterne hinauswackelte.

»Was für ein blöder Trick!« sprach er zu sich selbst. »Als ob nicht jedes Mädchen in Peschawar darauf verfallen wäre. Aber sie hat es hübsch gemacht. Nun, Gott weiß, wie viele andere noch unterwegs sind, die mich untersuchen sollen – vielleicht mit dem Messer. Es steht fest, der Junge muß nach Ambala, aber mit dem Zuge, denn das Schreiben ist dringend. Ich bleibe hier, folge der Blume und trinke Wein, wie es einem afghanischen Roßkamm gebührt.«

Er hielt bei dem zweiten Stall nächst dem seinen still. Seine Leute lagen in tiefem Schlaf. Von Kim oder vom Lama keine Spur.

»Auf!« Er rüttelte einen Schläfer. »Wohin sind die zwei gegangen, die gestern abend hier lagen – der Lama und der Knabe? Ist etwas nicht in Ordnung?«

»Nein«, knurrte der Mann, »der alte verrückte Kerl ist beim zweiten Hahnenschrei aufgestanden und sagte, er wolle nach Benares, und der Junge führte ihn weg.«

»Allahs Fluch über alle Ungläubigen!« sagte Mahbub mit Überzeugung und stieg, in den Bart brummend, in seinen eigenen Verschlag.

Es war aber Kim, der den Lama geweckt hatte – Kim, der, ein Auge am Astloch der Bretterwand, die Kofferuntersuchung des Delhimanns beobachtet hatte. Das war kein gewöhnlicher Dieb, der Briefe, Rechnungen und Sättel durchwühlte – kein gewöhnlicher Einbrecher, der ein kleines Messer seitwärts zwischen die Sohlen von Mahbubs Pantoffeln schob und die Nähte der Satteltaschen so geschickt durchstach. Zuerst wollte Kim den Alarmruf geben – das langgedehnte *cho-orchoor!* (Dieb! Dieb!) –, der nachts das Serail aufrührt; aber er schaute noch schärfer hin und zog, die Hand auf dem Amulett, seine eigenen Schlüssel.

»Es muß sich um den Stammbaum handeln, um diese faustdicke Pferdelüge«, meinte er, »das Ding, das ich nach Ambala trage. Besser, wir gehen gleich. Wer mit dem Messer in Taschen sticht, wird vielleicht bald mit dem Messer in Bäuche stechen. Sicher steckt da eine Frau dahinter. He! St!« zischte er dem leise schlafenden alten Mann ins Ohr. »Komm. Es ist Zeit – Zeit, nach Benares zu gehen.«

Der Lama erhob sich gehorsam, und sie glitten aus dem Serail wie Schatten.

Zweites Kapitel

Wer, frei von Hoffart für und für,
Verachtet weder Mensch noch Tier,
Wird des All-Ostens Seele hier
Hören in Kamakura.

Vor ihnen lag die Bahnstation, wie ein Fort, schwarz in schwindender Nacht, elektrisches Blitzen über den Güterschuppen, wo der große Getreidetransport nach dem Norden besorgt wird.

»Das ist das Werk von Teufeln«, sagte der Lama, schaudernd vor der hohl hallenden Dunkelheit, dem Glitzern der Schienen zwischen den Backsteinperrons und dem Balkengewirr in der Höhe. Er stand in einer riesigen Steinhalle, die mit vermummten Toten gepflastert schien – Passagieren der dritten Klasse, die ihre Fahrkarten abends gelöst hatten und wartend schliefen. Alle vierundzwanzig Stunden sind den Orientalen gleich, und ihr Reiseverkehr ist dementsprechend geregelt.

»Hierher kommen die Feuerwagen. Hinter dem Loch steht einer« – Kim wies auf den Schalter –, »der dir ein Papier geben wird, das dich nach Ambala bringt.«

»Aber wir wollen nach Benares«, erwiderte aufgeregt der Lama.

»Ganz gleich. Benares also. Rasch! Er kommt.«

»Nimm du die Börse.«

Der Lama, nicht so vertraut mit Eisenbahnzügen, wie er behauptet hatte, fuhr zurück, als der 3.25-Uhr-Frühzug nach dem Süden hereinbrauste. Die Schläfer erwachten zum Leben, und die Station füllte sich mit Tumult und Lärm, Geschrei der Wasser- und Süßigkeitenverkäufer, Rufen der eingeborenen Polizisten und schrillem Gezeter der Weiber, die ihre Körbe, Kinder und Männer zusammensuchten.

»Es ist der Zug – nur der Zug. Er tut uns nichts. Warte hier!« Erstaunt über die große Einfalt des Lamas (er hatte ihm einen kleinen Sack voller Rupien in die Hand gedrückt), forderte und bezahlte Kim ein Billett nach Ambala. Ein verschlafner Beamter knurrte und warf ein Billett für die nächste Station, sechs Meilen entfernt, heraus.

»Nein«, sagte Kim, ihn mit Grinsen betrachtend. »Dieser mag gut sein für Bauern, aber ich wohne in der Stadt Lahore. Schlau gemacht, Babu. Nun gib das Billett nach Ambala!«

Der Babu brummte und gab das richtige Billett.

»Nun noch eine nach Amritsar«, rief Kim, der nicht einsah, weshalb er Mahbub Alis Geld an etwas so Minderwertiges wie eine Fahrkarte nach Ambala verschwenden sollte. »Der Preis ist soundso viel. Das Wechselgeld beträgt gerade soviel. Ich weiß Bescheid mit den Eisenbahnen. – Nie hat ein Yogi seinen *chela* so nötig gehabt wie du«, schwatzte er lustig weiter zu dem verdutzten Lama. »Bei Mian Mir würden sie dich hinausgeworfen haben, wenn ich nicht wäre. Hier herum! Komm!« Kim gab das Geld zurück und behielt nur ein Anna von jeder Rupie des Preises der Fahrkarte nach Ambala als seine Provision – die altgeheiligte Provision Asiens.

Der Lama zauderte vor der offenen Tür eines überfüllten Wagens dritter Klasse. »Wär es nicht besser zu gehen?« fragte er schwach.

Ein stämmiger Sikh-Handwerker streckte seinen bärtigen Kopf heraus. »Fürchtet er sich? Fürchte dich nicht. Ich erinnere mich noch an die Zeit, wo ich mich vor dem Zug fürchtete. Steig ein! Dies ist ein Werk der Regierung.«

»Ich fürchte mich nicht«, sagte der Lama. »Habt ihr noch Platz für zwei?«

»Hier ist nicht mal Platz für eine Maus«, keifte die Frau eines wohlhabenden Farmers, eines Hindu-Jat aus dem reichen Jullundurdistrikt. Unsere Nachtzüge sind nicht so gut kontrolliert wie die Tageszüge, wo die Geschlechter streng getrennt in besonderen Wagen sitzen.

»Oh, Mutter meines Sohnes, wir können Platz machen«, sagte der blau beturbante Gatte. »Nimm das Kind auf den Schoß. Er ist ein heiliger Mann, siehst du?«

»Und mein Schoß ist voll mit sieben mal siebzig Bündeln. Warum bittest du ihn nicht, auf meinen Knien zu sitzen,

Schamloser? Aber so sind die Männer immer!« Sie sah sich nach Beifall um. Eine am Fenster sitzende Kurtisane aus Amritsar kicherte hinter ihren Kopftüchern.

»Steig ein, steig ein!« rief ein fetter hinduistischer Geldverleiher, sein in ein Tuch gewickeltes Kontobuch unterm Arm. Und mit öligem Schmunzeln: »Es ist gut, gegen Arme freundlich zu sein.«

»Aha! Zu sieben Prozent monatlich mit einem Pfandschein auf das ungeborene Kalb«, sagte ein junger Dograsoldat, der auf Urlaub nach Süden fuhr; und alles lachte.

»Wird er nach Benares fahren?« fragte der Lama.

»Sicherlich. Weshalb wären wir sonst hier? Steig ein, oder wir bleiben hier sitzen«, rief Kim.

»Schaut!« kreischte das Amritsarmädchen. »Er ist noch nie in einen Zug gestiegen. Oh, schaut!«

»Nein, helft«, sagte der Farmer, eine große, braune Hand ausstreckend und ihn hereinziehend. »So wird es gemacht, Vater.«

»Aber – aber – ich will auf dem Boden sitzen. Es ist gegen die Regel, auf einer Bank zu sitzen«, meinte der Lama. »Außerdem – es macht mir Krämpfe.«

»Ich sage«, begann der Geldverleiher, seinen Mund spitzend, »es gibt keine Regel gerechten Lebens, die diese Züge uns nicht zu brechen zwingen. Wir sitzen zum Beispiel Seite an Seite mit allen Kasten und allem Volk.«

»Ja, und mit unausstehlich Schamlosen«, sagte die Frau, sauer nach dem Amritsarmädchen schielend, die dem jungen Sepoy schöne Augen machte.

»Ich sagte gleich«, meinte der Gatte, »wir sollten den Weg zu Wagen machen. Wir hätten noch Geld dabei gespart.«

»Ja, und das Gesparte doppelt für Essen ausgegeben unterwegs. Das ist doch zehntausendmal besprochen worden.«

»Ja«, murrte er, »und von zehntausend Zungen.«

»Die Götter mögen uns armen Weibern beistehen, wenn wir nicht sprechen dürfen. Aha! Der ist von der Sorte, die eine Frau nicht ansehen und nicht mit ihr reden.« Denn der Lama, seiner Regel getreu, nahm nicht die geringste Notiz von ihr. »Und ist sein Schüler ebenso?«

»Nein, Mutter. Nicht wenn die Frau hübsch und vor allem barmherzig gegen die Hungrigen ist«, entgegnete Kim schlagfertig.

»Eines Bettlers Antwort«, sagte lachend der Sikh. »Du hast sie dir selber zugezogen, Schwester!« Kims Hände waren flehend gefaltet.

»Und wohin gehst du?« fragte die Frau, ihm aus einem fettigen Paket einen halben Kuchen reichend.

»Gerade nach Benares.«

»Gaukler vermutlich?« meinte der junge Soldat. »Könnt ihr uns ein paar Kunststücke vormachen, um uns die Zeit zu vertreiben? Warum antwortet der gelbe Mann nicht?«

»Weil«, antwortete Kim hochmütig, »er heilig ist und an Dinge denkt, die dir verborgen sind.«

»Das kann möglich sein. Wir von den Ludhiana-Sikhs«, er rollte es volltönend heraus, »plagen unsere Köpfe nicht mit heiligen Lehren. Wir fechten!«

»Der Sohn des Bruders meiner Schwester«, sagte ruhig der Sikh-Handwerker, »ist *naik* (Korporal) in dem Regiment. Es sind auch einige Dograkompanien dabei.« Der Soldat wurde still, denn ein Dogra ist von anderer Kaste als ein Sikh; und der Bankier kicherte.

»Mir sind sie alle gleich wert«, sagte das Amritsarmädchen.

»Das glauben wir«, zischte boshaft das Weib des Farmers.

»Nein, aber alle, die dem Sirkar mit der Waffe in der Hand dienen, sind eine Brüderschaft. Es gibt eine Kastenbrüderschaft – aber darüber wieder«, sie blickte schüchtern um sich, »die Gemeinschaft des *Pulton* – des Regiments –, nicht?«

»Mein Bruder ist in einem Jatregiment«, sagte der Farmer. »Dogras sind tüchtige Männer.«

»Deine Sikhs wenigstens dachten so«, sprach der Soldat mit einem Grinsen zu dem gelassenen alten Mann in der Ecke. »*Deine* Sikhs dachten so, als unsere beiden Kompanien ihnen vor nicht drei Monaten bei Pirzai Kotal auf dem Bergpaß gegen acht Fahnen Afridis zu Hilfe kamen.«

Er erzählte die Geschichte eines Grenzgefechts, bei dem die Dograkompanien von den Ludhiana-Sikhs sich ausgezeichnet hatten. Das Amritsarmädchen lächelte; sie wußte, daß die Geschichte um ihretwillen erzählt wurde.

»O weh!« sagte die Frau des Farmers, als er fertig war. »Ihre Dörfer wurden verbrannt und ihre kleinen Kinder heimatlos gemacht?«

»Sie hatten unsere Toten verstümmelt. Sie zahlten eine große Summe, nachdem wir von den Sikhs sie Mores gelehrt hatten. So war es. Ist das Amritsar?«

»Ja, und hier müssen wir die Fahrkarten vorzeigen«, sagte der Bankier, an seinem Gürtel herumtastend.

Die Lampen verblichen schon in der Dämmerung, als der Schaffner, ein Mischling, die Runde machte. Fahrkarten sammeln ist ein langsames Geschäft im Osten, weil die Leute sie an allen möglichen sonderbaren Orten verstecken. Kim zeigte die seinige vor und wurde hinausgewiesen.

»Aber«, protestierte er, »ich fahre nach Ambala. Ich fahre mit diesem heiligen Mann.«

»Du kannst von mir aus nach Jehannum fahren. Dies Billett ist nur bis Amritsar. Raus!«

Kim brach in eine Flut von Tränen aus und beteuerte, der Lama sei sein Vater und seine Mutter, er sei die Stütze der alten Tage des Lamas und der Lama stürbe ohne seinen Beistand. Der ganze Wagen bat den Schaffner, Mitleid zu haben – der Bankier besonders zeigte sich sehr beredt –, aber der Schaffner zerrte Kim auf den Bahnsteig hinaus. Der Lama blinzelte, er konnte mit den Ereignissen nicht mitkommen, und Kim erhob seine Stimme und weinte draußen vor dem Wagenfenster.

»Ich bin sehr arm. Mein Vater ist tot – meine Mutter ist tot. Oh, Barmherzige, wer soll für den alten Mann sorgen, wenn ich hierbleibe?«

»Was – was ist das?« sagte der Lama mehrmals. »Er muß nach Benares. Er muß mit mir kommen. Er ist mein *chela*. Wenn Geld bezahlt werden muß …«

»Oh, schweig«, flüsterte Kim; »sind wir Radschas, daß wir gutes Silber wegwerfen wollen, wo die Welt so barmherzig ist?«

Das Amritsarmädchen stieg mit ihren Bündeln aus, und

auf sie richtete sich Kims wachsames Auge. Damen dieses Bekenntnisses, wußte er, sind freigebig.

»Ein Billett – ein kleines *tikkut* nach Ambala – o Herzensbrecherin!« Sie lachte. »Hast du kein Erbarmen?«

»Kommt der heilige Mann aus dem Norden?«

»Von weit, weit aus dem Norden her kommt er«, rief Kim. »Aus den Bergen.«

»Schnee ist zwischen den Fichtenstämmen im Norden – auf den Bergen ist Schnee. Meine Mutter war aus Kulu. Hol dir ein Billett. Bitte ihn um einen Segen.«

»Zehntausend Segen!« kreischte Kim. »O Heiliger, eine Frau hat uns barmherzig gegeben, so daß ich mit dir kommen kann – eine Frau mit einem goldenen Herzen. Ich renne nach dem *tikkut*.«

Das Mädchen blickte zu dem Lama auf, der Kim mechanisch auf den Bahnsteig gefolgt war. Er senkte das Haupt, um sie nicht anzusehen, und murmelte etwas in tibetanisch, indessen sie sich in der Menge verlor.

»Leicht verdient – leicht verschenkt«, sagte höhnisch die Farmersfrau.

»Sie hat Verdienst erworben«, erwiderte der Lama, »gewiß ist sie eine Nonne.«

»Solcher Nonnen gibt's in Amritsar allein zehntausend. Komm zurück, alter Mann, sonst geht der Zug ohne dich ab«, rief der Bankier.

»Es hat nicht nur für das Billett gelangt«, sagte Kim, auf seinen Platz springend, »auch für etwas zu essen. Nun iß, Heiliger. Schau, der Tag kommt!«

Golden, rosig, safran- und nelkenfarben verrauchten die Morgennebel über die flache grüne Ebene hinweg. Das ganze reiche Pandschab lag ausgebreitet im Glanz der blanken Sonne. Der Lama zuckte ein wenig zurück, als die Telegraphenstangen vorbeiflogen.

»Groß ist die Eile des Zugs«, sagte der Geldverleiher mit Gönnergrinsen. »Wir sind schon weiter von Lahore, als du in zwei Tagen gehen könntest; am Abend werden wir in Ambala sein.«

»Und das ist noch weit von Benares«, sagte der Lama matt,

an den Kuchen knabbernd, die Kim ihm gegeben. Alle öffneten jetzt ihre Bündel und nahmen ihr Frühstück ein. Dann machten der Bankier, der Farmer und der Soldat ihre Pfeifen zurecht und hüllten den Wagen in scharfen, beizenden Rauch, spuckend und hustend und hochbefriedigt. Der Sikh und die Farmersfrau kauten *pan*, der Lama schnupfte und betete seine Perlen, während Kim mit gekreuzten Beinen ob der Wohltat eines gefüllten Magens lächelte.

»Welche Flüsse habt ihr bei Benares?« fragte plötzlich der Lama, an den ganzen Wagen gewendet.

»Wir haben den Gunga«, antwortete der Bankier, als das kleine Gekicher schwieg.

»Welche noch?«

»Welche noch außer Gunga?«

»Ach, ich dachte an einen gewissen Fluß des Heils.«

»Das ist Gunga. Wer in ihm badet, wird rein und kommt zu den Göttern. Dreimal bin ich zum Gunga gepilgert.« Er blickte stolz umher.

»Es war auch nötig«, sagte der junge Sepoy trocken, und das Lachen der Reisenden wandte sich gegen den Bankier.

»Rein – um zu den Göttern zurückzukehren«, murmelte der Lama. »Und um weiterzuwandeln die Runde durch neue Leben – noch immer gefesselt an das Rad.« Er schüttelte nachdenklich den Kopf. »Aber mag sein, daß da ein Irrtum besteht. Wer schuf denn Gunga zu Anfang?«

»Die Götter. Welchem bekannten Glauben gehörst du denn an?« fragte der Bankier entsetzt.

»Ich folge dem Gesetz – dem Höchst Vortrefflichen Gesetz. Die Götter also schufen Gunga. Was für Götter waren das?«

Die Wagengesellschaft blickte ihn starr vor Staunen an. Es war unbegreiflich, daß jemand nichts wußte von Gunga.

»Was – was ist dein Gott?« fragte endlich der Geldverleiher.

»Hört!« sagte der Lama und schob sich den Rosenkranz über die Hand. »Höret, denn ich rede nun von Ihm! Oh, Volk von Hindustan, höre!«

Er begann in Urdu die Geschichte vom Gotte Buddha, fiel

aber bald, von seinen Gedanken getragen, ins Tibetanische und in den eintönig summenden Text eines chinesischen Buches über das Leben des Buddha. Die sanften, duldsamen Leute schauten ehrfürchtig drein. Ganz Indien ist voll von heiligen Männern, die in seltsamen Zungen heilige Lehren stammeln, durchglüht und verzehrt im Feuer ihres eigenen Eifers – Schwärmer, Schwätzer und Visionäre –, wie es von Anbeginn war und sein wird bis ans Ende.

»Hm«, machte der Soldat von den Ludhiana-Sikhs. »Da war ein mohammedanisches Regiment, das neben uns lag bei Pirzai Kotal, und ein Priester von ihnen – soviel ich noch weiß, ein *naik* – fing an zu weissagen, wenn der Anfall über ihn kam. Aber die Wahnsinnigen sind alle in Gottes Schutz. Seine Vorgesetzten sahen dem Manne vieles nach.«

Der Lama fiel in Urdu zurück, sich besinnend, daß er in fremdem Lande war. »Hört die Geschichte von dem Pfeil, den unser Herr von dem Bogen abschoß«, sprach er.

Das war mehr nach ihrem Geschmack, und sie hörten der Erzählung neugierig zu. »Nun, o Volk von Hindustan, geh ich, den Fluß zu suchen. Wißt ihr etwas, das mir helfen kann? Denn wir alle, Männer und Weiber, leben im Stand der Sünde.«

»Gunga – und Gunga allein – wäscht rein von Sünde«, rann das Murmeln durch den Wagen.

»Obwohl wir ohne Frage auch gute Götter haben in Jullundur«, sagte das Weib des Farmers, aus dem Fenster schauend. »Sieh, wie sie die Saaten gesegnet haben.«

»Jeden Fluß im Pandschab aufzusuchen ist keine Kleinigkeit«, sagte ihr Gatte. »Mir genügt ein Fluß, der guten Schlamm auf meinen Feldern zurückläßt, und ich danke Bhumia, dem Gott der Heimstätte.« Er zuckte die nervige, bronzene Schulter.

»Glaubst du, daß unser Herr so weit nordwärts kam?« fragte der Lama, zu Kim gewendet.

»Kann sein«, sagte Kim beschwichtigend und spie roten *pan*-Saft auf den Boden.

»Der letzte der Erhabenen«, sprach mit Nachdruck der Sikh, »war Sikander Julkarn (Alexander der Große). Er pflasterte die Straßen von Jullundur und baute eine große Zisterne bei Ambala. Das Pflaster hält bis heutigentags, und die Zisterne ist auch noch da. Von deinem Gott hab ich noch nie gehört.«

»Laß dein Haar lang wachsen und sprich Pandschabi«, sagte der junge Soldat scherzhaft zu Kim, ein nordisches Sprichwort zitierend. »Das ist alles, was einen Sikh ausmacht.« Aber er sagte das nicht sehr laut.

Der Lama seufzte und schrumpfte in sich zusammen, eine braune, formlose Masse. In den Pausen ihres Gesprächs konnten die Reisenden das leise Summen hören – *»Om mane padme hum! Om mane padme hum!«* – und das weiche Klappern der hölzernen Rosenkranzperlen.

»Es quält mich«, sagte der Lama endlich. »Die Schnelligkeit und das Geratter quälen mich. Und außerdem, mein *chela*, denk ich, wir sind vielleicht schon über den Fluß hinausgefahren.«

»Ruhig, ruhig«, meinte Kim. »War der Fluß nicht bei Benares? Wir sind noch weit von dem Ort entfernt.«

»Aber – wenn unser Herr nach Norden kam, so könnte es am Ende einer von diesen kleinen sein, über die wir weggefahren sind.«

»Das weiß ich nicht.«

»Aber du wurdest mir gesendet – wurdest du nicht gesendet? – für das Verdienst, das ich dort oben in Such-zen erwarb. Von der Kanone her kamst du – und trugst zwei Gesichter – und zweierlei Gewand.«

»Still!« wisperte Kim. »Von diesen Dingen muß man hier nicht reden. Ich war nur einer. Denke nach, und du wirst dich erinnern. Ein Knabe – ein Hinduknabe – bei der großen grünen Kanone.«

»Aber war nicht auch ein Engländer da mit einem weißen Bart – heilig zwischen Götterbildern –, der mich noch sicherer machte in meiner Zuversicht über den Fluß des Pfeils?«

»Er – wir – gingen in das Ajaib-Gher zu Lahore, um vor den Göttern dort zu beten«, erklärte Kim der zuhorchenden Gesellschaft. »Und der Sahib von dem Wunderhaus sprach zu ihm – ja, das ist Wahrheit – wie ein Bruder. Er ist ein sehr heiliger Mann, von weither, jenseits der Berge. Sei ganz ruhig. Zur rechten Zeit kommen wir nach Ambala.«

»Aber mein Fluß – der Fluß meines Heils?«

»Und dann, wenn du willst, wollen wir zu Fuß den Fluß suchen, so daß wir keinen verfehlen – selbst nicht den kleinsten Bach im Felde.

»Aber du selbst bist ja auf einer Suche.« Der Lama, sehr erfreut über sein gutes Gedächtnis, setzte sich steil aufrecht.

»Gewiß!« sagte Kim, ihn beschwichtigend. Der Knabe war restlos glücklich, hier zu sitzen, *pan* zu kauen und sich fremdes Volk anzuschauen in der großen, gutmütigen Welt.

»Es war ein Stier – ein Roter Stier, der kommen soll, um dir zu helfen – um dich zu tragen – wohin? Das hab ich vergessen. Ein Roter Stier auf grünem Felde, war's nicht so?«

»Nein, er wird mich nirgendwo hintragen«, sagte Kim. »Ich hab dir bloß ein Märchen erzählt.«

»Was ist das?« die Farmersfrau beugte sich vor, daß die Spangen an ihrem Arm klirrten. »Träumt ihr beide Träume? Ein Roter Stier auf grünem Felde, der dich in den Himmel tragen soll – oder was? War es eine Vision? Machte jemand eine Prophezeiung? *Wir* haben einen roten Stier in unserem Dorf, hinter der Stadt Jullundur, der grast nach Herzenslust in dem grünsten unserer Felder.«

»Gib einer Frau ein Altweibermärchen und einem Wasservogel ein Blatt und einen Faden, und sie werden wunderbare Dinge zusammenweben«, sagte der Sikh. »Alle heiligen Männer träumen Träume, und ihre Schüler, die mit ihnen gehen, lernen das auch.«

»Ein Roter Stier auf grünem Felde, nicht wahr?« wiederholte der Lama. »In einem früheren Leben hast du vielleicht Verdienst erworben, und der Stier wird kommen und dich belohnen.«

»Nein, nein – es war nur ein Märchen, das mir einer erzählt hat, zum Scherz vielleicht. Aber ich will den Stier bei Ambala herum suchen, und du kannst nach deinem Fluß schauen und dich vom Geratter des Zuges erholen.«

»Kann sein, daß der Stier es weiß – und daß er gesendet ist, uns beide zu führen«, sprach der Lama, hoffnungsvoll wie ein Kind. Dann zu der Gesellschaft sich wendend und auf Kim deutend: »Dieser hier ward mir erst gestern gesendet. Er ist, glaube ich, nicht von dieser Welt.«

»Bettler habe ich haufenweise getroffen und heilige Männer obendrein«, sagte die Frau, »aber noch nie so einen Yogi und so einen Schüler.«

Ihr Gatte tippte leicht mit einem Finger an seine Stirn und lächelte. Aber als der Lama das nächste Mal zu essen wünschte, beeilten sie sich, ihm ihr Bestes zu geben.

Und endlich – müde, staubig und schläfrig – erreichten sie die Station Ambala.

»Wir bleiben hier wegen eines Prozesses«, sagte die Farmersfrau zu Kim. »Wir wohnen bei meines Mannes Vetters jüngerem Bruder. Es ist Platz für deinen Yogi und dich im Hofraum. Wird – wird er mir seinen Segen geben?«

»O heiliger Mann! Eine Frau mit einem goldenen Herzen gibt uns Unterkunft für die Nacht. Es ist ein freundliches Land, der Süden. Schau, wie uns seit heute früh schon geholfen wurde.«

Der Lama neigte sein Haupt zu einer Segnung.

»Meines Vetters jüngeren Bruders Haus mit Landstreichern zu füllen ...«, begann der Gatte, indem er seinen schweren Bambusstock schulterte.

»Deines Vetters jüngerer Bruder ist meines Vaters Vetter noch Geld schuldig von der Hochzeit seiner Tochter her«, antwortete schnippisch die Frau. »Laß ihn ihr Essen auf dieses Konto schreiben. Der Yogi wird auch sicherlich betteln.«

»Ja, ich bettle für ihn«, sagte Kim, nur darauf bedacht, den Lama für die Nacht unter Dach und Fach zu bringen, um Mahbub Alis Engländer aufzusuchen und ihm den Stammbaum des weißen Hengstes zu übergeben.

»Nun«, sagte er, als der Lama im inneren Hofe eines anständigen Hinduhauses hinter den Kasernen eine Zuflucht gefunden hatte, »nun gehe ich eine Weile fort, um – um Lebensmittel für uns im Basar einzukaufen. Streife nicht umher, bis ich zurück bin.«

»Du wirst zurückkommen? Du wirst bestimmt zurückkommen?« Der alte Mann faßte ihn am Handgelenk. »Und du wirst in dieser selben Gestalt zurückkommen? Ist es zu spät, heute noch nach dem Fluß zu schauen?«

»Zu spät und zu dunkel. Beruhige dich. Denke, wie weit du schon auf dem Wege bist − schon hundert *kos* von Lahore.«

»Ja − und noch weiter von meinem Kloster. Ach, es ist eine große und schreckliche Welt.«

Kim stahl sich hinaus und fort − eine Gestalt, so unauffällig, als wohl je eine ihr eigenes und das Geschick einiger tausend anderer auf dem Herzen trug. Mahbub Alis Angaben ließen ihm wenig Zweifel über das Haus, in dem sein Engländer wohnte, und ein Reitknecht, der ein Dogcart vom Klub heimbrachte, machte ihn vollends sicher. Es blieb nur übrig, seinen Mann ausfindig zu machen. Kim schlüpfte durch die Gartenhecke und verkroch sich in einen Haufen weichen Grases dicht an der Veranda. Das Haus strahlte von Licht, und Diener bewegten sich um die mit Blumen, Kristall und Silber geschmückten Tafeln. Nicht lange, so kam ein Engländer in Schwarz und Weiß heraus, eine Melodie summend. Es war zu dunkel, um sein Gesicht zu sehen, so versuchte Kim nach Bettlerart einen alten Trick:

»Beschützer der Armen!«

Der Mann trat zurück, auf die Stimme zu.

»Mahbub Ali sagt …«

»Ha, was sagt Mahbub Ali?« Er machte keinen Versuch, den Sprecher zu sehen; das zeigte Kim, daß er Bescheid wußte.

»Der Stammbaum des weißen Hengstes ist vollständig festgestellt.«

»Welchen Beweis gibt es dafür?« Der Engländer schlug mit seiner Gerte gegen die Rosenhecke an der Seite der Auffahrt.

»Mahbub Ali gab mir diesen Beweis.« Kim warf das Päckchen zusammengefaltetes Papier in die Luft; es fiel auf den Weg neben den Mann, der den Fuß daraufstellte, als ein Gärtner um die Ecke bog. Als der Diener vorüber war, hob er es auf, ließ eine Rupie fallen − Kim hörte den Klang − und schritt ins Haus, ohne sich umzudrehen. Rasch hob Kim das Geld auf; aber er war trotz all seiner Gewohnheiten gebürtiger Irländer genug, um Silber als das belanglosere Zubehör

45

einer Intrige anzusehen. Wonach ihm der Sinn stand, das war die sichtbare Wirkung einer Tat; und so, anstatt sich wegzuschleichen, legte er sich platt ins Gras und kroch näher an das Haus heran.

Er sah – indische Bungalows sind durch und durch offen –, wie der Engländer in ein kleines Ankleidezimmer in einer Ecke der Veranda trat, das zugleich halb Büro war, mit Papieren und Depeschentaschen bestreut, und sich setzte, um Mahbub Alis Botschaft zu studieren. Sein Gesicht, im vollen Licht der Petroleumlampe, veränderte und verdüsterte sich, und Kim, geübt, Gesichter zu beobachten, wie jeder Bettler es sein muß, nahm genau Notiz davon.

»Will! Will, Liebling!« rief eine Frauenstimme. »Du mußt in den Salon kommen. Sie werden jeden Augenblick hier sein.«

Der Mann las gespannt weiter.

»Will!« rief die Stimme fünf Minuten später. »*Er* kommt. Ich höre die Reiter auf dem Weg.«

Der Mann stürzte barhäuptig hinaus, als ein großer Landauer, gefolgt von vier eingeborenen Reitern, vor der Veranda hielt und ein hochgewachsener schwarzhaariger Mann, aufrecht wie ein Pfeil, sich herausschwang; ihm voraus ein junger, freundlich lächelnder Offizier.

Platt auf dem Bauch lag Kim, fast die hohen Räder berührend. Sein Mann und der schwarzhaarige Fremde wechselten einige Worte.

»Gewiß, Sir«, sagte der junge Offizier bereitwillig, »alles muß zurückstehen, wenn es sich um ein Pferd handelt.«

»Wir brauchen nicht mehr als zwanzig Minuten«, meinte Kims Mann. »Sie können die Honneurs machen – für Unterhaltung sorgen und so weiter.«

»Lassen Sie einen der Kavalleristen warten«, befahl der hochgewachsene Mann, und die beiden traten zusammen in das Ankleidezimmer, als der Landauer wegfuhr. Kim sah ihre Köpfe über Mahbub Alis Schreiben gebeugt und hörte die Stimmen – die eine leise und ehrerbietig, die andere scharf und bestimmt.

»Es ist keine Frage von Wochen. Es ist eine Frage von Tagen – von Stunden fast«, sagte der Ältere. »Ich hab es seit einiger Zeit erwartet, aber das« – er tippte auf Mahbub Alis Papier – »besiegelt die Sache. Grogan speist heute abend hier, nicht wahr?«

»Ja, Sir, und Macklin auch.«

»Sehr gut. Ich will selber mit ihnen sprechen. Die Angelegenheit wird dem Rat unterbreitet werden, natürlich; aber dies ist ein Fall, wo wir uns für berechtigt halten dürfen, sofort zu handeln. Benachrichtigen Sie die Pindi- und Peschawarbrigaden. Es wird alle Sommerurlaube übern Haufen werfen, aber das können wir nicht ändern. Das kommt davon, daß wir sie nicht gleich beim ersten Mal gründlich erledigt haben. – Achttausend dürften genügen.«

»Und Artillerie, Sir?«

»Ich muß mit Macklin beraten.«

»Es bedeutet also Krieg?«

»Nein, Bestrafung. Wenn ein Mann durch das Tun seines Vorgängers gebunden ist ...«

»Aber C.25 kann gelogen haben.«

»Er bestätigt die Mitteilung des anderen. Tatsächlich haben sie schon vor sechs Monaten ihre Karten aufgedeckt. Aber Devenish war nicht davon abzubringen, es sei noch ein friedlicher Ausweg zu finden. Natürlich haben sie das benutzt, sich zu verstärken. Senden Sie diese Telegramme sofort ab – nach dem neuen Code, nicht dem alten – meinem und Whartons. Ich denke, wir brauchen die Damen nicht länger warten zu lassen. Wir können das übrige bei der Zigarre abmachen. Ich dachte mir, daß es so kommen würde. Es ist Strafe – nicht Krieg.«

Als der Reiter fortgaloppierte, kroch Kim an die Rückseite des Hauses herum, wo er, nach seinen Lahorer Erfahrungen, Futter zu finden erwartete und Neuigkeiten. Die Küche war voll von fieberhaft geschäftigen Küchenjungen, von denen einer ihm einen Tritt versetzte.

»Ai«, schrie Kim, Tränen heuchelnd. »Ich wollte nur aufwaschen helfen, für einen Mundvoll.«

»Ganz Ambala ist auf derselben Fährte. Mach dich fort! Die Suppe wird jetzt hineingetragen. Meinst du, daß wir in

Creighton Sahibs Dienst fremde Küchenjungen brauchen, um mit einem großen Diner fertig zu werden?«

»Es ist ein sehr großes Diner«, sagte Kim, nach den Schüsseln blickend.

»Kein Wunder. Der Ehrengast ist kein anderer als der Jang-i-Lat Sahib (der Oberbefehlshaber).«

»Ho!« rief Kim mit dem echten Kehllaut der Verwunderung. Er hatte erfahren, was er wissen wollte, und als der Küchenjunge sich umsah, war er fort.

›Und das alles‹, sprach er zu sich, wie gewöhnlich in Hindustani denkend, ›wegen dem Stammbaum eines Gauls! Mahbub Ali sollte zu mir kommen, um ein bißchen lügen zu lernen. Bisher, wenn ich eine Botschaft auszurichten hatte, betraf sie immer ein Weib. Jetzt sind es Männer. Besser! Der lange Mann sagte, daß sie eine große Armee loslassen wollen, um irgendwen – irgendwo – zu bestrafen. Die Nachricht geht nach Pindi und Peschawar. Da sind auch Kanonen. Wollte, ich wäre noch näher gekrochen. Eine große Neuigkeit!‹

Bei seiner Rückkehr fand er des Farmervetters jüngeren Bruder mit dem Farmer, dessen Frau und einigen Freunden eifrig dabei, den Familienprozeß nach allen Richtungen zu erörtern, während der Lama schlummerte. Nach der Abendmahlzeit gab man Kim eine Wasserpfeife, und er fühlte sich als ganzer Mann, indes er, die Beine breit ins Mondlicht gespreizt, an der glatten Kokosnußschale sog und ab und zu mit schnalzender Zunge eine Bemerkung von sich gab. Seine Wirte waren sehr höflich, denn die Farmersfrau hatte ihnen von seiner Roten Stiervision erzählt und von seiner vermutlichen Abstammung aus einer andern Welt. Überdies war der Lama eine große und ehrwürdige Besonderheit. Später kam der Familienpriester dazu, ein alter, duldsamer Sarsutbrahmane, und brachte natürlich bald ein theologisches Argument vor, um Eindruck auf die Familie zu machen. Dem Bekenntnis nach waren sie alle freilich auf seiten ihres Priesters; aber der Lama war der Gast und die Neuheit. Seine sanfte Freundlichkeit und seine eindrucksvollen chinesischen Zitate, die wie Zaubersprüche klangen, entzückten sie gewaltig, und der Lama entfaltete sich in dieser schlichten mitfühlenden Atmosphäre gleich wie des Bodhisat eigene Lotosblüte und erzählte von seinem Leben in den großen Bergen von Such-zen, »ehe ich«, wie er sagte, »mich aufmachte, um Erleuchtung zu suchen.«

Dabei stellte sich heraus, daß er in jenen weltlichen Tagen ein Meister im Stellen von Horoskopen und Nativitäten gewesen war. Der Familienpriester bewog ihn, seine Methode zu beschreiben, und jeder gab den Planeten Namen, die der andere nicht verstand, aufwärts deutend, wo die großen Gestirne durchs Dunkel schwebten. Die Kinder zupften ungestraft an seinem Rosenkranz, und er vergaß völlig die Regel, die das Anschauen von Frauen verbietet, indes er vom ewigen Schnee sprach, von Erdrutschen, gesperrten Pässen, entlegenen Klüften, wo man Saphire und Türkise findet, und von dem Wunder der Hochlandstraße, die schließlich hineinführt in das große China selbst.

»Was denkst du von dem da?« fragte der Farmer, den Priester beiseite nehmend.

»Ein heiliger Mann – wahrhaftig ein heiliger Mann. Seine Götter sind nicht die Götter, aber seine Füße sind auf dem Weg«, war die Antwort. »Und seine Methode der Nativität, obwohl das über deinen Verstand geht, ist weise und sicher.«

»Sage mir«, fragte Kim lässig, »ob ich meinen Roten Stier auf einem grünen Felde finde, wie mir versprochen wurde?«

»Welche Kenntnisse hast du von deiner Geburtsstunde?« fragte der Priester, schwellend vor Wichtigkeit.

»Zwischen dem ersten und zweiten Hahnenschrei in der ersten Nacht des Mai.«

»In welchem Jahr?«

»Ich weiß nicht; aber in der Stunde, wo ich den ersten Schrei tat, war das große Erdbeben in Srinagar, das in Kaschmir liegt.« Dies hatte Kim von der Frau, die ihn beherbergte, und diese wieder von Kimball O'Hara. Das Erdbeben hatte man in ganz Indien gespürt, und es blieb für lange Zeit ein bestimmendes Datum im Pandschab.

»Ai!« rief aufgeregt eine Frau. Dies schien ihr Kims übernatürliche Herkunft noch gewisser zu machen. »Ist nicht des Soundso Tochter auch damals geboren?«

»Und ihre Mutter gebar dem Manne vier Söhne in vier Jahren – alles hübsche Knaben«, bestätigte die Farmersfrau, außerhalb des Kreises im Schatten sitzend.

»Kein im Wissen Erzogener«, sprach der Familienpriester, »vergißt, wie die Planeten in ihren Häusern standen in jener Nacht.« Er begann in dem Staub des Hofes zu zeichnen. »Du hast einen guten Anspruch mindestens auf die Hälfte vom Hause des Stiers. Wie lautet die Prophezeiung?«

»Eines Tages«, sagte Kim, entzückt von dem Aufsehen, das er erregte, »werde ich mit Hilfe eines Roten Stiers auf einem grünen Felde mächtig werden; aber erst werden zwei Männer erscheinen, um alles bereitzumachen.«

»Ja, so ist es immer bei Beginn einer Vision. Ein tiefes Dunkel, das langsam aufklart; alsdann kommt einer mit einem Besen und macht den Platz bereit. Dann beginnt das Gesicht. Zwei Männer – sagtest du? Natürlich – ja! Die Sonne, wenn sie das Haus des Stieres verläßt, tritt ein in das der Zwillinge. Daher die zwei Männer der Prophezeiung. Laß uns nun überlegen. Hole mir einen Zweig, Kleiner!«

Er zog die Augenbrauen zusammen, kratzte, wischte aus und kratzte wieder mysteriöse Zeichen in den Staub – zur Bewunderung aller, nur nicht des Lamas, der sich mit seinem feinen Instinkt vor jeder Einmischung hütete.

Nach einer halben Stunde warf der Priester murrend die Rute fort.

»Hm! So sprechen die Sterne. Binnen drei Tagen kommen die zwei Männer, um alles bereitzumachen. Nach ihnen folgt der Stier, aber das Zeichen über ihm ist das Zeichen des Kriegs und bewaffneter Männer!«

»Es war in der Tat ein Mann von den Ludhiana-Sikhs in dem Wagen von Lahore«, sagte die Farmersfrau hoffnungsvoll.

»Tck! Bewaffnete Männer – viele Hunderte. Was hast du mit Krieg zu tun?« fragte der Priester Kim. »Deins ist ein rotes, ein böses Zeichen von Krieg, der bald ausbrechen wird.«

»Nein – nein!« sagte der Lama ernsthaft. »Wir suchen nur Frieden und unseren Fluß.«

Kim lächelte und dachte an das, was er vor dem Ankleidezimmer erlauscht hatte. Er war entschieden ein Liebling der Sterne.

Der Priester fegte mit dem Fuß über das unfreundliche Horoskop. »Mehr als dies kann ich nicht sehen. In drei Tagen kommt der Stier zu dir, Knabe.«

»Und mein Fluß, mein Fluß«, bestand der Lama. »Ich hatte gehofft, sein Stier würde uns beide zu dem Flusse leiten.«

»Ach, dieser Wunderfluß, mein Bruder!« antwortete der Priester. »Solche Dinge sind nicht gewöhnlicher Art.«

Am nächsten Morgen, obwohl man sie drängte zu bleiben, bestand der Lama auf Abreise. Sie gaben Kim ein großes Bündel guten Proviant und fast drei Anna in Kupfermünze mit auf den Weg und sahen mit vielen Segenswünschen den beiden nach, wie sie im Morgengrauen südwärts verschwanden.

»Schade ist es«, sagte der Lama, »daß diese und solche wie diese nicht befreit werden können vom Rad der Dinge.«

»Nein«, erwiderte Kim, »dann würde nur böses Volk auf der Erde zurückbleiben, und wer würde uns Obdach geben und Fleisch?« Und er schritt lustig aus unter seiner Last.

»Dort ist ein kleiner Fluß. Laß uns schauen«, sagte der Lama und ging von der weißen Landstraße ab über ein Feld – in ein wahres Wespennest von herrenlosen Hunden hinein.

Drittes Kapitel

Der Seelen, die sich im Gebet
Von Stuf zu Stufe fromm erhöhn,
Ja, aller Seelen Stimme weht
Lauer Wind nach Kamakura.

Hinter ihnen schwenkte ein erboster Farmer eine Bambus-stange. Er war ein Handelsgärtner, ein Arain seiner Kaste nach, und zog Gemüse und Blumen für die Stadt Ambala; und nur allzugut kannte Kim die Sorte.

»So ein Mann«, sprach der Lama, die Hunde nicht beachtend, »ist unhöflich gegen Fremde, unbesonnen im Reden und unbarmherzig. Hüte dich vor solchem Betragen, mein Schüler!«

»Ho! Schamlose Bettler«, schrie der Bauer, »weg! Schert euch fort!

»Wir gehen«, erwiderte der Lama mit ruhiger Würde, »wir gehen von diesen ungesegneten Feldern.«

»Ah!« sagte Kim, die Luft durch die Zähne einziehend, »wenn deine nächste Ernte mißrät, kannst du deiner eigenen Zunge die Schuld geben.«

Der Mann schlürfte unbehaglich in seinen Pantoffeln. »Das Land ist voll von Bettlern«, begann er, halb entschuldigend.

»Und woher weißt du, daß wir bei dir betteln wollten, o Mali?« fragte Kim bissig, den Namen gebrauchend, den ein Handelsgärtner am wenigsten hören mag. »Alles, was wir hier wollten, war, den Fluß dort drüben hinter dem Felde anzuschauen.«

»Fluß ist gut!« knurrte der Mann. »Aus welcher Stadt stammt ihr denn, daß ihr einen Kanal nicht kennt? Er fließt so gerade wie ein Pfeil, und ich zahle für das Wasser, als ob es geschmolzenes Silber wäre. Jenseits davon gibt es einen Fluß-arm. Aber wenn ihr Wasser braucht, kann ich's euch geben – und Milch.«

»Nein, wir wollen zu dem Fluß gehen«, sagte der Lama ausschreitend.

»Milch und eine Mahlzeit«, stotterte der Mann, die fremdartige, hohe Gestalt musternd. »Ich – ich möchte mir und – meinen Feldern nichts Übles zuziehen; aber es gibt so viele Bettler in diesen schlechten Zeiten.«

»Beachte wohl«, wandte der Lama sich zu Kim, »durch den roten Nebel des Zornes ward er verleitet, harte Worte zu sprechen – nun, da er von seinen Augen weicht, wird er höflich und zeigt ein mildes Herz. Mögen seine Felder gesegnet sein. Hüte dich, Menschen zu rasch zu beurteilen, o Bauer!«

»Ich bin Heiligen begegnet, die dich vom Herd bis zum Kuhstall verflucht haben würden«, sagte Kim zu dem beschämten Mann. »Ist er nicht weise und heilig? Ich bin sein Schüler.«

Kim streckte die Nase hochmütig in die Luft und schritt mit großer Würde über die schmalen Feldraine.

»Stolz«, sprach der Lama nach einer Pause, »Stolz gibt es nicht bei denen, die dem Mittleren Pfade folgen.«

»Aber du hast gesagt, er sei unhöflich und von niederer Kaste.«

»Von niederer Kaste habe ich nicht gesprochen; denn wie kann das sein, was nicht ist? Nachher machte er seine Unhöflichkeit wieder gut, und ich vergaß die Beleidigung. Überdies, er ist wie wir: gebunden auf das Rad der Dinge; aber er geht nicht den Weg der Befreiung.« Er stand still bei einem kleinen Bach zwischen den Feldern und betrachtete das hufzernarbte Ufer.

»Wie willst du nun deinen Fluß erkennen?« fragte Kim, im Schatten hohen Zuckerrohrs kauernd.

»Wenn ich ihn finde, wird mir sicher Erleuchtung kommen. Dies, fühle ich, ist nicht der rechte Ort. O kleinstes unter den Wassern, wenn du mir nur sagen könntest, wo mein Fluß fließt! Aber sei gesegnet, um die Felder fruchtbar zu machen!«

»Schau! Schau!« Kim sprang zu ihm hin und zerrte ihn rückwärts. Ein gelb und brauner Streifen glitt aus den purpurfarbenen raschelnden Stauden ans Ufer, streckte den Hals zum Wasser, trank und lag unbeweglich da – eine große Kobra mit starren lidlosen Augen.

»Ich hab keinen Stock – ich hab keinen Stock«, rief Kim. »Ich will mir einen holen und ihr den Rücken brechen.«

»Warum? Sie ist auf dem Rade, wie wir es sind – ein aufwärts oder abwärts steigendes Leben – sehr weit entfernt von der Befreiung. Große Sünde muß die Seele begangen haben, die in solche Gestalt gebannt ist.«

»Ich hasse alle Schlangen«, sagte Kim. Kein Aufwachsen im Land kann den Abscheu des weißen Menschen vor Schlangen mildern.

»Laß sie ihr Leben ausleben.« Das geringelte Ding zischte und öffnete seine Haube halb. »Möge deine Erlösung bald kommen, Bruder!« fuhr der Lama milde fort. »Hast *du* zufällig Kenntnis von meinem Fluß?«

»Niemals sah ich einen Mann, wie du bist«, flüsterte Kim überwältigt. »Verstehen selbst die Schlangen deine Sprache?«

»Wer weiß?« Er ging nur einen Fußbreit am erhobenen Kopf der Kobra vorbei, die denselben flach zwischen die staubigen Ringe schob.

»Komm du!« rief er über seine Schulter.

»Ich nicht«, antwortete Kim. »Ich gehe um sie herum.«

»Komm! Sie tut dir nichts.«

Kim zögerte einen Augenblick. Der Lama half seiner Aufforderung nach durch ein summend gesprochenes chinesisches Zitat, das Kim für eine Zauberformel nahm. Er gehorchte, sprang über den Bach, und die Schlange rührte sich wirklich nicht.

»Niemals habe ich so einen Mann gesehen.« Kim wischte den Schweiß von seiner Stirn. »Und nun, wohin gehen wir?«

»Das mußt du sagen. Ich bin alt und ein Fremdling – fern von meiner Heimat. Wenn der *rêl*-Wagen mir nicht den Kopf mit Teufelsgetrommel füllte, würde ich jetzt in ihm nach Benares fahren ... aber wir könnten auf diese Art den Fluß übersehen. Laß uns einen anderen Fluß suchen.«

Wo das vielbebaute Erdreich drei und sogar vier Ernten im Jahre gibt – durch Strecken von Zuckerrohr, Tabak, langen weißen Rettichen und Kolanuß –, trotteten sie den ganzen

Tag, zu jedem Schimmer von Wasser abbiegend, Dorfhunde und mittagsschläfrige Dörfer weckend. Der Lama antwortete auf die vielfachen Fragen mit unerschütterlicher Einfachheit. Sie suchten einen Fluß – einen Fluß von wunderbarer Heilkraft. Hatte irgendeiner Kenntnis von so einem Strom? Zuweilen lachten die Leute, öfter aber hörten sie die Geschichte bis zu Ende an und gewährten ihnen einen Platz im Schatten, einen Trunk Milch und ein Mahl. Die Frauen waren immer gütig und die kleinen Kinder, wie Kinder sind in der ganzen Welt, abwechselnd scheu und dreist. Der Abend fand sie rastend unter dem Dorfbaum zwischen den Lehmwänden und Lehmdächern eines Weilers, mit dem Dorfältesten plaudernd, indes das Vieh von den Weideplätzen heimkehrte und die Frauen die letzte Tagesmahlzeit zubereiteten. Sie waren aus der Zone der Marktgärten rings um das hungrige Ambala heraus und befanden sich nun im meilenweiten Grün des Saatlands.

Der weißbärtige freundliche Älteste war gewohnt, Fremde aufzunehmen. Er brachte für den Lama eine aus Schnüren geknüpfte Bettstatt herbei, setzte ihm warmes gekochtes Essen vor, stopfte ihm eine Pfeife und schickte, als die Abendandacht im Dorftempel beendet war, nach dem Dorfpriester.

Kim erzählte den älteren Kindern Geschichten von der Größe und Schönheit Lahores, von Eisenbahnfahrten und dergleichen städtischen Dingen, während die Männer miteinander redeten, langsam wie ihr Vieh das Futter kaut.

»Ich kann es nicht begreifen«, sagte der Älteste schließlich zu dem Priester. »Wie deutest du diese Rede?« Der Lama, nachdem er seine Geschichte erzählt hatte, betete schweigend seine Perlen.

»Er ist ein Sucher«, erwiderte der Priester. »Das Land ist voll von solchen. Erinnere dich an den, der erst im letzten Monat hier war – den Fakir mit der Schildkröte.«

»Ja, aber der Mann hatte guten Grund, denn Krischna selbst erschien ihm in einer Vision und verhieß ihm das Paradies ohne den Scheiterhaufen, wenn er nach Prayag pilgerte. Dieser Mann sucht keinen Gott, von dem ich Kenntnis habe.«

»Schweig, er ist alt: er kommt von weither und ist geistesge-
stört«, erwiderte der glattgeschorene Priester. »Höre mich.«
Er wandte sich zum Lama. »Drei *kos* (sechs Meilen) westwärts
läuft die große Straße nach Kalkutta.«

»Aber ich wollte nach Benares – nach Benares.«

»Und nach Benares ebenfalls. Sie überquert alle Ströme
auf dieser Seite von Hind. Mein Rat, Heiliger, ist, ruhe hier
bis morgen. Dann schlage die Straße ein« (er meinte die
Hauptheerstraße) »und prüfe jeden Strom, über den sie
führt; denn wie ich dich verstehe, beschränkt die Heilkraft
des Stromes sich nicht auf einen Strich oder eine Stelle, sondern erstreckt sich auf seine ganze Länge. So, sei versichert,
wenn deine Götter es wollen, wirst du zu deiner Befreiung gelangen.«

»Das ist gut gesprochen.« Der Vorschlag machte großen
Eindruck auf den Lama. »Morgen wollen wir beginnen, und
Segen über dich, daß du alten Füßen so nahen Weg zeigst.«
Ein tiefer chinesischer Singsang beschloß die Rede. Selbst der
Priester fühlte sich bewegt, und der Älteste fürchtete einen
bösen Zauber; aber keiner konnte in das kindlich-eifrige Ant-
litz des Lamas blicken, ohne alsbald zu vertrauen.

»Siehst du meinen *chela*?« sagte er mit einem umfangreichen Griff in seine Schnupftabakdose. Es war seine Pflicht,
Höflichkeit mit Höflichkeit zu erwidern.

»Ich sehe – und höre.« Der Älteste wandte die Augen
dorthin, wo Kim mit einem Mädchen in Blau schwatzte, das
knisterndes Dorngezweig auf ein Feuer warf.

»Er will auch etwas suchen, für sich. Keinen Strom, aber einen Stier. Ja, ein Roter Stier auf grünem Felde wird ihn eines
Tages zu Ehren bringen. Er ist, glaube ich, nicht ganz von
dieser Welt. Er wurde mir plötzlich gesendet, um mir bei meiner Suche zu helfen, und sein Name ist Freund aller Welt.«

Der Priester lächelte. »Heda, Allerweltsfreund«, rief er
durch den scharf riechenden Rauch, »was bist du?«

»Der Schüler dieses Heiligen«, entgegnete Kim.

»Er sagt, du bist ein *but* (ein Geist).«

»Können *buts* essen?« fragte Kim blinzelnd. »Denn ich bin
hungrig.«

»Es ist kein Scherz«, rief der Lama. »Ein gewisser Astrologe in jener Stadt, deren Namen ich vergessen habe ...«

»Das ist nur die Stadt Ambala, wo wir die letzte Nacht schliefen«, flüsterte Kim dem Priester zu.

»Ah, Ambala war es? Er stellte ein Horoskop und erklärte, mein *chela* würde seinen Wunsch binnen zwei Tagen erfüllt sehen. Aber was sagte er von der Bedeutung der Sterne, Freund aller Welt?«

Kim räusperte sich und sah sich nach den Dorfgraubärten um.

»Die Bedeutung meines Sternes ist Krieg«, erwiderte er prahlerisch.

Jemand lachte über die kleine zerlumpte Gestalt, die auf dem Ziegelpflaster unter dem großen Baum stolzierte. Just wenn Eingeborene sich niederlegten, brachte sein weißes Blut Kim auf die Füße.

»Ja, Krieg«, rief er.

»Das ist eine sichere Prophezeiung«, polterte eine tiefe Stimme, »denn Krieg ist immer irgendwo an den Grenzen, soviel ich weiß.«

Es war ein alter, verwitterter Mann, der in den Tagen des Aufstands als eingeborener Offizier in einem neugebildeten Kavallerieregiment der Regierung gedient hatte. Die Regierung hatte ihm ein gutes Anwesen im Dorf verpachtet, und obwohl seine Söhne, jetzt selber graubärtige Offiziere, ihn mit ihren Ansprüchen arm gemacht hatten, war er doch immer noch eine Person von Bedeutung. Englische Beamte – selbst Vizekommissare – bogen von der Hauptstraße ab, um ihn zu besuchen, und bei diesen Gelegenheiten legte er die Uniform vergangener Tage an und stand stramm wie ein Ladestock.

»Aber dies wird ein großer Krieg sein – ein Krieg von achttausend.« Kims Stimme schrillte so laut über den schnell sich sammelnden Haufen, daß es ihn selber erstaunte.

»Rotröcke oder unsere eigenen Regimenter?« schnarrte der alte Mann, als fragte er einen Gleichgestellten. Sein Ton flößte den Männern Respekt vor Kim ein.

»Rotröcke«, sagte Kim auf gut Glück. »Rotröcke und Kanonen.«

»Aber – aber der Astrologe sagte kein Wort davon«, rief der Lama, in seiner Aufregung ungeheuerlich schnupfend.

»Aber *ich* weiß es. Das Wort ist mir gekommen, der ich dieses Heiligen Schüler bin. Es wird sich ein Krieg erheben – ein Krieg von achttausend Rotröcken. Von Pindi und Peschawar werden sie eingezogen. Das ist sicher.«

»Der Junge hat Basargeschwätz gehört«, sagte der Priester.

»Aber er war immer an meiner Seite«, sagte der Lama. »Wie sollte er es wissen? Ich wußte es nicht.«

»Das wird ein gerissener Gaukler, wenn der alte Mann tot ist«, flüsterte der Priester dem Ortsältesten zu. »Was für ein neuer Trick ist das?«

»Ein Zeichen, gib mir ein Zeichen«, donnerte plötzlich der alte Soldat. »Wenn Krieg wäre, würden meine Söhne es mir gesagt haben.«

»Wenn alles soweit ist, zweifle nicht, werden deine Söhne es erfahren. Aber es ist ein weiter Weg von deinen Söhnen bis zu dem Mann, in dessen Händen dies alles liegt.« Kim wurde warm bei dem Spiel, denn es erinnerte ihn an seine Briefbotenkniffe, wo er für ein paar Kupfermünzen geheuchelt hatte, mehr zu wissen, als er wußte. Jetzt aber spielte er um größeren Preis – um bloße Aufregung und um Machtgefühl. Er holte neuen Atem und fuhr fort:

»Alter Mann, gib *mir* ein Zeichen. Geben Untergeordnete Marschbefehl für achttausend Rotröcke – mit Kanonen?«

»Nein.« Wieder antwortete der alte Mann, als ob Kim seinesgleichen wäre.

»Weißt du also, wer *er* ist, der den Befehl gibt?«

»Ich hab ihn gesehen.«

»Gut genug, um ihn wiederzuerkennen?«

»Ich kenne ihn, seit er Leutnant in der *top-khana* (Artillerie) war.«

»Ein großer Mann. Ein großer Mann mit schwarzem Haar, der so geht?« Kim tat ein paar Schritte in steifer, hölzerner Haltung.

»Ja; aber das kann ein jeder gesehen haben.« Die Zuhörer schwiegen atemlos bei diesem Gespräch.

»Das ist wahr«, rief Kim. »Aber ich will mehr sagen. Schau! Erstens geht der große Mann so. Zweitens, wenn er nachdenkt, tut er's so.« Kim strich mit dem Zeigefinger über die Stirn und abwärts bis zum Mundwinkel. »Alsdann verschränkt er die Finger so. Alsdann drückt er den Hut unter die linke Achsel.« Kim illustrierte die Bewegung und stand wie ein Storch.

Der alte Mann ächzte, sprachlos vor Erstaunen, und die Umgebung erschauerte.

»So – so – so. Aber was tut er, wenn er einen Befehl erteilen will?«

»Er reibt die Haut im Nacken – so. Dann klopft er mit einem Finger auf den Tisch und macht ein kleines schniefendes Geräusch mit der Nase. Alsdann spricht er: ›Macht das und das Regiment mobil. Nehmt die und die Kanonen!‹«

Der alte Mann erhob sich stramm und salutierte.

»›Denn‹« – Kim übertrug die prallen Sätze, die er vor dem Ankleidezimmer in Ambala gehört hatte, in die Landessprache –, »›denn‹, sagt er, ›wir hätten das längst tun sollen. Es ist nicht Krieg, es ist Bestrafung. Snff!‹«

»Genug. Ich glaube dir. Ich habe ihn so gesehen im Rauch der Schlachten. Gesehen und gehört. Er ist es.«

»Ich sah keinen Rauch« – Kims Stimme schlug um in den verzückten Singsang der Straßenwahrsager –, »ich sah dies in der Dunkelheit. Erst kam ein Mann, um alles frei zu machen. Dann kamen Reiter. Dann kam *er* und stand in einem Kreis von Licht. Das übrige folgte, wie ich gesagt habe. Alter Mann, hab ich die Wahrheit gesprochen?«

»Er ist es. Ohne jeden Zweifel, er ist es.«

Die Menge tat einen langen, zitternden Atemzug und starrte abwechselnd auf den noch gespannten alten Mann und den zerlumpten Kim, der sich gegen das purpurne Zwielicht abhob.

»Sagte ich nicht – sagte ich nicht, daß er von einer anderen Welt stammt?« rief der Lama stolz. »Er ist der Freund der ganzen Welt. Er ist der Freund der Sterne!«

»Wenigstens«, rief ein Mann, »betrifft es uns nicht. O du junger Wahrsager, wenn die Gabe jederzeit bei dir ist – ich habe eine rotscheckige Kuh. Vielleicht ist sie die Schwester deines Ochsen, was weiß ich ...«

»Oder was kümmert's mich«, sagte Kim, »meine Sterne befassen sich nicht mit deinem Vieh.«

»Nein«, fiel eine Frau ein, »aber sie ist sehr krank. Mein Mann ist ein Büffel, oder er hätte seine Worte besser gewählt. Sag mir, ob sie wieder gesund wird?«

Wäre Kim ein Knabe gewöhnlicher Art gewesen, so hätte er das Spiel weiter getrieben; aber man kennt nicht seit dreizehn Jahren die Stadt Lahore und vor allem die Fakire am Taksali-Tor, ohne auch die menschliche Natur zu kennen.

Der Priester schielte seitwärts einigermaßen bitter nach ihm hin, mit einem dürren und vernichtenden Lächeln.

»Ist denn kein Priester in diesem Dorfe? Ich dächte, ich hätte eben erst einen mächtigen gesehen«, rief Kim.

»Ja – aber ...«, begann die Frau.

»... aber du und dein Mann, ihr wolltet die Kuh für eine Handvoll Dank kuriert haben!« Der Schuß traf: die beiden waren bekanntermaßen das geizigste Paar im Dorfe. »Es ist nicht recht, die Tempel zu betrügen. Gib deinem eigenen Priester ein junges Kalb, und wenn deine Götter nicht unwiderruflich erzürnt sind, wird die Kuh innerhalb eines Monats Milch geben.«

»Ein Meisterbettler bist du«, schnurrte der Priester beifällig. »Nicht die List von vierzig Jahren hätte es besser machen können. Sicherlich hast du den alten Mann reich gemacht?«

»Ein bißchen Mehl, ein bißchen Butter und ein Mund voll Kardamom – wird man davon reich?« erwiderte Kim, von dem Lob gekitzelt, aber immer noch auf der Hut. »Und, wie du sehen kannst, er ist übergeschnappt. Aber mir langt's, und wenigstens lern ich den Weg dabei kennen.«

Er kannte die Art, wie die Fakire vom Taksali-Tor untereinander redeten, und ahmte täuschend den Tonfall ihrer verlotterten Schüler nach.

»Ist sein Suchen denn Wahrheit oder ein Mantel für andere Zwecke? Vielleicht dreht sich's um einen Schatz?«

»Er ist übergeschnappt – ganz und gar übergeschnappt. Nichts weiter sonst.«

Hier humpelte der alte Soldat heran und fragte, ob Kim seine Gastfreundschaft für die Nacht annehmen wolle. Der Priester riet ihm, es zu tun, bestand aber darauf, daß die Ehre, den Lama aufzunehmen, dem Tempel gebühre – wozu der Lama arglos lächelte. Kim äugte von einem Gesicht zum andern und zog seine eigenen Schlüsse.

»Wo ist das Geld?« wisperte er, den alten Mann beiseite ins Dunkel ziehend.

»Auf meiner Brust. Wo sonst?«

»Gib es mir. Gib es ruhig und schnell.«

»Aber warum? Hier ist kein Billett zu kaufen.«

»Bin ich dein *chela*, oder bin ich es nicht? Behüte ich nicht deine alten Füße auf allen Wegen? Gib mir das Geld, und bei Tagesanbruch gebe ich dir's zurück.« Er stahl die Hand in den Gürtel des Lamas und nahm die Börse heraus.

»Sei es so – sei es so.« Der alte Mann schüttelte den Kopf. »Dies ist eine große und schreckliche Welt. Ich hätte nie gedacht, daß so viele Menschen drin leben.«

Am anderen Morgen war der Priester sehr schlechter Laune, der Lama aber ganz wohlgemut; und Kim hatte einen hochinteressanten Abend mit dem alten Soldaten verbracht, der seinen Kavalleriesäbel hervorholte und, ihn auf den dürren Knien im Gleichgewicht haltend, Geschichten aus dem Aufstand erzählte und von jungen Hauptmännern, seit dreißig Jahren im Grabe, bis Kim in Schlaf sackte.

»Die Luft dieses Landes ist sicherlich gut«, sagte der Lama. »Ich habe einen leisen Schlaf wie alle alten Menschen; aber heute nacht hab ich geschlafen, ohne aufzuwachen, bis zum hellen Tag. Selbst jetzt bin ich noch schläfrig.«

»Nimm einen Schluck heiße Milch«, meinte Kim, der oft genug den Opiumrauchern seiner Bekanntschaft derlei Gegenmittel gebracht hatte. »Es ist Zeit, daß wir uns wieder auf den Weg machen.«

»Auf den langen Weg, der alle Flüsse von Hind überschreitet«, sagte der Lama freudig. »Laß uns gehen. Aber wie, denkst du, *chela*, sollen wir diesen Leuten, dem Priester besonders, ihre große Güte vergelten? Sie sind zwar *büt-parast*, aber in einem anderen Leben wird ihnen vielleicht Erleuchtung werden. Eine Rupie für den Tempel? Das Ding da drinnen ist nichts weiter als Stein und rote Farbe; aber das Herz der Menschen müssen wir anerkennen, wann und wo es gut ist.«

»Heiliger, bist du jemals allein den Weg gegangen?« Kim äugte scharf zu ihm auf, gleich den indischen Krähen, die auf den Feldern hüpften.

»Sicherlich, Kind: von Kulu nach Pathankot – von Kulu, wo mein erster *chela* starb. Wenn die Menschen zu uns freundlich waren, brachten wir Opfer dar, und alle Menschen überall in den Bergen waren wohlgesinnt.«

»In Hind ist das anders«, sagte Kim trocken. »Ihre Götter sind vielarmig und übelgesinnt. Laß sie bleiben!«

»Ich wollte dich ein wenig auf deinen Weg bringen, Freund aller Welt – dich und deinen gelben Mann.« Der alte Soldat kam die dämmerig-dunkle Dorfstraße im Paßgang daher auf einem dürren, x-beinigen Pony. »Gestern nacht sind die Quellen der Erinnerung in meinem so vertrockneten Herzen aufgebrochen, und das war mir ein Segen. Wahrlich, Krieg liegt in der Luft. Ich rieche es. Schau! Ich habe mein Schwert mitgebracht.«

Er saß langbeinig auf dem kleinen Tier, den großen Säbel an der Seite – Hand am Knauf –, grimmig über das flache Land nach Norden starrend. »Erzähle mir noch einmal, wie *er* aussah in deiner Vision. Steig auf und sitz hinter mir. Das Tier kann uns beide tragen.«

»Ich bin der Schüler dieses Heiligen«, sagte Kim, als sie das Dorftor passierten. Die Dorfleute schienen fast traurig, daß sie gingen, aber der Abschied des Priesters war kalt und zurückhaltend. Er hatte etwas Opium an einen Mann verschwendet, der kein Geld bei sich führte.

»Das ist wohlgesprochen. Ich verstehe mich nicht auf heilige Männer, aber Respekt ist immer gut. Heutzutage gibt es keinen Respekt mehr – nicht einmal, wenn ein Kommissär-Sahib mich besuchen kommt. Aber warum soll einer, dessen Stern ihn in Krieg führt, einem heiligen Manne folgen?«

»Aber er *ist* ein heiliger Mann«, sagte Kim ernst. »In Wahrheit und in Rede und Tat heilig. Er ist nicht wie die andern. Ich habe noch nie so einen gesehen. Wir sind keine Wahrsager oder Gaukler oder Bettler.«

»Du nicht, das kann ich sehen; den andern kenne ich nicht. Er marschiert aber gut.«

Die frühe Tagesfrische trug den Lama vorwärts in langem, beschwingtem Kamelschritt. Er war in tiefer Meditation und ließ mechanisch den Rosenkranz klappern.

Sie folgten der ausgefahrenen, holprigen Landstraße, durch das Flachland zwischen den großen, tiefgrünen Mangowäldern hin, die Kette der schneegekrönten Himalajagipfel glimmend im Osten. Ganz Indien war auf den Feldern an der Arbeit, beim Knarren der Wasserräder, Schreien der Pflüger hinter den Ochsen und Krähengekrächz. Selbst das Pony fühlte sich angeregt und setzte sich fast in Trab, als Kim eine Hand an den Steigbügelriemen legte.

»Es reut mich, daß ich dem Tempel nicht eine Rupie gegeben habe«, sagte der Lama bei der letzten seiner einundachtzig Perlen.

Der alte Soldat brummte in seinen Bart, wodurch der Lama seiner erst jetzt gewahr wurde.

»Suchst auch du den Fluß?« fragte er, sich umwendend.

»Der Tag ist neu«, war die Antwort. »Was nutzt mir ein Fluß weiter, als mein Pferd zu tränken vor Sonnenuntergang? Ich komme, um dir eine Abkürzung nach der großen Heerstraße zu zeigen.«

»Das ist eine Höflichkeit, deren man gedenken soll, o Mann guten Willens. Aber wozu der Säbel?«

Der alte Soldat schaute verlegen drein wie ein Kind, das man bei einem Schabernack ertappt.

»Der Säbel«, sagte er, daran herumspielend, »oh, das war ein Einfall von mir – ein Einfall eines alten Mannes. Es ist wahr, der Polizeibefehl heißt: daß kein Mann in ganz Hind Waffen tragen darf, aber« – sein Gesicht klärte sich auf, und er schlug auf den Griff – »alle Konstabler hierherum kennen mich.«

»Es ist kein guter Einfall«, sagte der Lama. »Welchen Gewinn bringt es, Menschen zu töten?«

»Sehr wenig, soviel ich weiß. Aber wenn böse Menschen

nicht hier und da totgeschlagen würden, wäre es keine gute Welt für waffenlose Träumer. Ich spreche nicht ohne Erfahrung, der ich das Land von Delhi bis Süden mit Blut gewaschen sah.«

»Welcher Wahnsinn war das denn?«

»Die Götter allein, die ihn als Heimsuchung sandten, wissen es. Ein Wahnsinn fraß sich ein in das ganze Heer, und es wandte sich gegen seine Offiziere. Das war das erste Unheil; aber es wäre wiedergutzumachen gewesen, hätten sie dann die Hände stillgehalten. Aber sie verfielen darauf, die Weiber und Kinder der Sahibs zu töten, und da kamen die Sahibs von jenseits des Meeres und zogen sie zur strengsten Rechenschaft.«

»Irgend so ein Gerücht ist zu mir gedrungen, vor langer Zeit. Sie nannten es das schwarze Jahr, wie ich mich entsinne.«

»Welche Art von Leben hast du geführt, um *das* Jahr nicht zu kennen? Ein Gerücht! Die ganze Erde wußte es und zitterte.«

»Unsere Erde bebte nur einmal – an dem Tage, als der Vortreffliche Erleuchtung empfing.«

»Hm! Delhi zum mindesten habe ich selber zittern sehen, und Delhi ist der Nabel der Welt.«

»So wandten sie sich gegen Frauen und Kinder? Das war eine schlechte Tat, für die sie der Strafe nicht entgehen konnten.«

»Viele versuchten es, aber mit wenig Erfolg. Ich war damals in einem Kavallerieregiment. Es meuterte. Von sechshundertachtzig Säbeln blieben bei der Fahne – wie viele denkt ihr wohl? – drei. Und einer davon war ich.«

»Um so größer das Verdienst.«

»Verdienst! Wir betrachteten es nicht als Verdienst in jenen Tagen. Mein Volk, meine Freunde, meine Brüder fielen von mir ab. Sie sagten: ›Die Zeit der Englischen ist erfüllt. Jetzt muß ein jeder ein kleines Gütchen für sich selbst herausschlagen.‹ Aber ich hatte mit den Männern von Sobraon, von Chillianwallah, von Moodkee und Ferozeshah geredet. Ich sagte: ›Wartet ein bißchen, der Wind wird sich drehen, bei diesem Werk ist kein Segen.‹ In jenen Tagen ritt ich siebzig Meilen mit einer englischen Mem-Sahib und ihrem Baby auf meinem Sattelbug. (Hui! Das war ein Pferd für einen Mann!) Ich brachte sie in Sicherheit, und zurück kam ich zu meinem Offizier – dem einen, der nicht getötet war von unsern fünf. ›Gib mir Arbeit‹, sprach ich, ›denn ich bin von meiner eigenen Sippe ausgestoßen, und das Blut meiner Vettern ist naß auf meinem Degen.‹ – ›Beruhige dich‹, sagte er. ›Viel Arbeit liegt vor. Wenn dieser Wahnsinn vorüber ist, kommt die Belohnung.‹«

»Ja, Belohnung kommt gewiß, wenn der Wahnsinn vorüber ist«, murmelte der Lama halb zu sich selbst.

»Damals behingen sie nicht jeden mit Medaillen, der zufällig mal eine Kanone hatte schießen hören. Nein! In neunzehn regelrechten Schlachten bin ich gewesen; in sechsundvierzig Reitergefechten und zahllosen Scharmützeln. Neun Wunden trage ich; eine Medaille und vier Spangen und ein Ordenskreuz, denn meine Kommandeure, jetzt alles Generale, erinnerten sich meiner, als die Kaiser-i-Hind fünfzig Jahre ihrer Regierung vollendet hatte und das ganze Land jubelte. Sie sagten: ›Gebt ihm den Orden von Britisch-Indien.‹ Ich trage ihn nun an meinem Hals. Ich habe auch mein *jaghir* (Anwesen) von der Hand des Staates – eine freie Gabe an mich und die Meinen. Die Männer der alten Zeit – jetzt Kommissäre – kommen zu mir durch die Felder geritten, hoch zu Roß, daß das ganze Dorf es sieht, und wir reden von alten Waffentaten und von den Toten und kommen von einem Namen auf den andern.«

»Und dann?« sagte der Lama.

»Oh, nachher gehen sie fort, aber nicht, ehe das ganze Dorf sie gesehen hat.«

»Und am Ende – was wirst du tun?«

»Am Ende werde ich sterben.«

»Und dann?«

»Laß die Götter das besorgen. Ich habe sie nie mit Gebeten gequält; ich denke, sie werden mich auch nicht quälen. Schau, ich habe in meinem langen Leben gemerkt, daß alle, die denen da oben ewig mit Klagen und Beschwerden und Gekläff und Geheul in den Ohren liegen, auf einmal mir nichts, dir nichts zum Rapport kommandiert werden, just wie es unser Oberst mit den schlappmäuligen Bauernlümmeln, die zuviel schwatzten, zu tun pflegte. Nein, ich habe die Götter nie behelligt. Sie werden das bedenken und mir einen ruhigen Platz geben, wo ich meine Lanze in den Schatten bohren und warten kann, bis ich meine Söhne willkommen heiße: ich habe nicht weniger als drei − alle Ressaldar-Majore − in der Armee.«

»Und diese ebenfalls, gebunden auf das Rad, gehen von Leben zu Leben − von Verzweiflung zu Verzweiflung«, murmelte der Lama leise, »heiß, ruhelos, gierig.«

»Jawohl«, kicherte der alte Soldat. »Drei Ressaldar-Majore in drei Regimentern. Spieler ein bißchen, aber das bin ich auch. Sie müssen gut beritten sein; und man kann die Pferde nicht nehmen, wie man in alten Tagen die Weiber nahm. Gut, gut, mein Besitz kann für alles zahlen. Siehst du, es ist ein wohlbewässertes Fleckchen, aber meine Leute betrügen mich. Ich kann mich nicht anders als mit der Lanzenspitze verständlich machen. Uff! Mich packt dann die Wut, ich verfluche sie, und sie heucheln Reue; aber hinter meinem Rükken, weiß ich, nennen sie mich einen zahnlosen, alten Affen.«

»Hast du nie etwas anderes begehrt?«

»Ja − ja − tausendmal! Einen strammen Rücken, ein Knie wie ein Schraubstock, griffige Hand und scharfes Auge noch einmal − und das Mark, das den Mann macht. Oh, die alten Tage − die guten Tage meiner Kraft!«

»Diese Kraft ist Schwäche.«

»Dazu ist sie geworden; aber fünfzig Jahre früher hätte ich sie anders beweisen können«, gab der alte Soldat zurück, dem Pony die Steigbügelkante in die magere Flanke treibend.

»Aber ich weiß einen Strom von großer Heilkraft.«

»Ich habe Gungawasser getrunken bis zur Wassersucht. Alles, was ich davon bekam, war ein Durchfall, aber von Kraft keine Spur.«

»Es ist nicht Gunga. Der Fluß, den ich weiß, wäscht jeden Flecken Sünde ab. Steigt man ans andere Ufer, so ist man der Freiheit gewiß. Ich kenne dein Leben nicht, aber dein Gesicht ist das Gesicht der Ehrbaren und Freundlichen. Du bist deinem Wege gefolgt, du hast Treue gehalten, als sie schwer zu halten war, in dem schwarzen Jahr, an das ich mich jetzt auch aus anderen Erzählungen entsinne. Betritt nun den Mittleren Pfad, der der Pfad zur Freiheit ist. Höre das Höchst Vortreffliche Gesetz und folge nicht länger Träumen nach.«

»Rede nur, alter Mann«, der Soldat lächelte, halb salutierend. »Wir sind alle Schwätzer in unserem Alter.«

Der Lama kauerte nieder im Schutz eines Mangobaums, dessen Schatten schachbrettartig über sein Gesicht spielten; der Soldat saß steif auf dem Pony, und Kim, nachdem er sich versichert hatte, daß keine Schlangen da waren, legte sich in die Gabelung der verschlungenen Wurzeln.

Ein lullendes Summen von Insekten war in dem heißen Sonnenschein, Gurren von Tauben, und leises schläfriges Dröhnen von Wasserrädern kam über die Felder her. Langsam und gewichtig hob der Lama an. Nach zehn Minuten glitt der alte Soldat von seinem Pony, um, wie er sagte, besser zu hören, und setzte sich nieder, die Zügel ums Handgelenk schlingend. Die Stimme des Lamas stolperte, die Pausen wurden länger. Kim war in die Beobachtung eines grauen Eichhörnchens vertieft. Als das kleine zapplige Pelzbündelchen, dicht an den Ast geschmiegt, verschwand, waren Prediger und Gemeinde fest eingeschlafen: der scharf geschnittene Kopf des alten Soldaten auf seinen Arm gebettet, der des Lamas an den Baumstamm zurückgelehnt, von dem er sich abhob wie gelbes Elfenbein. Ein nacktes Kind trollte sich heran, glotzte und machte in einem plötzlichen Anfall von Ehrfurcht einen feierlichen, kleinen Knicks vor dem Lama – aber es war so kurz und fett, daß es seitwärts umpurzelte, und Kim mußte laut lachen über die zappelnden Wurstbeinchen. Das Kind, erschreckt und empört, schrie gellend.

»Ho! Ho!« rief der Soldat, auf seine Füße springend, »Was ist los? Welche Orders? ... Ach – ein Kind! Ich träumte, es wäre Alarm. Kleines – Kleines – schreie nicht. Hab ich geschlafen? Das war wirklich unhöflich!«

»Ich habe Angst! Ich fürchte mich!« brüllte das Kind.

»Was ist da zu fürchten? Zwei alte Männer und ein Knabe? Wie willst du jemals ein Soldat werden, Prinzchen?«

Der Lama war auch erwacht, nahm aber keine unmittelbare Notiz von dem Kinde, sondern klapperte an seinem Rosenkranz.

»Was ist das?« rief das Kind, mitten in einem Brüller innehaltend. »Solche Dinger hab ich noch nie gesehen. Gib sie mir.«

»Aha«, machte lächelnd der Lama, und eine Rosenkranzschlinge über das Gras ziehend, sang er:

»Hier ist eine Handvoll Kardamom,
Hier ein Stück *ghi* dazu,
Hier ist Hirse und Pfeffer und Reis;
Nun schmausen wir, ich und du!«

Das Kind kreischte vor Freude und haschte nach den dunklen, glänzenden Perlen.

»Oho!« rief der alte Soldat, »woher hast du dieses Lied, Verächter dieser Welt?«

»Ich hörte es in Pathankot, wo ich auf einer Türschwelle rastete«, sagte der Lama schüchtern. »Es ist gut, freundlich mit Kindern zu sein.«

»Wie ich mich erinnere, sagtest du mir, ehe der Schlaf über uns kam, daß Heirat und Geburt Verdunkler des wahren Lichtes sind, Steine des Anstoßes auf dem Pfade. Fallen bei dir zulande die Kinder vom Himmel? Gehört das zum ›Weg‹, ihnen Lieder zu singen?«

»Kein Mensch ist ganz fehlerlos«, sagte der Lama ernst und zog den Rosenkranz ein. »Lauf nun zu deiner Mutter, Kleiner.«

»Hör ihn an!« wandte sich der Soldat zu Kim. »Er schämt sich, ein Kind glücklich gemacht zu haben. Es ist ein sehr guter Hausvater an dir verloren, mein Bruder. Heda, Kind!« er warf ihm eine Kupfermünze zu: »Zuckerwerk ist immer süß.« Und als die kleine Gestalt im Sonnenschein forthüpfte: »Die wachsen heran und werden Männer, Heiliger, ich bedaure, daß ich mitten in deiner Predigt einschlief. Vergib mir.«

»Wir sind beide alte Männer«, sprach der Lama. »Der Fehler ist mein. Ich lauschte deiner Rede von der Welt und ihrem Wahn, und ein Fehler führte zum nächsten.«

»Hör ihn an! Was tut ein Spiel mit einem Kinde deinen Göttern zuleide? Und das Lied hast du sehr gut gesungen. Laß uns weiterwandern, und ich will dir das Lied von Nikal Seyn vor Delhi singen – das alte Lied.«

Und sie tauchten aus dem Dämmer der Mangogruppe. Die hohe schrille Stimme des alten Soldaten schwang sich über das Feld, als er in langgezogenen Klagewellen die Sage von Nikal Seyn (Nicholson) hinrollen ließ – das Lied, das die Leute im Pandschab bis heutigen Tages singen. Kim war entzückt, und der Lama hörte mit tiefem Anteil zu.

»Ahi! Nikal Seyn ist tot – er fiel vor Delhi! Lanzen vom Norden, nehmt Rache für Nikal Seyn.« Er hielt den Schluß tremolierend aus und schlug auf dem Hinterteil des Ponys mit der Degenfläche den Takt dazu.

»Und nun kommen wir auf die große Heerstraße«, sagte er, als Kim sein Lob gesungen hatte; denn der Lama war auffallend schweigsam. »Lang ist es her, seit ich diese Straße geritten bin; aber die Worte deines Knaben haben mich aufgerüttelt. Schau, Heiliger – die große Heerstraße, die das Rückgrat von ganz Hind ist. Zum größten Teil ist sie, wie hier, beschattet von vier Reihen von Bäumen; die Mittelstraße – ganz hart – ist für den Eilverkehr. In den Tagen vor den Eisenbahnwagen reisten die Sahibs hier zu Hunderten hin und her. Jetzt sieht man nur Bauernkarren und dergleichen. Rechts und links ist die gröbere Straße für Lastfuhren – Getreide und Baumwolle und Bauholz, Bhoosa, Kalk und Felle. Hier geht man ganz sicher – denn alle paar *kos* weit ist eine Polizeistation. Die Polizisten sind Diebe und Erpresser (ich würde hier mit Kavallerie patrouillieren – jungen Rekruten unter einem handfesten Hauptmann), aber sie dulden wenigstens keine Rivalen. Alle Arten und Kasten von Menschen tummeln sich hier. Schau! Brahmanen und Chumars, Geldwechsler und Kesselflicker, Barbiere und Bunnias, Pilger und Töpfer – alle Welt kommt und geht. Für mich ist's ein Fluß, von dem ich an Land gespült bin wie ein Holzklotz bei einer Überschwemmung.«

Und wahrlich, die große Heerstraße bietet ein wunderbares Schauspiel. Sie läuft schnurgerade und trägt ohne Gedränge Indiens Handelsverkehr fünfzehnhundert englische Meilen weit – ein Strom von Leben, wie es ihn nirgendwo sonst in der Welt gibt. Sie schauten die grünüberwölbte, schattengetigerte Länge, die weiße Breite, getüpfelt mit langsam schreitendem Volk, und die zweizimmrige Polizeistation gegenüber.

»Wer trägt hier Waffen gegen das Gesetz?« rief lachend ein Konstabler, als er das Schwert des Soldaten erblickte. »Sind nicht genug Polizisten da, um Übeltäter zu vertilgen?«

»Just wegen der Polizei hab ich's gekauft«, war die Antwort. »Steht alles gut in Hind?«

»Ressaldar-Sahib, alles steht gut.«

»Ich bin wie eine alte Schildkröte, siehst du, die ihren Kopf vom Ufer ausstreckt und wieder einzieht. Ja, dies ist die Straße von Hindustan. Alle Menschen kommen diesen Weg ...«

»Sohn eines Schweins, ist der Straßenschotter dazu da, daß du deinen Rücken darauf juckst? Vater aller Töchter der Schande und Gatte von zehntausend Unkeuschen, deine Mutter hing sich einem Teufel an den Hals, und ihre Mutter half dazu; deine Tanten haben seit sieben Generationen keine Nasen gehabt! Deine Schwester! – Welcher Eulenwitz hieß dich deine Karren quer über die Straße treiben? Ein zerbrochenes Rad? Dann nimm einen zerbrochenen Kopf dazu und flick die beiden zusammen, wie dir's paßt!«

Die Stimme und ein wütendes Peitschenknallen kamen aus einer fünfzig Yard entfernten Staubsäule, wo ein Wagen zusammengebrochen war. Eine schlanke hohe Kattiwar-Stute, Augen und Nüstern flammend, stieg wie eine Rakete aus dem Gewühl hervor, schnaubend und schlagend, als ihr Reiter sie quer über den Weg zwang, einen schreienden Mann vor sich herjagend. Er saß, hochgewachsen und graubärtig, auf dem fast rasenden Tier, als wär es ein Stück von ihm, und schlug ruckweise mit kundiger Hand auf sein Opfer los.

Das Gesicht des alten Soldaten leuchtete auf vor Stolz. »Mein Junge!« sagte er kurz und bemühte sich, den Hals des Ponys in die rechte Wölbung zu zügeln.

»Muß ich mich prügeln lassen vor der Polizei?« schrie der Fuhrmann. »Gerechtigkeit! Ich fordere Gerechtigkeit …«

»Muß ich mir den Weg versperren lassen von einem schreienden Affen, der zehntausend Säcke einem jungen Pferde vor die Nase stürzt? Das macht einen Gaul zuschanden.«

»Er spricht wahr. Er spricht wahr. Aber der Gaul pariert gut«, rief der alte Soldat. Der Fuhrmann rannte unter die Räder seines Wagens und schwur von dort alle erdenkliche Rache.

»Starke Männer sind deine Söhne«, sagte gelassen der Polizist, in den Zähnen stochernd.

Der Reiter hieb einen letzten, bösartigen Schlag mit der Peitsche und kam in kurzem Galopp heran.

»Mein Vater!« Er zügelte zehn Yards entfernt und stieg ab.

Der alte Mann war augenblicklich von seinem Pony herunter, und sie umarmten sich, wie Vater und Sohn im Osten tun.

Viertes Kapitel

Das Glück ist keine Lady –
Die verwünschteste Dirne, die's gibt,
Kratzbürstig und feil und tückisch,
Kommt, geht, wie's ihr beliebt.
Grüß sie – sie äugt einem andern,
Küß sie – sie steht wie ein Stock;
Jag sie zur Hölle – und auf der Stelle
Kommt sie zärtlich und zupft dich am Rock.
  Nur immer sachte, Fortune,
  Gib, nimm, mir gilt es gleich
  Scher ich mich nicht um Fortunen,
  Folgt sie mir windelweich.
                    ›Das Wunschhütchen‹

Dann sprachen sie gedämpft miteinander. Kim schickte sich an, unter einem Baume auszuruhen, aber der Lama zupfte ihn ungeduldig am Ellbogen.

»Laß uns weitergehen. Der Fluß ist nicht hier.«

»Hai mai! Sind wir nicht genug gegangen für eine Weile? Unser Fluß wird nicht fortlaufen. Geduld! Er wird uns ein Almosen geben.«

»Dies«, sagte plötzlich der alte Soldat, »ist der Freund der Sterne. Er brachte mir gestern die Nachricht. Er hat den Mann leibhaftig gesehen, in einer Vision, wie er Befehle für den Krieg gab.«

»Hm!« brummte sein Sohn tief in seiner breiten Brust. »Er hat irgendein Basargeschwätz aufgeschnappt und es sich zunutze gemacht.«

Sein Vater lachte. »Wenigstens ist er nicht zu mir geritten, um ein neues Schlachtroß und die Götter wissen wieviel Rupien zu erbetteln. Sind die Regimenter deiner Brüder auch beordert?«

»Ich weiß es nicht. Ich nahm Urlaub und kam rasch zu dir, für den Fall ...«

»Für den Fall, daß sie dir zuvorkommen könnten mit Betteln! Oh, Spieler und Verschwender alle zusammen! Aber du hast noch nie eine Attacke geritten. Dazu gehört natürlich ein gutes Pferd. Ein guter Bursche und ein gutes Pony für den Marsch ebenfalls. Laß sehen – laß sehen.« Er trommelte auf den Sattelknopf.

»Dies ist kein Ort, um Berechnungen anzustellen, mein Vater. Wir wollen zu deinem Hause gehen.«

»Dann bezahl wenigstens erst den Knaben: Ich habe kein Kupfergeld bei mir, und er hat glückverheißende Botschaft gebracht. Ho! Freund aller Welt, ein Krieg steht bevor, wie du gesagt hast.«

»Nein, wie ich weiß: *der* Krieg«, erwiderte Kim gelassen.

»Eh?« machte der Lama, seine Perlen fingernd, wanderbegierig.

»Mein Meister befragt die Sterne nicht um Lohn. Wir brachten die Nachricht – du bist Zeuge; wir brachten die Nachricht, und nun gehen wir.« Kim krümmte die hohle Hand zur Seite.

Der Sohn schleuderte eine Silbermünze durch das Sonnenlicht, etwas von Bettlern und Gauklern brummend. Es war ein Vierannastück, Zehrgeld genug für ein paar Tage. Der Lama, den Blitz des Metalls gewahrend, summte seinen Segen.

»Zieh deines Weges, Freund aller Welt«, rief der alte Soldat, seine knochige Mähre wendend. »Einmal meiner Lebtage bin ich einem wahren Propheten begegnet – der nicht in der Armee war.«

Vater und Sohn schwenkten zusammen um: der alte Mann ebenso stramm aufrecht sitzend wie der junge.

Ein Pandschabkonstabler in gelben Leinenhosen schlurfte über den Weg. Er hatte das Geldstück fliegen sehen.

»Halt!« rief er in eindrucksvollem Englisch. »Wißt ihr nicht, daß ein *takkus* von zwei Anna pro Kopf erhoben wird für jeden, der die Straße von diesem Nebenweg aus betritt? Macht vier Anna. Es ist Befehl des Sirkars, und das Geld wird für das Pflanzen von Bäumen und für Verschönerung der Straße verwendet.«

»Und für die Bäuche der Polizei«, rief Kim, aus Reichweite entschlüpfend. »Besinn dich ein Weilchen, Mann mit vernageltem Kopf. Denkst du, daß wir aus dem nächsten Sumpf kommen, wie der Frosch, dein Schwiegervater? Hast du jemals den Namen deines Bruders gehört?«

»Und wie hieß der? Laß den Knaben in Ruhe«, rief höchlich belustigt ein alter Konstabler, der sich just in der Veranda niederhockte, um seine Pfeife zu rauchen.

»Der nahm das Etikett von einer Flasche *belaitee-pani* (Sodawasser), nagelte es an die Brücke, sammelte einen Monat lang Steuern von allen Passanten und sagte, es wäre Sirkarbefehl; dann kam ein Engländer, der schlug ihm den Kopf entzwei. Ah, Bruder, ich bin eine Stadtkrähe, keine Dorfkrähe.« Der Polizist zog sich verlegen zurück, und Kim höhnte ihn, solange er ihn sehen konnte.

»Hat es je einen Schüler wie mich gegeben?« fragte er lustig den Lama. »Zehn Meilen von Lahore würde schon alle Welt dir die Knochen aus dem Leibe gestohlen haben, wenn ich dich nicht beschützt hätte.«

»Wenn ich es innerlich bedenke, so scheinst du mir manchmal ein guter Geist zu sein und manchmal ein böser Kobold«, sagte der Lama, schwerfällig lächelnd.

»Ich bin dein *chela*.« Kim faßte an seiner Seite Schritt – jene unbeschreibliche Gangart der Weitwandernden in aller Welt.

»Nun laß uns wandern«, murmelte der Lama; und zu dem Klicken des Rosenkranzes gingen sie schweigend Meile um Meile. Der Lama war wie gewöhnlich tief in Meditation, aber Kims helle Augen waren weit offen. Dieser breite, heitere Strom von Leben, dachte er, war wahrlich besser als das Gewühl und Gedränge in den Straßen von Lahore. Bei jedem Schritt gab es Neues zu sehen und neue Menschen – Kasten, die er kannte, und Kasten, von denen er nichts geahnt.

Sie begegneten einem Trupp langhaariger, scharf riechender Sansis, mit Körben voll Eidechsen und anderen unreinen Nahrungsmitteln auf dem Rücken – magere schnüffelnde Hunde auf den Fersen. Diese Leute blieben auf der ihnen bestimmten Seite der Straße, in raschem, scheuem Trott, und alle anderen Kasten gingen ihnen weit aus dem Wege, denn

Berührung mit einem Sansi ist niedrigste Befleckung. Hinter diesen, im Nachgefühl seiner Fußeisen breit und steif durch die scharfen Schatten schreitend, kam ein frisch aus dem Gefängnis Entlassener, mit dickem Bauch und glänzender Haut, sichtbaren Beweisen dafür, daß die Regierung ihre Gefangenen besser füttert, als die meisten ehrlichen Leute sich selber zu füttern vermögen. Kim kannte den Schritt wohl und ließ im Vorbeigehen seinen Spott los. Dann stelzte ein Akali daher, ein wildhaariger, wildäugiger frommer Sikh, in der blaugewürfelten Gewandung seines Glaubens, mit glitzernden, polierten Stahlscheiben auf dem Kegel seines hohen, blauen Turbans, heimkehrend vom Besuch in einem der unabhängigen Sikhstaaten, wo er jungen, auf englischen Universitäten erzogenen Fürsten in Stulpenstiefeln und Reithosen aus weißem Kord von dem alten Ruhm Khalsas gesungen hatte. Kim hütete sich wohl, diesen Mann zu reizen, denn das Temperament eines Akali ist hitzig und seine Hand flink. Hier und da begegneten sie oder wurden überholt von bunt gekleideten Einwohnerschaften ganzer Dörfer, die von irgendeinem nahen Jahrmarkt kamen, die Frauen mit ihren Babys auf den Hüften, hinter den Männern gehend, die älteren Knaben mit Spazierstöcken von Zuckerrohr einherstolzierend, kleine rohe Messinglokomotiven, das Stück zu einem Halfpenny, hinter sich herziehend oder mit billigen Schundspiegelchen die Sonne in die Augen ihrer Eltern blitzen lassend. Man konnte auf den ersten Blick sehen, was jeder gekauft hatte, und im Zweifelsfall brauchte man nur die Frauen zu beobachten, wie sie braunen Arm neben braunen Arm hielten, um die neu gekauften, plumpen Glasarmbänder zu vergleichen, die vom Nordwesten herstammen. Dieses muntere Völkchen ging langsam, unter vielen gegenseitigen Zurufen, und machte des öfteren halt, um mit Zuckerwerkverkäufern zu handeln oder ein Gebet zu verrichten vor einem der Heiligtümer am Wege – manchmal hinduistisch, manchmal mohammedanisch –, die die niederen Kasten beider Konfessionen mit schöner Unparteilichkeit miteinander teilen. Eine dichte, blaue Linie, sich auf und ab windend wie der Rücken einer eiligen Raupe, nahte durch den aufwirbelnden Staub und trottete unter

Plappergetöse vorüber. Das war ein Trupp *changars* – Weiber, die die Dämme aller nördlichen Bahnlinien zu betreuen haben –, eine plattfüßige, dickbusige, starkgliedrige, blauberockte Sippschaft von Erdträgerinnen, unterwegs nach neuer Arbeit im Norden und nicht gewillt, Zeit zu verlieren. Sie gehören zu der Kaste, deren Männer nicht mitzählen, und sie marschierten mit gespreizten Ellbogen, schwingenden Hüften und erhobenen Köpfen, wie es Frauen ansteht, die schwere Lasten tragen. Etwas später lärmte mit Musik und Freudengeschrei, mit Duft von Ringelblumen und Jasmin, stärker selbst als der Staubdunst, ein Hochzeitszug die Große Straße daher. Man konnte die Sänfte der Braut, einen Fleck von Rot und Flittergold, durch den Dunst schwanken sehen, indes das bekränzte Pony des Bräutigams sich seitwärts wandte, um ein Maulvoll von einem vorbeifahrenden Futterkarren wegzuschnappen. Und Kim fiel ein in das Kreuzfeuer von guten Wünschen und schlechten Witzen, dem Paare nach altem Brauch hundert Söhne und keine Tochter wünschend. Aber noch interessanter und noch mehr Anlaß zu Geschrei war es, wenn ein fahrender Gaukler mit ein paar halbgezähmten Affen oder einem keuchenden, schwachen Bären oder einem Weib, das, Ziegenhörner an die Füße gebunden, auf einem schlaffen Seil tanzte, die Pferde scheu machte und den Frauen schrille, langgezogene Triller des Staunens entlockte.

Der Lama hob nicht ein einziges Mal die Augen. Er beachtete nicht den Geldverleiher, der eilig auf seinem gänseleibigen Pony trabte, um seinen grausamen Zins einzutreiben, oder den kleinen, tiefstimmig langhingrölenden Trupp eingeborener Soldaten auf Urlaub, die, noch in Reih und Glied, selig, ihre Reithosen und Gamaschen los zu sein, den anständigsten Frauen die unflätigsten Dinge zuriefen. Selbst den Verkäufer von Gangeswasser sah er nicht, obwohl Kim erwartete, daß er wenigstens eine Flasche von dem kostbaren Stoff kaufen würde. Er blickte unbeirrt zu Boden, und ebenso unbeirrt wanderte er vorwärts, Stunde auf Stunde; seine Seele war anderswo beschäftigt. Aber Kim war im siebenten Himmel der Freude. Die Große Straße war an dieser Stelle über einen

Damm geführt, der sie gegen Winterfluten von den Vorbergen schützen sollte, so daß man etwas erhöht über dem Lande ging, wie auf einer stattlichen Galerie, und rechts und links ganz Indien gebreitet sah. Es war herrlich, die vielbespannten Getreide- und Baumwollwagen auf den Feldwegen hinkriechen zu sehen: Man konnte das Greinen der Achsen meilenweit hören, dann näher und näher, bis sie unter Rufen und Schreien und Schelten die steile Böschung heraufklommen und dann mit plötzlichem Ruck auf der harten Hauptstraße landeten, Fuhrmann auf Fuhrmann schimpfend. Nicht minder hübsch war es, die Menschen zu schauen, kleine Klumpen von Rot, Blau, Rosa, Weiß, Safran, die seitwärts abzweigten in ihre Dörfer, sich zerstreuten und immer kleiner wurden zu zweit und dritt auf der flachen Flur. Kim fühlte das alles, aber er konnte seinen Empfindungen keine Worte geben und begnügte sich damit, geschältes Zuckerrohr zu kauen und das Mark freigebig auf den Weg zu spucken. Von Zeit zu Zeit nahm der Lama Schnupftabak, und endlich konnte Kim das Schweigen nicht länger ertragen.

»Dies ist ein gutes Land – das Land des Südens!« sagte er. »Die Luft ist gut, das Wasser ist gut. Eh?«

»Und sie alle sind an das Rad gefesselt«, sprach der Lama. »Gebunden von Leben zu Leben. Keinem von diesen ist der Weg gewiesen.« Er rüttelte sich selbst zurück in diese Welt.

»Nun sind wir weit gegangen«, sagte Kim. »Sicher kommen wir bald zu einem *parao* (Rastplatz). Sollen wir da bleiben? Schau, die Sonne sinkt.«

»Wer wird uns heute abend aufnehmen?«

»Das ist gleich. Dieses Land ist voll von gutem Volk. Außerdem«, er dämpfte seine Stimme zu einem Flüstern, »wir haben Geld.«

Die Menge wurde dichter, als sie sich dem Rastplatz näherten, der das Ende ihrer Tagesreise bezeichnete. Eine Reihe von Verkaufsbuden mit sehr einfachen Nahrungsmitteln und Tabak, ein Stoß Brennholz, eine Polizeistation, ein Brunnen, ein Trog für die Pferde, einige Bäume und unter ihnen zertretener Boden, gefleckt mit schwarzer Asche von früheren Feuern, ist alles, was einen *parao* an der großen Hauptstraße ausmacht, nicht gerechnet die Krähen und Bettler – beide allzeit hungrig.

Die Sonne warf jetzt breite goldene Speichen durch die unteren Zweige der Mangobäume; die Sittiche und Tauben kehrten heim in ihre Bereiche, die plappernden, graurückigen Elstern liefen, die Abenteuer des Tages beschwätzend, zu zweit und dritt hin und her, fast unter den Füßen der Reisenden, und Rucken und Zucken in den Zweigen zeigte an, daß die Fledermäuse sich zum Nachtflug rüsteten. Jählings ballte sich das Licht zusammen, färbte für einen Augenblick die Gesichter, die Wagenräder, die Hörner der Ochsen rot wie Blut. Dann senkte sich die Nacht herab, wandelte die Fühlung der Luft, zog einen tiefen, ebenmäßigen Nebel, gleich einem blauen Nachsommerschleier, über das Antlitz des Landes und lockte, scharf und deutlich, den Geruch von Holzrauch und Vieh und den wohligen Duft in der Asche gebackener Weizenkuchen hervor. Mit gewichtigem Räuspern und wiederholten Befehlen trat geschäftig die Abendpatrouille aus der Polizeistation, und die feurige Kohle im Gefäß der Wasserpfeife eines lagernden Fuhrmanns glühte rot, indes Kims Auge mechanisch an dem letzten Blinken der Sonne auf den Messingbeschlägen hing.

Das Treiben im *parao* glich im kleinen dem des Kaschmir-Serail. Kim tauchte in das glückliche asiatische Durcheinander, das einem, wenn man nur warten kann, alles bringt, was ein einfacher Mensch braucht.

Seine Bedürfnisse waren gering und, da der Lama keine Kastenskrupel kannte, durch gekochtes Essen von der nächsten Bude zu befriedigen; aber luxushalber kaufte Kim eine Handvoll Dungkuchen, um ein Feuer anzulegen. Alles war in Bewegung, kommend und gehend, rings um die kleinen Flammen. Hier rief man nach Öl oder Mais, dort nach Zuckerwerk oder Tabak; man stieß einander, um an den Brunnen zu kommen, und zwischen den Männerstimmen ließ sich aus angepflockten, verhängten Wagen das hohe Gequieck und Gekicher von Weibern hören, die ihre Gesichter nicht öffentlich zeigen durften.

Heutzutage pflegen guterzogene Eingeborene ihre Frauen,

wenn sie reisen – und sie sind oft auf Besuch unterwegs –, in einem geziemend verhängten Abteil mit der Eisenbahn fahren zu lassen, und diese Sitte breitet sich aus. Es bleiben aber noch genug vom alten Schlag, die an dem Brauch ihrer Vorväter festhalten, und vor allen sind es immer die alten Frauen – konservativer als die Männer –, die gegen die Neige ihrer Tage auf Pilgerfahrten ausziehen. Diese, verblüht und nicht begehrenswert, entschleiern sich unter gewissen Umständen ganz gern. Nach ihrer langen Abgeschlossenheit, während der sie mit der Außenwelt bereits in tausenderlei geschäftlichen Beziehungen standen, freuen sie sich des Lebens und Treibens der offenen Heerstraße, des Gedränges vor den Heiligtümern und der reichlichen Gelegenheit, mit gleichgesinnten alten Damen zu schwatzen. Sehr oft ist es einer schwergeprüften Familie recht willkommen, wenn eine scharfzungige, eigenwillige alte Dame auf diese Art Indien durchzieht, denn eine Pilgerfahrt ist zweifellos immer den Göttern wohlgefällig. So kommt es, daß man überall in Indien, an den entlegensten wie an den besuchtesten Plätzen, Trupps ergrauter Diener begegnet, die angeblich zum Schutz für eine alte, vornehme, mehr oder weniger hinter den Vorhängen eines Ochsenwagens verborgene Dame bestellt sind. Es sind Männer gesetzter, diskreter Art, und wenn ein Europäer oder hochkastiger Eingeborener in der Nähe ist, walten sie ihres Amtes mit peinlichster Sorgfalt. Aber bei den gewöhnlichen Zufallsbegegnungen einer solchen Pilgerfahrt werden diese Vorsichtsmaßregeln außer acht gelassen; denn die alte Dame ist trotz allem leidenschaftlich weltlich und lebt, um etwas vom Leben zu sehen.

Kim bemerkte eine bunt verzierte *ruth* oder Familienochsenkutsche mit einem gestickten Baldachin aus zwei Kuppeln, wie ein zweihöckeriges Kamel, die just in den *parao* gezogen wurde. Acht Männer bildeten ihr Gefolge, und zwei von ihnen waren mit rostigen Säbeln bewaffnet – ein sicheres Zeichen, daß sie einer Person von Rang folgten, denn gewöhnliches Volk trägt keine Waffen. Ein anwachsender Schwall von Befehlen, Klagen, Scherzen und – nach europäischem Begriff – recht derben Ausdrücken kam hinter den Vorhängen hervor. Hier war offenbar eine Frau, die zu befehlen gewohnt war.

Kim beäugte das Gefolge mit kritischem Blick. Zur Hälfte waren es dünnbeinige, graubärtige Ooryas vom Flachland; die andere Hälfte, in Büffelmänteln und Pelzhüten, Gebirgler vom Norden; und diese Mischung hätte ihm genug gesagt, auch wenn er nicht das unaufhörliche Gezänk zwischen beiden Parteien mit angehört hätte. Die alte Dame fuhr auf Besuch nach dem Süden, vielleicht zu einem reichen Verwandten, wahrscheinlich einem Schwiegersohn, der ihr ehrenhalber eine Eskorte entgegengeschickt hatte. Die Gebirgler mochten von ihrem eigenen Stamm sein – Kulu- oder Kangra-Leute. Es war klar, daß sie nicht etwa eine Tochter mit sich führte, um sie zu verheiraten; sonst wären die Vorhänge fest zugeschnürt gewesen, und die Wache hätte keinem erlaubt, sich dem Wagen zu nähern. Eine lustige und kühne Dame, dachte Kim, den Dungkuchen in der einen, die gekochte Speise in der anderen Hand balancierend und den Lama mit der Schulter vorwärtslotsend. Aus der Begegnung mußte etwas zu machen sein. Der Lama würde ihm nicht helfen, aber als gewissenhafter *chela* würde er mit Entzücken für zwei betteln.

Er legte sein Feuer so nahe wie möglich bei dem Wagen an, in Erwartung, daß einer von der Eskorte ihn fortweisen würde. Der Lama ließ sich müde auf die Erde nieder, so wie eine schwerbeladene, Früchte essende Fledermaus sich hinkauert, und kehrte zu seinem Rosenkranz zurück.

»Geh weiter fort, Bettler!« Der Befehl wurde in gebrochenem Hindustani von einem der Gebirgler gerufen.

»Hu! Es ist nur ein *pahari* (Gebirgler)«, sagte Kim über die Schulter weg. »Seit wann haben die Bergesel ganz Hindustan in Besitz genommen?«

Die Entgegnung darauf war eine schnell entworfene, glorreiche Skizze von Kims Stammbaum bis in die dritte Generation.

»Ah!« Kims Stimme war sanfter denn je, indes er den Dungkuchen in passende Stücke brach: »In *meinem* Lande nennen wir das den Anfang eines Liebesgespräches.«

Ein hartes, dünnes Kichern hinter den Gardinen spornte den Gebirgler zu einem neuen Ausfall.

»Nicht so übel – nicht so übel«, sagte Kim mit Ruhe. »Aber hüte dich, mein Bruder! Wir – ich sage *wir* – könnten uns sonst veranlaßt sehen, dir einen Fluch oder dergleichen zurückzugeben. Und unsere Flüche haben die Eigentümlichkeit, in Erfüllung zu gehen.«

Die Ooryas lachten, der Gebirgler sprang drohend vor; der Lama erhob plötzlich den Kopf und brachte so seine ungeheure Wollmütze in den Schein von Kims angezündetem Feuer.

»Was ist?« fragte er.

Der Mann hielt inne, wie zu Stein erstarrt. »Ich – ich bin vor einer großen Sünde bewahrt«, stammelte er.

»Der Fremde hat endlich gemerkt, daß es ein Priester ist«, flüsterte einer der Ooryas.

»He! Warum wird der Bettelbalg nicht gehörig verprügelt?« rief die alte Dame.

Der Gebirgler zog sich zu dem Wagen zurück und flüsterte etwas in die Gardine. Es folgte ein tiefes Schweigen, dann Geflüster.

›Das geht gut‹, dachte Kim und tat, als ob er nichts sähe und hörte.

»Wenn – wenn – er gegessen hat«, katzbuckelte der Gebirgler zu Kim, »bittet jemand den Heiligen um die Ehre, mit ihm sprechen zu dürfen.«

»Wenn er gegessen hat, wird er schlafen«, erwiderte Kim von oben herab. Er wußte noch nicht recht, welche Wendung das Spiel nehmen würde, aber er war entschlossen, Nutzen daraus zu ziehen. »Jetzt will ich ihm sein Essen holen.« Dieser laut gesprochene Satz endete mit einem Seufzer, wie vor Erschöpfung.

»Ich – ich selbst und die andern von meiner Sippe werden das besorgen, wenn – es erlaubt ist.«

»Es ist erlaubt«, sagte Kim, hochnäsiger denn je. »Heiliger, diese Leute werden uns Essen bringen.«

»Das Land ist gut. Alles Land im Süden ist gut – eine große und eine schreckliche Welt«, murmelte der Lama schläfrig.

»Laß ihn schlafen«, sagte Kim, »aber sorge dafür, daß wir gut gefüttert werden, wenn er aufwacht. Er ist ein sehr heiliger Mann.«

Wieder sagte einer der Ooryas etwas in geringschätzigem Ton.

»Er ist kein Fakir. Er ist kein Bettler aus dem Flachland«, fuhr Kim strengen Tones fort, zu den Sternen gewendet. »Er ist der heiligste aller heiligen Männer. Er ist über allen Kasten. Ich bin sein *chela*.«

»Komm hierher!« rief die flache, dünne Stimme hinter dem Vorhang; und Kim kam, wohl wissend, daß Augen, die er nicht sehen konnte, ihn scharf beobachteten. Ein magerer, brauner Finger, schwer von Ringen, lag auf der Wagenkante, und die Rede ging so:

»Wer ist der dort?«

»Ein außerordentlich heiliger Mann. Er kommt von fern her. Er kommt von Tibet.«

»Von wo in Tibet?«

»Von hinter den Schneebergen – von einem sehr fernen Ort. Er kennt die Sterne; er stellt Horoskope; er weiß den Stand der Gestirne bei der Geburt. Aber er tut das nicht für Geld. Er tut es aus Güte und großem Erbarmen. Ich bin sein Schüler. Ich werde auch Freund der Sterne genannt.«

»Du bist nicht von den Bergen.«

»Frage ihn. Er wird dir sagen, daß ich ihm von den Sternen gesandt wurde, um ihm das Ziel seiner Pilgerfahrt zu zeigen.«

»Ach was! Bedenke, Schlingel, daß ich eine alte Frau und nicht ganz und gar närrisch bin. Lamas kenne ich wohl, und ihnen erweise ich Ehrfurcht; aber du bist ebensowenig ein echter *chela*, wie mein Finger die Deichsel dieses Wagens ist. Du bist ein kastenloser Hindu, ein kecker, unverschämter Bettler, der sich wahrscheinlich an den Heiligen gehängt hat um des Gewinnes willen.«

»Arbeiten wir nicht alle um Gewinn?« Kim wechselte prompt seinen Ton und paßte sich der veränderten Stimme an. »Ich habe gehört« – dies war ein Bogenspannen auf gut Glück –, »ich habe gehört ...«

»Was hast du gehört?« fuhr sie ihn an, mit dem Finger klopfend.

»Nichts, worauf ich mich so genau besinnen kann, doch ein Basargeschwätz, das sicher erlogen ist, daß selbst Radschas – Gebirgsradschas ...«

»Aber dennoch von gutem Radschput-Blut.«

»Natürlich von gutem Blut. Daß selbst diese die hübscheren ihres Weibervolks um Gewinn verkaufen. Nach dem Süden hinunter verkaufen sie sie – an Zemindars und dergleichen Leute in Oudh.«

Wenn es etwas in der Welt gibt, was die Gebirgsradschas ableugnen, so ist es just diese Beschuldigung; aber gerade dieses Gerücht findet am meisten Glauben in den Basaren, wenn von dem mysteriösen Sklavenhandel Indiens die Rede ist. Die alte Dame erklärte Kim in eindringlichem, entrüstetem Flüsterton, was für ein boshafter Lügner er wäre; hätte er diese Andeutung gewagt, als sie noch ein Mädchen war, so wäre er noch am selbigen Abend von einem Elefanten zu Tode getrampelt worden. Das war vollkommen wahr.

»Ahai! Ich bin nur ein Bettlerbalg, wie das Auge der Schönheit gesagt hat«, jammerte er in übertriebenem Schreck.

»Auge der Schönheit, wahrhaftig! Wer bin ich, daß du wagst, mir Bettlerzärtlichkeiten an den Hals zu werfen?« Und doch lachte sie bei dem lang vergessenen Wort. »Vor vierzig Jahren hätte man das von mir sagen können und nicht ohne Grund – ja, noch vor dreißig Jahren. Aber diese Landstreicherei auf und ab durch Hind ist schuld, daß eine Königswitwe mit dem ganzen Abschaum des Landes zusammenstoßen und zum Gespött von Bettlern werden muß.«

»Große Königin«, sagte Kim schleunigst, denn er hörte sie sich schütteln vor Entrüstung, »ich bin eben das, was die große Königin mich nannte; aber nichtsdestoweniger ist mein Meister heilig. Er hat noch nicht den Befehl der großen Königin vernommen, daß er ...«

»Befehl? Ich einem Heiligen befehlen – einem Lehrer des Gesetzes – zu kommen, um mit einem Weibe zu sprechen? Niemals!«

»Erbarme dich meiner Dummheit. Ich dachte, es wäre ein Befehl ...«

»War es nicht. Es war eine Bitte. Macht dieses alles klar?« Eine Silbermünze klirrte auf den Wagenrand. Kim nahm sie und salaamte tief. Die alte Dame begriff, daß man ihn, als das Auge und Ohr des Lama, günstig stimmen müßte.

»Ich bin nur der Schüler des Heiligen. Wenn er gegessen hat, wird er vielleicht kommen.«

»Oh, Taugenichts und schamloser Spitzbube!« Der juwelenbeschwerte Zeigefinger drohte ihm vorwurfsvoll; aber er konnte die alte Dame kichern hören.

»Nun, was ist es?« fragte er in seinem einschmeichelndsten und zutraulichsten Ton, dem, wie er wohl wußte, nur wenige widerstanden. »Fehlt es in deiner Familie an – an einem Sohn? Sprich offen, denn wir Priester ...« Das letzte war ein unverblümtes Plagiat von einem Fakir am Taksali-Tor.

»Wir Priester! Du bist noch nicht alt genug, um ...« Sie unterbrach den Witz durch ein neues Gelächter. »Glaube mir ein für allemal, wir Frauen, o Priester, haben auch an anderes als an Söhne zu denken. Außerdem, meine Tochter hat einen Knaben geboren.«

»Zwei Pfeile im Köcher sind besser als einer, und drei sind noch besser.« Kim begleitete das Sprichwort mit nachdenklichem Husten und blickte diskret zur Erde.

»Wahr – o wahr. Aber vielleicht kommt das noch. Sicherlich sind diese Brahmanen auf dem Lande zu nichts nütze. Ich schickte ihnen Gaben und Geld und wieder Gaben, und sie prophezeiten ...«

»Ah!« warf Kim gedehnt mit unendlicher Verachtung hin, »sie prophezeiten!« Ein gelehrter Fachmann hätte es nicht besser machen können.

»Und erst als ich mich meiner eigenen Götter erinnerte, wurden meine Gebete erhört. Ich wählte eine günstige Stunde; und – vielleicht hat dein Heiliger von dem Abt des Lung-Cho-Lamaklosters gehört. Ihm trug ich meine Angelegenheit vor, und sieh da, zur bestimmten Zeit kam alles, wie ich es gewünscht. Der Brahmane im Hause des Vaters von meiner Tochter Sohn behauptet seitdem, durch *seine* Gebete sei es geschehen – was ein kleiner Irrtum ist, wie ich ihm erklären werde, wenn ich das Ziel meiner Reise erreicht habe. Und dann später gehe ich nach Buddh Gaya, um *shraddha* für den Vater meiner Kinder abzuhalten.«

»Dahin gehen auch wir.«

»Doppelt günstig«, frohlockte die alte Dame. »Bedeutet mindestens einen zweiten Sohn.«

»Oh, Freund aller Welt!« Der Lama war erwacht und rief, einfältig wie ein verdutztes Kind in einem fremden Bett, nach Kim.

»Ich komme! Ich komme, Heiliger!« Kim eilte an das Feuer, wo er den Lama schon umgeben von Schüsseln mit Speisen fand. Die Gebirgler beteten ihn sichtlich an, und die vom Süden sahen mit sauren Gesichtern zu.

»Geht fort! Zieht euch zurück!« rief Kim. »Essen wir vor aller Augen, wie Hunde?« Sie beendeten schweigend ihr Mahl, jeder ein wenig abseits gewendet, und Kim krönte es mit einer einheimischen Zigarette.

»Habe ich nicht hundertmal gesagt, daß der Süden ein gutes Land ist? Da ist die tugendhafte und hochgeborene Witwe eines Radschas aus den Bergen, auf einer Pilgerfahrt, sie sagt nach Buddh Gaya. Sie ist es, die uns die Speisen schickte; und wenn du ausgeruht hast, möchte sie dich sprechen.«

»Ist das auch dein Werk?« Der Lama griff tief in die Schnupftabaksdose.

»Wer sonst wachte über dich, seit unsere wundervolle Reise begann?« Die Augen tanzten Kim im Kopfe, indes er, der Rauch des Knasters durch die Nüstern blasend, sich auf den staubigen Boden streckte. »Hab ich versäumt, für dein Wohlbefinden zu sorgen, Heiliger?«

»Ein Segen über dich.« Der Lama neigte feierlich sein Haupt. »Viele Menschen habe ich gekannt in meinem so langen Leben, und nicht wenige Schüler. Aber zu keinem Menschen, gesetzt, daß du von einem Weibe geboren bist, ist mein Herz hingegangen wie zu dir – vorsorglich, weise und höflich, aber etwas von einem kleinen Kobold.«

»Und ich habe noch niemals einen Priester gesehen wie dich.« Kim betrachtete das wohlwollende gelbe Gesicht, Falte bei Falte. »Es sind noch kaum drei Tage, seit wir zusammen auszogen, und mir ist, als wären es hundert Jahre.«

»Vielleicht war es mir in einem früheren Leben vergönnt, dir einen Dienst zu erweisen. Kann sein«, er lächelte, »ich befreite dich aus einer Falle; oder ich hatte dich an einem Angelhaken, in den Tagen, da ich nicht erleuchtet war, und warf dich zurück in den Fluß.«

»Kann sein«, sagte Kim ruhig. Er hatte diese Art von Theorie wieder und wieder gehört aus dem Munde von so manchem, dem ein Engländer nicht eben viel Phantasie zugetraut hätte. »Nun, was diese Frau in dem Ochsenwagen betrifft: *ich* denke, sie braucht einen zweiten Sohn für ihre Tochter.«

»Das liegt nicht auf dem Pfade«, seufzte der Lama. »Aber sie ist wenigstens aus den Bergen. Ach, die Berge! Und der Schnee der Berge!«

Er erhob sich und stelzte zu dem Wagen. Kim würde seine Ohren darum gegeben haben, mitkommen zu dürfen, aber der Lama forderte ihn nicht auf; und die wenigen Worte, die er erlauschte, waren in einer ihm unbekannten Sprache gesprochen, denn die beiden redeten in einem Gebirgsdialekt. Die Frau schien Fragen zu stellen, die der Lama immer erst nach längerer Überlegung beantwortete. Zuweilen hörte er den Singsang eines chinesischen Zitates. Es war ein sonderbares Bild, das Kim durch halbgeschlossene Wimpern sah: Der Lama, sehr gerade und aufrecht, das gelbe Gewand von tiefen Falten schwarzgeschlitzt im Schein der *parao*-Feuer, genau, wie ein rissiger Baumstamm vom Schatten der tiefen Sonne geschlitzt ist, stand der vergoldeten und lackierten *ruth* zugekehrt, die in demselben ungewissen Licht wie ein vielfarbiger Edelstein glühte. Die Muster auf den golddurchwirkten Vorhängen tanzten auf und ab, verschwammen und bildeten sich wieder, wenn die Falten vom Nachtwind bewegt wurden; und als das Gespräch dringlicher wurde, sprühte der juwelengeschmückte Zeigefinger kleine Funken über die Stickerei. Hinter dem Wagen war eine Wand von undeutlicher Dunkelheit, gesprenkelt mit kleinen Flammen und belebt von nur halb wahrnehmbaren Formen und Gesichtern und Schatten. Die Stimmen des frühen Abends hatten sich zu einem einzigen

gelinden Summen gedämpft, dessen tiefster Ton das gleich-
förmige Kauen der Ochsen auf ihrem Strohhäcksel und
dessen höchster das Girren der *sitar* eines bengalischen
Tanzmädchens war. Die meisten Männer hatten ihre Mahlzeit beendet und sogen tief an ihren gurgelnden, grunzen-
den Wasserpfeifen, die bei vollem Zug wie Ochsenfrösche
quarren.

Endlich kehrte der Lama zurück. Ein Gebirgler trug ihm
eine wattierte Steppdecke nach und breitete sie sorgfältig am
Feuer aus.

›Sie verdient zehntausend Großkinder‹, dachte Kim.
›Trotzdem, ohne mich würden solche Gaben nicht gekommen
sein.‹

»Eine tugendhafte Frau – und eine weise zugleich.« Der
Lama ließ sich schlaff nieder, Glied bei Glied, wie ein schwer-
fälliges Kamel. »Die Welt ist voller Barmherzigkeit für die,
die den Weg wandeln.« Er schwang eine reichliche Hälfte der
Decke über Kim.

»Und was sagte sie?« Kim wickelte sich in seinen Teil der
Decke.

»Sie legte mir manche Frage vor und warf manches Problem auf – die meisten aber waren nichtige Märchen, die sie
von teufeldienerischen Priestern gehört hat, die vorgeben,
dem Pfad zu folgen. Einige beantwortete ich, von anderen
sagte ich, daß sie töricht wären. Viele tragen den Talar, aber
wenige verharren auf dem Pfad.«

»Wahr. Das ist wahr.« Kim gebrauchte den nachdenkli-
chen, entgegenkommenden Tonfall derer, die etwas anvertraut bekommen wollen.

»Soweit ihre Erkenntnis reicht, ist sie sehr gut gesinnt. Sie
wünscht dringend, daß wir mit ihr nach Buddh Gaya gehen,
da ihr Weg, soviel ich verstehe, auf viele Tagereisen südwärts
auch der unsrige ist.«

»Und?«

»Ein wenig Geduld. Darauf erwiderte ich, daß meine Suche
allem vorginge. Sie hatte manche törichte Fabel vernommen,
aber die große Wahrheit von meinem Strom hatte sie nie gehört. So sind die Priester von den Vorbergen! Sie kannte den

Abt von Lung-Cho, aber sie wußte nichts von meinem Fluß – noch von der Geschichte des Pfeils.

»Und?«

»Ich sprach deshalb von der Suche und von dem Weg und von segensreichen Dingen; sie aber begehrte nichts weiter, als daß ich mit ihr ginge und Gebete verrichtete für einen zweiten Sohn.«

»Aha! ›Wir Frauen‹ denken doch an nichts weiter als an Kinder«, sagte Kim schläfrig.

»Nun, da unsere Straße für eine Weile dieselbe ist, glaube ich nicht, daß wir irgendwie von unserer Suche abweichen, wenn wir sie begleiten, wenigstens so weit bis – ich habe den Namen der Stadt vergessen.«

»Ohé!« rief Kim, sich umwendend und einen von den einige Schritte entfernten Ooryas in scharfem Flüsterton anredend, »wo ist denn das Haus eures Herrn?«

»Etwas hinter Saharanpur, zwischen den Fruchtgärten.« Er nannte das Dorf.

»Das war der Ort«, sagte der Lama. »So weit wenigstens können wir mit ihr gehen.«

»Fliegen gehen nach Aas«, sagte der Oorya in beiläufigem Ton.

»Für die kranke Kuh eine Krähe, für den kranken Mann einen Brahmanen.« Kim richtete das Sprichwort ganz unpersönlich an die Schattenwipfel der Bäume.

Der Oorya brummte und hielt Frieden.

»Also gehen wir mit ihr, Heiliger?«

»Gibt es einen Grund dagegen? Ich kann trotzdem beiseite gehen und alle Flüsse prüfen, über die die Straße führt. Sie wünscht, daß ich mitkomme. Sie wünscht es sehr dringend.«

Kim erstickte ein Lachen unter der Decke. Wenn diese gebieterische alte Dame sich erst von ihrer natürlichen Scheu vor einem Lama erholt hatte, würde es wahrscheinlich der Mühe wert sein, zuzuhören.

Er schlief beinahe schon, als der Lama plötzlich das Sprichwort zitierte: »Den Gatten der Geschwätzigen wird große Belohnung in Zukunft.« Dann hörte Kim ihn dreimal schnupfen und schlummerte, noch lachend, ein.

Die diamanthelle Dämmerung erweckte Menschen, Krähen und Ochsen zugleich. Kim setzte sich auf, gähnte, schüttelte sich und schauerte vor Entzücken. Das hieß in Wahrheit die Welt sehen; das war Leben, wie es ihm gefiel: Hasten und Schreien, Geklingel von Glocken, Antreiben von Ochsen und Knirschen von Rädern, Leuchten von Feuern und Kochen von Speisen – und neue Bilder, wohin das befriedigte Auge blickte. Der Morgennebel hob sich in einem Silberwirbel, die Papageien, in grünen, schreienden Schwärmen, schossen davon zu irgendeinem fernen Fluß; alle Schöpfräder in Hörweite fingen zu arbeiten an. Indien war erwacht, und Kim war mitten darin, wacher und reger als irgendeiner, und kaute an einem Zweig, den er zugleich als Zahnbürste benutzte, denn rechter und linker Hand profitierte er von den Bräuchen des Landes, das er kannte und liebte. Es war nicht nötig, sich um Nahrung zu kümmern, nicht nötig, auch nur eine Cowrie an die gedrängt vollen Buden zu verschwenden. Er war der Schüler eines heiligen Mannes, mit Beschlag belegt von einer willensstarken alten Dame. Alles würde ihnen bequem gemacht werden, und wenn sie ehrerbietig eingeladen würden, würden sie niedersitzen und essen. Im übrigen – Kim kicherte hier mitten im Zähnebürsten – würde ihre Wirtin das Vergnügen der Reise nur erhöhen. Er betrachtete kritisch ihre Ochsen, als sie schnaufend und grunzend unterm Joch herankamen. Wenn sie zu schnell gingen – es war nicht wahrscheinlich –, könnte er einen angenehmen Sitz auf der Deichsel finden; der Lama würde neben dem Treiber sitzen. Die Eskorte müßte natürlich zu Fuß gehen. Die alte Dame, ebenso natürlich, würde gehörig schwätzen, und nach allem, was er gehört, würde es dieser Unterhaltung nicht an Salz fehlen. Sie war schon jetzt dabei, zu befehlen, große Reden zu halten, zu schelten und, es muß gesagt werden, ihren Dienern zu fluchen wegen ihrer Saumseligkeit.

»Bringt ihr ihre Pfeife. Im Namen der Götter, bringt ihr ihre Pfeife und stopft ihren gotteslästerlichen Mund«, rief ein Oorya, ein ungefüges Bündel von Betten schnürend. »Sie und die Papageien sind sich gleich. Sie kreischen bei Tagesanbruch.«

»Die Leitochsen! He! Sieh nach den Leitochsen!« Sie drängten rückwärts und schwenkten herum, da die Achse eines Getreidekarrens sie bei den Hörnern faßte. »Sohn einer Eule, wohin fährst du denn?« Dies zu dem grienenden Karrentreiber.

»Ai! Yai! Yai! Das da drin ist die Königin von Delhi, die um einen Sohn beten geht«, rief der Mann nach rückwärts über seine hohe Ladung hinweg. »Platz für die Königin von Delhi und ihren Premierminister, den grauen Affen, der an seinem eigenen Schwert hinaufklettert!« Ein anderer Karren, mit Baumrinde für eine Gerberei beladen, folgte dicht hinterdrein, und sein Treiber fügte einige Schmeicheleien hinzu, als die *ruth*-Ochsen immer weiter nach rückwärts drängten.

Hinter den ruckenden Gardinen hervor kam ein Hagel von Schimpfworten. Er hielt nicht lange an, aber an Art und Inhalt, an giftiger, beißender Treffsicherheit übertraf er alles, was selbst Kim bisher gehört hatte. Er konnte sehen, wie die nackte Brust des Fuhrmanns vor Schreck zusammensank, indes der Mann ehrfürchtig vor der Stimme salaamte, von der Deichsel sprang und der Eskorte ihren Vulkan auf die Hochstraße hissen half. Hier gab ihm die Stimme noch treulich zu wissen, welche Art Weib er gefreit hatte und was sie in seiner Abwesenheit trieb.

»Oh, *shabash*!« murmelte Kim, unfähig, an sich zu halten, als der Mann wegschlich.

»Gut gemacht, wie? Es ist eine Schmach und ein Skandal, daß eine schwache Frau nicht reisen kann, um zu ihren Göttern zu beten, ohne von allem Auswurf Hindustans angerempelt und beschimpft zu werden – daß sie *gâli* (Schmähungen) essen muß, wie die Männer *ghi* essen! Aber noch kann ich meine Zunge rühren, zu ein oder zwei Worten, die für die Gelegenheit passen. Und *noch* bin ich ohne meinen Tabak! Wo ist der einäugige, gottverlassene Sohn der Schande, der meine Pfeife noch nicht fertig hat?«

Die Pfeife wurde von einem Gebirgler hastig hingereicht, und Wolken dicken Rauches zu beiden Seiten der Vorhänge zeigten, daß der Friede wiederhergestellt war.

War Kim tags zuvor stolz marschiert als Schüler eines heiligen Mannes, so schritt er heute mit zehnfachem Stolz einher im Zuge einer halb königlichen Prozession, an anerkanntem Platz unter dem Patronat einer alten Dame von reizenden Manieren und ungeheuren Hilfsmitteln. Die Eskorte, Turbane auf den Köpfen, setzte sich, gewaltige Staubwolken aufwirbelnd, zu beiden Seiten des Wagens in Marsch.

Der Lama und Kim gingen nahe an einer Seite, Kim an seinem Zuckerrohr kauend und keinem Menschen ausweichend, der nicht mindestens Priesterrang hatte. Sie hörten das Mundwerk der alten Dame klappern, unermüdlich wie eine Reis-Schälmaschine. Sie befahl der Eskorte, zu berichten, was auf der Straße vorging, und kaum waren sie aus dem *parao*, als sie die Gardine zurückschlug und, den Schleier nur über ein Drittel des Gesichtes gezogen, herausguckte. Ihre Leute sahen sie nicht unmittelbar an, wenn sie zu ihnen redete, und so blieb der Anstand mehr oder weniger gewahrt.

Ein dunkelbleicher Distriktoberaufseher der Polizei, tadellos uniformiert, ein Engländer, trottete auf müdem Gaul heran, und an ihrem Gefolge erkennend, welche Art von Persönlichkeit sie war, rief er sie neckend an:

»Oh, Mutter! Ist das der Brauch in den *zenanas*? Denke nur, ein Engländer käme vorbei und sähe, daß du keine Nase hast?«

»Was?« schrillte es zurück. »Deine Mutter hat keine Nase? Warum verkündest du das denn auf offener Straße?«

Das war ein hübscher Gegenschlag. Der Engländer hob die Hand mit der Bewegung eines beim Fechten Getroffenen. Sie lachte und nickte.

»Ist dies ein Gesicht, um Tugend in Versuchung zu führen?« Sie schlug den Schleier völlig zurück und starrte ihn an.

Das Gesicht war alles andere als lieblich: aber der Mann, die Zügel anziehend, nannte es Mond des Paradieses, Verderber der Keuschheit und dergleichen phantastische Epitheta mehr, die ihre Heiterkeit verdoppelten.

»Das ist ein *nut-cut* (Schelm)«, sagte sie. »Alle Polizeikonstabler sind *nut-cuts*; aber die Polizeiwallahs sind die schlimmsten. Ha, mein Sohn, das hast du sicher nicht alles gelernt, seitdem du von *Belait* (Europa) gekommen bist. Wer säugte dich?«

»Eine *paharēen* – eine Bergfrau von Dalhousie, meine Mutter. Halte deine Schönheit unter einen schattigen Ort – o Spenderin des Entzückens«, und fort war er.

»Das ist die Art«, sie schlug einen feinen kritischen Ton an und stopfte ihren Mund mit *pan*, »das ist die Art, die die Gerechtigkeit überwachen. Die kennen das Land und die Sitten des Landes. Die andern, die frisch von Europa kommen, von weißen Frauen gesäugt sind und unsere Sprache nur aus Büchern kennen, sind schlimmer als Pestilenz. Sie machen Königen das Leben schwer.« Dann erzählte sie, der Welt im allgemeinen, eine lange, lange Geschichte von einem dummen, jungen Polizeibeamten, der einen kleinen Bergradscha, einen ihrer Vettern neunten Grades, um eines lächerlichen Terrainstreits willen behelligt hatte. Sie schloß mit einem Zitat, das keinesfalls aus einem Erbauungsbuch herrührte.

Dann schlug ihre Laune um, und sie befahl einem der Eskorte, den Lama zu bitten, dicht an ihrer Seite zu gehen, um Religionsfragen zu diskutieren. Kim trat in den Staub zurück und nahm sein Zuckerrohr wieder vor. Länger als eine Stunde stand die Wollmütze des Lamas wie ein Mond über dem Staub; und nach allem, was er aufschnappte, war es Kim, als wenn die alte Frau weinte. Einer der Ooryas entschuldigte sich halb und halb wegen seiner Grobheit am letzten Abend; er sagte, er hätte seine Herrin noch niemals in so milder Stimmung gesehen, und schrieb das der Gegenwart des fremden Priesters zu. Er für seine Person glaube an Brahmanen, obgleich er, wie viele Eingeborene, von ihrer Schlauheit und Habgier fest überzeugt sei. Aber wenn Brahmanen die Mutter von seines Herrn Weib durch ihre Betteleien nur erzürnten, so daß sie sie fortjagte und sie dann so wütend wurden, daß sie das ganze Gefolge verfluchten (was die wahre Ursache davon war, daß der zweite Seitenochse lahmte und die Deichsel in der letzten Nacht zerbrochen war), dann war er bereit, sich ebensogut irgendeinen Priester einer anderen Kaste in oder außerhalb Indiens gefallen zu lassen. Hierzu nickte Kim sehr weise und wies den Oorya darauf hin, daß der Lama kein

Geld nähme und daß die Kosten für seine und des Lama Unterhaltung hundertfach aufgewogen würden durch das gute Glück, das die Karawane fortan begleiten würde. Er erzählte darauf Geschichten aus Lahore und sang Lieder, die die Eskorte zum Lachen brachten. Als Stadtmaus, wohlbekannt mit den neuesten Liedern der beliebtesten Komponisten – es sind meist Frauen –, hatte Kim einen bedeutenden Vorteil gegenüber Leuten aus einem kleinen Obstbauerndorf hinter Saharanpur; aber er ließ sie diese Überlegenheit nicht fühlen.

Am Nachmittag lenkten sie seitab, um zu essen. Das Mahl war gut, reichlich und auf Schüsseln von reinen Blättern serviert, anständig gesäubert vom Straßenstaub. Die Überreste gaben sie einigen Bettlern, damit alle Vorschriften erfüllt würden, und setzten sich nieder zu langem, schwelgendem Rauchen. Die alte Dame hatte sich hinter ihre Vorhänge zurückgezogen, mischte sich aber lebhaft ins Gespräch; sie diskutierte mit ihren Dienern, und diese widersprachen ihr, wie es Diener im ganzen Osten tun. Sie verglich die Kühle und die Kiefern der Kangra- und Kuluberge mit dem Staub und den Mangos des Südens; sie erzählte eine Geschichte von alten Ortsgottheiten an der Grenze des Gebietes ihres Gatten; sie verwünschte den Tabak, den sie gerade rauchte, schalt auf alle Brahmanen und erging sich ungeniert über ihre Hoffnung auf zahlreiche Enkelsöhne.

Fünftes Kapitel

Da bin ich wieder bei dem, was mein
Gespeist, getränkt, von Sünden rein,
Sitz wieder bei Bein von meinem Bein
    In meines Vaters Saal.
Das gemästete Kalb ist angericht't –
Doch so gut wie die Treber schmeckt mir's nicht!
Meine Schweine sind doch das Beste für mich,
    Drum ade! und zurück in den Stall.
                              ›Der Verlorene Sohn‹

Wiederum machte die träge, bepackte, schwankende Prozession sich auf den Weg, und die alte Dame schlief, bis der nächste Rastplatz erreicht war. Es war ein sehr kurzer Marsch, und da noch eine Stunde bis Sonnenuntergang blieb, ging Kim auf neue Vergnügungen aus.

»Warum nicht lieber stillsitzen und ruhen?« meinte einer aus der Eskorte. »Nur Teufel und Engländer laufen ohne Grund hin und her.«

»Schließe nie Freundschaft mit dem Teufel, einem Affen oder einem Knaben«, sagte ein anderer, »kein Mensch weiß, was sie im nächsten Augenblick anstellen werden.«

Kim kehrte ihnen verächtlich den Rücken – er hatte nicht Lust, die alte Geschichte anzuhören, wie der Teufel mit den Knaben spielte und es zu bereuen hatte – und schlenderte langsam landeinwärts.

Der Lama stelzte ihm nach. Den ganzen Tag, wenn immer sie einen Fluß trafen, war er beiseite gegangen, um ihn zu betrachten, aber bei keinem war ihm ein Zeichen geworden, daß er seinen Fluß gefunden habe. Unmerklich waren auch seine Gedanken etwas von der Suche abgelenkt durch das Behagen, sich in vernünftiger Sprache mit jemandem unterhalten zu können und von einer hochgeborenen Frau sich geziemend gewürdigt und als ihr geistlicher Berater respektiert zu sehen. Und dann war er ja vorbereitet, noch Jahre in Gelassenheit seiner Suche zu weihen. Von der Ungeduld des weißen Mannes besaß er nichts, dafür einen großen Glauben.

»Wohin gehst du?« rief er Kim nach.

»Nirgendwohin – es war ein kurzer Marsch, und all dieses«, Kim fuhr mit den Händen umher, »ist mir neu.«

»Sie ist ohne Frage eine weise und scharfsinnige Frau. Aber es hält schwer, nachzudenken, wenn ...«

»Alle Frauen sind so.« Kim sprach wie weiland Salomo.

»Vor dem Lamakloster befand sich eine breite Terrasse«, murmelte der Lama, den abgenutzten Rosenkranz drehend, »von Stein, darauf ließ ich die Spuren meiner Füße – auf und nieder schreitend mit diesen.«

Er ließ die Perlen klappern und begann das ›Om mane padme hum‹ seiner Andacht, dankbar für die Kühle, die Stille und die Erlösung vom Staub.

Kims müßige Augen sogen die Bilder der Ebene eins nach dem andern ein; sein Wandern war ziellos; nur daß die Bauart der nahen Hütten ihm neu schien und ihn lockte, sie näher anzuschauen.

Sie kamen auf ein breites Stück Weidegrund, braun und purpurn im Nachmittagslicht, mit einer dichten Gruppe von Mangobäumen in der Mitte. Es schien ihm sonderbar, daß kein Heiligtum auf einem so geeigneten Platze stand; der Knabe beobachtete solche Dinge so scharf wie irgendein Priester. Weit über die Ebene her, klein in der Entfernung, kamen Seite an Seite vier Männer. Kim schaute scharf unter gekrümmten Handflächen und eräugte das Blinken von Messing.

»Soldaten. Weiße Soldaten!« sagte er. »Laß uns sehen.«

»Es sind immer Soldaten, wenn du und ich allein zusammen gehen. Aber ich habe die weißen Soldaten nie gesehen.«

»Sie tun einem nichts, nur wenn sie betrunken sind. Bleib hinter diesem Baum.«

Die beiden traten hinter die dicken Stämme in das kühle Dunkel der Mangogruppe. Zwei der kleinen Gestalten machten halt; die andern marschierten unsicher weiter. Sie waren die Vorhut eines Regiments auf dem Marsch, wie üblich vorausgeschickt, um das Lager abzustecken. Sie trugen fünf Fuß lange Stäbe mit flatternden Flaggen und riefen einander zu, indes sie sich auf der Ebene verteilten.

Endlich kamen sie schweren Schrittes unter die Mangobäume.

»Hier oder hier herum soll es sein – die Offizierszelte unter den Bäumen, denke ich, wir andern draußen. Ist der Platz für die Gepäckwagen abgeteilt?«

Sie riefen den Kameraden in der Entfernung wieder zu, und die rauhe Antwort kam schwach und halb verweht zurück.

»Stoß die Flaggenstange hier ein«, befahl einer.

»Was bereiten sie vor?« fragte der Lama verwundert. »Dies ist eine große und schreckliche Welt. Was bedeutet das Bild auf der Flagge?«

Ein Soldat stieß, einige Fuß entfernt von ihnen, die Stange in den Grund, knurrte unzufrieden, zog sie wieder heraus, beriet mit seinem Kameraden, der in dem schattigen grünen Gehäuse hin und her blickte, und brachte sie wiederum zurück.

Kim starrte mit beiden Augen, kurz und scharf durch die Zähne atmend. Die Soldaten stapften davon in den Sonnenschein.

»O Heiliger!« keuchte Kim, »mein Horoskop! Die Zeichnung im Staube des Priesters in Ambala! Erinnere dich, was er sagte. Erst kommen zwei – *ferashes* – um alles vorzubereiten – an einem dunklen Platz, wie es immer beim Beginn einer Vision ist.«

»Aber dies ist keine Vision«, sagte der Lama. »Es ist das Blendwerk der Welt, weiter nichts.«

»Und nach ihnen kommt der Stier – der Rote Stier auf grünem Feld. Schau! Da ist er!«

Er zeigte auf die Fahne, die keine zehn Fuß entfernt im Abendwind flatterte. Es war nur eine gewöhnliche Markierungsflagge; aber das Regiment, allzeit auf schmucke Ausrüstung bedacht, hatte sie mit der Devise des Regiments geschmückt, dem Roten Stier – dem Wappen der Mavericks –, dem großen roten Stier auf einem Grund von Irischgrün.

»Ich sehe, und nun erinnere ich mich«, sprach der Lama.

»Sicherlich ist es dein Stier. Sicherlich auch sind die beiden Männer gekommen, um alles bereitzumachen.«

»Es sind Soldaten – weiße Soldaten. Was sagte der Priester? ›Das Zeichen über dem Sternbild des Stieres bedeutet Krieg und Bewaffnete.‹ Heiliger, dies betrifft meine Suche.«

»Wahr. Es ist wahr.« Der Lama blickte starr auf das Wappen, das wie Rubin im Zwielicht flammte. »Der Priester in Ambala sagte, dein Zeichen wäre das des Krieges.«

»Was sollen wir nun tun?«

»Warten. Laß uns warten.«

»Jetzt wird auch die Dunkelheit heller«, sagte Kim. Es war nur natürlich, daß die untergehende Sonne nunmehr durch das Gezweig brach und den Mangohain minutenlang mit dunstigem Goldlicht füllte; für Kim aber war dies die Krönung der Prophezeiung des Brahmanen von Ambala.

»Horch!« sagte der Lama. »Jemand schlägt eine Trommel ganz in der Ferne.«

Anfangs glich der Ton, dünn durch die stille Luft getragen, dem Klopfen einer Arterie im Kopf. Bald gesellte sich ein schärferer dazu.

»Ah! Die Musik«, erklärte Kim. Er kannte den Klang einer Regimentskapelle, aber den Lama erschreckte er.

Am fernen Rande der Ebene kroch eine schwere staubige Kolonne in Sicht. Dann brachte der Wind die Melodie:

> »Was schlagen die Trommeln,
> Was schlagen die Trommeln
> Voran und immer fort?
> Vorwärts marsch mit den Mulligan-Guards
> Hinab gegen Sligo-Port!«

Hier fuhren schrill die Pfeifen darein:

> »Wir schulterten, wir marschierten
> Hinunter nach Dublin-Bai.
> Die Trommeln und die Pfeifen
> Waren immer dabei,
> Immer marsch – marsch – marsch
> Mit den Mulligan-Guards!«

Es war das Musikkorps der Mavericks, das das Regiment ins Lager spielte. Die Leute waren auf der Marschroute mit allem

Troß. Die wellige Kolonne schob sich in die Ebene – Wagen dahinter – teilte sich links und rechts, wimmelte wie ein Ameisenhaufen, und …

»Das ist Zauberei!« rief der Lama.

Die Fläche sprenkelte sich mit Zelten, die gleich fertig ausgespannt aus den Wagen zu wachsen schienen. Ein anderer Trupp Männer drang in den Hain, schlug schweigend ein riesiges Zelt auf, daneben noch acht oder neun kleinere, brachte Kochtöpfe, Pfannen, Bündel zutage, die von einer Schar eingeborener Troßknechte in Empfang genommen wurden, und siehe da! der Mangohain verwandelte sich vor den Augen der beiden Beobachter in eine richtige Stadt.

»Laß uns gehen«, sagte der Lama, ängstlich rückwärts drängend, als die Feuer zuckten und weiße Offiziere mit klirrenden Degen in das Kasinozelt stapften.

»Bleib im Schatten stehen. Hinter dem Licht eines Feuers kann niemand sehen«, sagte Kim, die Augen immer noch auf der Flagge. Er hatte noch nie in seinem Leben zugesehen, wie ein geübtes Regiment in dreißig Minuten ein Lager aufschlägt.

»Sieh! Sieh! Sieh!« gluckste der Lama. Dort kommt ein Priester.«

Es war Bennett, der anglikanische Kaplan des Regiments, hinkend in staubigem Schwarz. Ein Schäflein seiner Herde hatte boshafte Bemerkungen gemacht über den Tatendurst des Kaplans, und um ihn zu beschämen, war Bennett den ganzen Tag Schritt für Schritt mit den Soldaten marschiert. Das schwarze Gewand, das goldene Kreuz an der Uhrkette, das bartlose Gesicht und der weiche schwarze Schlapphut würden ihn überall in ganz Indien als heiligen Mann kenntlich gemacht haben. Er ließ sich in einen Feldstuhl an der Tür des Kasinozeltes fallen und zog seine Stiefel aus. Drei oder vier Offiziere umstanden ihn und lachten und scherzten über seine Heldentat.

»Die Rede der weißen Männer ermangelt jeder Würde«, sprach der Lama, der nur nach dem Ton der Stimme urteilte. »Aber ich habe das Gesicht dieses Priesters beobachtet, und ich glaube, er ist ein gelehrter Mann. Ob er wohl unsere

Sprache versteht? Ich möchte von meiner Suche zu ihm reden.«

»Sprich nie zu einem weißen Mann, eh' er gefüttert ist«, sagte Kim, ein bekanntes Sprichwort zitierend. »Sie werden jetzt essen, und – und ich glaube nicht, daß es sich lohnt, bei ihnen zu betteln. Laß uns nach dem Rastplatz zurückkehren. Wenn wir gegessen haben, wollen wir wieder hierherkommen. Es war bestimmt ein Roter Stier – *mein* Roter Stier.«

Beide waren merklich in Gedanken versunken, als das Gefolge der alten Dame ihnen das Mahl vorsetzte; so störte sie niemand, denn es ziemt sich nicht, einen Gast zu ärgern.

»Nun«, sagte Kim, in den Zähnen stochernd, »wollen wir zu dem Platz zurückgehen; aber du, o Heiliger, mußt etwas abseits warten, denn deine Füße sind schwerer als meine, und ich möchte gern mehr von dem Roten Stier sehen.«

»Aber wie kannst du ihre Rede verstehen? Gehe langsam. Der Weg ist dunkel«, erwiderte der Lama beklommen.

Kim beachtete die Frage nicht. »Ich habe mir einen Platz gemerkt nahe bei den Bäumen«, sagte er, »wo du sitzen kannst, bis ich dich rufe. Nein«, als der Lama eine Einwendung versuchte, »bedenke, dies ist *meine* Suche – die Suche nach meinem Roten Stier. Das Zeichen in den Sternen war nicht für dich. Ich kenne ein wenig die Sitten der weißen Soldaten, und ich bin immer begierig, Neues zu sehen.«

»Was von dieser Welt wäre dir unbekannt?« Der Lama hockte sich gehorsam in eine kleine Höhlung am Wege, kaum hundert Schritte entfernt von der Gruppe der Mangos, die sich dunkel gegen den sternbesäten Himmel abhob.

»Bleib hier, bis ich dich rufe.« Kim huschte in das Dunkel. Er wußte, daß nach aller Wahrscheinlichkeit Posten um das Lager herum stehen würden, und lachte in sich hinein, als er die schweren Tritte eines solchen vernahm. Für einen Knaben, der in Mondscheinnächten über die Dächer von Lahore zu schleichen und jeden kleinsten Fleck und Winkel der Dunkelheit zu benutzen gewohnt ist, um seine Verfolger zu täuschen, ist eine reguläre Postenkette kein Hindernis. Er bezeugte ihnen seinen Respekt, indem er zwischen zweien von ihnen durchkroch, und schlug sich, bald rennend, bald anhaltend, bald sich duckend und platt auf den Boden werfend, bis zu dem erleuchteten Kasinozelt durch, wo er, hinter einen Mangobaum gepreßt, lauerte, ob ihm der Zufall einen guten Wink geben würde.

Der einzige Gedanke, der ihn erfüllte, war, mehr über den Roten Stier zu erfahren. Seiner Ansicht nach – und Kims Beschränktheit in manchen Dingen war ebenso sonderbar und überraschend wie seine Erfahrung in anderen – würden die Männer, die neunhundert leibhaftigen Teufel aus seines Vaters Prophezeiung, nach Dunkelwerden vor dem Stiere beten, wie Hindus zu der heiligen Kuh. Wenigstens wäre ihm das nur richtig und logisch erschienen, und daher mußte der Pater mit dem goldenen Kreuz wohl der Mann sein, den man in dieser Sache zu Rate zu ziehen hatte. Andererseits fielen ihm die strengen Gesichter der Patres ein, denen er in Lahore so sorgfältig auswich, und so konnte auch dieser Priester einer sein, der ihm zumuten würde, in die Schule zu gehen und etwas zu lernen. Aber war es nicht erwiesen zu Ambala, daß sein Zeichen in den hohen Himmeln Krieg und bewaffnete Männer bedeutete? War er nicht der Freund der Sterne sowohl als aller Welt, bis an die Zähne vollgestopft mit furchtbaren Geheimnissen? Vor allem aber – und das war von Anfang an der eigentliche Unterstrom seiner Gedanken – war dieses Abenteuer, obgleich er das englische Wort nicht kannte, nicht nur die Erfüllung einer erhabenen Prophezeiung, sondern auch ein toller Spaß – eine köstliche Fortsetzung seiner früheren Jagden über die Dächer. Er warf sich platt auf den Bauch und schlängelte sich, eine Hand auf dem Amulett um seinen Hals, an die Tür des Kasinozeltes heran.

Es war, wie er vermutet hatte. Die Sahibs beteten zu ihrem Gott; denn in der Mitte der Kasinotafel stand der einzige Schmuck, den das Regiment auf Märsche mitnahm: ein goldener Stier – Stück einer alten Kriegsbeute aus dem Sommerpalast in Peking – ein goldroter Stier, gesenkten Kopfes, sprungbereit, auf einem Feld von Irischgrün. Ihm hielten die Sahibs ihre Gläser entgegen und schrien laut durcheinander.

Nun pflegte der Reverend Arthur Bennett stets nach diesem Toast die Messe zu verlassen, und da er von dem Marsche sehr ermüdet war, waren seine Bewegungen etwas unberechenbarer als gewöhnlich. Kim, mit leicht erhobenem Kopfe, starrte noch nach seinem Fetisch auf dem Tische, als der Kaplan ihm auf das rechte Schulterblatt trat. Kim wich zurück unter dem harten Leder, rollte seitwärts und brachte den Kaplan zu Fall, der, allzeit ein Mann der Tat, ihn an der Gurgel packte und fast zu Tode würgte. Kim trat ihm verzweifelt in den Magen. Mr. Bennett keuchte, drehte sich um, aber ohne seinen Griff zu lockern, rollte von neuem über ihn und schleifte Kim schließlich schweigend in sein eigenes Zelt. Die Mavericks waren unverbesserliche Spötter, und Schweigen schien dem englischen Herrn das beste, bis er sich genauer über den Fall unterrichtet hätte.

»Was, ein Knabe!« rief er, als er seine Beute unter das Licht der Laterne an der Zeltstange brachte; und ihn heftig schüttelnd, fuhr er ihn an: »Was treibst du hier? Du bist ein Dieb. *Choor? Mallum?*« Sein Hindustani war sehr begrenzt, und der zerzauste und erboste Kim beschloß, den Charakter, den man ihm aufdrängte, beizubehalten. Zu Atem gekommen, erfand er eine prächtig glaubhafte Geschichte von einer Verwandtschaft mit einem der Küchenjungen des Kasinos, blickte dabei aber mit scharfem Auge unter die linke Achselhöhle des Kaplans. Die günstige Gelegenheit kam, er schlüpfte hindurch nach der Tür, aber ein langer Arm schoß ihm nach, eine Hand packte seinen Nacken, erwischte die Amulettschnur und schloß sich über dem Amulett.

»Gib es mir. Oh, gib es mir. Ist es weg? Gib mir die Papiere.«

Das waren englische Laute – das blecherne, zersägte Englisch der Eingeborenen, und der Kaplan sprang herum.

»Ein Kragen«, rief er, die Hand öffnend. »Nein, eine Art heidnischen Zaubers. Was – was? Sprichst du englisch? Kleine Jungen, die stehlen, werden geprügelt. Weißt du das?«

»Ich – ich stehle nicht.« Kim tanzte in Todesangst wie ein Terrier vor einem erhobenen Stock. »Oh, gib es mir. Es ist mein Zauber. Stiehl es mir nicht.«

Der Kaplan beachtete ihn nicht, sondern ging zu der Zelttür und rief laut. Ein dicklicher, glattrasierter Mann erschien.

»Ich wünsche Ihren Rat, Vater Viktor«, sagte Bennett. »Ich fand diesen Jungen im Dunkeln vor dem Kasinozelt. Normalerweise würde ich ihn züchtigen und laufen lassen, weil ich glaube, daß er ein Dieb ist. Aber es scheint, er spricht englisch und legt besonderen Wert auf ein Amulett, das er um den Hals trägt. Ich dachte, Sie könnten mir vielleicht helfen.«

Zwischen ihm und dem römisch-katholischen Kaplan des irischen Kontingents lag, nach Bennetts Ansicht, ein unüberbrückbarer Abgrund. Bemerkenswert aber war, daß, wann immer die anglikanische Kirche ein menschliches Problem zu lösen hatte, sie sehr bereit war, die römische Kirche zu befragen. Bennetts offizielle Abneigung gegen ›das Weib in Scharlach und all ihr Zubehör‹ würde durch seine private Hochachtung für Vater Viktor ausgeglichen.

»Ein Dieb, der englisch redet? Schaun wir uns sein Amulett mal an. Nein, ein Skapulier ist es nicht, Bennett.« Er streckte die Hand aus.

»Aber haben wir ein Recht, es zu öffnen? Eine gesunde Tracht Prügel …«

»Ich habe *nicht* gestohlen«, protestierte Kim. »Ihr habt mich am ganzen Leibe kaputt geboxt. Gebt mir jetzt meinen Zauber, und ich will gehen.«

»Nicht ganz so rasch, wollen erst sehen«, sagte Vater Viktor, das ›ne varietur‹ – Pergament des armen Kimball O'Hara gemächlich aufrollend, sein Abschiedsattest und Kims Taufschein. Auf diesen hatte O'Hara, in der konfusen Idee, daß er damit für seinen Sohn Wunder bewirke, unzählige Male gekritzelt: ›Nehmt Euch des Knaben an. Bitte, nehmt Euch des Knaben an –‹, und darunter seinen vollen Namen und die Nummer seines Regiments.

»Mächte der Finsternis!« rief Vater Viktor, Mr. Bennett alles hinüberreichend. »Wissen Sie, was dieses Zeug bedeuten soll?«

»Ja«, sagte Kim, »es gehört mir, und ich will fort.«

»Ich verstehe nicht recht«, meinte Mr. Bennett. »Er hat es vielleicht absichtlich mitgebracht. Vielleicht irgendein Bettlertrick.«

»Dann habe ich jedenfalls noch keinen Bettler gesehen, der es so eilig hatte zu verschwinden. Hier scheint mir so was wie ein fideles Geheimnis dahinterzustecken. Sie glauben an eine Vorsehung, Bennett?«

»Ich hoffe doch.«

»Gut, ich glaube an Wunder. Das kommt auf eins heraus. Mächte der Finsternis! Kimball O'Hara! Und sein Sohn! Aber er ist doch ein Eingeborener, und ich habe mit eigenen Augen gesehen, wie Kimball Annie Shott heiratete. Seit wann hast du diese Dinge, Junge?«

»Seit ich ein kleines Kind war.«

Vater Viktor trat rasch vor und öffnete Kims Obergewand. »Sehen Sie, Bennett, er ist nicht sehr dunkel. Wie heißt du?«

»Kim.«

»Oder Kimball?«

»Vielleicht. Wollt Ihr mich fortlassen?«

»Wie sonst?«

»Sie nennen mich Kim Rishti Ke. Das heißt: Kim von den Rishti.«

»Was ist das – Rishti?«

»I-Rishti – das war das Regiment – meines Vaters Regiment.«

»Irisch, oh, ich verstehe.«

»Ja – a. So hat mir mein Vater gesagt. Mein Vater, er hat gelebt.«

»Hat wo gelebt?«

»Hat gelebt. Natürlich ist er tot – weggegangen.«

»Oh! Das ist so eure vereinfachte Ausdrucksweise, wie?«

Bennett unterbrach ihn. »Möglich, daß ich dem Knaben unrecht getan habe. Er ist ein Weißer, sicher, so augenscheinlich verwildert er auch ist. Ich muß ihn arg verbläut haben. Ich halte zwar Spirituosen nicht für …«

»Also geben Sie ihm ein Glas Sherry und lassen Sie ihn sich auf das Feldbett kuschen. Nun, Kim«, fuhr Vater Viktor fort, »niemand wird dir etwas zuleide tun. Trink das herunter und sag uns alles von dir. Aber die Wahrheit, wenn du nichts dagegen hast.«

Kim hustete ein wenig, als er das leere Glas niederstellte, und überlegte. Hier galt es vorsichtig und erfinderisch zu sein. Kleine Jungen, die in Feldlagern herumstreifen, werden für gewöhnlich, nach einer Tracht Prügel, hinausgeworfen. Er aber hatte keine Schläge bekommen; das Amulett wirkte offenbar zu seinen Gunsten, und es sah so aus, als ob das Horoskop von Ambala und die wenigen Worte, deren er sich aus den Faseleien seines Vaters erinnerte, höchst wunderbar zusammenstimmten. Weshalb sonst hätte der dicke Pater sich so ereifert und der dünne ihm das Glas heißen gelben Weins gegeben?

»Mein Vater, er starb in Lahore, als ich noch sehr klein war. Die Frau, sie hatte eine *kabarri*-Bude, nah bei dem Platz, wo die Mietwagen stehen.« Kim begann mit einem Kopfsprung, nicht ganz sicher, wieweit die Wahrheit ihm dienlich sein würde.

»Deine Mutter?«

»Nein« – mit einer Gebärde des Abscheus. »Sie ist weggegangen, als ich geboren wurde. Mein Vater, er erhielt diese Papiere vom Jadoo-Gher – wie nennt ihr das?« Bennett nickte. »Denn er war in – in gutem Ansehen – wie nennt ihr das?« Bennett nickte wieder. »Mein Vater hat mir das gesagt. Er sagte auch, und ebenso der Brahmane, der die Zeichnung im Staube in Ambala gemacht hat, vor zwei Tagen, *er* sagte, daß ich einen Roten Stier auf einem grünen Felde finden werde und daß der Stier mir helfen wird.«

»Ein phänomenaler kleiner Lügner«, brummte Bennett.

»Mächte der Finsternis, was für ein Land!« murmelte Vater Viktor. »Weiter, Kim.«

»Ich habe *nicht* gestohlen. Und überhaupt – ich bin jetzt der Schüler eines sehr heiligen Mannes. Er sitzt da draußen. Wir sahen zwei Männer mit Fahnen kommen, die machten den Platz bereit. Das ist *immer* so in einem Traum oder bei einer – einer Prophezeiung. Da wußte ich, daß es in Erfüllung geht. Ich sah den Roten Stier auf grünem Felde, und mein Vater, der sagte: ›Neunhundert *pukka*-Teufel und der Oberst auf einem Pferde werden für dich sorgen, wenn du den Roten Stier findest!« Wie ich den Stier sah, wußte ich nicht, was ich machen sollte; aber ich ging fort und kam wieder zurück, als es dunkel war. Ich wollte den Stier wieder sehen, und ich sah den Stier wieder und die – die Sahibs, die zu ihm beteten. Ich denke, der Stier wird mir helfen. Der heilige Mann sagte das auch. Er sitzt draußen. Werdet ihr ihm nichts zuleide tun, wenn ich ihn jetzt rufe? Er ist sehr heilig. Er kann alles bezeugen, was ich gesagt habe, und er weiß, ich bin kein Dieb.«

»Offiziere, die einen Stier anbeten! Was in aller Welt soll man daraus machen?« rief Bennett. »Schüler eines heiligen Mannes! Ist der Junge verrückt?«

»Er ist O'Haras Junge, ganz sicher. O'Haras Sohn, verbündet mit allen Mächten der Finsternis. Ganz wie sein Vater, wenn er betrunken war. Wir täten gut, den heiligen Mann herzubitten. Vielleicht weiß er etwas.«

»Er weiß gar nichts«, sagte Kim. »Ich will ihn euch zeigen, wenn ihr mitkommt. Er ist mein Meister. Dann nachher können wir fortgehen.«

»Mächte der Finsternis!« war alles, was Vater Viktor sagen konnte, als Bennett, die Hand fest auf Kims Schulter, hinausschritt.

Sie fanden den Lama, wo er sich hingelegt hatte.

»Meine Suche ist zu Ende für mich«, rief ihm Kim in der Landessprache zu. »Ich habe den Stier gefunden, aber Gott weiß, was jetzt kommt. Sie werden dir nichts tun. Komm zu des fetten Priesters Zelt mit diesem dünnen Mann und sieh, wie es ausgeht. Es ist alles neu, und sie verstehen nicht Hindi. Sie sind nur ungestriegelte Esel.«

»Dann ist es nicht gut, ihre Unwissenheit zu verspotten«, erwiderte der Lama. »Es ist mir lieb, daß du froh bist, *chela.*«

Arglos und würdevoll schritt er in das kleine Zelt, begrüßte die Kirchen als Mann der Kirche und setzte sich neben der offenen Kohlenpfanne nieder. Das Lampenlicht, von der gelben Auskleidung des Zeltes zurückgeworfen, färbte sein Gesicht goldrot.

Bennett blickte auf ihn mit der dreifach gepanzerten Teilnahmslosigkeit jenes Bekenntnisses, das neun Zehntel der Welt als ›Heiden‹ in einen Topf wirft.

»Und was war das Ende deiner Suche?« wandte der Lama sich an Kim. »Welche Gabe hat dir der Rote Stier gebracht?«

»Er sagt: ›Was wirst du tun?‹« Kim übernahm aus eigener Ermächtigung die Rolle des Dolmetsch. Bennett starrte Vater Viktor voll Unbehagen an.

»Ich sehe nicht ein, was dieser Fakir mit dem Jungen zu tun hat«, begann er, »der entweder sein Narr oder sein Verbündeter ist. Wir können nicht zugeben, daß ein Knabe von englischer Abkunft … Angenommen, er ist der Sohn eines Freimaurers, so sollte er, je eher, je besser, in das Freimaurerwaisenhaus kommen.«

»Ah! So denken Sie als Sekretär der Regimentsloge«, sagte Vater Viktor, »aber wir können ebensogut dem alten Manne erst mitteilen, was wir zu tun beabsichtigen. Er sieht nicht aus wie ein Bösewicht.«

»Nach meiner Erfahrung ist das orientalische Gemüt nie zu ergründen. Also, Kimball, du sollst jetzt diesem Manne Wort für Wort wiederholen, was ich sage.«

Kim faßte den Inhalt der darauffolgenden Sätze zusammen und begann:

»Heiliger, der dünne Narr, der wie ein Kamel aussieht, sagt, ich wäre der Sohn eines Sahibs.«

»Aber wieso?«

»Oh, es ist wahr. Ich wußte es seit meiner Geburt. Aber *er* konnte es nur herausfinden, weil er das Amulett an meinem Halse gelesen hat und alle die Papiere. Er denkt, einmal ein Sahib, immer ein Sahib, und die beiden machen jetzt miteinander aus, ob ich bei diesem Regiment bleiben oder in eine *madrissah* (Schule) geschickt werden soll. Das geschah früher auch schon. Ich habe es immer vermieden. Der fette Narr denkt so, und der wie ein Kamel aussieht, anders. Aber das hat nichts zu bedeuten. Ich bleibe eine Nacht hier, vielleicht noch eine. Das ist mir schon früher passiert. Dann laufe ich weg und komme zu dir zurück.«

»Aber sage ihnen doch, daß du mein *chela* bist. Sage ihnen, wie du zu mir kamst, als ich schwach und ratlos war. Sage ihnen von unserer Suche, und sie werden dich sicher gehen lassen.«

»Ich habe ihnen schon alles gesagt. Sie lachen und sprechen von der Polizei.«

»Was redet ihr da?« fragte Mr. Bennett.

»Oah. Er sagt nur, wenn ihr mich nicht gehen laßt, so hindert ihr ihn in seinem Vorhaben − seinen dringenden Privatangelegenheiten.« Diese Redensart war eine Reminiszenz aus dem Gespräch mit einem eurasischen Schreiber im Kanaldepartement − aber sie rief nur ein Lächeln hervor, das ihn erboste. »Und wenn ihr *wüßtet*, was sein Vorhaben ist, würdet ihr es nicht so abscheulich eilig haben, euch hineinzumischen.«

»Was ist es denn?« fragte Vater Viktor nicht ohne Mitgefühl, indem er des Lamas Gesicht betrachtete.

»Es gibt einen Fluß in diesem Lande, den er so *sehr* zu finden wünscht. Der war durch einen Pfeil hervorgebracht, der …« Kim tappte ungeduldig mit dem Fuß, als er seine Gedanken aus der Landessprache in sein plumpes Englisch übersetzte. »Oah, er war nämlich von unserm Herrgott Buddha gemacht, und wenn man sich darin wäscht, so wäscht man alle seine Sünden weg und wird so weiß wie weiße Baumwolle.« Kim hatte früher einmal eine Missionspredigt gehört. »Ich bin sein Schüler, und wir *müssen* jenen Fluß finden. Er ist so *sehr* wichtig für uns.«

»Sag das noch einmal«, sagte Bennett. Kim gehorchte mit einigen Zusätzen.

»Aber das ist grobe Gotteslästerung«, rief die anglikanische Kirche.

»Tck! Tck!« sagte Vater Viktor teilnahmsvoll. »Ich würde sehr viel darum geben, die Sprache zu verstehen. Ein Fluß, der Sünden wegwäscht! Und wie lange sucht ihr beiden ihn schon?«

»Oh, viele Tage. Jetzt möchten wir fortgehen und weiter nach ihm suchen. Hier ist er nicht; versteht ihr?«

»Ich verstehe«, sprach ernst Vater Viktor. »Aber er kann

nicht weiter mit dem alten Mann zusammenbleiben. Es wäre etwas anderes, Kim, wenn du nicht der Sohn eines Soldaten wärst. Sag ihm, daß das Regiment für dich sorgen und dich zu einem braven Manne machen will wie dein – so brav, wie ein Mann eben sein kann. Sag ihm, daß, wenn er an Wunder glaubt, er glauben muß, daß …«

»Es ist nicht nötig, seine Leichtgläubigkeit zu mißbrauchen«, unterbrach Bennett.

»Ich tue nichts desgleichen. Er muß glauben, daß es eine Art von Wunder ist, daß der Junge auf der Suche nach seinem eigenen Stier zu seinem eigenen Regiment gekommen ist. Bedenken Sie doch, Bennett, wie merkwürdig das ist! Just dieser eine Knabe in ganz Indien und just unser Regiment auf Marschroute treffen sich hier. Das ist unverkennbare Vorbestimmung. Ja, sag ihm, es ist Kismet. Kismet – *mallum?* Versteht ihr?«

Er wandte sich zu dem Lama, dem er ebensogut hätte von Mesopotamien reden können.

»Sie sagen« – des alten Mannes Auge klärte sich bei Kims Rede auf –, »sie sagen, daß die Bedeutung meines Horoskops sich jetzt erfüllt hat und daß ich jetzt, weil ich einmal zu diesen Leuten und ihrem Roten Stier hergeführt worden bin – obgleich ich, wie du weißt, nur aus Neugier fortging –, daß ich jetzt durchaus in eine *madrissah* gehen und ein Sahib werden muß. Ich tue jetzt so, als ob ich einwillige. Im schlimmsten Falle wird es ein paar Mahlzeiten ohne dich kosten. Dann entwische ich und folge dir auf der Straße nach Saharanpur. Darum, Heiliger, bleib bei dieser Kulufrau – geh auf keinen Fall von ihrem Wagen weg, bis ich wiederkomme. Ohne Frage, mein Zeichen bedeutet Krieg und bewaffnete Männer. Schau, wie sie mir Wein zu trinken gaben und mich auf ein Ehrenlager legten! Mein Vater muß eine hohe Person gewesen sein. Wenn sie mich also bei sich zu Ehren erheben, gut – wenn nicht, auch gut. Wie es auch kommen mag, ich werde zu dir zurücklaufen, wenn ich es satt habe. Aber bleib bei der Radschputni, sonst finde ich deine Fußspur nicht wieder … Oah, ja-a«, schloß der Knabe, »ich habe ihm alles gesagt, was ich sagen sollte.«

»Ich sehe nicht ein, warum er noch wartet«, meinte Bennett, in seine Hosentasche greifend. »Alle Einzelheiten können wir später feststellen – ich werde ihm eine. Rupie geben ...«

»Lassen Sie ihm Zeit«, sagte Vater Viktor, die Geste des Geistlichen unterbrechend, »vielleicht hat er den Knaben lieb.«

Der Lama zerrte seinen Rosenkranz vor und zog den breiten Hutrand über die Augen.

»Was kann er noch wollen?«

»Er sagt« – Kim streckte eine Hand hoch –, »er sagt: Seid still! Er will zu mir allein sprechen. Ihr seht, ihr versteht nicht das kleinste Wort von seiner Rede, und wenn ihr etwas sagt, wird er vielleicht böse Verwünschungen gegen euch sprechen. Wenn er seine Perlen so vorholt, will er immer, daß man still ist.«

Die beiden Engländer saßen sprachlos; aber ein Etwas in Bennetts Auge verhieß Kim nichts Gutes für den Fall, daß er dem Arm der Kirche streitig gemacht werden sollte.

»Ein Sahib und der Sohn eines Sahib ...«, des Lama Stimme war rauh vor Schmerz. »Aber kein weißer Mann kennt das Land und die Sitten des Landes, wie du sie kennst. Wie kommt es, daß das wahr ist?«

»Was tut's, Heiliger: denke, es ist nur für ein oder zwei Nächte. Erinnere dich, ich kann mich schnell verwandeln. Es wird alles wieder so sein wie damals, als ich zuerst mit dir sprach unter Zam-Zammah, der großen Kanone ...«

»... ein Knabe in der Kleidung der weißen Männer – als ich zuerst das Wunderhaus betrat. Und beim zweitenmal warst du ein Hindu. Wie wird deine dritte Inkarnation sein?« Er lächelte traurig. »Ah, *chela*, du hast unrecht getan an einem alten Mann, denn mein Herz ging hin zu dir.«

»Und meins zu dir. Aber wie konnte ich wissen, daß der Rote Stier mich in solche Geschichten bringen würde?«

Der Lama bedeckte sein Gesicht wieder und rasselte nervös mit dem Rosenkranz. Kim hockte sich neben ihn und faßte eine Falte seines Gewandes.

»Ich soll also verstehen, daß der Knabe ein Sahib ist?« fuhr er fort in gedrücktem Ton. »Ein solcher Sahib wie der, der die Bilder hütet in dem Wunderhaus.« Die Erfahrung des Lama mit weißen Männern war eng begrenzt. Er sprach, als ob er eine Lektion wiederholte. »So geziemt es sich nicht, daß er anders tut, als was die Sahibs tun. Er muß zurückkehren zu seinem eigenen Volk.«

»Für einen Tag und eine Nacht und einen Tag«, tröstete Kim.

»Halt da!« Vater Viktor sah Kim sich zu der Tür hindrücken und stellte ein kräftiges Bein vor.

»Ich verstehe die Sitten der weißen Männer nicht. Der Priester der Bildnisse in dem Wunderhaus von Lahore war gütiger als der dünne Priester hier. Diesen Knaben will man mir nehmen. Einen Sahib wollen sie aus meinem Schüler machen? Weh mir, wie soll ich meinen Fluß finden? Haben *sie* keine Schüler? Frage!«

»Er sagt, er sei sehr traurig, daß er nun seinen Strom nicht finden würde. Er sagt, warum habt ihr keine Schüler und laßt ihn in Frieden? Er will von seinen Sünden reingewaschen werden.«

Weder Bennett noch Vater Viktor fanden ein Wort der Erwiderung.

Also sagte Kim, bekümmert um des Lama Schmerz, auf englisch:

»Wenn ihr mich jetzt fortlassen wollt, werden wir ganz ruhig gehen und nicht stehlen. Wir wollen nach dem Fluß ausschauen, wie wir taten, ehe man mich fing. Ich wünschte, ich wäre nicht hierhergekommen, um den Roten Stier zu finden und alles das. Ich brauche ihn nicht.«

»Es ist das beste, was du jemals für dich getan hast, junger Mann«, sagte Bennett.

»Gütiger Himmel, ich weiß nicht, wie ich ihn trösten soll«, sprach Vater Viktor, den Lama teilnahmsvoll betrachtend; »er kann den Knaben nicht mitnehmen, und doch — er ist ein guter Mann, ich fühle es, er ist ein guter Mann. Bennett, wenn Sie ihm die Rupie anbieten, wird er Sie mit Stumpf und Stiel verfluchen.«

Sie lauschten gegenseitig auf ihre Atemzüge – drei – fünf volle Minuten. Dann hob der Lama sein Haupt und blickte über sie hinweg in Raum und Leere.

»Und ich bin ein Wandler des Pfads!« rief er bitter. »Die Sünde ist mein, und die Strafe ist mein. Ich bildete mir selber ein – denn jetzt sehe ich, daß es nur Einbildung war –, du wärest mir gesandt, um mir bei meiner Suche zu helfen. So ging mein Herz zu dir, um deines Mitleids und deiner Hilfsbereitschaft und der Weisheit deiner jungen Jahre willen. Aber die dem Pfade folgen, dürfen nicht das Feuer eines Wunsches oder einer Zuneigung brennen lassen, denn dies ist alles Wahn. Wie geschrieben steht ...« Er zitierte einen uralten chinesischen Text, belegte ihn durch einen zweiten und bekräftigte beide durch einen dritten. »Ich wich ab vom Wege, mein *chela*. Es war nicht deine Schuld. Mich entzückte der Anblick des Lebens, des fremden Volkes auf den Straßen und deine Freude an alledem. Ich freute mich mit dir, ich, der an meine Suche und nur an meine Suche allein denken mußte. Nun bin ich kummervoll, denn du wirst mir genommen, und mein Strom ist fern von mir. Das kommt davon, daß ich das Gesetz gebrochen habe.«

»Mächte der Finsternis!« sprach Vater Viktor, der, geschult durch die Beichte, den Schmerz in jeder Silbe hörte.

»Ich sehe jetzt, daß das Zeichen des Roten Stiers ein Zeichen war für mich wie auch für dich. Alle Begierde ist rot – und ist böse. Ich will Buße tun und meinen Fluß allein finden.«

»Kehre wenigstens zurück zu der Kulufrau«, flehte Kim, »du wirst sonst verloren sein unterwegs. Sie wird dich ernähren, bis ich zu dir zurücklaufe.«

Der Lama winkte mit einer Hand, zum Zeichen, daß er die Angelegenheit endgültig mit sich erledigt hätte.

»Und nun«, sein Ton war verändert, als er sich jetzt zu Kim wandte, »was werden sie mit dir tun? Vielleicht vermag ich wenigstens, indem ich Verdienst erwerbe, geschehenes Böses auszulöschen.«

»Mich zu einem Sahib machen – so denken sie. Übermorgen komm ich zurück. Sei nicht traurig.«

III

»Was für einen Sahib? So einen wie jener oder dieser Mann?« Er zeigte auf Vater Viktor. »So einen wie die, die ich heute abend sah – die Schwerter tragen und mit den Füßen stampfen?«

»Kann sein.«

»Das ist nicht gut. Diese Männer folgen der Begierde und geraten ins Leere. Von ihrer Art darfst du nicht sein.«

»Der Ambalapriester sagte, mein Stern wäre Krieg«, warf Kim ein. »Ich will diese Narren fragen – aber es ist wahrlich nicht nötig. Ich werde noch heute nacht fortlaufen, so gern ich auch Neues sehen wollte.«

Kim richtete auf englisch einige Fragen an Vater Viktor und übersetzte dem Lama die Antworten.

Dann: »Er sagt: ›Ihr nehmt ihn mir und könnt nicht sagen, was ihr aus ihm machen wollt.‹ Er sagt: ›Sagt es mir, bevor ich gehe, denn es ist nicht leicht, ein Kind zu erziehen.‹«

»Du wirst in eine Schule geschickt. Späterhin werden wir weitersehen. Kimball, ich nehme an, du möchtest gerne Soldat werden.«

»*Gorah-log* (weißes Volk)! O nein! O nein!« Kim schüttelte den Kopf heftig. Es war nichts in seiner Natur, das sich zu Drill und Reglement hingezogen fühlte. »Ich will nicht Soldat werden.«

»Du wirst werden, was man dir befiehlt«, sagte Bennett, »und du solltest dankbar sein, daß wir dir helfen wollen.«

Kim lächelte mitleidig. Wenn diese Männer in dem Wahn lebten, er würde etwas tun, was ihm nicht paßte – um so besser.

Wieder folgte ein langes Stillschweigen. Bennett rückte hin und her vor Ungeduld und schlug vor, einen Posten zu rufen, um den Fakir abführen zu lassen.

»Schenken sie oder verkaufen sie Wissen bei den Sahibs? Frage sie«, sagte der Lama, und Kim dolmetschte.

»Sie sagen, der Lehrer bekommt Geld – aber das Geld wird das Regiment zahlen … wozu? Es ist ja nur für eine Nacht.«

»Und – je mehr Geld bezahlt wird, um so besseres Wissen wird gegeben?« Der Lama beachtete Kims Plan einer baldigen Flucht nicht. »Es ist nicht unrecht, für Wissen zu zahlen; Unwissenden zu Weisheit zu verhelfen ist immer ein Verdienst.«

Der Rosenkranz rasselte heftig wie ein Abakus. Dann blickte er seinen Peinigern ins Gesicht.

»Frage sie, für wieviel Geld sie einen weisen und angemessenen Unterricht geben, und in welcher Stadt dieser Unterricht gegeben wird?«

»Nun«, sagte Vater Viktor auf englisch, als Kim übersetzt hatte, »das kommt darauf an. Das Regiment würde für dich zahlen für die ganze Zeit, die du im Militärwaisenhaus wärest; oder du könntest in die Liste des Pandschab-Freimaurerwaisenhauses eingetragen werden (das wird aber weder er noch du verstehen); aber die beste Erziehung, die ein Knabe in Indien finden kann, ist natürlich bei St. Xavier in partibus zu Lucknow.« Die Übersetzung dauerte eine Weile; Bennett wünschte es kurz zu machen.

»Er will wissen, wieviel« sagte Kim gelassen.

»Zwei- bis dreihundert Rupien jährlich«, antwortete Vater Viktor, der über nichts mehr erstaunte. Bennett, ungeduldig, begriff nicht.

»Er sagt: Schreibt diesen Namen und das Geld auf ein Papier und gebt es ihm. Und er sagt, ihr müßt euren Namen darunter setzen, denn er will euch in einigen Tagen einen Brief schreiben. Er sagt, du bist ein guter Mann. Er sagt, der andere Mann ist ein Tor. Er will fortgehen.«

Der Lama erhob sich plötzlich. »Ich folge meiner Suche«, rief er und war fort.

»Er wird mitten in die Posten hineinrennen«, rief Vater Viktor, aufspringend, als der Lama hinausstapfte, »aber ich kann den Knaben nicht verlassen.« Kim machte eine rasche Bewegung zu folgen, hielt aber inne. Man hörte keinen Anruf draußen. Der Lama war verschwunden.

Kim machte es sich in aller Ruhe auf dem Feldbett des Kaplans bequem. Wenigstens hatte der Lama versprochen, bei der Radschputfrau von Kulu zu bleiben; alles übrige war nicht so wichtig. Es belustigte ihn, daß die beiden Patres so augenscheinlich erregt waren. Sie redeten lange flüsternd miteinander. Vater Viktor schien einen dringenden Vorschlag zu machen und Mr. Bennett abgeneigt zu sein. Das war alles sehr neu und fesselnd, aber Kim fühlte sich schläfrig. Sie riefen Männer in das Zelt – einer von ihnen war sicherlich der Oberst, von dem sein Vater prophezeit hatte –, und sie fragten ihn zahllose Fragen, besonders nach der Frau, die ihn in Obhut hatte und die man, schien es, nicht eben für einen sehr passenden Vormund hielt. Kim antwortete auf alles die Wahrheit.

Schließlich war das alles ja nur eine neue Erfahrung. Früher oder später konnte er, wenn es ihm beliebte, entwischen in das große, graue, formlose Indien und Zelte und Patres und Oberst hinter sich lassen. Einstweilen, wenn denn die Sahibs sich durchaus aufregen wollten, würde er sein Bestes tun, sie aufzuregen. Auch er war ein weißer Mann.

Nach vielen Reden, von denen er nichts verstehen konnte, händigten sie ihn einem Sergeanten aus, mit strengem Befehl, ihn nicht entwischen zu lassen. Das Regiment würde weiter nach Ambala marschieren, und Kim sollte, teils auf Kosten der Loge und teils durch Subskription, nach Sanawar geschickt werden.

»Es ist über alle Maßen verwunderlich, Oberst«, schloß Vater Viktor, nachdem er zehn Minuten lang ununterbrochen geredet hatte. »Sein buddhistischer Freund ist auf und davon, nachdem er sich meinen Namen und meine Adresse hat geben lassen. Ich werde nicht klug daraus, ob er für die Erziehung des Knaben zahlen oder eine Art Zauber auf eigene Faust aushecken will.« Dann zu Kim: »Du wirst deinem Freunde, dem Roten Stier, noch einmal dankbar sein. Wir wollen in Sanawar einen Mann aus dir machen – selbst um den Preis, daß du Protestant werden müßtest.«

»Sicher – aber ganz sicher«, sagte Bennett.

»Aber ihr werdet nicht nach Sanawar gehen«, meinte Kim.

»Aber wir werden nach Sanawar gehen, kleiner Mann. Das ist Order des Oberbefehlshabers, der wohl ein wenig mehr gilt als O'Haras Sohn.«

»Ihr werdet nicht nach Sanawar gehen. Ihr werdet in *den* Krieg gehen.«

Ein schallendes Gelächter im ganzen Zelt folgte diesen Worten.

»Wenn du dein eigenes Regiment erst etwas besser kennst, Kim, wirst du eine Marschroute nicht mehr mit einer Schlachtlinie verwechseln. Wir werden, hoffen wir, auch einmal in ›*den* Krieg‹ ziehen.«

»Oah, ich weiß das alles.« Kim spannte seinen Bogen wieder einmal auf gut Glück. Wenn sie nicht in den Krieg zogen, wußten sie wenigstens nicht, was er wußte aus dem Gespräch in der Veranda zu Ambala.

»Ich weiß, ihr seid jetzt noch nicht im Krieg; aber ich sage *euch*, sobald ihr in Ambala seid, werdet ihr in den Krieg geschickt – den neuen Krieg. Es ist ein Krieg von achttausend Mann, außer den Kanonen.«

»Das ist deutlich. Hast du prophetische Gaben neben deinen anderen Talenten? Sergeant, führen Sie ihn fort. Geben Sie ihm einen Anzug von den Tambourjungen, und passen Sie auf, daß er Ihnen nicht durch die Finger schlüpft. Wer sagt, daß das Zeitalter der Wunder vorüber ist? Ich denke, ich will zu Bett gehen. Mein armer Kopf wird schwach.«

Am fernen Ende des Lagers, schweigsam wie ein wildes Tier, saß Kim eine Stunde später, über und über frisch gewaschen, in einem schrecklichen Stoffanzug, der ihm Arme und Beine zerscheuerte.

»Ein toller junger Vogel«, sagte der Sergeant. »Taucht auf mit einem gelbköpfigen studierten Brahmanenpriester, mit seines Vaters Freimaurerpapieren um den Hals, und redet Gott weiß was von einem roten Ochsen. Der Brahmanenpfaff verduftet ohne Erklärungen, und der Junge sitzt kreuzbeinig auf dem Bett des Kaplans und prophezeit den Leuten großartig einen blutigen Krieg. Indien ist ein wildes Land für einen gottesfürchtigen Mann. Ich will lieber sein Bein am Zeltpfahl festbinden, damit er mir nicht durchs Dach geht. Was sagtest du von dem Krieg?«

»Achttausend Mann und Kanonen dazu«, sagte Kim. »Ihr werdet es sehr bald sehen.«

»Du bist ein verfluchter kleiner Kobold. Leg dich zwischen die Trommler ins Bett. Die beiden Burschen neben dir werden deinen Schlummer bewachen.«

Sechstes Kapitel

Ich denk an Kameraden –
Gefährten alt auf neuer See –
Sie teilten unter den Wilden
All mein Wohl und Weh.
Zehntausend Meilen südwärts
Und dreißig Jahr auf einen Strich.
Sie kannten nicht Ritter Valdez,
Sie kannten und liebten mich.

Lied des Diego Valdez

Sehr früh am Morgen wurden die weißen Zelte abgebrochen und verschwanden. Die Mavericks zogen auf einer Seitenstraße nach Ambala, die den Rastplatz nicht streifte, und Kim, neben einem Bagagewagen unter dem Kreuzfeuer der Glossen von Soldatenfrauen dahintrottend, war nicht so zuversichtlich wie am Abend zuvor. Er gewahrte, daß er scharf beobachtet wurde – Vater Viktor an der einen, Mr. Bennett an der anderen Seite.

Am Vormittag hielt die Kolonne plötzlich an. Eine Kamelordonnanz überreichte dem Oberst einen Brief. Er las ihn und sprach mit einem Major. Auf eine halbe Meile hinter sich her hörte Kim ein rauhes, freudiges Gebraus durch den dikken Staub herüberrollen. Dann schlug ihm jemand auf den Rücken und rief: »Sag uns, woher du das wußtest, du Satansküken? Lieber Vater, schauen Sie, ob Sie es aus ihm herauskriegen.«

Ein Pony hielt neben ihm, und er wurde in den Sattel des Priesters hinaufgehißt.

»Nun, mein Sohn, deine Prophezeiung von gestern abend ist wahr geworden. Unsere Order lautet, uns morgen in Ambala zur Front zu verladen.«

»Was ist das?« fragte Kim, denn ›Front‹ und ›verladen‹ waren neue Wörter für ihn.

»Wir ziehen in ›*den* Krieg‹, wie du ihn nanntest.«

»Natürlich geht ihr in *den* Krieg, ich sagte es gestern abend.«

»Das tatest du; aber, Mächte der Finsternis, wie konntest du das wissen?«

Kims Augen funkelten. Er schloß die Lippen, nickte mit dem Kopfe und sah unaussprechlich geheimnisvoll aus. Der Kaplan ritt weiter durch den Staub, und Gemeine, Unteroffiziere und Leutnants machten sich gegenseitig auf den Knaben aufmerksam. Der Oberst an der Spitze der Kolonne starrte ihn neugierig an. »Es war wahrscheinlich ein Basargerücht«, sagte er, »aber selbst dann …« Er zog das Papier in seiner Hand zu Rate. »Zum Teufel, die Sache hat sich erst in den letzten achtundvierzig Stunden entschieden.«

»Gibt es mehr solche wie du in Indien?« fragte Vater Viktor, »oder bist du ausgerechnet ein *lusus naturae?*«

»Jetzt, wo ich es euch gesagt habe«, erwiderte der Knabe, »wollt ihr mich jetzt zurückgehen lassen zu meinem alten Mann? Wenn er nicht bei jener Frau aus Kulu geblieben ist, fürchte ich, daß er sterben wird.«

»Nach dem, was ich von ihm gesehen habe, kann er genausogut für sich selber sorgen wie du. Nein. Du hast uns Glück gebracht, und wir wollen einen Mann aus dir machen. Ich bringe dich jetzt zu deinem Bagagewagen zurück, und heute abend wirst du zu mir kommen.«

Für den Rest des Tages war Kim Gegenstand respektvoller Beachtung unter einigen Hundert weißer Männer. Die Geschichte seines Erscheinens im Lager, der Entdeckung seiner Herkunft und seiner Prophezeiung hatte durch immer wiederholtes Erzählen nichts an Reiz verloren. Eine unförmig dicke weiße Frau fragte ihn von einem Haufen Bettzeug herunter geheimnisvoll, ob er glaube, daß ihr Mann wiederkäme aus dem Feldzug. Kim dachte tiefsinnig nach und sagte, daß er wiederkommen werde, und die Frau gab ihm zu essen. In vieler Hinsicht war dieser große Heerzug – diese schwatzende, lachlustige Menge, ab und zu Musik ertönen lassend – einer Festlichkeit in Lahore nicht unähnlich. Schwere Arbeit war anscheinend vorläufig nicht in Aussicht, und er beschloß, dem Schauspiel seine wohlwollende Aufmerksamkeit zu gönnen. Am Abend zogen ihnen Musikkorps entgegen, um die Mavericks ins Lager zu spielen, nahe bei der Eisenbahnstation von Ambala. Das war eine interessante Nacht. Leute von anderen Regimentern kamen, um die Mavericks zu besuchen. Die Mavericks ihrerseits machten ebenfalls Besuche auf eigene Faust. Patrouillen rückten aus, sie zurückzuholen, begegneten Patrouillen anderer Regimenter mit gleicher Order, und bald bliesen die Hörner wie toll nach noch mehr Patrouillen mit Offizieren, um den allgemeinen Tumult zu steuern. Die Mavericks machten ihrem flotten Ruf alle Ehre. Aber am nächsten Morgen standen sie auf dem Bahnsteig in Reih und Glied; und Kim, bei den Kranken, den Weibern und Troßjungen zurückgelassen, schrie zu seiner eigenen Verwunderung begeistert Lebewohl, als die Züge abfuhren. Das Leben eines Sahibs war soweit recht amüsant; dennoch wollte er es nur mit sehr vorsichtiger Hand angreifen. Dann führten sie ihn unter Aufsicht eines Tambourjungen zurück zu einer leeren, kalkgetünchten Baracke, deren Fußboden mit Abfall von Papieren und Stricken bedeckt war und wo sein einsamer Schritt von der Decke widerhallte. Nach Landesart rollte er sich zusammen auf einem kahlen Feldbett und schlief ein. Ein verdrießlicher Mann humpelte die Veranda herunter, weckte ihn auf und sagte, er wäre der Schulmeister. Das war genug für Kim; und er zog sich in sein Schneckenhaus zurück. Er war zur Not imstande gewesen, die verschiedenen englischen Polizeibekanntmachungen in Lahore zu entziffern, denn die hatten Bedeutung für den Frieden seines Daseins; und unter den vielerlei Gästen der Frau, die ihn in Obhut hatte, war ein schnurriger Deutscher gewesen, der Dekorationen für ein wanderndes Parsi-Theater malte. Er erzählte Kim, daß er ›auf den Barrikaden von 48‹ gestanden habe und deshalb – wenigstens faßte Kim es so auf – den Knaben gegen Beköstigung schreiben lehren wollte. Bis zu einzelnen Buchstaben war Kim damals mit Mühe und Not vorgedrungen, aber er war nicht sehr erbaut von ihnen gewesen.

»Ich weiß gar nichts. Laß mich in Ruhe!« rief Kim, Unrat witternd. Darauf packte ihn der Mann am Ohr, zerrte ihn nach einem Zimmer in einem abgelegenen Seitenbau, wo ein

Dutzend Tambourjungen auf Bänken hockten, und befahl ihm stillzusitzen, wenn er sonst nichts könnte. Das brachte er erfolgreich zustande. Der Mann erklärte irgend etwas mit Hilfe weißer Linien auf einem schwarzen Brett, mindestens eine halbe Stunde lang, und Kim setzte seinen unterbrochenen Schlummer fort. Der gegenwärtige Stand der Dinge mißfiel ihm sehr, denn dies war ja die Schule und Disziplin, die zu vermeiden er zwei Drittel seines jungen Lebens drangegeben hatte. Plötzlich kam ihm eine wundervolle Idee, und er wunderte sich, daß er nicht früher daran gedacht hatte.

Der Schulmeister entließ sie, und der erste, der durch die Veranda in den offenen Sonnenschein sprang, war Kim.

»Hör, du! Halt! Steh!« rief eine schrille Stimme hinter ihm. »Ich soll auf dich aufpassen. Ich habe Befehl, dich nicht aus den Augen zu lassen. Wo willst du hin?«

Es war der Trommlerjunge, der sich den ganzen Vormittag an ihn gehängt hatte – ein fetter, sommersprossiger Kerl von vielleicht vierzehn Jahren, und Kim verabscheute ihn von den Schuhsohlen bis zu den Mützenbändern.

»Nach dem Basar – um Zuckerzeug zu kaufen – für dich«, sagte Kim mit Bedacht.

»Ho! der Basar ist verbotenes Terrain. Wenn wir dahin gehen, kriegen wir eine Tracht Prügel. Komm zurück.«

»Wie nah dürfen wir denn gehen?« Kim wußte nicht, was ›Terrain‹ bedeutete, wollte aber höflich bleiben – fürs erste.

»Wie nah? Wie weit meinst du? Wir dürfen bis an den Baum dort an der Straße gehen.«

»Dann will ich bis dahin gehen.«

»Gut. Ich gehe nicht. Es ist zu heiß. Ich kann dich von hier bewachen. Fortlaufen nutzt dir nichts. Sie würden dich gleich an deinem Anzug erkennen. Das ist Regimentsstoff, den du anhast. Die erste beste Patrouille in Ambala würde dich schneller zurückbringen, als du fortgerannt wärst.«

Das machte Kim weniger Bedenken, als daß seine Kleidung ihn ermüden würde, wenn er wegzurennen versuchte. Er schlenderte zu dem Baum an der Ecke einer kahlen Straße, die nach dem Basar führte, und beäugte die vorübergehenden Eingeborenen. Meistens waren es Kasernenwärter niedrigster

Kaste. Kim rief einen Straßenkehrer an, der prompt mit einer unnötigen Grobheit antwortete, im natürlichen Glauben, daß der europäische Knabe sie nicht verstehen könne. Die rasche leise Antwort belehrte ihn eines Besseren. Kim legte seine ganze vergewaltigte Seele hinein, froh, endlich jemand in der ihm geläufigen Sprache beschimpfen zu können. »Und nun geh zu dem nächsten Briefschreiber im Basar und sag ihm, er soll hierherkommen. Ich will einen Brief schreiben.«

»Aber – aber, was für eines weißen Mannes Sohn bist du, daß du einen Basarbriefschreiber brauchst? Ist denn kein Schulmeister in der Kaserne?«

»Ja, und die Hölle ist voll davon. Tu, wie ich dir befehle, du – du Od. Deine Mutter hat unter einem Korb geheiratet! Knecht des Lal Beg« (Kim kannte den Gott der Straßenkehrer), »erledige meinen Auftrag, oder wir sprechen uns wieder.«

Der Straßenkehrer machte sich schleunigst fort. »Da ist ein weißer Knabe vor der Kaserne«, stotterte er zu dem ersten Briefschreiber, den er traf, »der wartet unter einem Baum und ist gar kein weißer Knabe. Er will dich haben.«

»Wird er bezahlen?« fragte der zierliche Schreiber, Federn, Siegelwachs und Pult säuberlich zusammenpackend.

»Ich weiß nicht. Er ist nicht wie andere Knaben. Geh und sieh; es ist der Mühe wert.«

Kim tanzte vor Ungeduld, als der schmächtige junge Kayeth in Sicht kam. Sobald seine Stimme ihn erreichen konnte, rief er ihm ausgiebige Verwünschungen zu.

»Erst verlange ich Bezahlung«, sagte der Schreiber. »Schimpfen erhöht den Preis. Aber wer bist du, gekleidet auf eine Art und schimpfend auf andere Art?«

»Aha, das steht in dem Brief, den du schreiben sollst. So was hast du noch nie gehört. Aber ich hab keine Eile, ein anderer Schreiber kann's auch tun. Ambala ist ebenso voll von Schreibern wie Lahore.«

»Vier Anna«, sagte der Schreiber, sich niedersetzend und sein Tuch im Schatten eines verlassenen Kasernenflügels ausbreitend.

Mechanisch hockte sich Kim neben ihn – hockte sich hin, wie nur Eingeborene es können –, trotz der abscheulich pressenden Hosen.

Der Schreiber betrachtete ihn von der Seite.

»Das ist ein Preis, den man von Sahibs fordert«, sagte Kim. »Nenne mir nun einen richtigen!«

»Ein und einen halben Anna. Wie kann ich wissen, ob du nicht fortläufst, wenn ich den Brief geschrieben habe?«

»Ich darf nicht über diesen Baum hinausgehen, und außerdem würde die Marke noch fehlen.«

»Vom Preis der Marke bekomme ich keine Provision. Noch einmal, was für eine Art von weißem Knaben bist du?«

»Das wird in dem Briefe gesagt werden; er ist an Mahbub Ali, den Roßkamm, im Kaschmir-Serail zu Lahore. Er ist mein Freund.«

»Wunder über Wunder!« murmelte der Schreiber, ein Rohr in die Tinte tauchend. »Soll ich in Hindi schreiben?«

»Natürlich. An Mahbub Ali also. Beginne! ›Ich bin mit dem alten Mann bis Ambala im Zug gefahren. In Ambala überbrachte ich die Nachricht von dem Stammbaum der braunen Stute.‹« Nach dem, was er in dem Garten gesehen hatte, hütete er sich wohl, von weißen Hengsten zu schreiben.

»Ein bißchen langsamer. Was hat eine braune Stute zu tun mit … Ist das Mahbub Ali, der große Händler?«

»Wer sonst? Ich war in seinem Dienst. Nimm mehr Tinte. Weiter. ›Wie der Befehl war, so tat ich. Wir gingen dann zu Fuß nach Benares; aber am dritten Tage fanden wir ein gewisses Regiment.‹ Hast du?«

»Ay, *pulton*!« murmelte der Schreiber, ganz Ohr.

»›Ich ging in das Lager und wurde gefangen, und durch das Amulett an meinem Hals, das Du kennst, wurde es klar, daß ich der Sohn bin von einem Mann in dem Regiment: gemäß der Prophezeiung von dem Roten Stier, die, wie Du weißt, in unserem Basar die Runde machte.‹« Kim hielt inne, damit dieser Pfeil gehörig in des Briefschreibers Herz dränge, räusperte sich und fuhr fort: »›Ein Priester kleidete mich und gab mir einen neuen Namen. – Der eine Priester war aber ein Narr. Die Kleider sind sehr schwer, aber ich bin ein Sahib, und mein Herz ist auch schwer. Sie schicken mich in eine Schule und schlagen mich. Ich mag nicht die Luft und das Wasser hier. Komm also und hilf mir, Mahbub Ali, oder schicke mir etwas Geld, denn ich habe nicht genug, um den Schreiber zu bezahlen, der dies schreibt.‹«

»›... der dies schreibt.‹ Es ist meine eigene Schuld, daß ich mich betrügen ließ. Du bist schlau wie Husain Bu, der die Schatzmünzen in Nucklao fälschte. Aber was für eine Geschichte! Was für eine Geschichte! Ist sie denn wirklich wahr?«

»Es bringt keinen Vorteil, Mahbub Ali zu belügen. Gescheiter ist es, seinen Freunden zu helfen und ihnen eine Briefmarke zu leihen. Wenn das Geld kommt, bezahle ich.«

Der Schreiber brummte zweifelnd, nahm aber einen Stempel aus seinem Kasten, siegelte den Brief, reichte ihn Kim und ging. Mahbub Alis Name war eine Macht in Ambala.

»Das ist der Weg, sich gut mit den Göttern zu stellen«, rief Kim ihm nach.

»Bezahle mich zwiefach, wenn das Geld kommt«, rief der Mann über die Schulter zurück.

»Was hattest du mit dem Nigger zu treiben?« fragte der Tambourjunge, als Kim in die Veranda zurückkehrte. »Ich habe aufgepaßt.«

»Ich habe nur mit ihm gesprochen.«

»Du kannst sprechen wie ein Nigger, was?«

»Nein, nein, nur ein bißchen. Was tun wir jetzt?«

»In einer halben Minute wird das Signal blasen zum Essen. Mein Gott! Wär ich bloß mit dem Regiment zur Front marschiert. Scheußlich, hier nichts tun, als in die Schule gehen. Find'st du nicht auch?«

»O ja – a!«

»Ich möchte fortlaufen, wenn ich wüßte, wohin. Aber, wie die Leute sagen, in diesem verdammten Indien ist man überall ein Gefangener. Du kannst nicht entwischen, ohne gleich zurückgeholt zu werden. Ich habe es gründlich satt.«

»Bist du in Be-England gewesen?«

»Na natürlich, ich bin erst mit dem letzten Truppenschub gekommen mit meiner Mutter. Sollte meinen, ich war in England. Was für ein blöder kleiner Bettelbub du bist. Bist wohl im Rinnstein aufgewachsen, was?«

»O ja — a. Erzähl mir was von England. Mein Vater, der kam von dort.«

Obwohl er es nicht sagte, glaubte Kim kein Wort von dem, was der Trommlerjunge von der Liverpooler Vorstadt erzählte, die für ihn in England war. Es vertrieb ihm die Zeit bis zum Mittagessen — einem wenig verlockenden Mahl, das den Knaben und ein paar Invaliden in der Ecke einer Kasernenstube vorgesetzt wurde. Hätte Kim nicht an Mahbub Ali geschrieben, so wäre er fast verzweifelt. An die Gleichgültigkeit in Gesellschaft Eingeborener war er gewöhnt, aber diese völlige Verlassenheit unter weißen Menschen war ihm unheimlich. Er war dankbar, als im Laufe des Nachmittags ein großer Soldat ihn zu Vater Viktor führte, der in einem andern Flügel jenseits eines zweiten staubigen Exerzierplatzes wohnte. Der Priester las eben einen mit karminroter Tinte geschriebenen englischen Brief. Er betrachtete Kim neugieriger denn je.

»Und wie gefällt's dir bis jetzt, mein Sohn? Nicht besonders, eh? Es muß hart sein — sehr hart für ein wildes Tier. Hör zu. Ich habe eine erstaunliche Epistel von deinem Freund.«

»Wo ist er? Geht es ihm gut? Oah! Wenn er mir Briefe schreiben kann, ist alles gut.«

»Du hast ihn also lieb?«

»Natürlich habe ich ihn lieb. Er hatte mich auch lieb.«

»Es scheint so, nach diesem da. Er kann nicht englisch schreiben, wie?«

»O nein. Nicht, daß ich wüßte. Aber er hat natürlich einen Briefschreiber gefunden, der sehr gut englisch schreibt, und so hat er geschrieben. Ich hoffe, Ihr versteht!«

»Das erklärt die Sache. Weißt du etwas von seinen Geldangelegenheiten?« Kims Gesicht zeigte, daß er nichts wisse.

»Was kann ich wissen?«

»Das frage ich. Nun hör zu, ob du hieraus Kopf und Schwanz zusammenbringen kannst. Wir wollen den Anfang überspringen ... es ist aus Jagadhir Road geschrieben ... ›Sitzend am Straßenrand in ernster Meditation, vertrauend begünstigt zu sein, mit Ew. Gnaden Beifall zu gegenwärtigem Schritt, den Ew. Gnaden empfehle auszuführen um Allmächtigen Gottes willen. Erziehung ist größter Segen, wenn von bester Art. Anderswie ohne Nutzen auf Erden.‹ Wahrhaftig, da hat der alte Mann den Nagel auf den Kopf getroffen! ›Wenn Ew. Gnaden geruhen zu geben meinem Knaben beste Erziehung Xavier‹ – ich nehme an, das ist St. Xavier in partibus –, ›gemäß Unterredung unterm Datum 15ten dieses, in Eurem Zelte‹ – ein ganz geschäftsmäßiger Ton hier! –, ›dann Allmächtigen Gottes Segen für Ew. Gnaden Nachkommen bis zu dritter und vierter Generation, und‹ – nun paß auf! –, ›bitte um Vertrauen in Ew. Gnaden demütigen Diener für vollständige Zahlung der Wechsel von jährlich dreihundert Rupien für ein Jahr zu einer kostspieligen Erziehung St. Xavier, Lucknow, und gestatten, kurzfristig dieselbigen per Wechsel zu senden nach irgendeinem Teil von Indien, wie Ew. Gnaden selbst angeben werden. Dieser Diener Ew. Gnaden hat gegenwärtig nicht Platz, zu legen Scheitel seines Hauptes, aber geht nach Benares im Zug wegen Belästigung von alter Frau, welche soviel redet, und weil nicht wohnen will zu Saharanpur in irgendwie häuslichem Beruf.‹ – Nun, was in aller Welt heißt das?«

»Sie hat ihn aufgefordert, ihr *puro* – ihr Geistlicher – in Saharanpur zu werden, denke *ich*. Und er will das nicht wegen seines Flusses. Die *konnte* reden.«

»Ist dir das klar, ja? Es geht über meine Begriffe. – ›Somit gehe nach Benares, wo finden werde Adresse und absenden Rupien für Knabe, der ist Augapfel, und um Allmächtigen Gottes willen führt diese Erziehung aus, und Euer Bittsteller wird in aller Ergebenheit immer ehrfürchtigst beten. Geschrieben von Sobrao Satai, durchgefallen bei Alahabad-Universität, für Ehrwürdigen Teshoo Lama, den Priester von Such-zen, der einen Fluß sucht, Adresse: Tirthankers Tempel, Benares, postlagernd – Bitte bemerkt, Knabe ist Augapfel, und Rupien werden gesendet per Wechsel dreihundert per annum. Um Allmächtigen Gottes willen.‹ Nun, ist das heller Wahnsinn oder ein Geschäftsbrief? Ich frage dich, denn ich bin mit meinem Witz am Ende.«

»Er sagt, er will mir dreihundert Rupien jährlich geben, und er wird sie mir geben.«

»Oh, so faßt du es auf, ja?«

»Natürlich. Wenn er es sagt!«

Der Priester pfiff, dann sprach er zu Kim wie zu einem Gleichstehenden:

»Ich glaube es nicht, aber wir werden ja sehen. Du solltest heute nach dem Militärwaisenhaus zu Sanawar kommen, wo das Regiment dich erhalten würde bis zu dem Alter deines Eintrittes. Du würdest im Glauben der Kirche von England erzogen werden. Bennett hat dafür gesorgt. Im andern Falle, wenn du nach St. Xavier kämest, hättest du eine bessere Erziehung und – und die Religion. Siehst du mein Dilemma?«

Kim sah nichts als eine Vision des Lama, mit dem Zuge südwärts fahrend, ohne jemand, der für ihn bettelte.

»Ich werde, wie die meisten Menschen, abwarten. Wenn dein Freund das Geld von Benares schickt – Mächte der Finsternis, wo gibt es einen Straßenbettler, der dreihundert Rupien aufbringen kann –, wirst du nach Lucknow gehen, und ich bezahle die Reise, denn ich kann das Subskriptionsgeld nicht anrühren, wenn ich beabsichtige, wie ich es tue, einen Katholiken aus dir zu machen. Wenn er es nicht schickt, mußt du ins Militärwaisenhaus auf Regimentskosten. Ich will ihm drei Tage Zeit geben, obwohl ich überhaupt nicht daran glaube. Und selbst dann, wenn später die Zahlungen ausblieben ... aber es geht über meine Begriffe. Wir können in dieser Welt immer nur Schritt für Schritt machen, Dank Gott. Und Bennett schickten sie ins Feld, und mich ließen sie zurück. Er kann nicht alles verlangen.«

»Oah – ja – a«, sagte Kim mechanisch.

Der Priester beugte sich vor. »Ich würde ein Monatsgehalt darum geben, wüßte ich, was in deinem kleinen runden Kopf steckt.«

»Gar nichts«, sagte Kim und kratzte ihn. Er dachte, ob Mahbub Ali ihm wohl eine ganze Rupie schicken würde. Dann konnte er den Schreiber bezahlen und Briefe an den Lama nach Benares schreiben. Vielleicht suchte Mahbub Ali ihn auf, wenn er das nächste Mal mit Pferden südwärts kam.

Sicher war ihm bekannt, daß durch Übergabe des Briefes durch Kim an den Offizier in Ambala der große Krieg entstanden war, von dem alle die Knaben und Männer beim Mittagstisch in der Kaserne so laut geredet hatten. Wußte aber Mahbub Ali nichts davon, so war es gewagt, ihm davon zu reden. Mahbub Ali war streng mit Jungen, die zuviel wußten oder zu wissen glaubten.

»Nun, bis wir weitere Neuigkeiten hören«, unterbrach Vater Viktors Stimme diese Träumerei, »kannst du hingehen und mit den andern Jungen spielen. Du wirst allerhand von ihnen lernen – ich glaube aber nicht, daß es dir gefallen wird.«

Der Tag schleppte sich mühselig zu Ende. Als er schlafen ging, zeigte man ihm, wie er seine Kleider zusammenlegen und seine Stiefel hinaustragen müsse; die andern Jungen machten sich lustig über ihn. Hörner weckten ihn beim Morgengrauen; der Schulmeister packte ihn nach dem Frühstück, hielt ihm eine Seite unverständlicher Buchstaben unter die Nase, gab ihnen sinnlose Namen und prügelte ihn ohne Grund. Kim überlegte, ob er sich nicht Opium von einem Kasernenfeger borgen und ihn vergiften könnte; aber da sie alle an einem öffentlichen Tische aßen (was Kim ganz besonders empörte, da er beim Essen gern der Welt den Rücken kehrte), konnte der Streich gefährlich enden. Dann versuchte er nach dem Dorfe zu fliehen, wo der Priester den Lama mit Opium betäubt hatte – dem Dorf, wo der alte Soldat lebte. Aber scharfäugige Posten trieben bei jedem Versuch die kleine rote Gestalt zurück. Hosen und Jacke lähmten Körper und Geist zugleich; so gab er den Plan auf und verließ sich nach orientalischer Art auf Zeit und Zufall. Drei Tage der Qual verflossen in den großen, hallenden weißen Räumen. An den Nachmittagen ging er unter Eskorte des Tambourjungen hinaus, und alles, was er von seinem Begleiter zu hören bekam, waren die sinnlosen Schimpfworte, die zwei Drittel des Wortschatzes weißer Männer zu bilden schienen. Kim kannte und verachtete sie alle längst. Der Junge rächte sich für sein Schweigen und seine Teilnahmslosigkeit durch Schläge, was nur natürlich war. Ihm lag nichts an den verbotenen Basaren. Er nannte alle Eingeborenen ›Niggers‹; Knechte und Straßenkehrer warfen ihm abscheuliche Namen ins Gesicht, die er, getäuscht durch ihre ehrerbietige Haltung, nicht verstand. Das war Kim ein Trost für die Schläge.

Am Morgen des vierten Tages kam ein Strafgericht über den Trommler. Sie waren miteinander bis an die Ambalaer Rennbahn gegangen. Allein und weinend kam er zurück mit der Nachricht, der junge O'Hara, dem er nichts Besonderes zuleide getan, habe einen rotbärtigen Nigger zu Pferde angerufen; der Nigger sei über ihn, den Trommler, hergefallen mit einer besonders zärtlichen Reitpeitsche, habe dann den jungen O'Hara aufgehoben und sei im vollen Galopp mit ihm davongesprengt. Die Kunde kam zu Vater Viktor, und er zog seine lange Oberlippe hinunter. Er war schon aufgeregt genug über einen Brief aus dem Tempel der Tirthanker in Benares, der eine Anweisung auf dreihundert Rupien von einem eingeborenen Bankier einschloß, nebst einem erstaunlichen Gebet an den allmächtigen Gott. Der Lama würde noch ungehaltener gewesen sein als der Priester, hätte er gewußt, wie der Basar-Briefschreiber seinen Ausdruck ›um Verdienst zu erwerben‹ übersetzt hatte.

»Mächte der Finsternis!« Vater Viktor fuchtelte mit der Anweisung herum. »Und nun ist er auf und davon mit einem andern seiner Augenblicksfreunde. Ich weiß nicht, ob es mir eine größere Erleichterung sein wird, ihn wiederzubekommen oder ihn los zu sein. Er geht über meine Begriffe. Wie zum Teufel – ja, ihn meine ich! – kann ein Straßenbettler Geld auftreiben, um weiße Knaben zu erziehen?«

Drei Meilen entfernt, auf der Ambalaer Rennbahn, sprach Mahbub Ali, einen grauen Kabulihengst zügelnd, zu Kim, der vor ihm im Sattel saß:

»Aber, kleiner Freund aller Welt, hier ist *meine* Ehre und Reputation im Spiel. Alle Offizier-Sahibs in allen Regimentern und ganz Ambala kennen Mahbub Ali. Man hat gesehen, daß ich dich aufhob und den Jungen züchtigte. Man sieht uns jetzt auf dieser Ebene von weither. Wie kann ich dich fortbringen oder dein Verschwinden erklären, wenn ich dich absetze und in die Ähren laufen lasse? Man würde mich ins Gefängnis bringen. Hab Geduld. Einmal ein Sahib, immer ein Sahib. Wenn du ein Mann bist – wer weiß –, dankst du es Mahbub Ali.«

»Bring mich über die Posten weg, irgendwohin, wo ich dies rote Zeug wechseln kann. Gib mir Geld, ich will nach Benares gehen und wieder bei meinem Lama bleiben. Ich will kein Sahib sein. Und erinnere dich, ich überbrachte die Botschaft.«

Der Hengst bäumte sich wild. Mahbub Ali hatte ihm unvorsichtig den scharfkantigen Steigbügel in die Weichen getrieben. (Er war keiner von den modernen Gecken von Roßhändlern, die englische Stiefel und Sporen tragen.) Kim zog seine eigenen Schlüsse aus diesem Benehmen.

»Das war eine Kleinigkeit, lag ja auf gradem Weg nach Benares. Ich und der Sahib haben das längst vergessen. Ich schicke so viele Botschaften und Briefe an Leute, die nach Pferden fragen, daß ich kaum einen vom andern unterscheiden kann. Handelte sich's nicht um eine braune Stute, deren Stammbaum Peters Sahib wissen wollte?«

Kim merkte sofort die Falle. Hätte er ›braune Stute‹ gesagt, würde Mahbub Ali an seiner Bereitwilligkeit, auf die Verwechslung einzugehen, sofort gemerkt haben, daß Kim Verdacht hatte. Er erwiderte deshalb:

»Braune Stute? Nein. *Ich* vergesse meine Bestellungen nicht so leicht. Es war ein weißer Hengst.«

»Ay, so war es. Ein weißer arabischer Hengst. Aber du schriebst mir ›braune Stute‹?«

»Wer wird einem Briefschreiber die Wahrheit sagen?« antwortete Kim, Mahbubs Hand auf seinem Herzen fühlend.

»Hei, Mahbub, alter Schuft, halt an!« rief eine Stimme, und ein Engländer kam auf einem kleinen Polopony an seine Seite galoppiert. »Ich habe das halbe Land nach dir durchjagt. Dein Kabuli versteht zu laufen. Verkäuflich, denk ich?«

»Ich habe junges Material an der Hand, vom Himmel geschaffen für das feine und schwierige Polospiel. Er hat nicht seinesgleichen. Er …«

»Spielt Polo und bedient bei Tisch. Ja. Wir kennen das alles. Was zum Teufel hast du denn da?«

»Einen Knaben«, antwortete Mahbub ernsthaft. »Ein anderer Knabe prügelte ihn. Sein Vater war ein weißer Soldat in dem großen Krieg. Der Junge war von Kindheit an in Lahore. Er spielte, als er noch ein Baby war, mit meinen Pferden. Jetzt wollen sie ihn, glaube ich, zum Soldaten machen. Er wurde kürzlich von seines Vaters Regiment aufgegriffen, das vorige Woche in den Krieg zog. Ich glaube aber, er hat keine Lust, Soldat zu werden. Ich nahm ihn auf einen Ritt mit. – Sag mir, wo deine Kaserne liegt, ich will dich dort absetzen.«

»Laß mich los. Ich kann die Kaserne allein finden.«

»Und wenn du fortläufst, wird man nicht mir die Schuld geben?«

»Er wird zu seinem Essen zurücklaufen. Wohin sollte er sonst laufen?« meinte der Engländer.

»Er ist im Lande geboren. Er hat Freunde. Er geht, wohin es ihm beliebt. Er ist ein *chabuk sawai* (durchtriebener Bengel). Er braucht nur seine Kleider zu wechseln, und im Nu wäre er ein Hinduknabe niederer Kaste!«

»Was zum Henker!« Der Engländer sah den Knaben kritisch an, während Mahbub nach der Kaserne umwendete. Kim knirschte mit den Zähnen. Mahbub trieb offenbar seinen Spott mit ihm, so recht nach Art eines ungläubigen Afghanen, denn er fuhr fort:

»Sie werden ihn in eine Schule schicken, ihm schwere Stiefel anziehen und ihn in dies Zeug einzwängen. Dann wird er alles, was er weiß, vergessen. Nun, wo ist deine Kaserne?«

Kim zeigte – sprechen konnte er nicht – auf Vater Viktors Abteilung, die weiß herüberblendete.

»Vielleicht wird er einen guten Soldaten machen«, sprach Mahbub nachdenklich, »mindestens eine gute Ordonnanz. Ich schickte ihn einmal mit einer Botschaft von Lahore – einer Botschaft, den Stammbaum eines weißen Hengstes betreffend.«

Das war eine tödliche Beleidigung über die andere – und der Sahib, dem er so schlau jenen kriegweckenden Brief gebracht hatte, hörte es alles. Kim sah im Geiste Mahbub Ali in Flammen braten für seine Verräterei, für sich selbst aber nur eine lange farblose Aussicht auf Kasernen, Schulen und wieder Kasernen. Er blickte flehentlich auf das scharfgeschnittene Gesicht, auf dem kein Schimmer eines Wiedererkennens sich zeigte; aber selbst in dieser äußersten Not fiel es ihm nicht ein, die Gnade des weißen Mannes anzurufen oder den Afghanen anzuklagen. Und Mahbub starrte unentwegt den Engländer an und dieser ebenso unentwegt den stummen und zitternden Kim.

»Mein Pferd ist gut erzogen«, sagte der Händler. »Andere würden ausgeschlagen haben, Sahib.«

»Ah«, sagte der Engländer endlich, die dampfenden Flanken seines Ponys mit dem Peitschenknopf reibend, »wer will einen Soldaten aus dem Jungen machen?«

»Er sagt, das Regiment, das ihn aufgefunden hat, und besonders der Pater-Sahib dieses Regiments.«

»Da ist der Pater!« schnappte Kim, als Vater Viktor barhäuptig von der Veranda herunter auf sie zusegelte.

»Mächte der Finsternis, O'Hara! Wie viele gemischte Freunde hältst du dir noch in Asien?« rief er, als Kim herabglitt und hilflos vor ihm stand.

»Guten Morgen, Pater«, sagte der Oberst heiter. »Dem Namen nach kenne ich Sie gut genug. Wollte immer schon herüberkommen und Sie besuchen. Ich bin Creighton.«

»Vom Ethnologischen Dienst?« fragte Vater Viktor. Der Oberst nickte. »Wahrhaftig, ich freue mich herzlich, Sie zu sehen; und ich schulde Ihnen Dank, daß Sie den Knaben zurückbringen.«

»Nichts zu danken, Pater. Übrigens, der Junge war gar nicht fortgelaufen. Sie kennen den alten Mahbub Ali nicht?« Der Roßkamm saß unbewegt in der Sonne. »Wenn Sie einen Monat auf der Station gewesen sind, werden Sie ihn kennen. Er verkauft uns alle unsere Schindmähren. Dieser Junge ist einigermaßen ein Kuriosum. Können Sie mir etwas über ihn sagen?«

»Ich Ihnen etwas sagen?« stöhnte Vater Viktor. »Sie wären der einzige, der mir in meiner Verlegenheit helfen könnte. Ich Ihnen etwas sagen! Mächte der Finsternis, ich platze vor Ungeduld, jemand zu fragen, der über die Eingeborenen Bescheid weiß.«

Ein Reitknecht kam um die Ecke. Oberst Creighton erhob die Stimme und sprach in Urdu: »Alles gut und schön, Mahbub Ali, aber was soll ich mit all den Geschichten von deinem Pony! Nicht ein Pie mehr als dreihundertfünfzig Rupien gebe ich.«

»Der Sahib ist etwas erregt und hitzig von dem Ritt«, erwiderte der Pferdehändler mit dem Blinzeln eines privilegierten Spaßmachers. »Die Qualitäten meines Pferdes werden ihm bald deutlicher werden. Ich will warten, bis er sein Gespräch mit dem Pater beendet hat. Unter dem Baum dort will ich warten.«

»Hol dich der Teufel!« Der Oberst lachte. »Das kommt davon, wenn man einen von Mahbubs Gäulen anschaut. Er ist ein richtiger alter Blutegel, Pater. Warte also, Mahbub, wenn du so viel überflüssige Zeit hast. Nun stehe ich zu Diensten, Pater. Wo ist der Junge? Aha, fort, um mit Mahbub zu schwätzen. Sonderbarer Junge! Darf ich Sie bitten, mein Pferd unterstellen zu lassen?«

Er ließ sich in einen Sessel fallen, von dem aus er Kim und Mahbub Ali unter dem Baum genau beobachten konnte. Der Pater ging hinein, um Zigarren zu holen.

Creighton hörte Kim voll Bitterkeit sagen: »Trau einem Brahmanen mehr als einer Schlange, einer Schlange mehr als einer Dirne und einer Dirne mehr als einem Afghanen, Mahbub Ali.«

»Das ist alles gleich«, der große rote Bart wackelte feierlich. »Kinder sollten keinen Teppich auf dem Webstuhl sehen, ehe das Muster fertig ist. Glaube mir, Freund aller Welt, ich erweise dir einen großen Dienst. Sie sollen keinen Soldaten aus dir machen.«

›Du pfiffiger alter Sünder‹, dachte Creighton. ›Aber du hast nicht so unrecht. Der Junge darf nicht unnütz verbraucht werden, wenn er wirklich soviel taugt.‹

»Entschuldigen Sie mich einen Augenblick«, rief der Pater von innen. »Ich will nur die Dokumente dieser Angelegenheit holen.«

»Wenn dir durch mich die Gunst dieses kühnen und weisen Oberst-Sahib zuteil wird und du zu Ehren erhoben wirst, wie wirst du dann Mahbub Ali danken, wenn du ein Mann bist?«

»Nein, nein; ich habe dich gebeten, mich wieder auf die Landstraße zu lassen, wo ich sicher gewesen wäre; und du hast mich wieder an die Engländer verkauft. Wieviel Blutgeld werden sie dir geben?«

»Ein heiterer kleiner Dämon!« Der Oberst biß seine Zigarre ab und wandte sich höflich zu Vater Viktor.

»Was für Briefe sind das, die der fette Priester vor dem Oberst herumschwenkt? Tritt hinter den Hengst, als ob du nach dem Zügel schautest!« sagte Mahbub Ali.

»Ein Brief von meinem Lama, den er aus Jagadhir Road geschrieben hat; er will dreihundert Rupien jährlich für meinen Unterricht zahlen.«

»Oho! Ist der alte Rothut von der Sorte? In welcher Schule?«

»Gott weiß. Ich denke in Nucklao.«

»Ja. Da ist eine große Schule für die Söhne von Sahibs – und Halbsahibs. Ich sah sie, als ich dort Pferde verkaufte. Der Lama liebte also auch den Freund aller Welt?«

»Jawohl; und *er* sagte keine Lügen und lieferte mich nicht in die Gefangenschaft.«

»Kein Wunder, daß der Pater den Faden nicht zu entwirren weiß. Wie eifrig er mit dem Oberst-Sahib redet.« Mahbub Ali kicherte. »Bei Allah!« – sein scharfes Auge streifte einen Moment die Veranda –, »was dein Lama geschickt hat, scheint mir ein Wechsel zu sein. Ich habe hie und da mit *hoondies* zu tun gehabt. Der Oberst-Sahib sieht ihn sich an.«

»Was nützt mir das alles?« sagte Kim kläglich. »Du gehst fort, und mich schicken sie wieder in die kahlen Stuben, wo kein ordentlicher Platz zum Schlafen ist und wo die Jungen mich schlagen.«

»Ich glaube es nicht. Habe Geduld, Kind. Nicht alle Pathans sind treulos – ausgenommen beim Roßkauf.«

Fünf – zehn – fünfzehn Minuten gingen hin, Vater Viktor redete energisch oder stellte Fragen, die der Oberst beantwortete.

»Nun habe ich Ihnen alles gesagt, was ich von dem Knaben

weiß, von Anfang bis zu Ende; und es ist mir eine wahre Erleichterung. Haben Sie je was Ähnliches gehört?«

»Auf jeden Fall hat der alte Mann das Geld geschickt. Gobind Sahais Wechsel sind gut von hier bis China«, sagte der Oberst. »Je mehr man von Eingeborenen weiß, um so weniger kann man sagen, was sie tun oder was sie nicht tun werden.«

»Das ist tröstlich zu hören – vom Chef des Ethnologischen Amts. Dieses Durcheinander von roten Stieren und Flüssen des Heils (armer Heide, Gott helfe ihm!) und Wechseln und Freimaurerpapieren! Sind Sie zufällig auch Freimaurer?«

»Bei Zeus, ich bin's, das fällt mir eben ein. Das ist ein Grund mehr‹, sagte der Oberst in Gedanken.

»Ich bin froh, daß Sie überhaupt einen Sinn drin finden. Wie gesagt, dieses Durcheinander geht über meinen Horizont. Und seine Prophezeiung vor unserm Oberst! Wie er dasaß auf meinem Bett, sein Hemdchen aufgerissen, daß die weiße Haut vorkam; und wie die Prophezeiung wahr wurde! Nun, sie werden ihm all den Unsinn schon auskurieren in St. Xavier, eh?«

»Werden ihn mit Weihwasser besprengen«, lachte der Oberst.

»Auf mein Wort, manchmal scheint mir's, als sollte ich's tun. Aber ich hoffe, er wird zu einem guten Katholiken erzogen werden. Was mich nur beunruhigt, ist die Frage, was werden soll, wenn der alte Bettelmann ...«

»Lama, Lama, mein lieber Herr; und manche von ihnen sind Ehrenmänner in ihrem eigenen Lande.«

»Der Lama also – das nächste Jahr nicht zahlt? Er hat sich im Drang des Augenblicks als solider Geschäftsmann bewährt, aber er kann eines Tages sterben. Und Geld von einem Heiden anzunehmen, um einem Kinde eine christliche Erziehung zu geben ...«

»Aber er hat deutlich ausgesprochen, was er will. Sobald er wußte, daß der Knabe ein Weißer sei, hat er offenbar seine Anordnungen dementsprechend getroffen. Ich gäbe ein Monatsgehalt darum, wenn ich hören könnte, wie er das alles im Tirthankertempel in Benares erklärt. Sehen Sie, Pater, ich behaupte nicht, viel von den Eingeborenen zu wissen, aber wenn er sagt, er zahlt, wird er zahlen – tot oder lebendig. Ich meine damit, seine Erben werden seine Schuld übernehmen. Mein Rat ist, schicken Sie den Jungen nach Lucknow. Wenn Ihr anglikanischer Kaplan denkt, Sie hätten ihm den Rang abgelaufen ...«

»Bennetts Pech! Er wurde statt meiner zur Front geschickt. Doughty erklärte mich gesundheitlich für untauglich. Ich werde Doughty exkommunizieren, wenn er lebendig zurückkommt! Bennett sollte eigentlich zufrieden sein mit ...«

»... dem Ruhm und Ihnen die Religion lassen. Ganz recht! Ich denke aber wirklich, Bennett wird es sich nicht zu Herzen nehmen. Schieben Sie die Schuld auf mich. Ich – hem – empfehle dringend, den Knaben nach St. Xavier zu schicken. Er kann mit dem Freipaß für Soldatenwaisen fahren, so wird das Reisegeld gespart. Seine Ausstattung können Sie aus der Regimentssubskription bestreiten. Der Loge werden die Kosten seiner Erziehung erspart, das wird die Loge in gute Laune versetzen. Es ist ganz einfach. Ich muß nächste Woche nach Lucknow hinunter. Ich werde unterwegs nach dem Knaben sehen – ihn meinen Dienern in Obhut geben und so weiter.«

»Sie sind ein guter Mensch.«

»Nicht im geringsten. Denken Sie nur das nicht. Der Lama hat uns Geld zu einem bestimmten Zweck geschickt. Wir können es nicht gut zurückgeben. Wir haben zu tun, was er sagt. Nun, das wäre abgemacht, nicht wahr? Wollen wir sagen, nächsten Dienstag bringen Sie ihn mir an den Südnachtzug? Das sind nur drei Tage. Er kann nicht viel Unheil anrichten in drei Tagen.«

»Es ist mir eine Last von der Seele, aber – dieses Ding hier?« Er schwenkte den Wechsel. »Ich kenne Gobind Sahai so wenig wie seine Bank, die ebensogut ein Loch in einer Mauer sein kann.«

»Sie sind niemals ein verschuldeter Leutnant gewesen! Ich will den Wechsel einlösen, wenn Sie wollen, und Ihnen den Beleg ordnungsgemäß einschicken.«

»Aber das noch zu Ihrer vielen Arbeit! Ist das nicht zu ...«

»Es macht mir nicht die geringste Mühe. Als Ethnologe, sehen Sie, ist mir die Sache höchst interessant. Ich möchte gern eine Notiz darüber machen in einer Arbeit, die ich für die Regierung schreibe. Die Verwandlung eines Regimentsabzeichens, wie Ihres Roten Stiers, in eine Art Fetisch, dem der Knabe nachläuft, ist hochinteressant.«

»Ich kann Ihnen gar nicht genug danken.«

»Etwas können Sie für mich tun. Wir Ethnologen sind alle eifersüchtig wie die Dohlen auf unsere Entdeckungen. Sie sind zwar für keinen Menschen von Interesse, als für uns selbst, aber Sie wissen ja, wie Büchersammler einmal sind. Nun sprechen Sie kein Wort direkt oder indirekt über die asiatische Seite in dem Charakter des Knaben – seine Abenteuer, seine Prophezeiungen und so weiter. Ich will das alles späterhin aus dem Jungen herausholen, Sie verstehen?«

»Ich verstehe. Sie werden einen wundervollen Bericht daraus machen. Niemand soll ein Wort von mir hören, bis ich die Geschichte gedruckt lese.«

»Danke Ihnen. Das geht einem Ethnologen gerade ins Herz. So, jetzt muß ich zu meinem Frühstück. Gott im Himmel! Der alte Mahbub immer noch hier?« Er sprach mit erhobener Stimme, und der Roßhändler trat aus dem Schatten des Baumes heraus. »Nun, was gibt's noch?«

»Was das junge Pferd betrifft«, sagte Mahbub, »so meine ich, wenn ein Füllen dazu geschaffen ist, ein Polopony zu werden und, ohne angelernt zu sein, dem Ball genau folgt – wenn so ein Füllen das Spiel instinktiv begreift – dann, meine ich, ist es ein großes Unrecht, das Füllen vor einen schweren Wagen zu spannen, Sahib.«

»Das sage ich auch, Mahbub. Das Füllen soll einzig und allein für Polo eingestellt werden. – Diese Kerls denken an nichts in der Welt als an Pferde, Pater. – Ich werde dich morgen sehen, Mahbub, wenn du etwas Gutes zu verkaufen hast.«

Der Händler salutierte nach Reiterart mit einem Schwung der freien Hand. »Hab ein wenig Geduld, kleiner Freund aller Welt«, flüsterte er dem verzweifelten Kim zu. »Dein Glück ist gemacht. Bald gehst du nach Nucklao, und – hier ist etwas, um den Briefschreiber zu bezahlen. Ich werde dich, denke ich, oft wiedersehen«, und er galoppierte davon, die Straße hinab.

»Höre mich an«, rief der Oberst in der Landessprache von der Veranda herunter, »in drei Tagen gehst du mit mir nach Lucknow und wirst auf Schritt und Tritt Neues sehen und hören. Sitz also diese drei Tage still und lauf nicht fort. Du kommst in die Schule in Lucknow.«

»Werde ich dort meinen Heiligen treffen?« fragte Kim weinerlich.

»Wenigstens liegt Lucknow näher an Benares als Ambala. Vielleicht nehme ich dich unter meinem Schutz mit. Mahbub Ali weiß das, und er wird zornig sein, wenn du jetzt wieder auf die Landstraße zurückkehrst. Denke daran – viel ist mir gesagt worden, was ich nicht vergesse.«

»Ich will warten«, sagte Kim, »aber die Jungen werden mich schlagen.«

Die Trompeten bliesen zum Mittagessen.

Siebentes Kapitel

Für wen denn sind so strahlend Stern' an Sterne
Mit Monden sinnlos in den Raum gehängt?
Kriech du inmitten, niemand achtet dein.
Das All führt hohen Krieg, die Erde niedern.
Erbe von Angst und Wirrwarr und Gezänk
– In Vater Adams Sündenfall verstrickt –,
Späh nur hinauf, kritzle dein Horoskop,
Und sag, welch andrer der Planeten
Flickt dein von Mars zerschlissenes Geschick?
Sir John Christie

Am Nachmittag verkündete der rotgesichtige Schulmeister Kim, er sei ›von der Leine gelassen‹, ein Ausspruch, dessen Sinn Kim erst begriff, als man ihn hinausgehen und spielen ließ. Er rannte sogleich nach dem Basar und fand den jungen Schreiber, dem er die Briefmarke schuldete.

»Jetzt bezahle ich«, sagte Kim königlich, »und jetzt muß ein neuer Brief geschrieben werden.«

»Mahbub Ali ist in Ambala«, erwiderte der Schreiber lebhaft. Er war vermöge seines Berufes eine Art allgemeines Auskunftsbüro.

»Dieser Brief ist nicht an Mahbub, sondern an einen Priester. Nimm deine Feder, schnell, und schreibe: ›An Teshoo Lama, den Heiligen von Bhotiyal, der einen Fluß sucht und der jetzt im Tempel der Tirthanker zu Benares ist‹. – Nimm mehr Tinte! – ›In drei Tagen gehe ich hinunter nach Nucklao, in die Schule von Nucklao. Der Name der Schule ist Xavier. Ich weiß nicht, wo diese Schule ist, aber sie ist in Nucklao.‹

»Aber ich kenne Nucklao«, unterbrach der Schreiber. »Ich weiß, wo die Schule ist.«

»Schreib ihm, wo sie ist, ich gebe einen halben Anna.«

»Die Rohrfeder kratzte eifrig. »Er kann sie nun nicht verfehlen.« Der Schreiber hob den Kopf. »Wer beobachtet uns da über die Straße her?«

Kim sah rasch hinüber und gewahrte Oberst Creighton im Tennisanzug.

»Oh, das ist ein Sahib, der mit dem dicken Priester in der Kaserne bekannt ist. Er winkt mir.«

»Was tust du da?« fragte der Oberst, als Kim herantrottete.

»Ich – ich laufe nicht davon. Ich schicke einen Brief an meinen Heiligen in Benares.«

»Daran hab ich nicht gedacht. Hast du geschrieben, daß ich dich nach Lucknow mitnehme?«

»Nein, das hab ich nicht. Lest den Brief, wenn Ihr mir nicht glaubt.«

»Warum hast du denn meinen Namen ausgelassen in dem Brief an den Heiligen?« Der Oberst lächelte sonderbar. Kim nahm seinen Mut in beide Hände.

»Man sagte mir einmal, es sei unschicklich, die Namen von Fremden, die an einer Sache beteiligt sind, zu nennen, denn durch Nennung von Namen würde mancher gute Plan verdorben.«

»Man hat dich gut unterwiesen«, erwiderte der Oberst, und Kim errötete. »Ich habe meine Zigarrentasche in der Veranda des Paters gelassen. Bring sie mir heute abend in mein Haus.«

»Wo ist das Haus?« fragte Kim. Sein Scharfsinn sagte ihm, daß er in irgendeiner Art auf die Probe gestellt würde, und er war auf der Hut.

»Frage irgend jemand in dem großen Basar.« Der Oberst ging weiter.

»Er hat seine Zigarrentasche vergessen«, sagte Kim, zurückkommend. »Ich muß sie ihm heute abend bringen. Mein Brief ist fertig – nur noch dreimal: ›Komm zu mir! Komm zu mir! Komm zu mir!‹ Jetzt will ich die Marke bezahlen und ihn auf die Post tragen.« Er erhob sich, um zu gehen, und fragte nur noch nebenbei: »Wer ist der Sahib mit dem verdrießlichen Gesicht, der seine Zigarrentasche verlor?«

»Oh, das ist nur Creighton Sahib – ein ganz närrischer Sahib, ein Oberst-Sahib ohne ein Regiment.«

»Was treibt er denn?«

»Gott weiß. Er kauft immerfort Pferde, die er nicht reiten kann, und fragt Rätsel über die Werke Gottes – Pflanzen und

Steine und die Sitten der Leute. Die Händler nennen ihn Vater der Narren, weil er so leicht mit einem Pferd zu betrügen ist. Mahbub Ali sagt, er ist verrückter als alle anderen Sahibs.«

»Oh!« sagte Kim und ging. Seine Erfahrungen hatten ihm einige Menschenkenntnis eingebracht, und er sagte sich, daß man einem Narren nicht eine Mitteilung macht, die die Mobilmachung von achttausend Mann nebst Kanonen zur Folge hat. Der Oberbefehlshaber von ganz Indien spricht nicht so zu einem Narren, wie Kim ihn hatte sprechen hören. Und auch Mahbub Alis Ton würde sich nicht jedesmal, wenn er den Namen des Obersten nannte, so verändert haben, wenn der Oberst ein Narr gewesen wäre. Folglich – und Kim hüpfte bei diesem Gedanken vor Vergnügen – steckte hier irgendein Geheimnis dahinter, und Mahbub Ali spionierte wahrscheinlich ebenso für den Oberst, wie Kim für Mahbub spioniert hatte. Und augenscheinlich wußte der Oberst, ebenso wie der Roßkamm, Leute zu schätzen, die sich nicht superklug gebärdeten.

Er war froh, daß er getan hatte, als kenne er des Obersten Haus nicht; und als sich bei seiner Rückkehr in die Kaserne herausstellte, daß gar keine Zigarrentasche vergessen worden war, strahlte er vor Vergnügen. Das war ein Mann nach seinem Herzen – eine versteckte zweideutige Persönlichkeit, die ein geheimes Spiel spielte. Nun, wenn der ein Narr war, so konnte Kim es auch sein.

Er verriet nichts von seinen Gedanken, indes Vater Viktor ihm an drei langen Vormittagen von einer ganz neuen Sippe von Göttern und Nebengöttern predigte – besonders von einer Göttin, Maria genannt, die, so schien es ihm, gleichbedeutend war mit Bibi Miriam aus Mahbub Alis Theologie. Er verriet keine Spur von Erregung, als Vater Viktor ihn nach dieser Vorlesung von Laden zu Laden schleppte, um seine Ausstattung einzukaufen, und beklagte sich nicht, wenn neidische Tambourjungen ihm Fußtritte versetzten, weil er in eine höhere Schule kam; er erwartete den Wechsel der Umstände mit gespanntem Geist. Der gute Vater Viktor begleitete ihn zur Station, setzte ihn in ein leeres Abteil zweiter

Klasse, nächst Oberst Creightons erster, und sagte ihm mit wirklicher Rührung Lebewohl.

»Sie werden einen Mann aus dir machen in St. Xavier, O'Hara – einen weißen und, ich hoffe, einen braven Mann. Sie wissen Bescheid, daß du kommst, und der Oberst wird dafür sorgen, daß du nicht verlorengehst unterwegs oder an einem falschen Ort abgesetzt wirst. Von religiösen Dingen habe ich dir, hoffe ich, wenigstens einen Begriff gegeben; vergiß also nicht, wenn man dich nach deiner Religion fragt, du bist katholisch – besser noch, sage römisch-katholisch, obwohl ich das Wort nicht liebe.«

Kim zündete sich eine stänkrige Zigarette an – er hatte sich vorsorglich im Basar einen Vorrat gekauft – und legte sich hin, um nachzudenken. Diese einsame Fahrt war sehr verschieden von der lustigen Reise in der dritten Klasse mit dem Lama. ›Sahibs haben wenig Vergnügen beim Reisen‹, dachte er. ›*Hai mai!* Ich rolle von einem Ort zum andern wie ein Fußball. Es ist mein Kismet. Kein Mensch entgeht seinem Kismet. Aber ich soll zu Bibi Miriam beten, und ich bin ein Sahib‹, er blickte wehmütig auf seine Stiefel. ›Nein, ich bin Kim. Dies ist die große Welt, und ich bin nur Kim. Wer ist Kim?‹ Er grübelte über seine eigene Identität, etwas, was er noch nie zuvor getan, bis ihm der Kopf schwindelte. Er war ein einzelnes, unbedeutendes Persönchen in all diesem dröhnenden Wirbel Indiens, südwärts fahrend in ein unbekanntes Geschick.

Nach einer Weile ließ der Oberst ihn holen und redete lange mit ihm. Soviel Kim verstand, sollte er fleißig lernen, um später in den Vermessungsdienst von Indien einzutreten. Wenn er sehr gut wäre und die erforderlichen Prüfungen bestünde, könnte er mit siebzehn Jahren dreißig Rupien monatlich verdienen, und Oberst Creighton würde dafür sorgen, daß er eine passende Anstellung fände.

Anfangs gab sich Kim den Anschein, als verstände er von drei Worten kaum eines. Da begann der Oberst, seinen Irrtum bemerkend, in fließendem, bilderreichem Urdu zu reden, und Kim war zufrieden. Ein Mann, der diese Sprache so genau kannte, der so sanft und leise sich bewegte, dessen Augen so verschieden waren von den blöden, fetten Augen anderer Sahibs, der konnte kein Narr sein.

»Ja, und du mußt Zeichnungen machen lernen von Wegen und Bergen und Flüssen – und diese Bilder vor deinem inneren Auge bewahren, bis der richtige Augenblick da ist, sie zu Papier zu bringen. Eines Tages vielleicht, wenn du ein Landmesser bist und wir zusammen arbeiten, werde ich zu dir sagen: ›Geh über jene Berge und sieh, was jenseits liegt.‹ Dann wird vielleicht einer sagen: ›Böses Volk lebt in diesen Bergen, das den Vermesser totschlagen wird, wenn sie sehen, daß er wie ein Sahib ausschaut.‹ Was dann?«

Kim überlegte. War es ungefährlich, auf den Ton des Obersten einzugehen?

»Ich würde berichten, was der andere Mann gesagt hat.«

»Aber wenn ich antworten würde: Ich gebe dir hundert Rupien, wenn du ausfindig machst, was hinter diesen Bergen liegt – für die Zeichnung eines Flusses und einen kleinen Bericht, was die Leute in den Dörfern reden?«

»Wie kann ich das sagen? Ich bin nur ein Knabe. Wartet, bis ich ein Mann bin.« Dann aber, als er einen Schatten auf des Obersten Stirn sah, fügte er hinzu: »Aber ich glaube, ich würde die hundert Rupien in ein paar Tagen verdienen.«

»Auf welche Art?«

Kim schüttelte resolut den Kopf. »Wenn ich sagen würde, wie ich sie verdienen will, könnte es ein anderer hören und mir zuvorkommen. Es ist nicht gut, Wissen für nichts zu verkaufen.«

»Sag es jetzt.« Der Oberst hielt eine Rupie hoch. Kims Hand streckte sich aus, sank aber auf halbem Wege zurück.

»Nein, Sahib, nein. Ich kenne den Preis für die Antwort, aber ich weiß nicht, warum die Frage gestellt ist.«

»So nimm's als Geschenk«, sagte Creighton, die Münze hinwerfend. »Es ist gute Anlage in dir. Laß sie in St. Xavier nicht stumpf werden. Viele von den Jungen dort verachten die Farbigen.«

»Ihre Mütter waren Basarweiber«, meinte Kim. Er wußte wohl, daß kein Haß so ist wie derjenige des Mischlings gegen seinen Schwager.

»Wahr; aber du bist ein Sahib und der Sohn eines Sahibs. Deshalb laß dich nie verleiten, den farbigen Mann geringzuschätzen. Ich kannte Burschen, eben erst in den Dienst der Regierung eingetreten, die taten, als kennten sie weder Sprache noch Sitten der Farbigen. Der Sold wurde ihnen gekürzt für ihre Dummheit. Dummheit ist die größte Sünde, vergiß das nicht.«

Verschiedene Male noch während der langen vierundzwanzigstündigen Reise nach Süden ließ der Oberst Kim rufen, immer auf dasselbe Thema zurückkommend.

›Wir werden also alle an einem Strick ziehen‹, dachte Kim schließlich, ›der Oberst, Mahbub Ali und ich – wenn ich ein Landvermesser werde. Er wird mich verwenden, wie Mahbub Ali mich verwendet hat, denke ich. Das ist gut, wenn er mich wieder auf die Landstraße zurückläßt. Diese Kleidung wird durch Tragen nicht bequemer.‹

Als sie in die überfüllte Station Lucknow einfuhren, war von dem Lama nichts zu sehen. Kim schluckte seine Enttäuschung hinunter, indes der Oberst ihn nebst seiner ganzen Habe in ein *ticca-garri* packte und ihn allein nach St. Xavier wegschickte.

»Ich sage nicht Lebewohl, denn wir werden uns wiedersehen«, rief er. »Wiederholt und viele Male, wenn du von guter Art bist. Aber noch bist du nicht erprobt.«

»Nicht damals, als ich dir« – Kim wagte wirklich das *tum*, die Anrede der Gleichgestellten – »in jener Nacht den Stammbaum eines weißen Hengstes brachte?«

»Durch Vergessen ist viel gewonnen, kleiner Bruder«, sprach der Oberst mit einem Blick, der noch Kims Schultern durchbohrte, als er in den Wagen haspelte.

Er brauchte fast fünf Minuten, um sich von diesem Blick zu erholen. Dann schnüffelte er anerkennend die neue Luft. »Eine reiche Stadt«, sagte er, »reicher als Lahore. Wie hübsch müssen die Basare sein. Kutscher, fahr mich ein bißchen durch die Basare hier.«

»Ich habe Befehl, dich nach der Schule zu fahren.« Der Kutscher gebrauchte das ›Du‹, was eine Grobheit gegen einen Weißen ist. In der reinsten und fließendsten Landessprache machte Kim ihm seinen Irrtum klar, kletterte auf den Kutschersitz und ließ sich, nachdem das Einvernehmen auf diese Weise hergestellt war, ein paar Stunden lang auf und ab fahren, schauend, vergleichend und hochvergnügt. Keine Stadt – Bombay, die Königin aller Städte, ausgenommen – bietet ein so strahlendes Bild wie Lucknow, ob man sie von der Brücke überm Fluß beschaut oder von der Höhe des Imambara, über die vergoldeten, regenschirmförmigen Dächer des Chutter Munzil hinweg und die Bäume, in denen die Stadt eingebettet liegt. Könige haben sie mit phantastischen Bauwerken geschmückt, mit Stiftungen ausgestattet, mit pensionierten Beamten vollgestopft und mit Blut getränkt. Locknow ist das Zentrum von Luxus, Müßiggang und Ränken und teilt mit Delhi den Ruhm, das reinste Urdu zu sprechen.

»Eine schöne Stadt – eine wundervolle Stadt.« Der Kutscher als Einheimischer fühlte sich durch das Lob geschmeichelt und erzählte Kim die erstaunlichsten Dinge, wo ein englischer Führer nur von dem Aufstand geredet hätte.

»Nun wollen wir nach der Schule fahren«, sagte Kim endlich. Die große alte Schule St. Xavier in Partibus, ein Komplex von niedrigen, weißen Gebäuden, liegt, von weiten Anlagen umgeben, dem Gumtifluß gegenüber etwas entfernt von der Stadt.

»Was für Leute sind da drinnen?« fragte Kim.

»Junge Sahibs – lauter Teufel. Aber, die Wahrheit zu sagen – und ich fahre viele von ihnen von und nach dem Bahnhof –, ich habe noch nie einen gesehen, der so das Zeug zu einem perfekten Teufel gehabt hätte, wie du – der junge Sahib, den ich jetzt fahre.«

Kim hatte – natürlicherweise, da ihm nie jemand beigebracht hatte, derartige Persönlichkeiten für unanständig zu halten – lebhafte Grüße getauscht mit ein oder zwei frivolen Dämchen, die aus den oberen Fenstern einer gewissen Straße schauten, und war ihnen dabei selbstverständlich kein Kompliment schuldig geblieben. Er war eben im Begriff, die letzte Frechheit des Kutschers gebührend zu würdigen, als sein Auge – es begann zu dunkeln – eine Gestalt gewahrte, die an

einem der weißen getünchten Torpfeiler in der langen Mauer-
flucht saß.

»Halt!« rief Kim. »Halt hier. Ich will noch nicht gleich in
die Schule.«

»Aber wer bezahlt mir dieses Hin und Her?« begehrte der
Kutscher auf. »Ist der Junge toll? Erst war's ein Tanzmädchen, jetzt ist's ein Priester.«

Kim stürzte sich Hals über Kopf auf die Straße und streichelte die staubigen Füße unter dem schmutzigen gelben Gewand.

»Ich habe hier einen Tag und einen halben gewartet«,
begann die gleichmäßige Stimme des Lama. »Nein – ich
hatte einen Schüler bei mir. Er, der mein Freund war im
Tempel der Tirthanker, gab mir einen Führer für diese
Reise. Ich kam mit dem Zuge von Benares, als dein Brief
mir gegeben wurde. Ja, ich habe gut zu essen. Mir fehlt
nichts.«

»Aber warum bliebst du nicht bei der Kulufrau, o Heiliger?
Wie kamst du nach Benares? Mein Herz war schwer, seit wir
uns trennten.«

»Die Frau ermüdete mich durch immerwährenden Strom
der Rede und durch Verlangen nach Zaubermitteln für Kin-
dersegen. Ich trennte mich von ihrer Gesellschaft und erlaubte ihr, durch Geschenke Verdienst zu erwerben. Sie ist
wenigstens eine Frau mit offener Hand, und ich versprach ihr,
in ihr Haus zurückzukehren, wenn es nötig wäre. Dann, als
ich mich allein sah in dieser großen und schrecklichen Welt,
besann ich mich auf den *te-rain* nach Benares, wo ich einen
wußte, der im Tirthankertempel wohnt und ein Sucher ist wie
ich.«

»Ah! Dein Fluß«, sagte Kim. »Ich hatte den Fluß vergessen.«

»So bald, mein *chela*? Ich habe ihn nie vergessen. Aber als
ich dich verlassen hatte, schien es mir besser, zu dem Tempel
zu gehen und Rat zu holen, denn siehst du, Indien ist sehr
groß, und es könnte sein, daß weise Männer vor uns, vielleicht
zwei oder drei, einen Bericht hinterlassen haben über die
Lage unseres Flusses. Es wird Zwiesprache gehalten darüber

im Tempel der Tirthanker; der eine sagt dieses, der andere jenes. Sie sind höfliche Leute.«

»Das ist gut. Aber was tust du jetzt?«

»Ich erwerbe Verdienst, indem ich dir, mein *chela*, zu Weisheit verhelfe. Der Priester jener Schar von Männern, die dem Roten Stier dienen, schrieb mir, es würde alles für dich geschehen, wie ich es wünsche. Ich schickte das Geld, das für ein Jahr genügt, und kam dann, wie du siehst, um dich in die Pforte der Unterweisung eingehen zu sehen. Einen Tag und einen halben habe ich gewartet, nicht, weil ich durch irgendwelche Zuneigung zu dir dazu bewogen wurde – das ist nicht Teil des Pfads –, sondern weil sie im Tirthankertempel sagten, da das Geld für die Unterweisung bezahlt sei, gezieme es sich, daß ich den Ausgang dieser Angelegenheit überwachte. Sie zerstreuten meine Zweifel vollkommen. Ich hatte eine Befürchtung, daß ich vielleicht käme, weil ich dich zu sehen wünschte – irregeführt durch den roten Nebel der Zuneigung. Es ist nicht so ... Überdies, ich bin beunruhigt durch einen Traum.«

»Aber, Heiliger, du hast doch sicherlich die Große Straße nicht vergessen und alles, was auf ihr geschah. Sicherlich war es ein kleines bißchen, um mich zu sehen, daß du gekommen bist?«

»Die Pferde werden kalt, und ihre Futterzeit ist vorbei«, jammerte der Kutscher.

»Geh zu Jehannum und bleib da mitsamt deiner verrufenen Tante!« schnarrte Kim über die Schulter weg. »Ich bin ganz allein in diesem Land; ich weiß nicht, wohin ich komme und wie es mir gehen wird. Mein Herz war in dem Brief, den ich dir schickte. Außer Mahbub Ali, und er ist ein Pathan, habe ich keinen Freund außer dir, Heiliger. Geh nicht ganz fort von mir.«

»Ich habe das auch bedacht«, erwiderte der Lama mit schwankender Stimme. »Es ist offenbar, daß ich von Zeit zu Zeit Verdienst erwerben werde, indem ich – falls ich zuvor nicht meinen Fluß gefunden habe – mich überzeuge, daß deine Füße auf den Pfad der Weisheit gesetzt sind. Was sie dich lehren werden, weiß ich nicht; aber der Priester schrieb mir, daß keines Sahibs Sohn in ganz Indien besser unterrichtet werden soll als du. Von Zeit zu Zeit also werde ich wiederkommen. Kann sein, du wirst so ein Sahib wie der, der mir diese Brille gab« – der Lama wischte sie umständlich ab – »in dem Wunderhaus zu Lahore. Dies ist meine Hoffnung, denn er war ein Brunnen der Weisheit – weiser als mancher Abt ... Und wiederum kann sein, du vergissest mich und unsere Begegnung!«

»Wenn ich dein Brot esse«, rief Kim leidenschaftlich, »wie sollte ich dich jemals vergessen?«

»Nein – nein.« Der Lama schob den Knaben von sich. »Ich muß nach Benares zurückgehen. Von Zeit zu Zeit, da ich nun die Gebräuche der Briefschreiber in diesem Lande kenne, werde ich dir einen Brief schicken, und von Zeit zu Zeit werde ich kommen, um dich zu sehen.«

»Aber wohin soll ich meine Briefe schicken?« klagte Kim und klammerte sich an das gelbe Gewand, ganz vergessend, daß er ein Sahib war.

»Nach dem Tempel der Tirthanker zu Benares. Das ist der Ort, den ich gewählt habe, bis ich meinen Strom finde. Weine nicht, denn siehst du, alles Begehren ist Wahn und neue Fessel an das Rad. Gehe ein in die Pforten der Unterweisung! Laß mich dich gehen sehn ... Hast du mich lieb? Dann geh, oder mein Herz bricht ... Ich werde wiederkommen. Sicherlich werde ich wiederkommen.«

Der Lama sah das *ticca-garri* in das Tor der Anstalt rumpeln und wallte davon, bei jedem langen Schritte schnupfend.

Die ›Pforten der Unterweisung‹ schlossen sich schallend.

Der im Lande geborene und aufgezogene Knabe hat seine besonderen Sitten und Gewohnheiten, die denen keines anderen Landes gleichen; und seine Lehrer versuchen ihm auf Wegen beizukommen, die einem englischen Lehrer unverständlich wären. Der Leser würde deshalb schwerlich Interesse finden an Kims Erlebnissen als St. Xavier-Schüler unter zwei- oder dreihundert frühreifen Jünglingen, von denen die meisten noch nie das Meer gesehen hatten. Er verfiel den üblichen Strafen für Überschreitung der Anstaltsgrenzen, wenn Cholera in der Stadt war und er nach dem Basar rannte, um einen Briefschreiber aufzutreiben, solange er noch nicht selbst ordentlich englisch schreiben konnte. Er wurde natürlich des öfteren wegen Rauchens angezeigt und wegen Anwendung so saftiger Kraftausdrücke, wie man sie selbst in St. Xavier nicht zu hören gewohnt war. Er lernte sich waschen mit der scheinheiligen Gewissenhaftigkeit des Eingeborenen, der in seinem Herzen den Engländer für ziemlich schmutzig hält. Er trieb den üblichen Schabernack mit den geduldigen Kulis, die die Punkahs in den Schlafräumen ziehen mußten, wo die Knaben sich in den heißen Nächten herumwarfen und bis zur Morgendämmerung Geschichten erzählten; und in aller Stille maß er sich mit seinen selbstbewußten Kameraden.

Dies waren Söhne von Unterbeamten beim Eisenbahn-, Telegraphen- und Kanaldienst; von Offizieren, teils außer Dienst, teils aktiv als Oberbefehlshaber der Armee eines feudalen Radschas; von Kapitänen der indischen Marine, pensionierten Regierungsbeamten, Pflanzern, Missionaren und Kaufleuten der Residenz. Einige waren jüngere Söhne aus den alten eurasischen Häusern, die in Dhurrumtollah feste Wurzeln geschlagen haben – den Pereiras, de Souzas und de Silvas. Ihre Eltern hätten sie ebensogut in England erziehen lassen können, aber sie liebten die Schule, in der sie ihre eigene Jugend verlebt hatten, und so folgte in St. Xavier eine bleichfarbige Generation der andern. Ihre Heimat erstreckte sich vom eisenbahnbelebten Haura bis zu verlassenen Bezirken wie Monghyr und Chunnar, einsamen Teeplantagen nach Shillong zu, Dörfern in Qudh oder des Dekan, wo ihre Väter große Grundbesitzer waren, Missionsstationen, sieben Tage weit von der nächsten Bahnlinie entfernt, Seehäfen, tausend Meilen südwärts an metallischer Brandung des Indischen Ozeans, oder noch südlicheren Cinchonaplantagen. Die bloße Erzählung all ihrer Abenteuer auf ihren Reisen von und nach der Schule, die für sie gar keine besonderen Abenteuer waren, hätten einem europäischen Knaben die Haare zu Berge steigen lassen. Sie waren es gewohnt, allein hundert Meilen weit durch Dschungel zu ziehen, immer mit der lieblichen Möglichkeit, von Tigern aufgehalten zu werden; aber sie würden ebensowenig im Monat August im englischen Kanal gebadet haben, wie ihre europäischen Brüder stillgelegen hätten, wenn ein Leopard ihren Palankin umschnüffelt hätte. Da waren Knaben von fünfzehn Jahren, die anderthalb Tage auf einem Inselchen inmitten eines angeschwollenen Stromes zugebracht und wie von Rechts wegen die Leistung über eine dort lagernde, entsetzte Pilgerschar, auf der Rückkehr von irgendeinem Heiligengrabe begriffen, übernommen hatten; da waren Ältere, die, als Regengüsse den Fahrweg zur Besitzung ihres Vaters zerstört hatten, einen just daherkommenden Elefanten eines Radschas im Namen von St. Francis Xavier requiriert und das ungeheure Tier um ein Haar in einer Wanderdüne verloren hatten. Da war ein Knabe, der – wie er erzählte und wie niemand bezweifelte – seinem Vater geholfen hatte, einen Angriff von Akas von der Veranda aus mit Flinten abzuschlagen, in den Tagen, als diese Kopfjäger sich noch an einsame Pflanzungen herantrauten.

Und jede Geschichte wurde mit der gleichmäßigen, leidenschaftslosen Stimme des Eingeborenen erzählt, untermischt mit wunderlichen, halb unbewußt von eingeborenen Pflegemüttern entliehenen Betrachtungen und mit Redewendungen, denen man es anmerkte, daß sie aus dem Stegreif vom Dialekt her übertragen waren. Kim schaute, lauschte und zollte Beifall. Das war kein fades, eintöniges Geschwätz von Trommlerjungen. Das handelte von dem Leben, das er kannte und halb und halb begriff. Diese Atmosphäre sagte ihm zu, und er fühlte sich nach und nach wohl. Man gab ihm einen weichen Drillichanzug, als es warm wurde, und das neuentdeckte körperliche Behagen beglückte ihn ebenso wie die Lust, seinen geschärften Geist an den ihm gestellten Aufgaben zu erproben. Seine schnelle Auffassung würde einen Lehrer in England entzückt haben, in St. Xavier aber kannte man diese erste stürmische Entwicklung des Geistes unter der Einwirkung von Sonne und Umgebung ebenso wie das plötzliche halbe Versagen, das im Alter von zwei- oder dreiundzwanzig Jahren einsetzt.

Dennoch war er immer darauf bedacht, sich bescheiden zurückzuhalten. Wenn in heißen Nächten Geschichten erzählt wurden, hütete Kim sich wohl, seine Reminiszenzen aufzutischen, denn in St. Xavier sieht man auf Knaben herab, die sich ›ganz und gar einheimisch geben‹. Man darf nicht vergessen, daß man ein Sahib ist und eines Tages, wenn das Examen bestanden ist, über Eingeborene befehlen wird. Kim merkte sich das, denn er begann zu begreifen, wohin ein gutes Examen führt.

Dann kamen die Ferien von August bis Oktober – die langen Hitze- und Regenferien. Man sagte Kim, er würde nach Norden geschickt werden, auf eine Station in den Bergen jenseits Ambala, wo Vater Viktor ihn unterbringen würde.

»Eine Kasernenschule?« erkundigte sich Kim, der viel fragte und noch viel mehr dachte.

»Ja, ich glaube«, antwortete der Lehrer. »Es wird dir nicht schaden, wenn du vor dummen Streichen bewahrt bleibst. Du kannst mit dem jungen del Castro bis Delhi fahren.«

Kim betrachtete den Fall in allen Beleuchtungen. Er war fleißig gewesen, wie der Oberst ihm geraten hatte. Die Ferien eines Schülers waren sein eigenstes Eigentum – soviel hatte er aus den Reden seiner Kameraden gelernt –, und nach St. Xavier eine Kasernenschule – das war unerträglich. Überdies – und das war ein unschätzbares Zaubermittel –, er konnte jetzt schreiben! In drei Monaten hatte er gelernt, wie zwei Menschen ohne einen Dritten im Bunde miteinander reden können, mittels eines halben Anna und einem bißchen Wissen. Kein Wort war von dem Lama gekommen; aber dafür war ja die Landstraße da. Kim sehnte sich nach der Liebkosung weichen Schmutzes, der zwischen den Zehen quillt, und der Mund wässerte ihm nach Hammelfleisch, mit Butter und Kohl gedämpft, nach Reis, mit scharfriechendem Kardamom gemischt, safranfarbigem Reis mit Zwiebeln und Knoblauch, und nach den verbotenen fettigen Süßigkeiten der Basare. In der Kasernenschule würde man ihm rohes Fleisch auf flachen Schüsseln geben, und rauchen dürfte er nur heimlich. Aber wiederum, er war ein Sahib und in St. Xavier – und das Schwein Mahbub Ali ... Nein, er wollte Mahbubs Gastfreundschaft nicht auf die Probe stellen – und doch ... Im

Schlafsaal dachte er seine Gedanken zu Ende und kam zu dem Schluß, daß er Mahbub unrecht getan habe.

Die Schule war leer, fast alle Lehrer waren schon fortgefahren; Oberst Creightons Freibillett für die Eisenbahn hielt Kim in der Hand und fühlte sich ganz geschwollen, daß er Oberst Creightons oder Mahbubs Geld nicht auf ein Lustleben vergeudet hatte. Noch war er Herr über zwei Rupien und sieben Anna. Sein neuer Büffellederkoffer, ›K.O'H.‹ gezeichnet, und sein zusammengerolltes Bettzeug lagen in dem leeren Schlafsaal. »Sahibs schleppen sich immer mit ihrem Gepäck herum«, sprach Kim, dem seinigen zunickend: »Ihr bleibt hier.« Er trat hinaus in den warmen Regen, lächelte sündhaft und suchte ein gewisses Haus auf, dessen Äußeres er sich vor längerer Zeit eingeprägt hatte …

»Arré! Weißt du nicht, welche Art Mädchen wir sind in diesem Viertel? O Schande!«

»Bin ich gestern geboren?« Kim hockte sich nach einheimischer Sitte auf die Kissen des Gemachs. »Ein bißchen Farbstoff und drei Yard Stoff, um bei einem Spaß zu helfen, ist das viel verlangt?«

»Wer ist *sie*? Reichlich jung für einen Sahib bist du zu solchem Teufelsstreich.«

»Oh, sie? Sie ist die Tochter eines gewissen Schulmeisters bei einem Regiment, das hier liegt. Er hat mich zweimal geprügelt, weil ich in diesen Kleidern über ihre Mauer stieg. Ich möchte es nun als Gärtnerbursche versuchen. Alte Männer sind sehr eifersüchtig.«

»Das ist wahr. Halte dein Gesicht still, während ich den Saft auftupfe.«

»Nicht zu schwarz, *Naikan*. Ich möchte ihr nicht wie ein *hubshi* (Nigger) erscheinen.«

»Oh, Liebe macht blind. Und wie alt ist sie?«

»Zwölf Jahre, glaube ich«, sagte der schamlose Kim. »Schmier auch etwas auf die Brust. Könnte sein, daß der Vater mir die Kleider herunterreißt, und wenn ich scheckig bin …« Er lachte.

Das Mädchen arbeitete eifrig, einen zusammengewickelten

Tuchlappen in eine kleine Schale mit brauner Farbe tunkend, die länger hält als Walnußsaft.

»Jetzt besorg mir ein Tuch zum Turban. Weh über mich, mein Kopf ist ungeschoren! Und er wird mir sicher den Turban abreißen.«

»Ich bin kein Barbier, aber ich will dir helfen. Du bist ein geborener Herzensbrecher. Und diese ganze Verkleidung für einen Abend? Du weißt doch, die Farbe läßt sich nicht wieder abwaschen!« Sie schüttelte sich vor Lachen, daß ihre Arm- und Fußspangen klirrten. »Aber wer bezahlt mich dafür? Huneefa selbst hätte dir keinen besseren Saft geben können.«

»Vertrau auf die Götter, meine Schwester«, sagte Kim ernsthaft, das Gesicht verziehend, als die Farbe anfing zu trocknen. »Außerdem, hast du jemals einen Sahib so anmalen helfen?«

»Nein, niemals. Aber ein Spaß ist kein Geld.«

»Aber viel mehr wert.«

»Kind, du bist ohne allen Zweifel der schamloseste Sohn Scheitans, der mir je vorgekommen; einem armen Mädchen so die Zeit zu rauben und dann einfach zu sagen: ›Ist der Spaß nicht genug?‹ Du wirst es weit bringen in der Welt!« Sie machte spöttisch die Verbeugung der Tanzmädchen vor ihm.

»Einerlei. Beeile dich und schneide mein Haar!« Kim hüpfte von einem Fuß auf den andern, die Augen blitzend vor Lust, als er an die fetten Tage, die vor ihm lagen, dachte. Er gab dem Mädchen vier Anna und rannte die Treppe hinab, dem Aussehen nach ein Hinduknabe niederer Kaste – vollkommen in jeder Einzelheit. Einer Garküche galt sein erster Besuch, wo er sich gütlich tat in Üppigkeit und fetter Schlemmerei.

Auf dem Bahnhof von Lucknow beobachtete er den jungen de Castro, wie er, ganz mit Hitzefrieseln bedeckt, in einen Wagen zweiter Klasse stieg. Kim bevorzugte die dritte und war sogleich Leben und Seele der Gesellschaft. Er erklärte, daß er der Gehilfe eines Gauklers sei, der ihn fieberkrank zurückgelassen hätte, und daß er seinen Meister jetzt in Ambala treffen wollte. Wechselten die Reisenden, so änderte er sein Thema oder schmückte es aus mit allen Blüten jugendlicher

Phantasie, die um so üppiger wucherten, als er so lange nicht die Landessprache hatte reden dürfen. In ganz Indien gab es in dieser Nacht kein vergnügteres Menschenkind als Kim. In Ambala stieg er aus und steuerte ostwärts, über durchweichte Felder patschend, dem Dorfe zu, wo der alte Soldat lebte.

Um dieselbe Zeit ungefähr wurde Oberst Creighton in Simla aus Lucknow telegraphisch benachrichtigt, daß der junge O'Hara verschwunden sei. Mahbub Ali war in der Stadt, um Pferde zu verkaufen; ihm erzählte der Oberst die Geschichte, als er eines Morgens in der Annandale-Reitbahn ritt.

»Oh, das hat nichts zu bedeuten«, meinte der Roßkamm. »Menschen sind wie Pferde. Zu gewissen Zeiten müssen sie Salz haben, und wenn keines in der Krippe ist, lecken sie es von der Erde auf. Er ist wieder ein Landstreicher, für kurze Zeit, geworden. Die *madrissah* langweilte ihn. Ich sah das kommen. Das nächste Mal will ich ihn selbst mit auf die Landstraße nehmen. Beunruhigt Euch nicht, Creighton Sahib. Es ist, wie wenn ein Polopony sich losreißt und fortrennt, um das Spiel allein zu lernen.«

»Du meinst also nicht, daß er tot ist?«

»Fieber könnte ihn töten. Sonst fürchte ich nichts für den Jungen. Ein Affe fällt nicht von den Bäumen.«

An derselben Stelle, am nächsten Morgen, trieb Mahbub seinen Hengst an des Obersten Seite.

»Es ist, wie ich dachte«, sagte der Pferdehändler. »Durch Ambala ist er wenigstens gekommen, und da er im Basar erfuhr, daß ich hier bin, hat er mir einen Brief geschrieben.«

»Lies vor!« sagte der Oberst mit einem Seufzer der Erleichterung. Es war lächerlich, daß ein Mann von seiner Stellung Anteil nahm an einem kleinen landgebürtigen Vagabunden. Aber der Oberst hatte die Unterredung im Eisenbahnwagen nicht vergessen und sich während der letzten Monate oft dabei ertappt, daß er an den sonderbaren, schweigsamen, selbstbeherrschten Knaben dachte. Seine Flucht war natürlich der Gipfel der Unverschämtheit, aber sie bewies Mut und Findigkeit.

Mahbubs Augen zwinkerten, als er in die Mitte des eingehegten kleinen Platzes lenkte, wo niemand ungesehen nahe kommen konnte.

»»Der Freund der Sterne, der der Freund ist aller Welt ...‹«

»Was soll das heißen?«

»Ein Name, den wir ihm in Lahore gaben. – ›Der Freund aller Welt nimmt Urlaub, um seine eigenen Wege zu gehen. Er wird an dem bestimmten Tag zurückkehren. Laß den Koffer und das Bettzeug holen, und wenn Anlaß zu Tadel ist, lasse die Hand der Freundschaft die Geißel des Unheils abwenden.‹ Es steht noch etwas mehr da, aber ...«

»Nur zu, lies!«

»»Gewisse Dinge sind unbekannt denen, die mit Gabeln essen. Es ist besser, für eine Weile mit beiden Händen zu essen. Sprich sanfte Worte zu denen, die dies nicht verstehen, damit die Rückkunft günstig sei.‹ Nun, die Art, wie das ausgedrückt ist, ist natürlich das Werk des Briefschreibers, aber seht, wie klug der Junge den Inhalt diktiert hat, so daß keiner, der nicht Bescheid weiß, etwas verstehen kann.«

»Ist das die Hand der Freundschaft, die die Geißel des Unheils abwenden soll?« lachte der Oberst.

»Seht, wie gescheit der Junge ist! Er will wieder einmal auf die Landstraße, wie ich sagte. Da er Eure Absichten nicht kennt ...«

»Ich bin dessen nicht ganz sicher«, murmelte der Oberst.

»... so kommt er zu mir, daß ich Frieden zwischen euch stifte. Ist er nicht klug? Er sagt, er wird wiederkommen. Er vervollständigt nur sein Wissen. Denkt, Sahib, er war drei Monate in der Schule, und er ist noch nicht mäulig für dies Gebiß. Ich für mein Teil freue mich darüber: das Pony lernt das Spiel.«

»Ja, aber ein anderes Mal darf er nicht allein gehen.«

»Warum nicht? Er ging allein, bevor er unter des Oberst-Sahibs Protektion kam. Wenn er in das große Spiel eintritt, muß er allein gehen – allein und auf Gefahr, seinen Kopf zu verlieren. Wenn er *dann* anders spuckt oder niest oder niedersitzt als das Volk, das er beobachten soll, kann er totgeschlagen werden. Weshalb ihn jetzt zurückhalten? Denkt, was die

Perser sagen: Der Schakal, der in den Wildnissen von Mazandaran lebt, kann nur von den Hunden aus Mazandaran gepackt werden.«

»Wahr. Das ist wahr, Mahbub Ali. Und wenn er nicht zu Schaden kommt, wünsche ich mir nichts Besseres. Aber es ist eine große Unverschämtheit von ihm.«

»Er teilt nicht einmal mir mit, wohin er geht«, sagte Mahbub. »Er ist kein Narr. Wenn seine Zeit um ist, wird er zu mir kommen. Er reift schneller, als Sahibs rechnen.«

Diese Prophezeiung erfüllte sich einen Monat später buchstäblich. Mahbub war in Ambala, um einen frischen Pferdetransport abzuholen, und ritt in der Dämmerung allein auf der Kalkastraße, als Kim ihn traf, um ein Almosen bettelte, eine Verwünschung erhielt und auf englisch antwortete. Es war niemand in Hörweite, als Mahbub vor Erstaunen keuchte.

»Oho! Und wo bist du gewesen?«

»Auf und ab – ab und auf.«

»Komm unter den Baum da, aus der Nässe heraus, und erzähle!«

»Ich war eine Zeitlang bei einem alten Mann, nahe Ambala; dann im Hause eines meiner Bekannten in Ambala. Mit einem von ihnen ging ich nach Süden bis Delhi. Das ist eine Wunderstadt. Dann trieb ich einen Ochsenwagen für einen *teli* (einen Ölhändler) nach Norden, hörte aber von einem großen Fest in Patiala und ging dorthin in Gesellschaft eines Feuerwerkers. Es war ein großes Fest.« Kim rieb sich den Magen. »Ich sah Radschas und Elefanten mit Gold- und Silbergeschirr, und sie brannten alles Feuerwerk auf einmal ab; dabei wurden elf Menschen getötet, mein Feuerwerker darunter, und ich wurde durch ein Zelt geblasen, tat mir aber nichts. Dann kam ich auf die *rêl* zurück mit einem Reiter, einem Sikh, dem ich als Reitknecht diente für mein Brot, und so hierher.«

»*Shabash!*« rief Mahbub Ali.

»Und was sagt der Oberst-Sahib? Ich möchte nicht geprügelt werden.«

»Die Hand der Freundschaft hat die Geißel des Unheils

abgewendet. Ein andermal aber, wenn du auf die Landstraße gehst, muß es mit mir sein. Dies ist noch zu früh.«

»Spät genug für mich. Ich habe ein wenig Englisch lesen und schreiben gelernt in der *madrissah*. Ich werde bald ganz und gar ein Sahib sein.«

»Hört ihn!« lachte Mahbub, auf die kleine durchnäßte Gestalt herabschauend, die da vor ihm im Schlamm herumtanzte. »Salaam – Sahib«, und er verbeugte sich ironisch. »Nun – hast du genug von der Landstraße, oder willst du mit mir nach Ambala kommen und mit den Pferden zurückmachen?«

»Ich komm mit dir, Mahbub Ali.«

Achtes Kapitel

Ich danke dem Boden, der mich gebar,
Und dem Leben, das mich genährt –
Doch am meisten Allah, der meinem Kopf
Zwei verschiedene Seiten beschert.

Lieber verlöre ich Hemd und Schuh
Und Freunde und Tabak und Topf,
Als nur für einen Augenblick
Eine Seite von meinem Kopf.

»Dann nimm in Gottes Namen Blau statt Rot«, sagte Mahbub, auf die Hindufarbe von Kims unansehnlichem Turban anspielend.

Kim entgegnete mit dem alten Sprichwort: »Ich will meinen Glauben und mein Bett wechseln, aber *du* mußt dafür bezahlen.«

Der Händler lachte, bis er fast vom Pferde fiel. In einem Vorstadtladen ward der Wechsel vollzogen, und Kim trat als Mohammedaner, äußerlich wenigstens, wieder heraus.

Mahbub mietete ein Zimmer der Bahnstation gegenüber und ließ ein gekochtes Mahl feinster Sorte nebst mandelgefülltem Zuckerwerk holen (*balushai* nennen wir es), dazu feingeschnittenen Lucknowtabak.

»Das ist besser als das Essen mit dem Sikh«, grinste Kim im Niederhocken, »und unzweifelhaft gibt es in meiner *madrissah* nicht so gute Dinge.«

»Ich möchte mehr von dieser *madrissah* hören.« Mahbub stopfte sich voll mit dicken Kugeln von gewürztem, in Fett gebratenem Hammelfleisch mit Kohl und goldbraunen Zwiebeln. »Aber vor allem erzähle mir ausführlich und wahrheitsgetreu die Geschichte deiner Flucht. Denn, o Freund aller Welt«, er lockerte seinen krachenden Gürtel, »ich glaube nicht, daß es oft passiert, daß ein Sahib und eines Sahibs Sohn von dort fortläuft.«

»Wie sollten sie auch? Sie kennen das Land nicht. Es war ganz leicht.« Und Kim begann seine Erzählung. Als er an die Verkleidung und die Unterredung mit dem Basarmädchen kam, gab Mahbub Ali seine ernste Miene auf; er lachte laut und schlug sich mit der Hand auf den Schenkel.

»Shabash! Shabash! Oh, gut gemacht, Kleiner! Was wird der Türkisendoktor dazu sagen? Nun langsam, laß hören, was weiter geschah. – Schritt vor Schritt, übergehe nichts!«

Schritt für Schritt also erzählte Kim seine Abenteuer, von Husten unterbrochen, wenn der vollaromatische Tabak seine Lungen füllte.

»Ich sagte es«, brummte Mahbub Ali für sich, »ich *sagte*, das Pony bricht aus, um Polo zu spielen. Die Frucht ist schon reif – fehlt nur noch, daß er Distanz und Paßgang und Meßrute und Kompaß lernt. Hör jetzt! Ich habe die Peitsche des Obersten von deiner Haut ferngehalten, und das ist kein geringer Dienst.«

»Wahr.« Kim paffte seelenruhig. »Das ist sehr wahr.«

»Aber damit ist nicht gesagt, daß dieses Aus- und Einrennen irgendwie vernünftig wäre.«

»Es waren meine Ferien, Hadschi. Viele Wochen lang war ich ein Sklave. Warum sollte ich nicht fortlaufen, als die Schule geschlossen wurde? Und schau, indem ich bei Freunden lebte oder mein Brot verdiente, wie bei dem Sikh, habe ich auch dem Oberst-Sahib eine große Ausgabe erspart.«

Mahbubs Lippen zuckten unter dem wohlgepflegten mohammedanischen Schnurrbart.

»Was sind ein paar Rupien«, der Pathan streckte lässig die offene Hand aus, »für den Oberst-Sahib? Er gibt sie für einen Zweck aus, keineswegs aus Liebe zu dir.«

»Das«, sagte Kim langsam, »wußte ich schon sehr lange.«

»Wer sagte es dir?«

»Der Oberst-Sahib selbst. Nicht in so vielen Worten, aber deutlich genug für einen, der nicht ganz und gar ein Strohkopf ist. Ja, er sagte es in dem *te-rain*, als wir nach Lucknow fuhren.«

»Gut. Dann will ich dir mehr sagen, Freund aller Welt, obwohl ich dadurch meinen Kopf in deine Hände gebe.«

»Der war mir schon verfallen«, sprach Kim mit großem Behagen, »damals in Ambala, wo du mich auf dein Pferd nahmst, als der Tambourjunge mich schlug.«

»Sprich ein wenig deutlicher! Alle Welt mag einander belügen, aber wir uns nicht. Denn ebenso ist dein Leben mir verfallen, wenn ich nur meinen Finger hier aufhebe.«

»Und dies weiß ich ebenfalls«, sagte Kim, eine neue glühende Holzkohle auf den Tabak legend. »Es ist ein festes Band zwischen uns. In Wahrheit ist dein Halt fester als meiner, denn wer würde nach einem Knaben fragen, der totgeschlagen oder in einen Brunnen am Wegrand geworfen wurde? Hingegen würden viele hier und in Simla und jenseits der Pässe hinter den Hügeln fragen: ›Was ist Mahbub Ali zugestoßen?‹, wenn er tot zwischen seinen Pferden gefunden würde. Sicher würde auch der Oberst-Sahib Nachforschungen anstellen. Aber wiederum«, Kims Gesicht legte sich vor List in Falten, »allzulange würde er nicht nachforschen, denn man könnte fragen: ›Was hat dieser Oberst-Sahib mit jenem Pferdehändler zu tun?‹ Aber ich — wenn ich am Leben bliebe …«

»Du würdest sicher sterben …«

»Mag sein; aber ich sage, *wenn* ich lebte, so wüßte ich und ich allein, daß in der Nacht einer, vielleicht als gewöhnlicher Dieb, in Mahbub Alis Verschlag im Serail eindrang und ihn da totschlug, bevor oder nachdem selbiger Dieb seine Satteltaschen und sogar die Sohlen seiner Schuhe gründlich durchsuchte. Wäre das etwas, um es dem Oberst zu erzählen, oder würde er sagen — ich habe nicht vergessen, wie er mich nach einer Zigarrentasche zurückschickte, die er *nicht* vergessen hatte —: ›Was geht mich Mahbub Ali an?‹«

Es stieg eine Wolke dicken Rauchs auf. Eine lange Pause trat ein; dann sprach Mahbub Ali voll Bewunderung: »Und mit solchen Gedanken im Kopf legst du dich nieder und stehst auf zwischen all den kleinen Sahibsöhnen in der *madrissah* und hörst sänftiglich die Unterweisungen deiner Lehrer an?«

»Es ist Befehl«, sagte Kim ruhig. »Wer bin ich, daß ich über einen Befehl rechten dürfte?«

»Ein höchst vollendeter Sohn des Eblis«, sagte Mahbub Ali. »Aber was ist's mit der Geschichte von dem Dieb und der Durchsuchung?«

»Das, was ich sah in der Nacht, als ich mit meinem Lama bei deinem Platz im Kaschmir Serail lag. Die Tür war nicht verschlossen, was, glaube ich, nicht deine Gewohnheit ist, Mahbub. Er trat ein wie jemand, der wußte, daß du nicht bald zurückkämest. Mein Auge war an einem Astloch in der Planke. Er suchte nach etwas – nicht nach einer Pferdedecke oder Steigbügeln, nicht nach einem Zaum oder einem Messingtopf –, er suchte etwas Kleines und höchst sorgfältig Verborgenes. Weshalb hätte er sonst mit seinem Stahl zwischen die Sohlen deiner Schuhe gestochen?«

»Hah!« Mahbub Ali lächelte sanft. »Und als du dies sahst, welche Geschichte reimtest du dir daraus zusammen, Brunnen der Wahrheit?«

»Keine. Ich legte die Hand auf mein Amulett, das immer auf meiner Haut liegt, und des Stammbaums eines weißen Hengstes gedenkend, den ich aus einem Stück Muselmanenbrot herausgebissen hatte, ging ich fort nach Ambala, gewahr, daß ein schweres Pfand mir anvertraut sei. In dieser Stunde, hätte es mir beliebt, wäre dein Kopf verfallen gewesen. Ich brauchte nur dem Manne zu sagen: ›Hier habe ich ein Papier, das ich nicht lesen kann, es betrifft ein Pferd.‹ Und dann?« Kim blickte unter den Augenbrauen hervor nach Mahbub.

»Dann würdest du noch zweimal – vielleicht noch dreimal Wasser getrunken haben danach. Ich denke, nicht mehr als dreimal«, sagte Mahbub einfach.

»Das ist wahr. Ich dachte ein wenig daran, aber am meisten dachte ich daran, daß ich dich liebhabe, Mahbub. Deshalb ging ich nach Ambala, wie du weißt, aber (und das weißt du nicht) ich lag im Gartengras verborgen, um zu sehen, was Oberst Creighton Sahib tun würde, nachdem er den Stammbaum des weißen Hengstes gelesen hätte.«

»Und was tat er?« Denn Kim hatte die Unterhaltung plötzlich abgebrochen.

»Gibst *du* Berichte aus Liebe, oder verkaufst du sie?« fragte Kim.

»Ich verkaufe und – ich kaufe.« Mahbub nahm ein Vierannastück aus seinem Gürtel und hielt es hoch.

»Acht!« sagte Kim, mechanisch dem Krämertrieb des Orients folgend.

Mahbub lachte und steckte die Münze wieder ein. »Der Handel auf diesem Markt ist zu bequem, Freund aller Welt. Erzähl mir aus Liebe. Unser Leben liegt eines in des andern Hand.«

»Sehr gut. Ich sah den Jang-i-Lat Sahib zu einem großen Essen ankommen. Ich sah ihn in Creighton Sahibs Arbeitszimmer. Ich sah die beiden den Stammbaum des weißen Hengstes lesen. Ich hörte mit eigenen Ohren die Befehle geben zur Eröffnung eines großen Krieges.«

»Hah!« Mahbub nickte mit tiefaufglühenden Augen. »Das Spiel ist gut gespielt. Jener Krieg ist nun beendet und das Unheil, hoffen wir, vor der Blüte abgeschnitten – dank mir – und dir. Was tatest du weiter?«

»Aus der Neuigkeit machte ich mir einen Angelhaken, um Nahrung und Ehre bei den Dorfleuten zu fischen, in einem Dorfe, dessen Priester meinen Lama mit Opium betäubte. Aber ich hatte den Geldbeutel des alten Mannes an mich genommen, und der Brahmane fand nichts. Am andern Morgen war er wütend. Ho! Ho! Und wieder benutzte ich die Neuigkeit, als ich dem weißen Regiment mit seinem Stier in die Hände fiel.«

»Das war Torheit«, brummte Mahbub. »Mit Neuigkeiten soll man nicht umherwerfen wie mit Kuhfladen, sondern sparsam damit umgehen – wie mit *bhang*.«

»So denke ich jetzt auch, und überdies hat es mir nichts genützt. Aber das ist sehr lange her«, er machte eine Bewegung, als wolle er mit schmaler brauner Hand das alles wegfegen, »und seitdem und besonders in den Nächten unter dem Punkah in der *madrissah* habe ich tief nachgedacht.«

»Ist es erlaubt zu fragen, wohin die Gedanken des Himmelsgeborenen geführt haben?« sprach Mahbub mit gewähltem Sarkasmus, seinen Scharlachbart glättend.

»Es ist erlaubt«, entgegnete Kim im gleichen Ton. »In

Nucklao sagen sie, ein Sahib muß einem schwarzen Mann nie eingestehen, wenn er ein Versehen gemacht hat.«

Mahbubs Hand fuhr in sein Gewand, denn einen Pathan einen ›schwarzen Mann‹ (*kala admi*) zu nennen ist eine tödliche Beleidigung. Er besann sich aber und lachte. »Rede, Sahib: dein schwarzer Mann hört.«

»Aber«, fuhr Kim fort, »ich bin *kein* Sahib, und ich bekenne, ich machte einen Fehler, als ich dich, Mahbub Ali, verwünschte, an dem Tage zu Ambala, wo ich glaubte, von einem Pathan verraten zu sein. Ich war sinnlos, ich war eben erst gefangen, und ich wünschte, den niedrig gebornen Trommler umzubringen. Heute sage ich, Hadschi, du hast wohlgetan, und ich sehe den Weg zu einem guten Dienst klar vor mir. Ich werde in der *madrissah* bleiben, bis ich reif bin.«

»Gut gesprochen. Besonders sind Distanzen und Zahlen und der Gebrauch des Kompasses wichtig zu lernen für dieses Spiel. In den Bergen oben erwartet dich einer, um dich zu unterrichten.«

»Ich will alles lernen, unter einer Bedingung – daß meine Zeit ohne weiteres mir gehört, wenn die *madrissah* geschlossen wird. Fordere dies für mich von dem Oberst.«

»Aber warum den Oberst nicht selber fragen in der Sahibsprache?«

»Der Oberst ist Diener der Regierung. Er wird mit einem einzigen Wort hierhin und dorthin geschickt und muß an seine eigne Beförderung denken. (Sieh, wieviel ich schon in Nucklao gelernt habe!) Außerdem, den Oberst kenne ich erst seit drei Monaten; einen gewissen Mahbub Ali aber seit sechs Jahren. So! Nach der *madrissah* will ich gehen. In der *madrissah* will ich lernen. In der *madrissah* will ich ein Sahib sein. Aber wenn die *madrissah* geschlossen wird, muß ich frei sein und unter mein Volk gehen. Sonst sterbe ich!«

»Und wer ist dein Volk, Freund aller Welt?«

»Dieses große und wundervolle Land«, sagte Kim und fuhr mit der Hand rundum in dem kleinen lehmwandigen Raum, wo die Öllampe in ihrer Nische mühsam durch den Tabaksqualm leuchtete. »Und dann möchte ich meinen Lama wiedersehen. Und ferner brauche ich Geld.«

»Das braucht jeder«, sagte Mahbub kläglich. »Ich will dir acht Anna geben, denn viel Geld ist nicht aus Pferdehufen zu holen, und das muß für viele Tage genügen. Mit allem übrigen bin ich ganz einverstanden, und es bedarf keiner weiteren Rede. Beeile dich zu lernen, und in drei Jahren, vielleicht schon früher, wirst du eine Stütze sein – selbst für mich.«

»Bin ich bis jetzt so hinderlich gewesen?« sagte Kim mit einem Knabenkichern.

»Gib keine Antworten«, brummte Mahbub. »Du bist mein neuer Pferdejunge. Geh und leg dich bei meinen Leuten schlafen. Sie sind am nördlichen Ende der Station mit den Rossen.«

»Sie werden mich bis ans südliche Ende des Bahnhofs hinunterprügeln, wenn ich ohne Vollmacht komme.«

Mahbub faßte in den Gürtel, rieb seinen angefeuchteten Daumen an einem Stück chinesischer Tinte und preßte den Abdruck auf ein Blatt weichen einheimischen Papiers. Von Balkh bis Bombay kennt alle Welt diesen groblinigen Stempel mit der alten, diagonal verlaufenden Narbe darüber.

»Das genügt für meinen Vorarbeiter. Ich komme gegen Morgen.«

»Auf welchem Wege?« fragte Kim.

»Auf dem Wege von der Stadt her. Es gibt nur den einen. Und dann kehren wir zu Creighton Sahib zurück. Ich habe dir eine Tracht Prügel erspart.«

»Allah! Was ist eine Tracht Prügel, wenn der Kopf lose auf den Schultern sitzt?«

Kim glitt leise in die Nacht hinaus, ging halb um das Haus herum, immer dicht an der Mauer, und marschierte wohl eine Meile weg vom Bahnhof; machte dann einen weiten Bogen und schlenderte gemächlich zurück: denn er brauchte Zeit, ein Märchen zu erfinden, für den Fall, daß Mahbubs Leute ihn ausfragen würden.

Sie lagerten auf einem unbenutzten Platz neben der Eisenbahn und hatten, als echte Eingeborene, natürlich Mahbubs Tiere nicht aus den beiden Viehwagen ausgeladen, wo sie unter einer Sendung anderer, von der Bombay-Trambahn-Gesellschaft angekaufter einheimischer Pferde standen. Der Vorarbeiter, ein ausgemergelter, schwindsüchtig aussehender Mohammedaner, fuhr Kim sofort grob an, beruhigte sich aber beim Anblick von Mahbubs Fingerabdruck.

»Der Hadschi hatte die Güte, mich in Dienst zu nehmen«, sagte Kim mürrisch. »Bezweifelst du es, so warte, bis er am Morgen selbst kommt. Und nun, einen Platz am Feuer.«

Es folgte das übliche ziellose Geschwätz, das jeder Eingeborene niederer Kaste bei jeder Gelegenheit anheben muß. Als es erstarb, lagerte Kim sich hinter dem Häuflein von Mahbubs Knechten, fast unter den Rädern eines Viehwagens, zugedeckt mit einer geliehenen Wolldecke. Eine Schlafstelle zwischen Ziegelschutt und Fruchtabfall, zwischen zusammengedrängten Pferden und ungewaschenen Baltis, in einer feuchten Nacht, würde wenigen weißen Knaben behagt haben; aber Kim war glückselig. Wechsel von Szenerie, Beschäftigung und Umgebung war Lebenshauch für seine kleinen Nüstern, und der Gedanke an die netten weißen Betten in St. Xavier, alle in Reih und Glied unter den Punkahs, bereitete ihm nicht minderen Genuß, als wenn es ihm gelungen wäre, das Einmaleins auf englisch herzusagen.

›Ich bin sehr alt‹, dachte er, halb im Schlaf. ›Jeden Monat werde ich ein Jahr älter. Ich war sehr jung und ein Narr von Kopf bis Fuß, als ich Mahbubs Botschaft nach Ambala trug. Auch bei dem weißen Regiment war ich sehr jung und klein und nicht klug. Jetzt aber lerne ich jeden Tag mehr, und in drei Jahren wird der Oberst mich aus der *madrissah* nehmen, mich mit Mahbub auf der Heerstraße nach Stammbäumen von Rossen jagen lassen, oder vielleicht darf ich allein gehen; oder, kann sein, ich finde den Lama und gehe mit ihm. Ja, das ist das beste. Wieder als *chela* mit meinem Lama wandern, wenn er zurückkehrt nach Benares.‹ Die Gedanken kamen langsamer und unzusammenhängender. Er begann in ein wundervolles Traumland zu versinken. Da traf ein Flüstern sein Ohr, dünn und scharf über dem eintönigen Geschwätz ums Feuer. Es kam hinter dem eisenbeschlagenen Viehwagen hervor.

»Er ist also nicht hier?«

»Wo wird er anders sein, als in der Stadt herumschwärmen. Wer sucht nach einer Ratte im Froschteich? Komm weg. Er ist nicht unser Mann.«

»Er darf nicht ein zweites Mal über die Pässe zurück. Es ist Befehl.«

»Finde ein Weib, das ihm was eingibt. Das macht nur ein paar Rupien, und Zeugen gibt's keine.«

»Ausgenommen das Weib. Es muß sicherer gemacht werden. Und denke an den Preis auf seinen Kopf.«

»Jawohl, aber die Polizei hat einen langen Arm, und wir sind weit von der Grenze. Wenn es in Peschawar wäre!«

»Ja – in Peschawar«, höhnte die zweite Stimme. »Peschawar, voll von seinen Blutsverwandten – voll von Schlupfwinkeln und Weibern, hinter deren Röcken er sich verstecken kann. Ja, Peschawar oder Jehannum wären gleich gut für uns.«

»Was hast du dann also für einen Plan?«

»O Narr, habe ich dir's nicht hundertmal gesagt? Warte, bis er kommt, um sich hinzulegen, und dann ein sicherer Schuß. Die Viehwagen sind zwischen uns und den Verfolgern. Wir brauchen nur über die Schienen zu springen und unserer Wege zu gehen. Sie werden nicht sehen, woher der Schuß kam. Warte hier wenigstens bis zur Dämmerung. Was für eine Art Fakir bist du, daß du Angst hast vor einem bißchen Aufpassen?«

›Oho!‹ dachte Kim hinter festgeschlossenen Augen. ›Nochmal Mahbub! Wahrhaftig, der Stammbaum eines weißen Hengstes ist kein gutes Ding, um damit bei Sahibs hausieren zu gehen. Oder vielleicht hat Mahbub noch andere Neuigkeiten verkauft. Was ist zu tun, Kim? Ich weiß nicht, wo Mahbub steckt, und kommt er vor Tagesanbruch hierher, so schießen sie ihn nieder. Das wäre kein Vorteil für dich, Kim. Es ist auch keine Sache für die Polizei. Das wäre wieder kein Vorteil für Mahbub, und‹ – er kicherte fast laut – ›ich entsinne mich keines Unterrichts in Nucklao, der mir helfen könnte. Allah! Hier ist Kim, und dort sind die. Zuerst also, Kim muß aufwachen und fortgehen, ohne daß sie Argwohn schöpfen. Ein böser Traum weckt einen Menschen auf – so ...‹

Er warf die Decke vom Gesicht und richtete sich plötzlich auf, mit dem fürchterlichen, gurgelnden, sinnlosen Geheul des Asiaten, den ein Alp drückt.

»Urr-urr-urr-urr! Ya-la-la-la-la! Narain! Die *churel*! Die *churel*!«

Die *churel* ist der besonders boshafte Geist einer Frau, die im Kindbett starb. Sie lauert an einsamen Wegen, ihre Füße sind in den Sprunggelenken rückwärts gekehrt, und sie zerrt Menschen auf die Folter.

Immer lauter wurde Kims quäkendes Heulen, bis er zuletzt aufsprang und schlaftrunken fortstolperte, indes die Lagernden ihn verwünschten für die Störung. Einige zwanzig Yard entfernt legte er sich wieder hin, wohl darauf bedacht, daß die Flüsterer sein Stöhnen und Grunzen noch hören konnten, indes er sich langsam wieder beruhigte. Nach wenigen Minuten kugelte er auf die Straße und stahl sich in die dichte Dunkelheit hinweg.

Er trabte rasch vorwärts, bis er an einen Abzugskanal kam. Er duckte sich dahinter, das Kinn in gleicher Höhe mit dem Steinrand. Hier konnte er ungesehen den nächtlichen Verkehr beobachten.

Zwei oder drei Fuhrwerke kamen vorüber, die nach den Vororten rasselten, ein hustender Polizist, ein paar eilige Fußgänger, die sangen, um böse Geister fernzuhalten. Dann ertönte der Trapp von beschlagenen Hufen eines Pferdes.

›Ah, das sieht eher nach Mahbub aus‹, dachte Kim, als das Tier vor dem kleinen Kopf über dem Abzugskanal scheute.

»Ohé, Mahbub Ali«, flüsterte er, »sieh dich vor!«

Das Roß wurde rückwärts, fast auf die Keulen, gezügelt und auf den Kanal zugetrieben.

»Nie wieder«, sagte Mahbub laut, »nehme ich ein beschlagenes Pferd für einen Nachtritt. Jeden Knochen und Nagel in der Stadt treten sie sich ein.« Er bückte sich, um den Vorderfuß des Pferdes aufzuheben, und das brachte seinen Kopf auf Fußbreite an den Kims. »Nieder – bleib unten«, murmelte er. »Die Nacht ist voller Augen.«

»Zwei Männer warten auf dich hinter den Viehwagen. Sie wollen dich erschießen, wenn du dich niederlegst, denn es ist ein Preis auf deinen Kopf gesetzt. Ich hörte es, als ich neben den Pferden lag.«

»Sahst du sie? – Steh still, Herr aller Teufel!« Dies wütend zu dem Pferde.

»Nein.«

»War einer vielleicht wie ein Fakir gekleidet?«

»Einer sagte zu dem andern: ›Was für eine Art Fakir bist du, daß du Angst hast vor ein bißchen Aufpassen.‹«

»Gut, geh zurück ins Lager und leg dich hin. Heute nacht sterbe ich noch nicht.«

Mahbub wandte sein Pferd und verschwand. Kim schlich den Graben entlang zurück, bis er eine Stelle gegenüber seinem zweiten Ruheplatz erreichte, schlüpfte dann wie ein Wiesel über den Weg und rollte sich wieder in seine Decken zusammen.

›Wenigstens weiß Mahbub Bescheid‹, dachte er zufrieden. ›Und zweifellos sprach er so, als ob er dergleichen erwartet hätte. Ich glaube nicht, daß die beiden Männer viel profitieren werden von ihrer Nachtwache.‹

Eine Stunde ging dahin, und beim besten Willen, die ganze Nacht wach zu bleiben, schlief er fest ein. Hin und wieder donnerte ein Zug auf den Metallsträngen, zwanzig Fuß von ihm entfernt, vorüber; aber er besaß die ganze Gleichgültigkeit des Orientalen gegen bloßes Geräusch, und es webte ihm nicht einmal einen Traum in seinen Schlummer ein.

Mahbub war alles andere als schläfrig. Es verdroß ihn mächtig, daß Leute, die weder zu seiner Sippe gehörten noch mit seinen gelegentlichen Liebesabenteuern etwas zu tun hatten, ihm nach dem Leben trachteten. Sein erster und natürlicher Impuls war, weiter unten das Geleise zu kreuzen, dann zurückzuschleichen, seine guten Freunde von hinten zu packen und summarisch totzuschlagen. Dann bedachte er mit Kummer, daß ein anderer Zweig der Regierung, gänzlich außer Verbindung mit Oberst Creighton, Erklärungen fordern könnte, die schwer zu geben wären; außerdem war ihm bekannt, daß man südlich der Grenze eine lächerliche Wichtigkeit aus einem gefundenen Leichnam machte. Seitdem er Kim mit der Botschaft nach Ambala geschickt hatte, war er nicht mehr belästigt worden, und er hatte geglaubt, daß jeder Verdacht endgültig beseitigt sei.

Da kam ihm eine brillante Idee.

»Die Engländer sagen ewig die Wahrheit, meinte er, deshalb werden wir Kinder des Landes ewig zum Narren gehalten. Bei Allah, ich will Wahrheit sprechen zu einem Englischen. Was nützt die Regierungspolizei, wenn einem armen Kabuli die Pferde aus ihren eigenen Waggons gestohlen werden? Das ist so schlimm wie in Peschawar! Ich sollte Beschwerde führen bei der Station – besser noch bei einem jungen Sahib von der Eisenbahn! Die sind eifrig, und wenn sie Diebe fangen, wird es ihnen zur Ehre angerechnet.«

Er band sein Roß außen vor der Station fest und betrat den Bahnsteig.

»Hallo, Mahbub Ali«, rief ein junger Assistent von der Distrikt-Verkehrsinspektion, der wartete, um die Linie abzufahren – ein großer, flachshaariger, nerviger Bursche in schmutzigweißem Leinen. »Was macht Ihr hier? Klepper verkaufen – eh?«

»Nein, ich habe keine Sorge um meine Pferde. Ich komme, um Lutuf Ullah zu suchen. Ich habe eine Pferdeladung auf der Bahn. Könnte jemand sie ausladen ohne Wissen der Bahnverwaltung?«

»Sollte nicht meinen, Mahbub. Ihr könnt uns verantwortlich machen, wenn es geschieht.«

»Ich sah zwei Männer fast die ganze Nacht zwischen den Rädern eines Wagens hocken. Fakire stehlen keine Rosse, so beachtete ich sie nicht weiter. Ich wollte Lutuf Ullah, meinen Teilhaber, suchen.«

»Zum Teufel auch! Und Ihr kümmertet Euch nicht weiter darum? Auf mein Wort, gut, daß ich Euch treffe. Wie sahen sie aus, eh?«

»Es waren nur Fakire. Sie werden höchstens ein bißchen Getreide von einem der Wagen nehmen. Es gibt viele am Bahndamm. Der Staat wird die Spende nicht vermissen. Ich kam hierher, um meinen Partner Lutuf Ullah zu suchen.«

»Schon gut mit Eurem Partner. Wo sind Eure Pferdewagen?«

»Ein wenig nach dieser Seite von der äußersten Stelle, wo sie Lichter für die Züge brennen lassen.«

»An der Signalbude. Ja.«

»Und auf dem Gleis nächst der Straße auf der rechten Seite – wenn man die Bahn so heruntersieht. Aber was Lutuf Ullah betrifft – ein großer Mann mit einer zerbrochenen Nase und einem persischen Windhund – Aie!«

Der Jüngling war fortgeeilt, um einen jungen, diensteifrigen Polizisten zu wecken; denn, wie gesagt, die Bahnverwaltung hatte viel unter Diebstählen in den Güterschuppen zu leiden. Mahbub Ali kicherte in seinen gefärbten Bart.

»Sie werden in ihren Stiefeln gehen und Lärm machen und sich dann wundern, warum keine Fakire dort sind. Es sind sehr gescheite Burschen – Barton Sahib und Young Sahib.«

Er verweilte lässig einige Minuten, in der Erwartung, sie zur Tat gerüstet die Strecke entlangeilen zu sehen. Eine Hilfslokomotive glitt durch den Bahnhof, und er konnte gerade noch den jungen Barton im Führerstand erkennen.

»Ich habe dem Kinde unrecht getan«, sprach Mahbub, »er ist nicht ganz und gar ein Narr. Einen Feuerwagen zu nehmen, um einen Dieb zu fangen, ist ein neuer Sport.«

Als Mahbub Ali in der Dämmerung zu seinem Lager kam, erachtete es keiner der Mühe wert, ihn von den Vorfällen der Nacht zu unterrichten. Keiner, ausgenommen ein kleiner Pferdejunge, der eben in den Dienst des mächtigen Mannes getreten war und den Mahbub in sein Zelt berief, um beim Packen zu helfen.

»Ich weiß alles«, flüsterte Kim, über Satteltaschen gebeugt. »Zwei Sahibs kamen herunter in einer *te-rain*. Ich lief in der Dunkelheit hin und her an dieser Seite der Pferdewagen, als die *te-rain* langsam auf und ab fuhr. Sie ergriffen zwei Männer, die unter diesem Viehwagen hockten – Hadschi, was soll ich mit diesem Klumpen Tabak machen, ihn in Papier wickeln und unter den Salzbeutel legen? Ja – und schlugen sie nieder. Aber der eine führte mit einem Fakirbockshorn« (Kim meinte die zusammengefügten Schwarzbockhörner, die den Fakiren als einzige irdische Waffe dienen) »einen Streich gegen einen Sahib – das Blut floß. Und der andere Sahib, nachdem er erst seinen Mann bewußtlos geschlagen hatte, hieb auf den Meuchelmörder los mit einer kurzen Flinte, die dem ersten Manne aus der Hand gerollt war. Sie wüteten alle wie wahnsinnig gegeneinander.«

Mahbub lächelte mit himmlischer Resignation. »Nein! Dies ist nicht so sehr *dewanee* (Wahnsinn oder ein Fall für das Zivilgericht – das Wort kann in beiden Bedeutungen gebraucht werden) als vielmehr *nizamut* (ein Kriminalfall). Eine Flinte, sagst du? Gute zehn Jahre Gefängnis.«

»Dann lagen sie beide still, ich glaube, sie waren fast tot, als man sie auf die *te-rain* brachte. Ihre Köpfe baumelten so. Und es ist viel Blut auf dem Bahndamm. Komm und sieh.«

»Ich habe Blut schon vorher gesehen. Das Gefängnis ist ein sicherer Ort – und sicher werden sie falsche Namen angeben, und sicher wird lange Zeit kein Mensch sie finden. Es waren nicht gerade meine Freunde. Dein Schicksal und meines sind, scheint es, an einem Strang. Was für eine Geschichte für den Perlendoktor! Nun rasch vorwärts mit den Satteltaschen und dem Kochgeschirr. Wir wollen die Pferde ausladen und fort nach Simla.«

Eilig – wie Orientalen Eile verstehen –, mit langen Auseinandersetzungen, mit Schimpfen und windigem Geschwätz, sorglos und mit Aufenthalt um hundert vergessene Kleinigkeiten wurde das unordentliche Lager abgebrochen und das halbe Dutzend steifer und launischer Pferde die Kalkastraße entlanggetrieben, in die Frische der regennassen Dämmerung hinein. Kim, als Mahbub Alis Günstling von allen denen behandelt, die sich mit dem Pathan gutstellen wollten, wurde zu keiner Arbeit aufgefordert. Sie zogen im allerbequemsten Trott dahin, aller paar Stunden an einer Raststelle am Wege haltend. Sehr viele Sahibs reisen auf der Kalkastraße, und, wie Mahbub Ali sagte, jeder junge Sahib hält es für notwendig, sich als Pferdekenner auszugeben und, obwohl bis über die Ohren in Schulden, so zu tun, als ob er kaufen wollte. So hielt denn Sahib auf Sahib seine Landkutsche an und eröffnete eine Unterredung. Einige stiegen sogar von ihren Vehikeln ab und befühlten die Beine der Pferde, stellten alberne oder, aus schierer Unkenntnis der Landessprache, gröblich beleidigende Fragen an den unerschütterlichen Roßkamm.

»Als ich zuerst mit Sahibs Handel trieb, und das war zur Zeit, als Oberst Soady Sahib Gouverneur von Fort Abazai war und aus Schabernack den Lagerplatz des Kommissars unter Wasser setzte«, sagte Mahbub gemütlich zu Kim, als der Knabe ihm unter einem Baum seine Pfeife füllte, »wußte ich noch nicht, wie große Narren sie waren, und geriet oft in Zorn. So wie einmal …« und er erzählte ihm eine Geschichte von einem in aller Unschuld verkehrt angewandten Ausdruck, die Kim in stürmische Heiterkeit versetzte. »Jetzt weiß ich indessen«, er blies behäbig den Rauch aus, »daß es mit ihnen ist wie mit allen Menschen – in manchen Dingen sind sie weise, in andern sehr töricht. Sehr töricht ist es, ein falsches Wort gegen einen Fremden anzuwenden; denn weiß auch das Herz nichts von einer Beleidigung, wie soll der Fremde das ahnen? Er sucht die Wahrheit eher mit einem Dolch.«

»Wahr. Wahre Rede«, sprach Kim feierlich. »Narren sprechen zum Beispiel von einer Katze, wenn eine Frau in die Wochen kommt. Ich hörte das.«

»Deshalb, zumal in einer Lage wie der deinigen, mußt du eines immer beachten mit zweierlei Gesicht: Unter Sahibs nie vergessen, daß du ein Sahib bist, unter dem Volk von Hind immer gedenken, daß du …« Er hielt inne, mit verlegenem Lächeln.

»Was bin ich? Muselman, Hindu, Jain oder Buddhist? Das ist eine harte Nuß.«

»Du bist ohne Frage ein Ungläubiger und wirst dafür verdammt werden. So sagt mein Gesetz – oder ich glaube, daß es so sagt. Aber du bist auch mein kleiner Freund aller Welt, und ich habe dich lieb. So sagt mein Herz. Es ist mit Glaubenssachen wie mit Pferdefleisch. Der gescheite Mann weiß, Pferde sind gut – es ist mit allen Profit zu machen; und ich – obwohl ich ein guter Sunnit bin und die Männer von Tirah hasse –, ich glaube fast, daß es dasselbe ist mit allen Religionen. Versetze eine Kattiwarstute aus ihrem sandigen Heimatland nach dem westlichen Bengalen, und sie wird lahmen; ebenso wie ein balkhischer Hengst (und es gibt keine besseren

Pferde als die balkhischen, wenn sie nur nicht so schwer in den Schultern wären) in den großen nordischen Wüsten nicht aufkommt gegen die Schneekamele, die ich gesehen habe. Jedes hat seine Vorzüge in seinem eigenen Land.«

»Aber mein Lama sprach ganz anders.«

»Oh, er ist ein alter Träumer der Ideale von Bhotiyal. Mein Herz ist etwas erzürnt, Freund aller Welt, daß du soviel Wert in einem Manne siehst, den man so wenig kennt.«

»Mag wohl sein, Hadschi, aber ich sehe diesen Wert, und mein Herz fühlt sich zu ihm hingezogen.«

»Und seines zu deinem, so hörte ich. Herzen sind gleich Pferden. Sie kommen und gehen gegen Gebiß und Sporen. Rufe Gul Shir Khan drüben zu, er soll die Pflöcke des braunen Hengstes fester einschlagen. Wir wollen nicht an jedem Halteplatz eine Pferdeschlacht haben, und der Dunkelbraune und der Schwarze müssen getrennt stehen. – Nun höre mich. Ist es notwendig für die Ruhe deines Herzens, den Lama zu sehen?«

»Es ist ein Teil meiner Abrede«, sagte Kim. »Wenn ich ihn nicht sehe, und wenn er mir genommen wird, verlasse ich die *madrissah* in Nucklao und – einmal fort, wer soll mich finden?«

»Wahr. Nie wurde ein Füllen an dünnerer Hufleine gehalten als du.« Mahbub nickte mit dem Kopf.

»Sei ohne Furcht.« Kim sprach, als könnte er jeden Augenblick sich in Luft auflösen. »Mein Lama sagte, er würde nach der *madrissah* kommen, um mich zu sehen.«

Ein Bettler mit der Bettlerschale in Gegenwart dieser jungen Sa ...«

»Nicht alle sind es«, unterbrach Kim naserümpfend. »Vielen von ihnen sind die Augen bläulich gefärbt und die Nägel geschwärzt von minderkastigem Blut. Söhne der *metheeranees* – Schwäger der *bhungis* (Straßenkehrer).«

Wir brauchen dem Rest dieses Stammbaumes nicht weiter zu folgen, aber Kim legte seinen Standpunkt dar, ausführlich und ohne Hitze, ein Stück Zuckerrohr dazu kauend.

»Freund aller Welt«, sprach Mahbub, dem Knaben seine Pfeife zur Reinigung hinschiebend, »ich habe viele Männer,

Weiber und Knaben gekannt und nicht wenige Sahibs. Ich habe all meiner Lebtage keinen Kobold getroffen, wie du einer bist.«

»Und wieso? Wo ich dir doch stets die Wahrheit sage ...?«

»Vielleicht ebendeshalb, denn dies ist eine Welt voll Gefahren für ehrliche Leute.« Mahbub Ali erhob sich schwerfällig, legte seinen Gürtel um und ging zu den Pferden hinüber.

»... oder verkaufe?«

Es war etwas in Kims Stimme, das Mahbub innehalten und umwenden ließ. »Was für eine neue Teufelei?«

»Acht Anna, und ich werd dir's sagen«, erwiderte Kim grienend. »Es betrifft deinen Frieden.«

»O Scheitan!« Mahbub gab das Geld.

»Erinnerst du dich der kleinen Angelegenheit mit den Dieben im Dunkeln, dort unten in Ambala?«

»Da sie mein Leben suchten, habe ich sie nicht gänzlich vergessen. Warum?«

»Erinnerst du dich des Kaschmir-Serails?«

»Ich werde dir gleich die Ohren umdrehen, Sahib.«

»Nicht nötig – Pathan. Nur, der zweite Fakir, den die Sahibs bewußtlos schlugen, war der Mann, der deinen Verschlag in Lahore durchsuchte. Ich sah sein Gesicht, als sie ihm auf die Maschine halfen. Genau derselbe Mann.«

»Warum sagtest du das nicht gleich?«

»Oh, er kommt ins Gefängnis und sitzt für einige Jahre fest. Es ist nicht nötig, mehr zu sagen, als jedesmal nötig ist. Außerdem brauchte ich damals kein Geld für Zuckerwerk.«

»Allah kerim!« rief Mahbub Ali. »Wirst du nicht nächstens meinen Kopf um eine Handvoll Zuckerwerk verkaufen, wenn dich die Laune packt?«

Kim wird bis ans Ende seines Lebens sich dieser weiten langsamen Reise von Ambala durch Kalka und die Pinjoregärten hinauf nach Simla erinnern. Ein plötzlicher Strudel im Guggerstrom schwemmte ein Pferd weg (das wertvollste natürlich) und ertränkte Kim fast in dem tanzenden Gewässer. Weiter wegaufwärts wurden die Pferde durch einen Elefanten der Regierung in wilde Flucht gejagt, und da sie feurig vom Grasfutter waren, kostete es einundeinenhalben Tag, sie wieder zusammenzutreiben. Dann begegnete ihnen Sikandar Khan mit ein paar unverkäuflichen Schindmähren – Überbleibseln seines Transports –, und Mahbub, der im kleinen Finger mehr von Pferden verstand als der ganze Sikandar Khan, versteifte sich darauf, zwei der miserabelsten zu kaufen, und das bedeutete acht Stunden knifflicher Diplomatie und ungezählter Tabakspfeifen. Für Kim aber war alles eitel Lust – die Heerstraße, steigend, fallend, um die ansteigenden Vorberge sich windend; das Morgenrot über die fernen Schneegipfel hin; die vielgliedrigen Kakteen, Reihe an Reihe die steinigen Hänge hinan; die Stimmen von tausend Wasserläufen; das Geschnatter der Affen; die feierlich-ernsten Deodarstämme, einer über den andern mit hangenden Zweigen sich erhebend; der Blick auf die Ebenen, tief unter ihnen gebreitet; das unaufhörliche Schmettern der Tongahörner und das wilde Nachdrängen der angeseilten Gäule, wenn eine Tonga um eine Kurve bog; das Rasten zum Gebet (Mahbub hielt sehr eifrig auf trockene Waschungen und Gebetsheulen, wenn die Zeit nicht drängte); die Abendrunde an den Ruheplätzen, wenn Kamele und Ochsen feierlich nebeneinander kauten und die einfältigen Treiber sich die Neuigkeiten der Landstraße erzählten – das alles machte Kim das Herz in der Brust singen.

»Aber«, sprach Mahbub Ali, »wenn das Singen und Tanzen vorbei ist, kommt das Spiel des Oberst-Sahib an die Reihe, und das wird nicht so vergnüglich sein.«

»Ein schönes Land – ein wundervolles Land ist dieses Hind – und das Land der fünf Flüsse ist schöner als alle«, war Kims halb gesungene Erwiderung. »Dahin will ich gehen, wenn Mahbub Ali oder der Oberst Hand oder Fuß gegen mich erheben. Einmal weg – wer soll mich finden? Schau, Hadschi, ist dort die Stadt Simla? Allah! Welch eine Stadt!«

»Meines Vaters Bruder, und er war ein alter Mann, als Macherson Sahibs Brunnen zu Peschawar neu war, konnte sich noch der Zeit erinnern, als nur zwei Häuser in der Stadt standen.«

Er führte die Pferde unterhalb der Hauptstraße zu dem unteren Basar von Simla – dem wimmelnden Kaninchengehege, das aus dem Tal in einem Winkel von fünfundvierzig Grad bis zum Rathaus emporsteigt. Ein Mann, der dort die Wege kennt, kann der gesamten Polizei von Indiens Sommerhauptstadt trotzen, so listig fügt sich Veranda an Veranda, Durchgang an Durchgang, Schlupfloch an Schlupfloch. Hier leben die, die für die Bedürfnisse der lebensfrohen Stadt sorgen – Ihampanis, die abends die Rikschas der schönen Damen ziehen und bis zum Morgengrauen Würfel spielen, Gewürzkrämer, Ölhändler, Kuriositätenhändler, Brennholzverkäufer, Priester, Taschendiebe und eingeborene Regierungsangestellte. Hier werden von Kurtisanen Dinge besprochen, die als tiefste Geheimnisse der indischen Verwaltung gelten; und hier treffen sich alle die Unter-Unter-Agenten der Hälfte aller einheimischen Staaten. Hier auch mietete Mahbub Ali ein Zimmer im Hause eines mohammedanischen Viehhändlers, das wesentlich besser verschlossen war als sein Verschlag zu Lahore; eine Zelle des Wunders überdies: denn hinein ging um die Zeit der Dämmerung ein mohammedanischer Pferdejunge, und heraus trat eine Stunde später ein junger eurasischer Bursche – die Farbe des Mädchens von Lucknow war vortrefflich – in schlecht sitzenden Basarkleidern.

»Ich habe mit Creighton Sahib gesprochen«, sagte Mahbub Ali, »und ein zweites Mal hat die Hand der Freundschaft die Geißel des Unheils abgewandt. Er sagt, du hättest ganze sechzig Tage auf der Landstraße verbummelt, und es sei deshalb zu spät, dich in eine Gebirgsschule zu schicken.«

»Ich habe gesagt, daß meine Ferien mein eigen sind. Ich gehe nicht in zwei Schulen. Das ist ein Teil meiner Abrede.«

»Der Oberst weiß noch nichts von dem Kontrakt. Du sollst in Lurgan Sahibs Haus wohnen, bis es Zeit ist, wieder nach Nucklao zu gehen.«

»Ich möchte lieber bei dir wohnen, Mahbub.«

»Du weißt diese Ehre nicht zu schätzen. Lurgan Sahib selbst hat nach dir gefragt. Du wirst den Hügel hinaufgehen und oben den Weg entlang, und dort mußt du für eine Weile vergessen, daß du jemals mich, Mahbub Ali, der an Creighton

Sahib, den du nicht kennst, Pferde verkauft, gesehen oder gesprochen hast. Denke an diesen Befehl.«

Kim nickte. »Gut«, sagte er, »und wer ist Lurgan Sahib? Nein«, er fing Mahbubs schwertscharfen Blick auf, »ich habe seinen Namen wirklich nie gehört. Ist er vielleicht«, er senkte die Stimme, »einer von uns?«

»Welche Rede ist das – von *uns*, Sahib?« erwiderte Mahbub Ali in dem Ton, den er Europäern gegenüber anschlug. »Ich bin ein Pathan, du bist ein Sahib und der Sohn eines Sahibs. Lurgan Sahib hat einen Laden zwischen den europäischen Läden. Ganz Simla kennt ihn. Frage dort – und, Freund aller Welt, er ist einer, dem man auf den leisesten Wink seiner Augenwimpern zu gehorchen hat. Die Leute sagen, er treibe Magie, doch das braucht dich nicht zu kümmern. Gehe den Berg hinauf und frage. Hier beginnt das große Spiel.«

Neuntes Kapitel

Stooks war der Sohn des weißen Yalt,
Häuptlings vom Rabenstamm.
Itswot der zauberkundige Bär
Ihn in die Lehre nahm.

Er lernte schnell und immer mehr
Und wurde kecker als keck:
Er tanzte den wilden Klu-Kwalli-Tanz,
Itswot dem Bären zum Schreck.

Oregon-Sage

Kim schwang sich mit Herzenslust auf die nächste Drehung des Rades. Für eine Weile würde er wieder einmal Sahib sein. In diesem Gedanken sah er sich, sobald er die breite Straße unter dem Rathaus von Simla erreicht hatte, nach jemand um, dem er imponieren könnte. Ein Hinduknabe von etwa zehn Jahren hockte unter einem Laternenpfahl.

»Wo ist Mr. Lurgans Haus?« fragte Kim schroff.

»Ich verstehe nicht englisch«, war die Antwort, und Kim änderte demgemäß seine Sprache.

»Ich werde dir zeigen.«

Miteinander machten sie sich auf durch das geheimnisvolle Zwielicht, das erfüllt war von dem Geräusch der am Bergabhang gelegenen Stadt und vom Atem eines kühlen Windes oben im deodargekrönten, gegen die Sterne ragenden Jakko. Die Lichter aus den auf allen Anhöhen verstreuten Häusern bildeten gleichsam ein zweites Firmament. Dazwischen bewegliche Lichter von den Rikschas, die laut redende, sorglose englische Herren und Damen zum Diner führten.

»Hier ist es«, sagte Kims Führer und hielt vor einer Veranda, in gleicher Höhe mit der Hauptstraße. Keine Tür versperrte ihnen den Eingang, nur ein Vorhang von Rohrschnüren, in dem sich das Lampenlicht von innen verfing.

»Er ist gekommen«, sagte der Knabe mit einer Stimme,

kaum lauter als ein Seufzer, und verschwand. Kim merkte nun, daß der Knabe von Anfang an dazu bestellt gewesen war, ihn zu führen, steckte aber eine kecke Miene auf und teilte den Vorhang. Ein Mann mit schwarzem Bart und grünem Schirm über den Augen saß an einem Tisch und pickte mit kurzen weißen Händen kleine Lichtkügelchen, eins nach dem andern, von einer Platte auf, reihte sie auf eine glänzende Seidenschnur und summte dabei. Kim gewahrte, daß der Raum hinter dem Lichtkreis mit Dingen angefüllt war, die Düfte wie von allen Tempeln des Ostens verbreiteten. Ein Duft von Moschus, ein Geruch von Sandelholz und ein Hauch von verdorbenem Jasminöl drang ihm in die witternden Nüstern.

»Ich bin hier«, sagte Kim endlich in der Landessprache: die Gerüche machten ihn vergessen, daß er ein Sahib sein wollte.

»Neunundsiebzig, achtzig, einundachtzig«, zählte der Mann, Perle nach Perle so schnell aufreihend, daß Kim kaum seinen Fingern folgen konnte. Er schob den grünen Schirm zurück und sah Kim eine volle halbe Minute lang fest an. Die Pupillen der Augen erweiterten sich und schrumpften wieder ein zu Nadelspitzen, wie willkürlich. Es gab einen Fakir am Taksalitor, der das genauso konnte und Geld damit verdiente, besonders wenn er dumme Weiber verfluchte. Kim starrte interessiert hin. Sein verrufener Freund konnte überdies auch mit den Ohren wackeln, fast wie eine Geiß, und Kim war enttäuscht, daß dieser neue Mann das nicht ebenfalls tat.

»Fürchte dich nicht«, sagte Mr. Lurgan plötzlich.

»Warum sollte ich mich fürchten?«

»Du wirst heute nacht hier schlafen und bei mir bleiben, bis es Zeit ist, nach Nucklao zurückzukehren. Es ist ein Befehl.«

»Es ist Befehl«, wiederholte Kim. »Aber wo soll ich schlafen?«

»Hier in diesem Raum«, Lurgan Sahib wies mit der Hand nach dem Dunkel hinter ihm.

»So sei es«, sagte Kim mit Fassung. »Jetzt?«

Lurgan nickte und hielt die Lampe über seinen Kopf. Unter dem Lichtschein sprang aus den Wänden hervor eine Sammlung tibetanischer Teufeltanzmasken, die über den mit Teufeln bestickten Gewandungen hingen, die zu dieser gräßlichen Veranstaltung gehören – gehörnte Masken, hämische Masken und Masken idiotischen Grausens. In einer Ecke drohte ihm ein japanischer Krieger, gepanzert und befiedert, mit seiner Hellebarde, und Massen von Speeren, *khandas* und *kuttars* warfen den unsichern Lichtschein zurück. Was Kim aber mehr als dies alles interessierte – er hatte Teufeltanzmasken im Museum zu Lahore gesehen –, war die Erscheinung des sanftäugigen Hinduknaben, der ihn in der Tür verlassen hatte und nun plötzlich mit gekreuzten Beinen und einem leisen Lächeln auf den scharlachroten Lippen unter dem Perlentische saß.

›Ich glaube, Lurgan Sahib will mich bange machen, und ich bin sicher, der Teufelsbalg unter dem Tisch möchte sehen, wie ich mich fürchte.‹ Laut sagte er: »Dieser Raum gleicht einem Wunderhaus. Wo ist mein Bett?«

Lurgan Sahib deutete auf ein landesübliches Polster in der Ecke unter den scheußlichen Masken, nahm die Lampe und ließ den Raum schwarz zurück.

»War das Lurgan Sahib?« fragte Kim, indem er sich zusammenkuschelte. Keine Antwort. Er konnte jedoch den Hinduknaben atmen hören, und von dem Geräusch geleitet, kroch er über den Fußboden, knuffte mit den Fäusten in das Dunkel hinein und rief: »Gib Antwort, Teufel! Betrügt man so einen Sahib?«

Aus der Finsternis meinte er das Echo eines Gekichers zu hören. Sein weichgliedriger Führer konnte es nicht sein, denn der weinte. So erhob Kim seine Stimme und schrie: »Lurgan Sahib! Oh, Lurgan Sahib! Ist es Befehl, daß dein Diener nicht mit mir spricht?«

»Es ist ein Befehl!« Die Stimme kam hinter ihm hervor, und er fuhr zusammen.

»Gut also. Aber merk dir«, grollte er, indes er sein Polster wieder aufsuchte, »morgen früh werd ich dich prügeln. Ich kann Hindus nicht leiden.«

Das war keine vergnügliche Nacht. Der Raum war voll

Stimmen und Musik. Zweimal wurde Kim dadurch geweckt, daß jemand seinen Namen rief. Beim zweitenmal stand er auf und machte sich auf die Suche, die damit endete, daß er mit der Nase an einen Kasten stieß, der zweifellos mit menschlicher Zunge sprach, aber nicht mit irgendwie menschlichen Tönen. Der Kasten schien in einer zinnernen Trompete zu enden und durch Drähte mit einem kleineren Kasten auf dem Boden verbunden zu sein – soweit Kim wenigstens durch Betasten erkennen konnte. Und die Stimme, sehr hart und schwirrend, kam aus der Trompete. Kim wurde wütend, rieb sich die Nase und dachte wie gewöhnlich Hindi: ›Für einen Bettler aus dem Basar wäre das vielleicht etwas, aber – ich bin ein Sahib und der Sohn eines Sahibs und, was zweimal soviel bedeutet, ein Schüler von Nucklao. Ja‹, hier fiel er wieder in Englisch, ›ein Schüler von St. Xavier. Der Teufel hol Mr. Lurgans Augen‹. – Es ist eine Art Maschinerie wie eine Nähmaschine. Oh, es ist eine *große* Gaunerei von ihm – uns aus Lucknow macht man auf die Art nicht bange – nein!‹ Dann wieder in Hindi: ›Aber was gewinnt *er* dabei? Er ist nur ein Händler – ich bin in seinem Laden. Aber Creighton Sahib ist ein Oberst – und ich denke, Creighton Sahib hat befohlen, daß hier alles so gemacht wird. *Wie* ich diesen Hindu morgen verprügeln will! Was ist das?‹

Der Trompetenkasten gab einen Schwall ausgesuchtester Schimpfreden von sich, wie selbst Kim sie noch nicht gehört hatte, mit einer hohen, gleichgültig leiernden Stimme, die ihm für einen Moment die kurzen Haare im Nacken sträubte. Als das unflätige Ding Atem holte, wurde Kim wieder beruhigt durch das leise, nähmaschinenartige Surren.

»*Chûp* (sei still)«, schrie er, und wieder hörte er ein Kichern, das ihn rabiat machte. »*Chûp* – oder ich schlage dir den Kopf ein.«

Der Kasten hörte nicht auf ihn. Kim riß an der Blechtrompete, und etwas löste sich mit einem Klick. Er hatte augenscheinlich einen Deckel abgebrochen. Wenn da ein Teufel darin saß, so war es jetzt Zeit für ihn – er schnüffelte – so rochen die Nähmaschinen im Basar. Jenen *shaitan* wollte er austreiben. Er schlüpfte aus seiner Jacke und stopfte sie in den

Mund des Kastens. Etwas Langes und Rundes bog sich unter dem Druck, es gab ein schwirrendes Geräusch, und die Stimme schwieg – wie eine Stimme wohl muß, wenn eine dreifach gerollte Jacke auf den Wachszylinder und in das Werk eines kostspieligen Phonographen hineingepreßt wird. Kim beendete seinen Schlummer heitern Muts.

Am Morgen sah er Lurgan Sahib auf sich herabblicken.

»Oah!« sagte Kim, entschlossen, an seinem Sahibtum festzuhalten. »Hier war ein Kasten in der Nacht, der mich beschimpfte. Daher brachte ich ihn zum Stehen. War es Euer Kasten?«

Der Mann streckte ihm die Hand entgegen.

»Gib mir die Hand, O'Hara«, sagte er. »Ja, es war mein Kasten. Ich halte solche Dinger, denn meine Freunde, die Radschas, mögen sie gern. Der da ist zerbrochen, er war aber billig gekauft. Ja, meine Freunde, die Könige lieben Spielsachen sehr – und ich auch, zuweilen.«

Kim musterte ihn aus den Augenwinkeln. Ein Sahib war er, insofern er Sahibskleider trug; der Akzent seines Urdu und die Aussprache seines Englisch zeigten aber, daß er nichts weniger als ein Sahib war. Er schien zu verstehen, was im Geiste des Knaben vorging, ehe der Knabe noch den Mund öffnete, und er gab sich keine Mühe, ihm Erklärungen zu geben, wie es Vater Viktor oder die Lehrer in Lucknow taten. Was aber am süßesten schmeckte: er behandelte Kim wie einen Gleichgestellten auf der asiatischen Seite.

»Tut mir leid, daß du meinen Jungen heute morgen nicht prügeln kannst. Er sagt, er will dich mit Gift oder einem Messer töten. Er ist eifersüchtig; daher hab ich ihn in die Ecke gestellt und werde heute nicht mit ihm reden. Er hat eben versucht, mich umzubringen. Du mußt mir beim Frühstück helfen. Er ist just zu eifersüchtig, um ihm jetzt trauen zu können.«

Ein von England unverfälscht importierter Sahib würde ein großes Aufheben von so etwas gemacht haben; Lurgan Sahib erzählte es so einfach, wie Mahbub Ali seine kleinen Geschäfte im Norden zu berichten pflegte.

Die hintere Veranda des Ladens war über den freien Hügel

hinausgebaut, und man guckte den Nachbarn in die Schornsteine, wie es in Simla üblich ist. Mehr noch als das rein persische Mahl, das Lurgan mit eigener Hand bereitete, faszinierte Kim der Laden. Das Museum von Lahore war größer, aber hier gab es mehr Wunder: Geisterdolche und Gebetsmühlen von Tibet; Halsketten von rohem Bernstein und Türkisen; Spangen aus grüner Jade; Weihrauchstäbe, seltsam verpackt in mit rohem Granat inkrustierten Krügen; die Teufelsmasken von gestern nacht und eine Wand voll pfauenblauer Draperien; vergoldete Buddhagestalten und kleine, tragbare Lackaltäre; russische Samoware mit Türkisen auf den Deckeln; chinesisches Teegeschirr, dünn wie Eierschalen, in zierlichen, achteckigen Rohrschachteln; Kruzifixe von gelbem Elfenbein – ausgerechnet aus Japan, sagte Lurgan Sahib; scheußlich riechende, staubige Teppichballen, hinter zerfetzte und verdorbene geometrische Wandschirme geschoben; persische Wasserkrüge für Handwaschungen nach der Mahlzeit; plumpe kupferne Räuchergefäße, weder persisch noch chinesisch, von Reliefs phantastischer Teufel umwunden; fleckige Silbergürtel, verknotet wie rohes Leder; Haarnadeln aus Jade, Elfenbein und Zelluloid; Waffen aller Arten und Qualitäten und tausend andere Seltsamkeiten lagen in Kästen oder waren aufgehäuft oder einfach auf den Boden geworfen, so daß nur eben ein Raum um den gebrechlichen Holztisch frei blieb, an dem Lurgan Sahib arbeitete.

»Diese Sachen sind nichts«, sagte Kims Wirt, seinem Blick folgend. »Ich kaufe sie, weil sie hübsch sind, und zuweilen verkaufe ich auch – wenn der Käufer mir gefällt. Meine Arbeit ist auf dem Tisch – etwas davon.«

Es blitzte im Morgenlicht – rote, blaue, grüne Blitze, hie und da durchzuckt von dem geilen blauweißen Strahl eines Diamanten. Kim sperrte die Augen auf.

»Oh, die sind ganz gesund, diese Steine. Die Sonne schadet ihnen nichts. Nebenbei sind sie billig. Aber mit kranken Steinen ist das ganz anders.« Er füllte Kims Teller aufs neue. »Es gibt keinen außer mir, der eine kranke Perle heilen oder Türkise wieder blau machen kann. Opale, meinetwegen – jeder Narr kann einen Opal kurieren –, aber für eine kranke Perle bin nur ich allein da. Gesetzt, ich würde sterben! Dann wäre kein anderer da … O nein! *Du* kannst mit Juwelen nichts anfangen. Genug, wenn du etwas von Türkisen verstehen wirst – später einmal.«

Er begab sich ans Ende der Veranda, um den schweren, porösen, tönernen Wasserkrug aus dem Filter zu füllen.

»Willst du trinken?«

Kim nickte. Lurgan Sahib, fünfzehn Fuß entfernt, legte eine Hand auf den Krug. Im nächsten Augenblick stand der Krug, gefüllt bis auf einen halben Zoll vom Rande, dicht neben Kims Ellbogen – nur eine schmale Falte in dem Tischtuch zeigte, wo er sich vorbeigeschoben hatte.

»Wah!« machte Kim in äußerstem Erstaunen. »Das ist Magie.« Lurgan Sahibs Lächeln zeigte, daß das Kompliment ihm gefiel.

»Wirf ihn zurück.«

»Er wird zerbrechen.«

»Ich sage, wirf ihn zurück.«

Kim schleuderte ihn aufs Geratewohl. Er fiel zu kurz und zerbrach in fünfzig Stücke, das Wasser tropfte durch den rohen Bretterboden der Veranda.

»Ich sagte, er würde zerbrechen.«

»Ganz gleich. Schau ihn an. Schau auf das größte Stück.« Das lag, mit einem Wasserglitzern in seiner Höhlung, wie ein Stern auf dem Boden, Kim sah scharf darauf hin; Lurgan Sahib legte ihm sacht eine Hand aufs Genick, strich zwei-, dreimal darüber hin und flüsterte: »Schau! Er soll wieder lebendig werden, Stück für Stück. Zuerst soll das große Stück sich mit den zwei andern, links und rechts, vereinigen – links und rechts. Schau!«

Hätte es sein Leben gegolten, Kim hätte seinen Kopf nicht wenden können. Die leichte Berührung hielt ihn wie in einem Schraubstock, und sein Blut kribbelte ihm wohlig in den Adern. Wo drei Stücke des Kruges gelegen hatten, war jetzt ein großes, und darüber der schattenhafte Umriß des ganzen Gefäßes. Er konnte die Veranda hindurchscheinen sehen, aber es wurde dichter und dunkler mit jedem Pulsschlag. Und doch war der Krug – wie langsam die Gedanken kamen! –

war der Krug vor seinen Augen zerschmettert worden. Eine neue Welle von prickelndem Feuer rann ihm den Nacken hinab, als Lurgan Sahib seine Hand wegzog.

»Schau, er bekommt wieder Form«, sagte Lurgan Sahib.

Bis hierher hatte Kim in Hindi gedacht, aber ein Zittern befiel ihn, und mit einer Anstrengung, wie ein Schwimmer vor Haifischen sich halb aus dem Wasser schleudert, schwang sein Geist sich aus einem Dunkel, das ihn verschlang, und suchte Zuflucht im – englischen Einmaleins!

»Schau! Er kommt wieder in Form«, wisperte Lurgan Sahib.

Der Krug war zerschmettert worden – jaa, zerschmettert – nicht das Eingeborenenwort, an das wollte er nicht denken – sondern zerschmettert – in fünfzig Stücke – und zwei mal drei war sechs, und drei mal drei war neun, und vier mal drei war zwölf. Verzweifelt klammerte er sich an die Zahlen. Der Schattenumriß des Kruges schwand wie ein Schleier, wenn man sich die Augen reibt. Da lagen die Scherben; da trocknete das verspritzte Wasser in der Sonne, und durch die Spalten des Verandabodens zeigte sich streifig die weiße Hausmauer darunter – und drei mal zwölf war sechsunddreißig!

»Schau! Kommt er wieder in Form?« fragte Lurgan Sahib.

»Aber er *ist* zerschmettert – zerschmettert«, keuchte er – Lurgan Sahib hatte während der letzten halben Minute leise gemurmelt. Kim rang seinen Kopf zur Seite. »Schau! *Dekho!* Er liegt da, wie er dagelegen hat.«

»Er liegt da, wie er dagelegen hat«, sagte Lurgan, Kim scharf beobachtend, während der Knabe sich den Nacken rieb. »Aber du bist der erste von vielen, der ihn je so gesehen hat.« Er trocknete sich die breite Stirn.

»War das wieder Magie?« fragte Kim argwöhnisch. Das Kribbeln in seinen Adern hatte aufgehört; er fühlte sich ungewöhnlich wach.

»Nein, das war nicht Magie. Ich wollte nur sehen, ob da – ein Fleck in einem Edelstein wäre. Zuweilen springen sehr feine Steine ganz in Stücke, wenn ein Mann sie in die Hand nimmt, der sich darauf versteht. Deshalb muß man vorsichtig sein, ehe man sie einsetzt. Sag mir, hast du die Form des Kruges gesehen?«

»Kurze Zeit nur, er fing an, wie eine Blume aus dem Boden zu wachsen.«

»Und was tatest du da? Ich meine, was dachtest du?«

»Oah! Ich wußte, er *war* zerbrochen, und das war es, glaube ich auch, was ich dachte – und er *war* zerbrochen.«

»Hm! Hat jemals schon irgend jemand dieselbe Art Magie mit dir getrieben?«

»Wenn das wäre«, sagte Kim, »denkt Ihr, ich würde es noch einmal mitmachen? Ich würde weglaufen.«

»Und jetzt fürchtest du dich nicht – wie?«

»Nicht jetzt.«

Lurgan Sahib sah ihn schärfer denn je an. »Ich werde Mahbub Ali fragen – nicht gleich, aber später einmal«, murmelte er. »Ich bin zufrieden mit dir – ja – und wieder nein. Du bist der erste, der sich gut herausgezogen hat. Ich möchte wissen, was es war, daß ... Aber du hast recht. Du sollst das nicht sagen – selbst mir nicht.«

Er wandte sich in das dämmrige Dunkel des Ladens und setzte sich, leise die Hände reibend, an den Tisch. Ein kleines heiseres Schluchzen kam hinter einem Teppichballen hervor. Es war das Hindukind, das gehorsam das Gesicht der Wand zugekehrt hielt: seine dünnen Schultern zuckten vor Gram.

»Ah! Er ist eifersüchtig, so eifersüchtig. Möchte wissen, ob er noch einmal versuchen wird, mir mein Frühstück zu vergiften, so daß ich es frisch kochen muß.«

»*Kubbee – kubbee nahin* (niemals niemals, nein!)«, kam die gestammelte Antwort.

»Und ob er wohl diesen andern Knaben töten wird?«

»*Kubbee – kubbee nahin.*«

»Was denkst *du*, daß er tun wird?« wandte sich Lurgan plötzlich zu Kim.

»Oah! Ich weiß nicht. Schickt ihn weg, vielleicht. Warum wollte er Euch vergiften?«

»Weil er mich liebt. Denke, du hättest jemanden lieb, und es käme einer, der dem Manne, den du liebst, besser gefiele als du, was würdest du tun?«

Kim dachte nach. Lurgan wiederholte seine Worte langsam in der Landessprache.

»Ich würde den Mann nicht vergiften«, sagte Kim nachdenklich, »aber ich würde den Knaben prügeln – *wenn* er meinen Mann liebte. Erst aber würde ich den Knaben fragen, ob es wahr sei.«

»Ah! Er denkt, daß jeder mich lieben muß.«

»Dann meine ich, daß er ein Narr ist.«

»Hörst du?« sprach Lurgan Sahib zu den zuckenden Schultern. »Des Sahibs Sohn meint, du seist ein kleiner Narr. Komm hervor, und das nächste Mal, wenn dein Herz beunruhigt ist, brauche nicht ganz so offen weißes Arsenik. Sicherlich war der Teufel Dasim Herr über unser Tischtuch an dem Tage! Ich hätte krank werden können, Kind, und ein Fremder hätte dann die Juwelen gehütet. Komm!«

Das Kind, die Augen geschwollen vom Weinen, kroch hinter dem Ballen hervor und warf sich leidenschaftlich Lurgan Sahib zu Füßen mit so überschwenglicher Reue, daß es selbst Kim Eindruck machte.

»Ich will nach den Tuschegefäßen schauen – ich will die Juwelen treu bewachen! Oh, mein Vater und meine Mutter, schick *ihn* fort!« Er wies auf Kim mit einem Ruck seiner nackten Ferse nach rückwärts.

»Noch nicht – noch nicht. Über eine kleine Weile wird er wieder gehen. Aber jetzt ist er hier in der Schule – in einer neuen *madrissah*, und du sollst sein Lehrer sein. Spiel das Juwelenspiel gegen ihn. Ich werde nachzählen.«

Der Knabe trocknete sogleich seine Tränen und rannte in den Raum hinter dem Laden, von wo er mit einer kupfernen Platte zurückkehrte.

»Gib mir«, sagte er zu Lurgan Sahib. »Laß sie aus deiner Hand kommen, er könnte sonst glauben, ich hätte sie schon vorher gesehen.«

»Sachte – sachte«, erwiderte der Mann und streute aus einer Schublade unter dem Tisch eine Handvoll klirrender kleiner Dinge auf die Platte.

»Nun«, sagte das Hindukind, eine alte Zeitung schwenkend, »sieh sie dir an, Fremder, solange du willst. Zähle, und wenn nötig, befühle sie. Ein Blick genügt tur *mich*.« Er drehte sich stolz um.

»Aber wie geht das Spiel?«

»Wenn du gezählt und gefühlt hast und sicher bist, daß du sie alle im Kopf behalten kannst, bedecke ich sie mit diesem Papier, und du mußt Lurgan Sahib die Abrechnung machen. *Ich* schreibe die meinige auf.«

»Oah!« Wetteifer erwachte in Kim. Er beugte sich über die Platte. Nur fünfzehn Steine lagen darauf. »Das ist leicht«, sagte er nach einer Minute. Das Kind schob das Papier über die glitzernden Steine und kritzelte in ein Rechnungsbuch, wie es die Eingeborenen gebrauchen.

»Es liegen unter diesem Papier fünf blaue Steine – ein großer, ein kleinerer und drei kleine«, sagte Kim in vollem Eifer, »vier grüne Steine sind da und einer mit einem Loch; ein gelber Stein, durch den ich hindurchsehen kann, und einer wie ein Pfeifenstiel. Zwei rote Steine sind da und – und – ich hatte fünfzehn gezählt, aber zwei habe ich vergessen. Nein! Gib mir Zeit. Einer war von Elfenbein, klein und bräunlich, und – und – gib mir Zeit ...«

»Eins – zwei ...« Lurgan Sahib zählte bis zehn. Kim schüttelte den Kopf.

»Hör meine Rechnung!« platzte das Kind, bebend vor Lachen, heraus. »Erstens sind da zwei Saphire mit Flecken – einer von zwei Ruttis und einer von vier, schätze ich. Der Saphir von vier Ruttis ist an der Kante abgebröckelt. Dann ist ein turkestanischer Türkis da, glatt, mit schwarzen Adern, und zwei mit Inschriften – der eine mit einem Namen Gottes in Gold, der andere ist querüber gespalten, weil er aus einem alten Ring ist, deshalb kann ich die Inschrift nicht lesen. Nun haben wir alle fünf blauen Steine. Vier fehlerhafte Smaragde sind da; der eine ist an zwei Stellen angebohrt und der andere ein wenig angeschliffen ...«

»Ihr Gewicht?« fragte Lurgan Sahib gleichmütig.

»Drei – fünf – fünf – und vier Ruttis, schätze ich. Dann ist ein Stück von altem grünlichem Bernstein da und ein geschliffener Topas aus Europa. Ein Rubin von Burma, ohne Fehler, zwei Ruttis, und ein Balasrubin, fehlerhaft, zwei Ruttis. Ein geschnitztes Stück Elfenbein aus China, eine Ratte darstellend, die ein Ei aussaugt, und zum Schluß ist da – ah, ha! – ein runder Kristall, so groß wie eine Bohne, in ein goldnes Blatt gefaßt.«

Er klatschte zum Schluß in die Hände.

»Er ist dein Meister«, sagte Lurgan Sahib lächelnd.

»Huh! Er kannte die Namen der Steine«, sagte Kim, errötend. »Versuch es noch mal! Mit gewöhnlichen Dingen, die uns beiden bekannt sind.«

Sie füllten die Platte wieder mit allerhand Krimskrams, den sie aus dem Laden und sogar aus der Küche zusammensuchten, und jedesmal gewann der Knabe – zu Kims größter Verwunderung.

»Binde mir die Augen zu, laß mich nur einmal mit den Fingern fühlen, und auch *dann* sollst du, mit offenen Augen, hinter mir zurückbleiben«, forderte er Kim heraus.

Kim stampfte vor Ärger mit dem Fuß, als der Knabe wirklich gewann.

»Wären es Menschen oder – Pferde«, rief er, »so würde ich es besser machen. Dies Spiel mit Zangen und Messern und Scheren ist zu gering.«

»Lerne erst – lehre später«, sagte Lurgan Sahib. »Ist er dein Meister?«

»Sicherlich. Aber wie wird's gemacht?«

»Indem man es so oft macht, bis man es gut macht. Es ist wert, daß man es lernt.«

Der Hinduknabe, ganz aufgeplustert, ließ sich sogar herbei, Kim auf den Rücken zu tätscheln.

»Verzweifle nicht«, sagte er, »ich selbst will es dich lehren.«

»Und ich will achtgeben, daß du gut belehrt wirst«, sagte Lurgan Sahib, immer noch in der Landessprache; »denn ausgenommen meinen Knaben hier – es war töricht von ihm, soviel weißes Arsenik zu kaufen, da ich es ihm hätte geben können, wenn er darum gebeten hätte –, ausgenommen meinen Knaben hier, habe ich seit langer Zeit keinen getroffen, der es besser verdient hätte, unterrichtet zu werden. Und es bleiben dir noch zehn Tage bis zu deiner Rückkehr nach Lucknow, wo sie nichts lehren – für den hohen Preis. Wir werden, denke ich, Freunde werden.«

Das waren zehn tolle Tage, aber Kim unterhielt sich zu gut dabei, um über diese Tollheit allzusehr nachzudenken. Am Morgen spielten sie das Juwelenspiel, zuweilen mit wirklichen Edelsteinen, zuweilen mit Haufen von Schwertern und Dolchen, zuweilen mit Fotografien von Eingeborenen. Während der Nachmittage hockten er und der Hinduknabe schweigend hinter einem Teppichballen oder einem Wandschirm auf der Lauer und beobachteten Mr. Lurgans viele und sehr sonderbare Besucher. Da kamen kleine Radschas, deren Gefolgschaft in der Veranda herumhustete, um Kuriositäten, wie Phonographen und mechanisches Spielzeug, zu kaufen. Es kamen Damen auf der Suche nach Halsketten und Männer, so schien es Kim – aber seine Phantasie war vielleicht durch seine frühen Erfahrungen verdorben –, auf der Suche nach Damen; Eingeborene von freien und lehnspflichtigen Höfen, deren vorgebliches Anliegen die Reparatur von Halsketten war – Ströme von Glanz ergossen sich über den Tisch –, deren wahre Absicht aber offenbar war, Geld zu borgen für zornige Maharanis oder junge Radschas. Da waren Babus, zu denen Lurgan Sahib mit Ernst und Autorität sprach; aber das Ende jeder Unterredung war, daß er ihnen Geld in Silbermünzen oder Banknoten auszahlte. Da gab es zuweilen ganze Ansammlungen langberockter theatralischer Eingeborener, die metaphysische Gespräche in englischer oder bengalischer Mundart führten zu Mr. Lurgans größter Erbauung. Er interessierte sich jederzeit für religiöse Dinge. Am Abend hatten Kim und der Hinduknabe – dessen Name nach Lurgans Belieben wechselte – detaillierten Bericht zu erstatten über alles, was sie gesehen und gehört hatten: ihr Urteil über den Charakter jedes Besuchers, abzugeben nach Gesicht, Rede und Benehmen, und über den vermutlich wahren Zweck seines Besuches. Nach dem Abendessen wandte sich Lurgan Sahibs Phantasie gern einem Spiel zu, das man ›Verkleiden‹ nennen könnte und das er mit höchst lehrreicher Gründlichkeit betrieb. Er verstand es, Gesichter mit einem Pinseltupfen hier und einem Pinselstrich dort bis zur Unkenntlichkeit zu verändern. Der Laden war voll von allen Arten von Gewändern und Turbanen, und Kim wurde abwechselnd verkleidet als junger Mohammedaner von guter Familie, als Ölverkäufer oder – und das war der lustigste Abend – als Sohn eines Grundbesitzers in Oudh, in vollster Gala. Lurgan Sahib hatte ein Habichtsauge für den kleinsten Fehler in der Verkleidung. Auf einem abgenutzten Teakholzsofa ausgestreckt, erklärte er stundenlang, wie diese oder jene Kaste redete, ging, hustete, nieste oder spuckte, und, da das ›Wie‹ wenig bedeutet in dieser Welt, das ›Warum‹ von alledem. Bei diesem Spiel war das Hindukind schwerfällig. Sein kleiner Geist, scharf wie ein Eiszapfen, wenn es sich um Juwelenzählen handelte, konnte sich nicht in das Wesen eines anderen hineindenken; in Kim aber wachte ein Dämon auf und jubilierte, wenn er eine Verkleidung nach der andern anlegte und Rede und Bewegung mit ihr veränderte.

Von Begeisterung beschwingt, führte er Lurgan Sahib eines Abends aus eigenen Stücken vor, wie die Schüler einer gewissen Fakirkaste, alte Bekannte von Lahore her, um Almosen am Wege betteln und welche Sprache sie führen gegenüber einem Engländer oder einem Farmer aus dem Pandschab, der zum Markt geht, oder einer Frau ohne Schleier. Lurgan Sahib lachte unbändig und bat Kim, eine halbe Stunde unbeweglich in dem hinteren Raum so zu bleiben, wie er war, mit gekreuzten Beinen und wilden Blicken, aschebeschmiert. Nach dieser Zeit kam ein umfangreicher feister Babu herein, dessen bestrumpfte Beine vor Fett wackelten, und Kim überschüttete ihn sogleich mit einem Schauer von Gassengeschwätz. Lurgan Sahib – das verdroß Kim – beobachtete den Babu und nicht das Spiel.

»Ich meine«, sagte schwerfällig der Babu, eine Zigarette anzündend, »ich bin der Meinung, das ist eine außerordentlich großartige, wirkungsvolle Leistung. Gesetzt den Fall, Ihr hättet es mir nicht vorher gesagt, so würde ich geneigt gewesen sein, anzunehmen, daß – daß – daß Ihr mir irgendein Bein stellen wolltet. Wie bald kann er ein annähernd tüchtiger Vermesser werden? Denn *alsdann* will ich ihn in die Finger nehmen.«

»Das soll er eben in Lucknow lernen.«

»Dann schärft ihm ein, daß er verdammt hübsch schnell machen soll. Gute Nacht, Lurgan.« Der Babu schwankte hinaus mit dem Gang einer watenden Kuh.

Als die Liste der Tagesbesucher besprochen wurde, fragte Lurgan Sahib, was Kim von dem Manne halte.

»Gott weiß!« sagte Kim leichthin. Der Ton hätte Mahbub Ali vielleicht täuschen können, bei dem Heiler kranker Perlen aber versagte er.

»Das ist wahr, Gott weiß es. Ich wünsche aber zu wissen, was du denkst.«

Kim warf einen Seitenblick auf seinen Wirt, in dessen Augen etwas lag, was die Wahrheit herauszwang.

»Ich – ich denke, er will mich brauchen, wenn ich von der Schule komme, aber« – mit vertraulichem Ton, da Lurgan Sahib beifällig nickte – »ich begreife nicht, wie *er* verschiedene Kleidung tragen und verschiedene Sprache sprechen kann.«

»Du wirst vieles erst später verstehen. Er schreibt Geschichten für einen gewissen Oberst. Sein Ansehen ist groß hier in Simla, und bemerkenswert ist, er hat keinen Namen, nur eine Nummer und einen Buchstaben – das ist so Brauch bei uns.«

»Und ist auch ein Preis auf seinen Kopf gesetzt – wie auf Mah ... – wie auf all die andern?«

»Noch nicht. Wenn aber ein Knabe, der jetzt hier sitzt, aufstände und ginge – schau, die Tür ist offen – bis an ein gewisses Haus mit rotgemalter Veranda, hinter dem Gebäude, was früher das alte Theater in dem unteren Basar war, und flüsterte durch die Fensterläden: ›Hurree Chunder Mookerjee brachte die schlimme Nachricht vom letzten Monat‹ – dieser Knabe könnte einen Gürtel voll Rupien mitnehmen.«

»Wie viele?« fragte Kim prompt.

»Fünfhundert – tausend – soviel er fordern würde.«

»Gut. Und wie lange hätte der Knabe zu leben, nachdem die Neuigkeit mitgeteilt wäre?« Er grinste vergnügt, dicht an Lurgan Sahibs Bart.

»Ah, das ist wohl zu bedenken. Vielleicht, wenn er es sehr

gescheit anfinge, könnte er den Tag noch erleben – aber nicht die Nacht. Auf keinen Fall die Nacht.«

»Was ist dann des Babus Sold, wenn soviel auf seinen Kopf gesetzt ist?«

»Achtzig – vielleicht hundert – vielleicht hundertfünfzig Rupien; aber die Bezahlung ist der unbedeutendste Teil der Arbeit. Von Zeit zu Zeit läßt Gott Männer geboren werden – und du bist einer von diesen –, die Lust daran haben, auf Gefahr ihres Lebens auszuziehen und Nachrichten aufzutreiben – heute vielleicht von ganz entfernten Dingen, morgen von irgendeinem versteckten Gebirge, übermorgen von Leuten ganz in der Nähe, die eine Torheit gegen den Staat begangen haben. Solcher Seelen gibt es wenige, und von diesen wenigen sind keine zehn von der besten Art. Zu diesen zehn rechne ich den Babu, und das ist seltsam. Wie groß und begehrenswert muß ein Geschäft sein, das das Herz eines Bengalen kühn macht!«

»Wahr. Aber die Tage vergehen zu langsam für mich. Ich bin noch ein Knabe, und es hat zwei Monate gedauert, bis ich Angrezi schreiben lernte. Noch heute kann ich es nicht gut lesen. Und es sind noch Jahre und Jahre und lange Jahre, bevor ich auch nur ein Meßmann sein kann.«

»Habe Geduld, Freund aller Welt« – Kim stutzte bei der Benennung –, »wollte, ich hätte ein paar von den Jahren, die dich so langweilen. Ich habe dich in verschiedenen kleinen Versuchen auf die Probe gestellt. Das soll nicht vergessen werden, wenn ich dem Oberst-Sahib Bericht erstatte.« Dann plötzlich in englischer Sprache, mit einem tiefen Lachen:

»Beim Zeus, O'Hara, ich glaube, in dir steckt viel. Aber du darfst nicht stolz werden und nicht schwatzen. Du mußt nach Lucknow zurückkehren, ein braver kleiner Junge sein und auf deine Bücher achtgeben, wie die Engländer sagen, und in den nächsten Ferien vielleicht, wenn du Lust hast, kannst du wieder zu mir kommen.« Kim machte ein langes Gesicht. »Oh, ich sage, *wenn* du Lust hast. Ich weiß, wohin du gehen möchtest.«

Vier Tage später war für Kim und sein kleines Gepäck ein Platz auf dem Rücksitz einer Kalka-Tonga bestellt. Sein Reisegefährte war der walartige Babu, der, einen ausgefransten Schal um den Kopf geschlungen und das fette linke Bein im durchbrochenen Strumpf unter sich auf den Sitz gezogen, in der Morgenkälte schauderte und stöhnte.

›Wie kommt es, daß dieser Mann einer von *uns* ist?‹ dachte Kim, den Gallerrücken betrachtend, während sie die Straße hinunterholperten; und dieser Gedanke zog ihn weiter in die vergnüglichsten Wachträume. Lurgan Sahib hatte ihm fünf Rupien gegeben – eine stattliche Summe –, dazu die Zusicherung seiner Protektion, wenn er fleißig wäre. Anders als Mahbub, hatte Lurgan Sahib ganz ausdrücklich von dem Lohn gesprochen, der dem Gehorsam folgen würde, und Kim war zufrieden. Wenn er nur, wie der Babu, die Ehre einer Zahl und eines Buchstabens teilhaftig würde – und eines Preises auf seinen Kopf! Eines Tages würde er das alles und noch viel mehr erreichen. Eines Tages würde er fast so mächtig sein wie Mahbub Ali! Die Hausdächer von einstmals würden dann halb Indien sein; der Spur von Königen und Ministern würde er folgen, wie er einst in Lahore für Mahbub Ali der Spur von *vakils* und Advokaten gefolgt war. Inzwischen war die Gegenwart mit der Aussicht auf St. Xavier auch nicht zu verachten. Neu angekommene Knaben würden zu protegieren und neue Abenteuer aus der Ferienzeit anzuhören sein. Der junge Martin, Sohn des Teepflanzers aus Manipur, hatte geprahlt, er würde mit einer Flinte in den Krieg gegen die Kopfjäger gehen. Das mochte ja sein, aber sicherlich war Martin nicht bei einer Feuerwerkexplosion durch den halben Vorhof eines Palastes in Patiala geschleudert worden, noch hatte er … Kim rechnete sich seine Abenteuer während der letzten drei Monate vor. Er hätte ganz St. Xavier – selbst die größten Jungen, die sich schon rasierten – mit seinen Erzählungen in starres Staunen versetzen können, wenn das erlaubt gewesen wäre. Aber das kam natürlich nicht in Frage. In nicht zu ferner Zeit, wie Lurgan Sahib ihm versichert hatte, würde ein Preis auf seinen Kopf gesetzt werden; wenn er aber jetzt schwätzte wie ein Narr, so würde nicht allein dieser Preis niemals ausgesetzt werden, sondern Oberst Creighton würde ihn auch verstoßen – und er würde dem Zorn Lurgan Sahibs und

Mahbub Alis überliefert bleiben – für die kurze Zeit, die er dann noch zu leben hätte.

›So würde ich Delhi verlieren um eines Fisches willen‹, philosophierte er mit dem Sprichwort. Ihm gebührte es, seine Ferienzeit zu vergessen (blieb immer noch der Spaß, Abenteuer zu erdichten) und, wie Lurgan Sahib gesagt hatte, zu arbeiten. Von allen Knaben, die nach St. Xavier zurückeilten, von Sukkur in den Sandwüsten her bis von Galle unter den Palmen, war keiner so voll guter Vorsätze wie Kimball O'Hara, der da nach Ambala hinunterrasselte hinter Huree Chunder Mookerjee, dessen Name in den Büchern einer Sektion des Ethnologischen Amtes R.17 war.

Und für weiteren Ansporn, den Kim etwa noch benötigte, sorgte der Babu reichlich. Nach einer üppigen Mahlzeit in Kalka redete er ununterbrochen. Kim ging jetzt in die Schule zurück? Dann wollte er, ein M. A. der Universität von Kalkutta, ihm die Vorteile einer guten Erziehung klarmachen. Wichtig für eine gute Zensur wäre es, daß man gehörig im Lateinischen aufpaßte sowie bei Wordsworth' ›Exkursion‹ (das alles waren für Kim böhmische Dörfer). Auch Französisch wäre lebenswichtig, das beste könnte man sich in Chandernagor aneignen, einige Meilen von Kalkutta. Auch könnte man es weit bringen, wenn man – wie er selbst es getan hätte – zwei Dramen, genannt ›Lear‹ und ›Julius Cäsar‹, genaueste Aufmerksamkeit widmete, auf beide legten die Examinatoren großen Wert. ›Lear‹ wäre nicht so voll historischer Beziehungen wie ›Julius Cäsar‹, das Buch kostete vier Anna, man könnte es aber im Bow-Basar antiquarisch für zwei kaufen. Noch wichtiger als Wordsworth oder die eminenten Autoren Burke und Hare wäre jedoch die Kunst und Wissenschaft der Vermessung. Ein Knabe, der sein Examen in diesen Fächern bestünde – für die es, beiläufig bemerkt, keine Einpaukebücher gäbe –, könnte beim bloßen Wandern durch eine Gegend mit Hilfe von Kompaß und Wasserwaage und einem guten Auge ein Bild von dieser Gegend mitnehmen, das unter Umständen mit großen Summen geprägten Silbers bezahlt würde. Aber da es gelegentlich nicht ratsam wäre, Meßketten mit herumzutragen, so würde ein Knabe gut tun, die genaue

Länge seines Schrittes zu kennen, so daß er auch ohne das, was Hurree Chunder ›nebensächliche Hilfsmittel‹ nannte, dennoch seine Distanzen abschreiten könnte. Nichts war wertvoller, um Tausende von Schritten richtig zu zählen, als nach Hurree Chunders Erfahrung, ein Rosenkranz von einundachtzig oder hundertacht Perlen, denn ›er war teilbar und abermals teilbar in den verschiedensten Vielfachen‹. Aus dem geflügelten Schwall der englischen Worte erhaschte Kim doch den wesentlichen Sinn des Gesprächs, und der fesselte ihn sehr. Hier war eine neue Fertigkeit, wie ein Mann etwas in seinen Kopf verstauen konnte; und nach allem, wie sich die große weite Welt anließ, die sich vor ihm auftat, schien es: je mehr ein Mann wußte, desto besser für ihn.

Nachdem der Babu anderthalb Stunden geredet hatte, sagte er plötzlich: »Ich hoffe, eines Tages von Amts wegen deine Bekanntschaft zu machen. *Ad interim*, wenn mir diese Ausdrucksweise gestattet ist, möchte ich dir diese Beteldose überreichen, die ein höchst schätzbarer Gegenstand ist und mich erst vor vier Jahren zwei Rupien kostete.« Es war ein billiges, herzförmiges Messingding mit drei Abteilungen zur Aufnahme der unvermeidlichen Betelnuß nebst Kalk und *pan*-Blatt, war aber angefüllt mit kleinen Pillenfläschchen. »Das zum Lohn und zur Anerkennung für deine Charakterdarstellung des heiligen Mannes da oben. Schau, du bist so jung und denkst, du dauerst ewig, und achtest nicht auf deinen Körper. Es ist sehr ärgerlich, krank zu werden mitten im Geschäft. Ich selber lege großen Wert auf Arzneimittel; man soll sie auch zur Hand haben, um arme Leute zu kurieren. Dieses sind gute Departementsmedizinen: Chinin und so weiter. Ich gebe sie dir als Andenken. Leb nun wohl. Ich habe dringende Privatgeschäfte hier am Wege.«

Geräuschlos wie eine Katze schlüpfte er vom Wagen auf die Ambalaer Straße, rief eine vorbeifahrende Ekka an und rasselte davon, indessen Kim sprachlos die messingene Beteldose in beiden Händen drehte.

Die Erziehungsgeschichte eines Knaben interessiert außer den Eltern nur wenige, und Kim war bekanntlich Waise. In den Büchern von St. Xavier in Partibus ist bemerkt, daß am Schluß eines jeden Quartals ein Bericht über Kims Fortschritte dem Oberst Creighton und Vater Viktor, durch dessen Hand regelmäßig das Schulgeld einging, zugesandt wurde. Ferner ist in denselben Büchern bemerkt, daß Kim große Begabung für mathematische Studien und für Landkartenzeichnen entwickelte und daß er einen Preis (›Das Leben des Lord Lawrence‹, zwei Bände in Kalbleder, zu neun Rupien vier Anna) für seine Leistungen in diesen Fächern errang, ferner auch in einem Kricketmatch der Schüler von St. Xavier gegen das mohammedanische Allyghur-Gymnasium mitspielte, und zwar im Alter von vierzehn Jahren und zehn Monaten. Er wurde auch ungefähr zur selben Zeit zum zweitenmal geimpft (woraus wir schließen können, daß wieder einmal eine Blatternepidemie in Lucknow geherrscht hatte). Bleistiftnotizen am Rande einer alten Musterrolle besagen, daß er verschiedene Male bestraft wurde wegen ›Umgangs mit unpassenden Persönlichkeiten‹, und es scheint, daß er einmal zu schwerer Strafe verurteilt wurde, weil ›er sich einen ganzen Tag in Gesellschaft eines Straßenbettlers herumgetrieben hatte‹. Das war damals, als er über das Gitter kletterte und einen ganzen Tag den Lama am Ufer des Gumti bestürmte, in den nächsten Ferien mit ihm auf der Landstraße wandern zu dürfen – einen Monat nur – nur eine kurze Woche; eine Bitte, gegen die der Lama sich wie ein Kieselstein verhärtete, indem er behauptete, die Zeit dafür wäre noch nicht gekommen. Kims Aufgabe, sagte der alte Mann, indes sie zusammen Kuchen aßen, wäre, erst alle Weisheit der Sahibs zu erwerben, und dann würde er sehen … Die Hand der Freundschaft mußte auch diesmal die Geißel des Unheils abgewendet haben, denn es scheint, daß Kim sechs Wochen später eine Prüfung in der Elementar-Vermessungskunde ›mit ausgezeichnetem Erfolg‹ bestand, im Alter von fünfzehn Jahren und acht Monaten. Mit diesem Datum schließen die Berichte. Sein Name fehlt unter dem jährlichen Schub derer, die in den niederen Vermessungsdienst von Indien eintraten, aber dagegen findet sich die Bemerkung: ›Auf Befehl entlassen.‹«

Verschiedene Male im Laufe dieser drei Jahre tauchte in

dem Tempel der Tirthanker zu Benares der Lama auf, etwas abgemagert, einen Schatten gelber, wenn möglich, aber sanft und harmlos wie immer. Zuweilen kam er vom Süden her – vom Süden von Tuticorin, von wo die wunderbaren Feuerschiffe nach Ceylon gehen, wo es Priester gibt, die Pali verstehen; zuweilen vom feuchten grünen Westen und den Tausenden von Baumwollfabrikschloten, die Bombay wie ein Ring umgeben; und einmal vom Norden her, wo er achthundert Meilen hin und zurück gewandert war, um einen Tag lang mit dem Hüter der Bildnisse in dem Wunderhaus zu reden. Er schritt dann in seine Zelle in dem kühlen Marmortempel – die Priester waren gütig mit dem alten Mann –, wusch den Staub des Weges ab, betete und fuhr, er war nun an die Eisenbahn gewöhnt, dritter Klasse nach Lucknow. Kehrte er von dort zurück, so war es auffallend – wie sein Freund, der Sucher, zu dem Oberpriester bemerkte –, daß er für einige Zeit nicht mehr um den verlorenen Fluß klagte oder wunderbare Bilder von dem Rad des Lebens zeichnete, sondern von der Schönheit und Weisheit eines gewissen geheimnisvollen *chela* sprach, den kein Mann des Tempels je gesehen hatte. Ja, er war den Spuren der heiligen Füße durch ganz Indien gefolgt. (Der Kurator besitzt noch einen höchst wunderbaren Bericht über seine Wanderungen und Meditationen.) Es blieb nichts mehr übrig im Leben, als den Fluß des Pfeiles zu finden. Jedoch war ihm in Träumen kundgeworden, daß dies ein Unternehmen ohne jede Aussicht auf Erfolg wäre, wenn der Sucher nicht den einen *chela* bei sich hätte, der berufen sei, die Suche zu einem glücklichen Ende zu führen, und der in großer Weisheit erfahren sei – solcher Weisheit, wie weißhaarige Hüter von Bildnissen sie besitzen. Zum Beispiel (hier wurde die Schnupftabakdose hervorgeholt, und die gutmütigen Jainpriester schwiegen schleunigst still):

»Vor langen, langen Zeiten, als Devadatta König von Benares war – lasset alle lauschen der *Jâtaka*! – war ein Elefant von den Jägern des Königs gefangengehalten und, bevor er ausbrach, mit einem schmerzenden eisernen Beinring versehen worden. Mit Haß und Wut im Herzen suchte er das Eisen abzustreifen, und in den Wäldern auf und ab rennend, flehte er seine Brüderelefanten an, es loszureißen. Mit ihren starken Rüsseln, einer nach dem andern, versuchten sie es, aber vergebens. Zuletzt gaben sie ihre Meinung dahin ab, daß der Ring nicht durch tierische Kraft zu brechen sei. Und im Dickicht, noch feucht von der Geburt, lag ein neugeborenes Elefantenkalb auf der Erde, dessen Mutter gestorben war. Der gefesselte Elefant, seine eigne Qual vergessend, sprach: ›Wenn ich nicht diesem Säugling helfe, so wird er unter unsern Füßen sterben.‹ So stand er über dem jungen Ding und machte seine Beine zu Schutzpfeilern gegen die unruhig sich bewegende Herde. Er erbettelte Milch von einer tugendhaften Elefantenkuh, und das Kalb gedieh, und der beringte Elefant ward des Kalbes Führer und Verteidiger. Aber die Tage eines Elefanten – lasset alle lauschen der *Jâtaka!* – sind fünfunddreißig Jahre bis zu seiner vollen Stärke; und durch fünfunddreißig Regenperioden beschützte der beringte Elefant den jüngeren und während der ganzen langen Zeit hindurch fraß sich die Fessel in das Fleisch ein.

Da, eines Tages, sah der junge Elefant das halb im Fleisch begrabene Eisen und wandte sich zu dem älteren und sprach: ›Was ist dies?‹ – ›Das ist eben mein Kummer‹, sagte der, der ihn betreut hatte. Da streckte der andere seinen Rüssel aus, und so schnell, wie man ein Auge aufschlägt, zertrümmerte er den Ring und sprach: ›Die vorbestimmte Zeit ist gekommen.‹ So ward der tugendhafte Elefant, der geduldig ausgeharrt und Gutes getan hatte, erlöst zur bestimmten Zeit durch dasselbe Kalb, das er gerettet und geliebt hatte – lasset alle lauschen der *Jâtaka!* –, denn der Elefant war Ananda, und das Kalb, das den Ring zerbrach, war kein anderer als der Herr selbst …«

Dann wiegte er feierlich sein Haupt, und über dem immer klappernden Rosenkranz wies er darauf hin, wie frei dies Elefantenkalb von der Sünde des Stolzes war. Es war so demütig wie ein *chela*, der seinen Meister draußen im Staube vor den Pforten des Wissens sitzen sah und diese Pforten übersprang (obwohl sie geschlossen waren) und seinen Meister ans Herz nahm vor den Augen der stolzbrüstigen Stadt. Reich würde der Lohn eines solchen Meisters und eines solchen *chela* sein, wenn die Zeit für sie gekommen wäre, Freiheit miteinander zu suchen!

So sprach der Lama. Und er ging und kam durch Indien so sacht wie eine Fledermaus. Eine scharfzüngige alte Frau in einem Hause zwischen den Fruchtbäumen hinter Saharanpur ehrte ihn, wie das Weib den Propheten ehrte, aber seines Bleibens war nicht hinter den Wänden. In einem Raum des Vorhofes saß er, auf den girrende Tauben hinabsahen, indes sie ihren überflüssigen Schleier beiseite legte und von Geistern und Teufeln in Kulu schwatzte, von ungeborenen Enkeln und von dem keckzüngigen Burschen, der auf dem Rastplatz zu ihr gesprochen hatte. Einmal schweifte er auch unterhalb Ambalas von der Großen Heerstraße ab nach demselben Dorf, dessen Priester versucht hatte, ihn zu betäuben, aber der gütige Himmel, der Lamas beschützt, leitete ihn im Zwielicht durch die Ährenfelder, in Gedanken vertieft und arglos, zu des Ressaldars Tür. Hier hätte es bald ein schweres Mißverständnis gegeben, denn der alte Soldat fragte ihn, warum der Freund der Sterne vor erst sechs Tagen denselben Weg gekommen sei.

»Das kann nicht sein«, meinte der Lama. »Er ist zu seinem eigenen Volk zurückgegangen.«

Sein Wirt blieb dabei. »Hier in dieser Ecke saß er vor fünf Nächten und erzählte hundert lustige Geschichten. Wahr ist, er verschwand ein wenig plötzlich in der Dämmerung, nachdem er närrische Reden mit meiner Enkelin geführt hatte. Er wächst zusehends, aber es ist derselbe Freund der Sterne, der mir das wahre Wort von dem Krieg brachte. Habt ihr euch getrennt?«

»Ja – und nein«, erwiderte der Lama. »Wir – wir haben uns nicht ganz getrennt, aber die Zeit ist noch nicht reif, wo wir den Pfad zusammen wandern können. Er erwirbt Weisheit an einem andern Ort. Wir müssen warten.«

»Gut – aber wenn es nicht der Knabe war, wie käme es, daß er beständig von dir sprach?«

»Und was sagte er?« fragte der Lama eifrig.

»Süße Worte – hundert, tausend –, daß du sein Vater und

seine Mutter wärest und all dergleichen. Schade, daß er nicht in den Dienst der Königin tritt. Er ist ohne Furcht.«

Diese Nachricht beunruhigte den Lama, der noch nicht wußte, wie gewissenhaft Kim den mit Mahbub Ali geschlossenen und von Oberst Creighton notgedrungen genehmigten Kontrakt einhielt ...

»Man kann kein junges Pony fern vom Spiel halten«, sagte der Roßkamm, als der Oberst behauptete, dies Vagabundieren durch Indien in den Ferien sei ein Unsinn. »Verbietet man ihm zu gehen und zu kommen, wie er mag, so wird er sich nicht um das Verbot kümmern. Wer wird ihn dann wieder einfangen? Oberst-Sahib, nur einmal in tausend Jahren wird ein Roß, so geeignet für das Spiel, geboren wie dieses unser Füllen. Und wir brauchen Männer.«

Zehntes Kapitel

Euer Falke ist zu lang am Stand, Sir. Er war kein Nestküken,
Als wir ihn fingen, sondern ein Wanderfalk,
Gefährlich freier Gesell der Luft. Traun! Wär er mein
(Wie dieser Handschuh mein ist, auf dem er hockt),
Ich würf ihn aus mit einem Bruderfalken.
Er ist vollauf befiedert – abgerichtet – wetterfest ...
Gebt ihm das Firmament, für das ihn Gott erschuf.
Sein ist die Luft!

Altes Schauspiel

Lurgan Sahib sprach sich nicht so unverblümt aus, aber sein Rat schloß sich dem Mahbubs an, und das Ergebnis war günstig für Kim. Er wußte jetzt Besseres zu tun, als Lucknow in Eingeborenenkleidung zu verlassen, und wenn Mahbub irgendwie brieflich erreichbar war, so suchte er ihn in seinem Lager auf und vollzog seine Verwandlung unter den schlauen Augen des Pathans. Hätte der kleine Tuschkasten aus der Vermessungskunde, den er während des Semesters zum Kartenzeichnen brauchte, von seiner Verwendung in den Ferien reden können, so wäre Kim wohl von der Schule verwiesen worden. Einmal zog er mit Mahbub und drei Wagen voll Trambahnpferden bis nach der schönen Stadt Bombay, und Mahbub löste sich fast auf vor Vergnügen, als Kim eine Segelfahrt durch den Indischen Ozean vorschlug, um Golfaraber zu kaufen, die, wie er von einem Untergebenen des Händlers Abdul Rahman erfahren hatte, bessere Preise erzielten als bloße Kabulipferde.

Er speiste mit im Hause dieses großen Kaufmanns, als Mahbub nebst einigen Glaubensgenossen zu einem großen Hadschessen eingeladen war. Auf dem Rückweg über Karachi zur See machte Kim die erste Bekanntschaft mit der Seekrankheit. Er saß auf dem Vorderdeck des kleinen Küstendampfers, fest überzeugt, daß er vergiftet sei. Die famose Medizindose des Babu erwies sich als nutzlos, obgleich er sie in

Bombay frisch gefüllt hatte. Mahbub hatte Geschäfte in Quetta, und dort verdiente Kim mit Mahbubs Erlaubnis vier spaßige Tage lang sein Brot, und vielleicht etwas darüber, als Küchenjunge im Hause eines fetten Kommissariatssergeanten, aus dessen Büroschrank er in einem unbewachten Augenblick ein kleines pergamentenes Kontobuch verschwinden ließ – es betraf anscheinend nur Verkäufe von Rindvieh und Kamelen –, von dem er im Mondschein, hinter einem Nebengebäude liegend, eine Abschrift anfertigte, alles während einer heißen Nacht. Dann legte er das Buch an seinen Platz zurück, verließ auf Mahbubs Anweisung jenen Dienst ohne Lohn und traf sechs Meilen straßenabwärts mit Mahbub zusammen, die saubere Kopie auf der Brust.

»Dieser Soldat ist ein kleiner Fisch«, erklärte Mahbub Ali, »aber mit der Zeit werden wir größere fangen. Er verkauft nur Ochsen zu zwei Preisen – einem für sich selbst und einem für die Regierung –, was, glaube ich, keine Sünde ist.«

»Warum durfte ich das kleine Buch nicht mitnehmen, und damit gut?«

»Das hätte ihn erschreckt, und er würde es seinem Vorgesetzten gesagt haben. Dadurch würden wir vielleicht eine große Anzahl neuer Gewehre verlieren, die ihren Weg von Quetta nach dem Norden suchen. Das Spiel ist so weitläufig, daß man jedesmal nur ein Stückchen davon sieht.«

»Oho!« sagte Kim und hielt den Mund. Das war in den Monsunferien, nachdem er den Preis in Mathematik erhalten hatte. Die Weihnachtsferien verbrachte er – abgerechnet zehn Tage für Privatvergnügungen – bei Lurgan Sahib. Dort saß er meist vor einem lodernden Holzfeuer – auf dem Wege zum Jakko lag in jenem Jahr der Schnee vier Fuß tief, der kleine Hindu war fort, um verheiratet zu werden – und half Lurgan Perlen aufreihen. Dieser ließ Kim ganze Kapitel aus dem Koran auswendig lernen, bis er sie genau mit dem Zungenschlag und Tonfall eines Mullah vortragen konnte. Ferner lehrte er ihn die Namen und Eigenschaften vieler einheimischer Heilmittel sowie die Zaubersprüche, die dazu hergesagt werden müssen, wenn man sie anwendet. Am Abend schrieb er Beschwörungsformeln auf Pergament – kunstvoll ausgearbeitete Pentagramme, verziert mit den Namen von Teufeln – von Murra und Awan, dem Begleiter von Königen – alle phantastisch in die Ecken geschrieben. Dann unterwies er ihn in der Pflege seines eigenen Körpers, in der Behandlung von Fieberanfällen und Anwendung einfacher Arzneimittel auf der Wanderung. Eine Woche vor der Abreise schickte Oberst Creighton Sahib – das war nicht nett – einen Zettel mit Prüfungsfragen, die sich ausschließlich mit Meßruten und Ketten und Winkeln befaßten.

In den nächsten Ferien zog er mit Mahbub aus, und bei dieser Gelegenheit wäre er beiläufig fast vor Durst umgekommen, als er sich auf einem Kamel mühselig durch den Sand arbeitete, auf dem Weg nach der geheimnisvollen Stadt Bikaner, wo die Brunnen vierhundert Fuß tief und fast durchweg von Kamelknochen eingefaßt sind. Das war, nach Kims Geschmack, kein vergnüglicher Ausflug, denn der Oberst hatte ihm – ungeachtet des Kontraktes – befohlen, eine Karte von dieser wilden ummauerten Stadt anzufertigen; und da es nicht eben üblich war, daß mohammedanische Pferdejungen und Pfeifenreiniger mit Vermessungsketten in der Hauptstadt eines unabhängigen Staates herumzogen, so war Kim gezwungen, seine Distanzen mit Hilfe der Perlen seines Rosenkranzes abzuschreiten. Zur Orientierung benutzte er gelegentlich den Kompaß, hauptsächlich nach Dunkelwerden, wenn die Kamele gefüttert waren; und mit Hilfe seines kleinen Tuschkastens mit sechs Farbentäfelchen und drei Pinseln brachte er etwas zustande, das der Hauptstadt von Jaisalmer nicht allzu unähnlich war. Mahbub lachte herzlich und riet ihm, auch einen geschriebenen Bericht abzufassen; und auf den letzten Seiten des großen Kontobuches, das unter der Klappe von Mahbubs Lieblingssattel lag, machte Kim sich ans Werk.

»Er muß alles enthalten, was du gesehen oder berührt oder gedacht hast. Schreibe, als wenn der Jang-i-Lat Sahib selbst im geheimen mit einer großen Armee gekommen wäre, um in den Krieg zu ziehen.«

»Wie groß die Armee?«

»Oh, ein halbes *lakh* Männer.«

»Torheit! Bedenke, wie schlecht und wie selten die Brunnen in dem Sande sind. Nicht tausend durstige Männer könnten hier herankommen.«

»Dann schreib das hin – auch die alten Breschen in den Mauern – und wo das Brennholz geschnitten wird – und wie die Stimmung und Gesinnung des Königs ist. Ich bleibe hier, bis alle meine Pferde verkauft sind. Ich will ein Zimmer am Torweg mieten, und du sollst mein Buchhalter sein. Es ist ein gutes Schloß an der Tür.«

Der Bericht, in der unverkennbaren, fließenden St.-Xavier-Handschrift, nebst der braun und gelben, lacküberzogenen Karte war noch vor wenigen Jahren vorhanden (ein nachlässiger Schreiber bekritzelte ihn mit Notizen über die zweite Dienstreise von E.23 nach Seïstan), aber inzwischen wird die Bleistiftschrift wohl fast unleserlich geworden sein. Kim übersetzte ihn Mahbub unterm Schein einer Öllampe schwitzend, am zweiten Tag ihrer Rückreise. Der Pathan erhob sich und beugte sich über seine bunten Satteltaschen.

»Ich wußte, dein Bericht würde ein Ehrenkleid wert sein, und hielt es bereit«, sagte er lächelnd. »Wäre ich Emir von Afghanistan (und wir werden ihn eines Tages vielleicht sehen), so würde ich deinen Mund mit Gold füllen.« Er breitete die Gewänder feierlich zu Kims Füßen aus. Da waren eine goldgestickte, kegelförmig aufsteigende Turbanmütze aus Peschawar und ein großes Turbantuch, das in einer breiten Goldfranse endete. Da war eine gestickte Weste von Delhi, über einem milchweißen, rechts schließenden, weitwallenden Hemd zu tragen; grüne Pyjamas mit geflochtener, seidener Gürtelschnur und, damit nichts fehle, Pantoffeln von russischem Leder, himmlisch riechend, mit hochfahrend aufgebogenen Spitzen.

»An einem Mittwoch und am Morgen neue Kleider anzulegen ist glückbedeutend«, sagte Mahbub feierlich. »Aber wir dürfen nicht vergessen, daß es böses Volk in der Welt gibt. Also!«

Er krönte all die Herrlichkeiten, die Kim vor Entzücken den Atem benahmen, durch einen mit Perlmutter und Nickel beschlagenen 9-mm-Selbstladerevolver.

»Ich wollte erst ein kleineres Kaliber nehmen, dachte dann

aber, daß dieses hier Armeepatronen faßt. Die kann ein Mann sich überall verschaffen – besonders über der Grenze. Steh auf und laß mich schauen.« Er klopfte Kim auf die Schulter. »Mögest du nimmer ermüden, Pathan! Oh, die Herzen, die brechen werden! Oh, die Augen, die schauen werden unter gesenkten Lidern!«

Kim drehte sich rundum, streckte die Zehen, reckte sich und fühlte mechanisch nach dem Schnurrbart, der just zu sprießen begann; dann beugte er sich zu Mahbubs Füßen nieder, um nach Gebühr mit flatternden, tätschelnden Händen zu danken, da sein Herz zu voll war für Worte. Mahbub kam ihm zuvor und umarmte ihn.

»Mein Sohn«, sprach er, »was braucht es Worte zwischen uns? Aber ist nicht das kleine Schießgewehr zum Entzücken? Alle sechs Patronen kommen auf eine Drehung heraus. Es wird auf der Brust, auf der Haut getragen, wodurch es immer so gut wie geölt bleibt. Steck es nie anderswohin, und so es Gott gefällt, wirst du eines Tages einen Mann damit töten.«

»Hai mai!« rief Kim kläglich. »Wenn ein Sahib einen Menschen tötet, wird er im Gefängnis gehängt.«

»Wahr; aber einen Schritt jenseits der Grenze sind die Leute vernünftiger. Tu es weg, aber füll es zuvor. Was nützt ein ungefüttertes Schießgewehr?«

»Wenn ich in die madrissah zurückgehe, muß ich es dir wiedergeben. Sie erlauben keine kleinen Gewehre. Du wirst es mir aufbewahren?«

»Sohn, ich bin der madrissah müde, wo sie einem Mann die besten Jahre nehmen, um ihn zu lehren, was er nur auf der Landstraße lernen kann. Die Torheit der Sahibs hat weder Deckel noch Boden. Macht nichts. Kann sein, dein geschriebener Bericht wird die fernere Sklaverei ersparen; und Gott weiß, wir brauchen Männer, immer mehr und mehr, für das Spiel.«

Mit verbundenem Mund, um sich vor dem Flugsand zu schützen, wanderten sie durch die Salzwüste nach Jodhpur, wo Mahbub und sein wohlgestalteter Neffe Habib-Ullah viel Handel trieben; und dann – traurig in europäischen Kleidern, aus denen er zusehends herauswuchs – fuhr Kim zweiter Klasse nach St. Xavier zurück. Drei Wochen später sah sich Oberst Creighton, der in Lurgans Laden nach dem Preise von tibetanischen Geisterdolchen fragte, Mahbub Ali als offenem Meuterer gegenüber. Lurgan Sahib operierte als Hilfsreserve.

»Das Pony ist fertig – vollendet – mäulig und gängig, Sahib! Von nun an, von Tag zu Tag, wird es seine Qualitäten verlieren, wenn es künstlich festgehalten wird. Gebt ihm die Zügel frei und laßt ihn los«, sagte der Pferdehändler. »Wir brauchen ihn.«

»Aber er ist noch so jung, Mahbub – kaum sechzehn – nicht so?«

»Als ich fünfzehn war, Sahib, hatte ich meinen Mann geschossen und meinen Mann gezeugt.«

»Du hartgesottener alter Heide.« Creighton wandte sich zu Lurgan. Der schwarze Bart nickte dem scharlachfarbenen des Afghanen Beifall.

»*Ich* würde ihn längst verwendet haben«, sagte Lurgan. »Je jünger, je besser. Deshalb lasse ich meine wirklich kostbaren Juwelen von einem Kinde bewachen. Ihr habt ihn mir geschickt, um ihn auf die Probe zu stellen. Ich prüfte ihn in jeder Weise: er ist der einzige Knabe, den ich nicht dazu bringen konnte, Dinge zu sehen ...«

»Im Kristall – im Tintenfaß?« fragte Mahbub.

»Nein. Unter meiner Hand, wie ich dir erzählte. Das ist mir noch nie vorgekommen. Das zeigt, daß er stark genug ist – aber Sie halten das für Unsinn, Oberst Creighton –, jeden Menschen nach seinem Willen zu beeinflussen. Und das war vor drei Jahren. Seit der Zeit habe ich ihn vieles gelehrt, Oberst Creighton. Ich glaube, Sie verwerten ihn jetzt nicht richtig.«

»Hm. Kann sein, Sie haben recht. Aber wie Sie wissen, ist augenblicklich keine Arbeit für ihn da.«

»Laßt ihn los – laßt ihn laufen«, unterbrach Mahbub. »Wer erwartet von einem Füllen, daß es gleich schwere Lasten trägt? Laßt ihn mit den Karawanen laufen wie unsere weißen Kamelfüllen – auf gut Glück. Ich würde ihn zu mir nehmen, aber ...«

»Es gibt eine Kleinigkeit zu tun, wobei er sehr nützlich sein könnte – im Süden«, meinte Lurgan, mit besonders sanftem Ton, seine schweren, blaugefärbten Augenlider senkend.

»E.23 hat das in Händen«, sagte Creighton rasch. »Er darf nicht dorthin. Außerdem kann er nicht Türkisch.«

»Beschreiben Sie ihm nur Format und Geruch der Briefe, die wir brauchen«, beharrte Lurgan, »und er wird sie uns bringen.«

»Nein. Das ist Männerarbeit«, sagte Creighton.

Es handelte sich um den verzwickten Fall einer eigenmächtigen, aufrührerischen Korrespondenz zwischen einer Persönlichkeit, die sich als allein maßgebende Autorität in allen Angelegenheiten der mohammedanischen Religion in der ganzen Welt betrachtete, und einem jüngeren Mitglied eines königlichen Hauses, das wegen Frauenraubs auf britischem Territorium in den Geheimakten geführt wurde. Der moslemische Erzbischof hatte emphatisch und übertrieben anmaßend geschrieben; der junge Prinz schmollte nur wegen der Verkürzung seiner Privilegien, aber er mußte gehindert werden, eine Korrespondenz weiterzuführen, die ihn eines Tages kompromittieren konnte. Einer der Briefe war in der Tat schon abgefangen worden, aber der Finder wurde später, als arabischer Handelsmann gekleidet, tot am Wege gefunden, wie E.23, der die Sache übernommen hatte, pflichtgemäß berichtete.

Diese Fakten und einige andere, nicht zu veröffentlichende, erregten Mahbubs und Creightons Kopfschütteln.

»Laßt ihn mit seinem roten Lama gehen«, sagte, mit sichtlicher Überwindung, der Roßkamm. »Er hat den alten Mann lieb. Er kann wenigstens an dem Rosenkranz seine Schritte abzählen lernen!«

»Ich hatte ein paarmal mit dem alten Mann zu tun – brieflich«, sagte Oberst Creighton lächelnd. »Wohin geht er?«

»Auf und ab im Land, wie all diese drei Jahre. Er sucht einen Fluß des Heils. Gottes Fluch über alle ...« Mahbub stockte. »Er wohnt im Tempel der Tirthanker oder zu Buddh Gaya, wenn er von der Wanderschaft kommt. Von dort geht er gewöhnlich nach der *madrissah*, um den Knaben zu sehen; wir wissen es, denn der Knabe wurde zwei- oder dreimal deswegen bestraft. Er ist ganz verrückt, aber ein friedlicher Mann. Ich habe ihn getroffen. Auch der Babu hat mit ihm zu tun gehabt. Wir haben ihn seit drei Jahren beobachtet. Rote Lamas sind nicht so häufig in Indien, daß man die Spur verlieren könnte.«

»Babus sind zuweilen sonderbar«, meinte Lurgan nachdenklich. »Wissen Sie, was Hurree Babu wirklich will? Er will Mitglied der Königlichen Akademie der Wissenschaften werden durch seine ethnologischen Berichte. Ich sage Ihnen, ich teile ihm alles mit, was Mahbub und der Knabe mir über den Lama erzählt haben. Hurree Babu geht nach Benares – auf seine eigenen Kosten, nehme ich an.«

»*Ich* nicht«, sagte Creighton kurz. Er hatte, aus lebhafter Neugier zu erfahren, was der Lama eigentlich wäre, Hurrees Reisekosten bezahlt.

»Und er hat sich an den Lama gewandt, um sich belehren zu lassen über Lamaismus und Teufelstänze und Zauberformeln und Amulette, verschiedene Male in diesen drei Jahren. Heilige Jungfrau! All das hätte er von mir schon vor Jahren erfahren können. Ich glaube, Hurree Babu wird zu alt für das Hin und Her. Er sammelt lieber Erfahrungen über Sitten und Bräuche. Ja, er strebt danach, ein F.R.S. zu werden.«

»Hurree denkt gut von dem Knaben, wie?«

»Oh, sehr. Wir hatten einige vergnügte Abende hier zusammen in meiner kleinen Behausung. Aber ich glaube, es wäre schade, ihn mit Hurree in den ethnologischen Dienst hinüber zu lassen.«

»Nicht für einen ersten Versuch. Was sagt Ihr dazu, Mahbub? Lassen wir den Jungen sechs Monate mit dem Lama laufen. Danach wollen wir sehen. Er wird sich Erfahrungen holen.«

»Die hat er schon, Sahib – genau wie ein Fisch sich im Wasser auskennt, in dem er schwimmt. Aber auf alle Fälle wird es guttun, ihn aus der Schule zu nehmen.«

»Gut also«, sagte Creighton, halb zu sich selbst, »er kann mit dem Lama gehen, und wenn Hurree Babu ein Auge auf sie haben will, um so besser. Er wird den Knaben in keine Gefahr bringen, wie es Mahbub täte. Sonderbar – dieser

Wunsch, ein F.R.S. zu werden! Und doch sehr menschlich! *Er* paßt auch am besten für Ethnologie – Hurree.«

Kein Geld und keine Auszeichnung würde Creighton bewogen haben, den indischen Geheimdienst zu verlassen, aber tief in seinem Herzen trug auch er den Ehrgeiz, das ›F.R.S.‹ hinter seinen Namen zu setzen. Ehren mancherlei Art, wußte er, waren durch Findigkeit und Freundeshilfe zu erzielen, aber nichts – das war seine feste Überzeugung – als Arbeit, als der schriftliche Niederschlag der Arbeit eines ganzen Lebens konnte einem Manne den Zugang zu der wissenschaftlichen Gesellschaft eröffnen, die er seit Jahren mit Monographien über fremde asiatische Kulte und unbekannte Sitten bombardiert hatte. Neun von zehn Männern würden die Langeweile der Abende in der Akademie geflohen haben, aber Creighton war der zehnte, und es gab Zeiten, wo seine Seele sich sehnte nach den überfüllten Räumen im behaglichen London, in denen silberhaarige, kahlköpfige Herren, die von militärischen Dingen keine Ahnung haben, über spektroskopischen Experimenten hocken oder bei der Untersuchung niederer Pflanzenarten der eisigen Tundren oder über elektrischen Flugmeßmaschinen oder Apparaten, die das linke Auge eines weiblichen Moskitos in millimetrische Teile zerlegen. Ja, nach Fug und Recht wäre sein Platz in der Königlichen Geographischen Gesellschaft gewesen; aber Männer sind so launisch wie Kinder in der Wahl ihres Spielzeugs. – So lächelte Creighton nur und dachte um so besser über Hurree Babu, da er mit ihm gleichen Ehrgeiz teilte.

Er legte den Geisterdolch aus der Hand und blickte zu Mahbub auf.

»Wann können wir das Füllen aus dem Stall holen?« fragte der Pferdehändler, in seinen Augen lesend.

»Hm. Wenn ich jetzt seine Entlassung anordne, was wird er, denkt ihr, anfangen? Ich habe noch niemals mit der Erziehung eines solchen Geschöpfes zu tun gehabt.«

»Er wird zu mir kommen«, sagte Mahbub rasch. »Lurgan Sahib und ich werden ihn für die Landstraße vorbereiten.«

»Meinetwegen also. Sechs Monate mag er gehen, wohin er will. Aber wer bürgt für ihn?«

Lurgan neigte leicht den Kopf. »Er wird nichts ausplaudern, wenn Ihr das fürchtet, Oberst Creighton.«

»Er ist immerhin nur ein Knabe.«

»J-ja, aber erstens hat er nichts zu erzählen, und zweitens weiß er, was die Folge sein würde. Außerdem hat er Mahbub sehr lieb und mich auch ein wenig.«

»Wird er Gehalt beziehen?« fragte der praktische Pferdehändler.

»Für Essen und Trinken lediglich. Zwanzig Rupien im Monat.«

Ein Vorzug des Geheimdienstes ist, daß keine lästige Rechnungskontrolle stattfindet. Die Gehälter werden lächerlich knapp gehalten, natürlich, aber die Fonds werden von einigen wenigen Männern verwaltet, die weder nach Belegen schreien noch detaillierte Rechnungen vorlegen. Mahbubs Auge leuchtete auf mit der fast eines Sikh würdigen Freude am Gelde, und selbst Lurgans unbewegliches Gesicht belebte sich. Er dachte an die kommenden Jahre, da Kim in das Große Spiel eingefügt sein würde, das, über Indien hin, weder Tag noch Nacht ruht. Er sah die Ehre und Achtung voraus, die ihm, dem Lehrer dieses Schülers, gezollt werden würde von den wenigen Auserwählten. Lurgan Sahib hatte E.23 aus einem verwilderten, frechen, verlogenen kleinen Kerl aus den nordwestlichen Provinzen zu dem gemacht, was E.23 jetzt war.

Die Freude dieser Lehrmeister war aber nur blaß und trübe neben Kims Freude, als der Direktor von St. Xavier ihn beiseite rief und ihm sagte, daß Oberst Creighton nach ihm geschickt habe.

»Ich nehme an, O'Hara, daß er Ihnen eine Stelle als Meßassistent im Kanaldepartement ausgewirkt hat; das kommt von der guten Mathematik. Es ist ein großes Glück für Sie, denn Sie sind erst siebzehn; aber Sie begreifen natürlich, daß Sie nicht *pukka* (für dauernd) angestellt werden können, bevor Sie Ihr Examen im Herbst bestanden haben. Sie müssen also nicht glauben, daß Sie zum Vergnügen in die Welt hinausgehen oder daß Ihr Glück gemacht ist. Es bleibt noch viel schwere Arbeit für Sie zu tun. Nur wenn es Ihnen gelingt, *pukka* angestellt zu werden, können Sie es bis zu vierhundertundfünfzig im Monat bringen.« Hierauf gab der Direktor ihm noch gute Lehren betreffs Führung, Anstand und Moral. Andere Schüler, die älter waren als er und noch keine Aussicht auf Anstellung hatten, sprachen, wie es nur angloindische Burschen können, von Begünstigung und Bestechung. Der junge Cazalet, dessen Vater ein pensionierter Beamter in Chunar war, sprach sogar unverblümt aus, daß Oberst Creightons Interesse für Kim geradezu väterlich sei; und Kim, statt ihm das heimzuzahlen, antwortete mit keiner Silbe. Er dachte nur an eitel Lust und Wonne, die vor ihm lag, und an Mahbubs gestrigen, säuberlich in englisch geschriebenen Brief, der ihn für Nachmittag nach einem Hause bestellte, bei dessen bloßem Namen sich dem Direktor die Haare vor Entsetzen gesträubt haben würden.

Am selben Abend sprach Kim zu Mahbub auf dem Bahnhof von Lucknow bei dem Gepäckwagen: »Ich fürchtete, das Dach würde mir zuletzt noch auf den Kopf fallen, eh ich heraus wäre. Oh, mein Vater, ist denn wirklich alles zu Ende?«

Mahbub schnappte mit den Fingern zum Zeichen, wie endgültig alles zu Ende sei, und seine Augen funkelten wie rote Kohlen.

»Wo ist dann meine Pistole, daß ich sie trage?«

»Sachte, ein halbes Jahr Freiheit ohne Fußfessel. Das erbat ich für dich von Oberst Creighton Sahib. Mit zwanzig Rupien monatlich. Der alte Rothut weiß, daß du kommst.«

»Ich will dir *dustoorie* (Kommission) von meinem Gehalt zahlen, drei Monat lang«, sagte Kim ernsthaft, »jawohl, zwei Rupien jeden Monat. Vor allem müssen wir dies loswerden.« Er zupfte an seinen dünnen Leinwandhosen und zerrte an seinem Kragen. »Ich habe alles mitgebracht, was ich auf der Landstraße brauche. Meinen Koffer habe ich Lurgan Sahib geschickt.«

»Der dir seine Salams sendet − Sahib.«

»Lurgan Sahib ist ein sehr kluger Mann. Und was wirst du jetzt tun?«

»Ich gehe wieder nach Norden, in dem Großen Spiel. Was sonst? Bist du noch immer gewillt, dem alten Rothut zu folgen?«

»Vergiß es nicht, er machte mich zu dem, was ich bin – obwohl er es nicht weiß. Jahr für Jahr schickte er das Geld, für das ich unterrichtet wurde.«

»Das würde ich auch getan haben«, brummte Mahbub, »wenn es meinem dicken Schädel eingefallen wäre. Laß uns gehen. Die Lampen sind jetzt angezündet, und niemand wird dich im Basar bemerken. Wir gehen nach Huneefas Haus.«

Auf dem Weg dahin gab Mahbub Kim fast dieselben Ratschläge, die Lemuel von seiner Mutter empfing, und er war merkwürdigerweise sehr darauf bedacht, hervorzuheben, wie Huneefa und ihresgleichen selbst Könige zugrunde gerichtet hätten.

»Und ich erinnere mich«, sagte er schelmisch, »eines, der da sagte: ›Trau einer Schlange mehr als einer Dirne und einer Dirne mehr als einem Pathan, Mahbub Ali.‹ Nun, ausgenommen das mit den Pathans, da ich selbst einer bin, ist alles übrige wahr. Besonders wahr ist es in dem Großen Spiel, denn nur die Weiber sind schuld, wenn alle Pläne mißlingen und wir im Morgengrauen mit durchschnittener Kehle am Wege liegen. So geschah es dem und dem ...«, er gab die blutrünstigsten Details.

»Warum dann ...?« Kim stockte vor einer schmierigen Treppe, die in die warme Dunkelheit eines oberen Raumes im Hofe hinter Azim Ullahs Tabakladen hinaufführte. Die den Raum kennen, nennen ihn das Vogelbauer – so voll ist er von Gewisper und Gepfeif und Gezirp.

Das Zimmer mit seinen schmutzigen Kissen und halb ausgerauchten Wasserpfeifen roch abscheulich nach kaltem Tabak. In einer Ecke lag ein großes unförmiges Weib, in grünliche Gaze gehüllt, Stirn, Nase, Ohren, Hals, Handgelenke, Arme, Hüften und Fußknöchel mit schweren einheimischen Schmucksachen bedeckt. Bewegte sie sich, so klang es, als ob Kupferkessel aneinanderklirrten. Eine magere Katze auf dem Balkon vor dem Fenster miaute hungrig. Kim blieb verwirrt an dem Türvorhang stehen.

»Ist dies das neue Material, Mahbub?« fragte Huneefa träge, kaum das Pfeifenmundstück aus den Lippen nehmend. »Oh, Buktanoos« – wie die meisten ihrer Art schwor sie bei den Dschinns –, »oh, Buktanoos! Er ist sehr hübsch anzuschauen.«

»Das bezieht sich auf den Pferdehandel«, erklärte Mahbub; Kim lachte.

»Solche Rede hörte ich seit meinem sechsten Tag«, erwiderte er, sich ans Licht hockend. »Wohin soll sie führen?«

»Zu einer Schutzmaßregel. Heute nacht ändern wir deine Farbe. Der Schlaf unter den Dächern hat dich weiß gemacht wie eine Mandel. Aber Huneefa kennt das Geheimnis einer Farbe, die haftet – keine Malerei für ein oder zwei Tage. Auch gegen Zufälle auf der Reise stärken wir dich. Das ist *mein* Geschenk an dich, mein Sohn. Nimm alles Metall, das du an dir trägst, heraus, und leg es hierher. Mach dich fertig, Huneefa.«

Kim zog seinen Kompaß hervor, den Vermesser-Tuschkasten und die frisch gefüllte Arzneidose. Sie hatten ihn auf allen Wegen begleitet, und er liebte sie nach Knabenart innig.

Das Weib erhob sich langsam und bewegte sich mit halb ausgestreckten Händen vorwärts. Kim sah jetzt, daß sie blind war. »Nein, nein«, murmelte sie, »der Pathan spricht Wahrheit – meine Farbe schwindet nicht in einer Woche oder einem Monat, und die, die ich beschütze, sind in starker Hut.«

»Wenn man weit weg ist und allein, würde es nicht gut sein, plötzlich fleckig und aussätzig zu werden«, sprach Mahbub. »Als du mit mir warst, konnte ich dich behüten. Überdies, ein Pathan ist reinhäutig. Entkleide dich jetzt bis zu den Hüften und schau, wie weiß du geworden bist.« Huneefa tastete sich aus einem hinteren Raum zurück. »Es tut nichts, sie kann nicht sehen.« Er nahm eine Zinnschale aus ihrer beringten Hand.

Der Farbstoff sah blau und klebrig aus. Kim probierte ihn auf seinem Handrücken mit einem Wattebausch; aber Huneefa hörte es.

»Nein, nein«, rief sie, »so wird es nicht gemacht, nur mit den richtigen Zeremonien. Die Farbe ist das wenigste. Ich gebe dir den vollen Schutz für unterwegs.«

»*Jadoo* (Magie)?« sagte Kim, halb zurückschreckend. Er mochte die weißen blicklosen Augen nicht. Mahbubs Hand legte sich auf seinen Nacken und drückte ihn nieder, bis seine Nase nur einen Zoll überm Boden war.

»Sei ruhig. Nichts Übles geschieht dir, mein Sohn. Ich stehe für dich ein.«

Kim konnte nicht sehen, was die Frau tat, er hörte nur viele Minuten lang das Klicken ihres Schmucks. Ein Zündholz leuchtete in der Dunkelheit auf; er vernahm das wohlbekannte Knistern und Surren von Weihrauchkörnern. Dann füllte sich der Raum mit Rauch – schwer, aromatisch, betäubend. Durch wachsende Schläfrigkeit hindurch hörte er die Namen von Teufeln – von Zulbazan, dem Sohn des Eblis, der in Basaren und *paraos* sein Wesen treibt und all den üblichen boshaften Schabernack der Landstraße verübt; von Dulhan, der unsichtbar in Moscheen umgeht, sich zwischen den Pantoffeln der Gläubigen einnistet und sie am Beten hindert; und von Musboot, dem Dämon der Lüge und der Panik. Huneefa, bald ihm ins Ohr flüsternd, bald wie aus ungeheurer Entfernung redend, berührte ihn mit schauderhaft weichen Fingern, aber Mahbubs Griff wich nicht von seinem Nacken, bis der Knabe, mit einem Seufzer zusammensinkend, das Bewußtsein verlor.

»Allah! Wie er sich wehrte! Es wäre uns nie gelungen ohne Betäubung. Das macht, nehme ich an, sein weißes Blut«, sagte Mahbub aufatmend. »Fahre fort mit dem *dawut* (Beschwörung). Gib ihm vollen Schutz.«

»Oh, Hörer! Du, der du hörest mit Ohren, sei bei uns! Höre, o Hörer!« Huneefa winselte, ihre toten Augen drehten sich nach Westen. Der dunkle Raum füllte sich mit Heulen und Schnaufen.

Vom Balkon draußen erhob eine umfangreiche Gestalt ihren runden Kugelkopf und hustete nervös.

»Unterbrecht nicht diese bauchredende Nekromantin, mein Freund«, sprach die Gestalt auf englisch. »Ich nehme an, daß es recht peinlich für Euch ist, aber ein erleuchteter Beobachter darf sich nicht aus der Fassung bringen lassen.«

»... Ich will ihnen Fallstricke legen zu ihrem Verderben! Oh, Prophet, habe Geduld mit den Ungläubigen! Laß sie eine Weile in Frieden!« Huneefas Antlitz, nordwärts gedreht, verzerrte sich schrecklich, und es war, als ob Stimmen von der Decke herab ihr antworteten.

Hurree Babu nahm sein Notizbuch wieder vor, auf dem Fensterbrett balancierend, aber seine Hände zitterten. Huneefa, in einer Art trunkener Ekstase, wiegte sich, mit gekreuzten Beinen neben Kims stillem Kopf sitzend, hin und her und rief in der alten Ordnung des Rituals Teufel nach Teufel an und befahl ihnen, dem Knaben fernzubleiben bei all seinem Tun.

»Mit Ihm sind die Schlüssel der verborgenen Dinge! Keiner kennt sie außer Ihm. Er kennt, was auf dem trockenen Lande und was in dem Meere ist!« Wieder brachen die unirdischen, fauchenden Antworten hervor.

»Ich – ich nehme an, daß nichts Bösartiges bei dieser Operation ist?« sagte der Babu, die bebenden und zuckenden Halsmuskeln Huneefas beobachtend, indes sie in Zungen lallte. »Es – es ist doch wohl nicht wahrscheinlich, daß sie den Knaben umgebracht hat? Wenn – dann verweigere ich mein Zeugnis beim Verhör … Welchen hypothetischen Teufel nannte sie zuletzt?«

»Babuji«, sagte Mahbub in der Landessprache, »ich habe keinen Respekt vor den Teufeln von Hind, aber mit den Söhnen von Eblis ist das eine andere Sache; und ob sie nun *jumalee* (wohlwollend) oder *jullalee* (bösartig) sind, sie lieben keine Kafirs.«

»Du meinst also, es wäre besser, ich ginge?« sagte Hurree Babu, sich halb erhebend. »Es sind natürlich entmaterialisierte Phänomene. Spencer sagt …«

Huneefas Krisis endete, wie derlei Zustände immer, in einem heulenden Paroxysmus, mit einer Spur von Schaum auf den Lippen. Sie lag erschöpft und bewegungslos neben Kim, und die wahnsinnigen Stimmen schwiegen.

»Uah! Das Werk ist vollbracht. Möge es dem Knaben zum Segen sein. Huneefa ist sicherlich eine Meisterin des *dawut*. Hilf sie beiseite schleppen, Babu. Fürchte dich nicht.«

»Wie könnte ich das absolut Nichtexistente fürchten?« sagte Hurree Babu, englisch sprechend, um sich Haltung zu geben. Es ist ein unbehagliches Ding, sich immer noch vor der Magie, die man verächtlich erforscht, zu fürchten – folkloristische Berichte für die Akademie der Wissenschaften zu sammeln, mit einem lebendigen Glauben an alle Mächte der Finsternis.

Mahbub lachte in sich hinein. Er war oft genug mit Hurree unterwegs gewesen. »Wir wollen die Malerei fertig machen«, sagte er. »Der Knabe ist gut beschützt, wenn – wenn die Herren der Luft Ohren haben, zu hören. Ich bin ein *sufi* (Freidenker), aber wenn man einer Frau, einem Hengst oder einem Teufel die schwache Seite abgewinnen kann, warum dann auf die andere Seite gehen und sich einen Tritt holen? Bring ihn auf den Weg, Babu, und paß auf, daß der alte Rothut ihn nicht aus unserer Reichweite führt. Ich muß zu meinen Pferden zurück.«

»Abgemacht«, sagte Hurree Babu. »Für den Augenblick ist er recht sonderbar anzuschauen.«

Um den dritten Hahnenschrei erwachte Kim aus tausendjährigem Schlaf. Huneefa in ihrer Ecke schnarchte schwer, aber Mahbub war fort.

»Ich hoffe, man hat Euch nicht erschreckt«, sprach eine ölige Stimme an seinem Ellbogen. »Ich überwachte die ganze Operation, die vom ethnologischen Standpunkt aus sehr interessant war. Es war erstklassiges *dawut.*«

»Hoh!« sagte Kim, Hurree Babu erkennend, der verbindlich lächelte.

»Ich hatte auch die Ehre, Euer gegenwärtiges Kostüm von Lurgan zu überbringen. Es ist nicht meine offizielle Gepflogenheit, derlei Flitter an Untergebene abzuliefern, aber« – er kicherte – »Euer Fall ist als eine Ausnahme in den Büchern vermerkt. Ich hoffe, Mr. Lurgan wird meine Handlungsweise zur Notiz nehmen.«

Kim gähnte und reckte sich. Es tat wohl, sich wieder einmal in losen Kleidern zu drehn und zu wenden.

»Was ist das?« Er beschaute neugierig den schweren, mit den Gerüchen des fernen Nordens geschwängerten Düffelstoff.

»Oho! Das ist das unansehnliche Kleid eines *chela* im Dienst eines lamaistischen Lama! Komplett bis in alle Einzel -

heiten«, sprach Hurree Babu und wackelte auf den Balkon, um seine Zähne an einem Wasserbehälter zu reinigen. »Ich bin der Meinung, daß das nicht so ganz eigentlich die Religion des alten Herrn ist, sondern eher sozusagen eine Subvariante davon. Ich habe über diesen Gegenstand der ›Asiatischen Zeitschrift‹ einige leider abgelehnte Berichte eingeschickt. Sonderbar, daß der alte Herr selbst aller Religiosität bar ist. Er nimmt es nicht im geringsten genau.«

»Kennt Ihr ihn denn?«

Hurree Babu hob die Hand, um anzudeuten, daß er mit dem vorgeschriebenen Zeremoniell beschäftigt sei, das ein wohlerzogener Bengale beim Zähneputzen und derlei Verrichtungen beobachtet. Dann rezitierte er in englischer Sprache ein Arya-Somey-Gebet theistischer Natur und stopfte sich den Mund mit *pan* und Betel.

»O-a. Ja. Ich traf ihn einige Male in Benares und auch in Buddh Gaya, um ihn über religiöse Dinge und Teufelsanbetung zu befragen. Er ist rein agnostisch gesinnt – ebenso wie ich.«

Huneefa bewegte sich im Schlaf, und Hurree Babu sprang nervös zu der kupfernen Weihrauchschale, die ganz schwarz und farblos im Morgenlicht erschien, schwärzte einen Finger in dem angesammelten Ruß und fuhr damit diagonal über sein Gesicht.

»Wer starb in deinem Haus?« fragte Kim in der Landessprache.

»Niemand, aber sie könnte den bösen Blick haben – diese Hexe«, entgegnete der Babu.

»Was wirst du jetzt unternehmen?«

»Ich will dich auf den Weg nach Benares bringen, falls du dahin gehst, und dir mitteilen, was *unsereiner* wissen muß.«

»Ich komme. Um wieviel Uhr geht der *te-rain?*« Er sprang auf die Füße, blickte sich in dem öden Zimmer um und in das wachsgelbe Gesicht Huneefas, indes sich das erste Licht der tiefen Sonne durch den Raum stahl. »Muß ich der Hexe was bezahlen?«

»Nein. Sie hat dich gefeit gegen alle Gefahren und alle Teufel – im Namen ihrer Teufel. Es war Mahbubs Wunsch.« Auf englisch: »Er ist höchst rückständig, denke ich, an sol-

chem Aberglauben zu hängen. Nun ja, es ist alles nur Bauch-
redekunst. Bauchsprache – eh?«

Kim schnappte mechanisch mit den Fingern, um jedes
Übel abzuwenden (Mahbub, wußte er, sann auf keins), das
die Manipulationen Huneefas etwa heraufbeschworen hätten,
und Hurree kicherte wieder. Als er aber durch das Zimmer
schritt, vermied er sehr vorsichtig, in Huneefas schwarz am
Boden gebreiteten Schatten zu treten. Hexen können, wenn
ihre Zeit gekommen ist, eines Mannes Seele an den Fersen
festhalten, wenn er in ihren Schatten tritt.

»Nun hört wohl zu«, sprach der Babu, als sie in der frischen Luft waren. »Teilweise dienen diese Zeremonien, denen
wir beiwohnten, der Beschaffung eines wirkungsvollen Amu-
letts für die von unserm Departement. Wenn Ihr einmal an
Euren Hals fühlen wollt, werdet Ihr ein kleines silbernes Amulett finden – sehr billige Ware. Das ist *unseres*. Versteht Ihr?«

»O-a, ja – *hawa-dilli* (ein Herzstärker)«, sagte Kim, an seinen Hals fühlend.

»Huneefa macht sie für zwei Rupien zwölf Anna, ein-
schließlich – oh, aller Arten von Exorzismus. Es sind ganz gewöhnliche Dinger, ausgenommen daß sie teilweise von
schwarzer Emaille sind und daß inwendig ein Stück Papier
liegt, angefüllt mit Namen von lokalen Heiligen und solchem
Zeug. *Das* ist Huneefas Anteil an der Sache, versteht Ihr? Huneefa macht sie nur für uns, aber für den Fall, daß sie das
nicht täte, legen wir, bevor wir sie ausgeben, ein kleines
Stückchen Türkis hinein. Mr. Lurgan liefert das, eine andere
Bezugsquelle gibt es nicht, aber ich bin es, der das alles erfun-
den hat. Es ist natürlich streng inoffiziell, aber geeignet für
Untergeordnete. Oberst Creighton weiß nichts davon. Er ist
Europäer. Der Türkis ist in das Papier gewickelt. – Ja, dies ist
der Weg zum Bahnhof. – Nun nehmen wir an, Ihr geht mit
dem Lama, oder später einmal mit mir, hoffe ich, oder mit
Mahbub. Nehmen wir an, wir gerieten in eine verdammt kritische Lage. Ich bin ein ängstlicher Mann – sehr ängstlich –,
aber ich sage Euch, ich bin öfter in verdammt kritischen Lagen gewesen, als ich Haare auf dem Kopfe habe. Dann
sprecht Ihr: ›Ich bin Sohn des Zaubers‹. Sehr wohl.«

»Ich verstehe nicht ganz. Man darf hier auch nicht hören, daß wir Englisch sprechen.«

»Das tut nichts. Ich bin nur ein Babu, der vor Euch mit seinem Englisch prahlt. Wir Babus sprechen alle Englisch, um damit zu prahlen«, sagte Hurree, gemütlich sein Schultertuch schwenkend. »Was ich soeben sagen wollte: ›Sohn des Zaubers‹ bedeutet, daß Ihr Mitglied der *Sat Bhai* − der sieben Brüder − seid, die Hinduismus und Tantrismus vereinen. Es wird im allgemeinen angenommen, daß es eine erloschene Bruderschaft ist, aber ich habe Aufsätze geschrieben, um zu beweisen, daß sie noch existiert. Ihr seht, es ist alles meine Erfindung. Sehr wohl. *Sat Bhai* hat viele Mitglieder, und vielleicht − ehe sie Euch mir nichts, dir nichts die Gurgel abschneiden − geben sie Euch eine Chance, lebendig zu bleiben. Das ist jedenfalls von Vorteil. Und überdies, diese närrischen Eingeborenen − wenn sie nicht gar zu sehr aufgeregt sind − besinnen sich immer, ehe sie einen Mann töten, der sagt, daß er irgendeiner spezifischen Organisation angehört. Versteht Ihr? Ihr sprecht also, wenn Ihr in kritischer Lage seid: ›Ich bin Sohn des Zaubers‹, und Ihr gewinnt − vielleicht − hä − günstigen Wind. Das ist nur für äußerste Fälle oder wenn Ihr Unterhandlungen mit einem Unbekannten anknüpfen wollt. Versteht Ihr ganz genau? Sehr wohl. Nehmen wir nun an, ich, oder ein anderer von unserm Departement, käme in ganz fremder Kleidung zu Euch. Ihr würdet mich unmöglich erkennen, wenn ich es nicht wollte, was wettet Ihr? Ich werde es Euch eines Tages beweisen. Ich komme also als Ladakh-Händler − oh, als irgend etwas −, und ich spreche zu Euch: ›Ihr wollt kostbare Steine kaufen?‹ Ihr antwortet: ›Sehe ich aus wie einer, der kostbare Steine kauft?‹ Dann sage ich: ›Selbst ein sehr armer Mann kann einen Türkis oder *tarkeean* kaufen.‹«

»Das ist *kichree* − Gemüsecurry«, sagte Kim.

»Natürlich ist es das. Ihr sprecht: ›Laß mich das *tarkeean* sehen.‹ Ich sage: ›Es ward von einem Weibe gekocht und ist vielleicht nicht gut für deine Kaste.‹ Dann sprecht Ihr: ›Es gibt keine Kaste, wenn Männer *tarkeean* essen − wollen.‹ Ihr pausiert ein wenig zwischen diesen Worten ›essen − wollen‹

Das ist das ganze Geheimnis: die kleine Pause zwischen den Worten.«

Kim wiederholte den Erkennungssatz.

»So ist es richtig. Dann, wenn Zeit dazu ist, zeige ich Euch meinen Türkis, und Ihr wißt, wer ich bin, und dann tauschen wir Ansichten und Dokumente und all dergleichen aus. Und so ist es mit jedem andern von uns. Zuweilen reden wir von Türkisen, zuweilen von *tarkeean*, aber stets mit der kleinen Pause zwischen den Worten. Es ist ganz leicht. Zuerst ›Sohn des Zaubers‹, wenn Ihr in kritischer Lage seid. Vielleicht hilft Euch das – vielleicht nicht. Dann das, was ich Euch von *tarkeean* sagte, wenn Ihr offizielle Angelegenheiten mit einem Fremden verhandeln wollt. Vorläufig natürlich habt Ihr keine offiziellen Angelegenheiten, Ihr seid – ehem! – Supernumerär auf Probe. Ganz einzigartiges Probestück. Wäret Ihr Asiate von Geburt, könntet Ihr frischweg verwendet werden; aber dies halbe Jahr Urlaub soll Euch sozusagen entenglischen, versteht Ihr? Der Lama erwartet Euch, denn ich habe ihn halb offiziell informiert, daß Ihr alle Eure Examina bestanden und bald Regierungsanstellung zu gewärtigen habt. Oh, ho! Ihr seid jetzt auf Handlungsfreiheit gestellt, versteht Ihr? Wenn Ihr also angerufen werdet, um Söhnen des Zaubers beizustehen, so versucht es flottweg. Nun sage ich Euch Lebwohl, mein lieber Kamerad, und ich hoffe, Ihr werdet – hä – Kopf oben – gut wieder rauskommen.«

Hurree Babu trat einige Schritte in das Gedränge am Eingang des Bahnhofs von Lucknow zurück und – war verschwunden. Kim tat einen tiefen Atemzug und schüttelte sich. Den nickelbeschlagenen Revolver konnte er auf seiner Brust unter dem dunkelfarbigen Gewand fühlen; das Amulett hing an seinem Hals; Bettelschale, Rosenkranz und Geisterdolch (Mr. Lurgan hatte nichts vergessen) waren alle zur Hand, nebst Medikamenten, Tuschkasten und Kompaß, und in einem alten, abgenutzten, nach dem Muster von Stachelschweinskielen gestickten Geldgürtel lag der Sold für einen Monat. Könige konnten nicht reicher sein. Er kaufte von einem Hindu-Händler Zuckerwerk in einem Blattbecher und aß voller Entzücken, bis ein Polizist ihn von den Stufen verwies.

Elftes Kapitel

Soll ein Mann, der nichts kann,
Schwerter schleudern, wieder fangen,
Münzen aus der Luft herlangen,
Bann aussprechen, wieder nehmen,
Schlangen locken und bezähmen –
Eigne Klinge wird ihn ritzen,
Schlänglein werden ihm entflitzen,
Ganz vergeblich wird er schwitzen,
Und man höhnt ihn ins Gesicht –
Doch den echten Gaukler nicht!
Handvoll Staub und welke Blume,
Eine Frucht, die man ihm gab,
Oder ein geborgter Stab
Dienen alle seinem Ruhme,
Und das Volk, das ihn beschaut,
Schaudert stumm und jubelt laut.

Es folgte eine plötzliche, natürliche Reaktion.

›Nun bin ich allein – ganz alleine‹, dachte Kim. ›In ganz Indien ist keiner so allein wie ich! Stürbe ich heute, wer würde davon sprechen – und zu wem? Lebe ich aber, und Gott ist gütig, dann wird ein Preis auf meinen Kopf gesetzt, denn ich bin ein Sohn des Zaubers – ich, Kim.‹

Sehr wenige Weiße, aber viele Asiaten können sich in eine Art Verzückung versetzen, indem sie ihren eigenen Namen immer wieder und wieder aussprechen und ihren Geist sich ergehen lassen in Betrachtung dessen, was persönliche Identität genannt wird. Wird man älter, so schwindet diese Gabe gewöhnlich, aber solange sie da ist, kann sie in jedem Augenblick heraufbeschworen werden.

›Wer ist Kim – Kim – Kim?‹

Er hockte in einem Winkel des geräuschvollen Warteraumes, allen andern Gedanken entrückt, die Hände im Schoß gefaltet, die Pupillen zu Stecknadelspitzen zusammengezogen.

In einer Minute – in der nächsten halben Sekunde, fühlte er, würde er an der Lösung des gewaltigen Rätsels sein: dann aber, wie es immer geschieht, fiel sein Geist aus diesen Höhen herab, wie ein verwundeter Vogel abstürzt, und die Augen mit der Hand bedeckend, schüttelte er den Kopf.

Ein langhaariger Hindu, ein *bairagi* (heiliger Mann), der eben eine Fahrkarte gelöst hatte, blieb in diesem Augenblick vor ihm stehen und starrte ihn gespannt an.

»Auch ich habe es verloren«, sprach er traurig. »Es ist eines der Tore zu dem Weg, aber für mich hat es sich seit vielen Jahren geschlossen.«

»Was soll die Rede?« fragte Kim verlegen.

»Du wolltest in deinem Geist ergründen, was für ein Ding deine Seele wohl sei. Der Anfall kam plötzlich. *Ich* weiß. Wer sollte wissen, wenn nicht ich? Wohin gehst du?«

»Nach Kasi (Benares).«

»Dort sind keine Götter. Ich habe sie geprüft. Ich gehe nach Prayag (Allahabad) zum fünften Male – den Pfad zur Erleuchtung suchend. Von welchem Glauben bist du?«

»Auch ich bin ein Sucher«, antwortete Kim, eines der Lieblingsworte des Lama gebrauchend. »Obwohl«, er vergaß für den Augenblick seine nordische Kleidung, »obwohl Allah allein weiß, was ich suche.«

Der alte Mann schob die *bairagi*-Krücke in seine Achselhöhle und setzte sich auf einen Fetzen rötlichen Leopardenfells nieder, indes Kim sich erhob, da der Zug nach Benares ausgerufen wurde.

»Gehe in Hoffnung, kleiner Bruder«, sagte er. »Es ist ein weiter Weg bis zu den Füßen des Einen. Aber dahin wandern wir alle.«

Kim fühlte sich nicht mehr so verlassen nach dieser Begegnung, und er hatte noch keine zwanzig Meilen in dem gepferchten Abteil hinter sich, als er bereits dabei war, seine Reisegefährten mit einer Reihe der wunderbarsten Geschichten von seinen und seines Meisters magischen Kräften zu belustigen.

Benares zeigte sich als eine besonders schmutzige Stadt, aber es war angenehm zu bemerken, wie seine Kleidung respektiert wurde. Mindestens ein Drittel der Bevölkerung betet beständig zu einer oder der andern Gruppe der vielen Millionen Gottheiten, und so wird jede Art heiliger Männer verehrt.

Kim wurde zu dem Tempel der Tirthanker geführt, etwa eine Meile von der Stadt, bei Sarnath, von einem ihm zufällig begegnenden Farmer aus dem Pandschab – einem Kamboh aus Jullundur, der vergeblich jeden Gott seiner Heimat um Genesung seines kleinen Sohnes angefleht hatte und nun, als letzte Hilfe, Benares versuchte.

»Du kommst vom Norden?« fragte er, sich schwerfällig durch die engen, stinkenden Straßen schiebend, ähnlich wie sein Lieblingsochse zu Hause.

»Ja, ich kenne das Pandschab. Meine Mutter war eine Pahari, aber mein Vater kam von Amritsar – bei Jandiala«, sagte Kim, seine geläufige Zunge für die Bedürfnisse der Landstraße erprobend.

»Jandiala – Jullundur? Oho! Dann sind wir ja Nachbarn sozusagen.« Er nickte zärtlich dem wimmernden Kinde in seinen Armen zu. »Wem dienst du?«

»Einem sehr heiligen Mann in dem Tempel der Tirthanker.«

»Sie sind alle sehr heilig und – sehr geldgierig«, sagte der Jat mit Bitterkeit. »Ich bin um die Säulen gewandert und durch die Tempel gelaufen, bis meine Füße geschunden waren, und das Kind ist nicht die Spur besser. Und die Mutter ist ebenfalls krank – still, still, mein Kleiner. Wir gaben ihm einen andern Namen, als das Fieber kam. Wir steckten ihn in Mädchenkleider. Es gibt nichts, was wir nicht taten. Da sagte ich zu seiner Mutter, als sie mein Bündel nach Benares packte – sie hätte mit mir gehen sollen –, ich sagte: Sakhi Sarwar Sultan wird uns am besten helfen. Wir kennen seine Großmut, aber diese Götter hier unten sind uns fremd.«

Das Kind bewegte sich in der Mulde der riesigen verschränkten Arme und blickte mit schweren Augenlidern auf Kim.

»Und war alles umsonst?« fragte Kim mit bereitwilliger Teilnahme.

»Alles umsonst – alles umsonst«, sagte das Kind mit vor Fieber zuckenden Lippen.

»Die Götter gaben ihm wenigstens einen guten Verstand«, sagte der Vater stolz. »Zu denken, daß er so klug zugehört hat! Dort ist dein Tempel. Jetzt bin ich zwar ein armer Mann – viele Priester haben sich mit mir befaßt –, aber mein Sohn ist mein Sohn, und wenn ein Geschenk für deinen Meister ihn heilen kann – ich bin am Ende mit meinem Witz.«

Kim bedachte sich eine Weile, zitternd vor Stolz. Vor drei Jahren würde er prompt die Situation ausgenutzt haben, ohne sich einen Gedanken zu machen; jetzt aber führte ihn schon allein die Achtung, die der Jat ihm zollte, zu Gemüte, daß er ein Mann war. Überdies hatte er selbst schon einige Male Fieber zu kosten bekommen und wußte genug, um zu erkennen, wann ein Menschenkind am Verhungern war.

»Ruf ihn heraus, und ich will ihm eine Schuldverschreibung auf mein bestes Joch Ochsen geben, wenn er mein Kind heilen kann.«

Kim hielt vor der geschnitzten Außentür des Tempels. Ein weißgekleideter oswalischer Geldwechsler aus Ajmer, der seine Wuchersünden eben wieder frisch getilgt hatte, fragte ihn, was er wolle.

»Ich bin *chela* des Teshoo Lama, eines Heiligen von Bhotiyal – da drinnen. Er befahl mir zu kommen. Ich warte. Sage es ihm.«

»Vergiß nicht das Kind«, rief der ungeduldige Jat über seine Schulter und brüllte darauf in Pandschabi: »O Heiliger – o Schüler des Heiligen – o Götter über allen Welten – sehet die Trauer an Eurer Pforte sitzen!« Der Ruf ist so gewöhnlich in Benares, daß die Vorübergehenden nicht einmal den Kopf wandten.

Der Oswale, in Frieden mit der Menschheit, brachte die Botschaft in die Dunkelheit hinter sich, und die leichten, ungezählten Minuten des Ostens verstrichen, denn der Lama schlief in seiner Zelle, und kein Priester wollte ihn wecken. Als das Klicken seines Rosenkranzes endlich die Stille des inneren Hofes, wo die unbeweglichen Verkörperungen der Arhats stehen, unterbrach, flüsterte ein Novize ihm zu: »Dein *chela* ist hier«, und der alte Mann vergaß das Ende seines Gebetes und schritt hinaus.

Kaum erschien die hohe Gestalt in der Pforte, als der Jat herbeieilte und, das Kind emporhaltend, rief: »Blicke auf dieses, Heiliger; und so die Götter wollen, wird er leben – leben!«

Er tastete in seinen Gürtel und zog eine kleine Silbermünze hervor.

»Was bedeutet das?« Die Augen des Lama wandten sich zu Kim. Es war auffällig, daß er weit besser Urdu sprach als damals, unter Zam-Zammah; aber der Vater wollte kein Privatgespräch aufkommen lassen.

»Es ist nur ein Fieber«, sagte Kim. »Das Kind ist nicht gut genährt.«

»Er wird von jeder Kleinigkeit krank, und seine Mutter ist nicht hier.«

»Wenn du erlaubst, Heiliger, könnte ich ihn vielleicht heilen.«

»Wie, haben sie dich zu einem Heilkundigen gemacht?« rief der Lama. »Warte hier«, und er setzte sich zu dem Jat auf die unterste Tempelstufe, indes Kim, aus den Augenwinkeln schielend, behutsam die kleine Beteldose öffnete. In der Schule hatte er sich ausgeträumt, wie er als ein Sahib zurückkommen und den alten Mann necken wollte, bevor er sich zu erkennen gab – Knabenträume. Aber es lag nun viel mehr Dramatik darin, mit wichtiger, tiefsinniger Miene in den Arzneifläschchen herumzukramen, ab und zu wie in Gedanken innezuhalten oder eine Beschwörung zu murmeln. Chinin hatte er in Tabletten und dunkelbraune Fleischtäfelchen – vermutlich von Rindfleisch, doch das war nicht *seine* Sache. Das kleine Geschöpf wollte zwar nicht essen, lutschte aber gierig an einer Fleischtablette und sagte, sie schmecke gut nach Salz.

»Nimm also diese sechs«, Kim händigte sie dem Vater ein. »Preise die Götter und koche drei davon in Milch, die andern drei in Wasser. Wenn er die Milch getrunken hat, gib ihm dieses« – es war die Hälfte einer Chinintablette – »und hülle ihn warm ein. Wenn er erwacht, gib ihm die in Wasser gekochten drei und die zweite Hälfte dieser weißen Pille. Ferner ist hier eine andere braune Medizin, die er inzwischen auf dem Heimweg nehmen mag.«

»Götter! Welche Weisheit!« rief der Kamboh, nach Luft schnappend.

Es war alles, dessen Kim sich entsann aus seiner eignen Behandlung bei einem Anfall von Herbstmalaria − nur, daß er noch etwas Geplapper hinzufügte, um dem Lama zu imponieren.

»Gehe nun! Am Morgen komme wieder.«

»Aber der Preis − der Preis«, rief der Jat, sich in die Brust werfend. »Mein Sohn ist mein Sohn. Wie kann ich nun, da er wieder gesund werden soll, zu seiner Mutter zurückkommen und sprechen: ich fand Hilfe am Wege und gab nicht einmal eine Schale Milch dafür?«

»Sie sind alle gleich, diese Jats«, sagte Kim sanft. »Ein Jat stand auf seinem Misthaufen, als die Elefanten des Königs vorbeikamen. ›Oh, Treiber‹, rief er, ›wie teuer verkaufst du diese kleinen Esel?‹«

Der Jat brach in ein schallendes Gelächter aus, entschuldigte sich aber sofort bei dem Lama. »So ist die Art zu reden bei uns zulande − ganz genau so. So sind wir alle, wir Jats. Morgen werde ich mit dem Kinde kommen; und den Segen der Götter meiner Heimstätte − die gute kleine Götter sind − sei mit Euch beiden. Nun, Sohn, werden wir wieder stark. Spuck es nicht aus, kleines Prinzchen! König meines Herzens, spuck es nicht aus, und morgen früh werden wir starke Männer sein, Ringkämpfer und Keulenschwinger.«

Er ging, summend und brummelnd, davon. Der Lama wandte sich zu Kim, und seine ganze liebevolle alte Seele blickte aus seinen schmalen Augen.

»Die Kranken heilen ist Verdienst sammeln; zuvor aber muß man Weisheit erwerben. Das war weise gehandelt, o Freund aller Welt.«

»Durch dich, Heiliger, bin ich weise gemacht«, sagte Kim, das gerade beendete kleine Spiel vergessend, St. Xavier vergessend, sein weißes Blut vergessend − vergessend selbst das

225

Große Spiel, indes er sich nach Mohammedanerart nieder-
beugte, um die Füße seines Meisters im Staub des Jaintem-
pels zu berühren. »Meine Belehrung verdanke ich dir. Ich
habe drei Jahre lang dein Brot gegessen. Meine Zeit ist um.
Ich bin aus der Schule entlassen. Ich komme zu dir.«

»Das ist meine Belohnung. Tritt ein! Tritt ein! Und ist alles
in Ordnung?«

Sie traten in den inneren Hof, durch den die Nachmittagssonne schräges Gold warf. »Steh still, daß ich schaue. So!« Er
spähte kritisch. »Es ist nicht länger ein Kind, sondern ein
Mann, gereift in Weisheit, wandelnd als ein Arzt. Ich tat wohl
– ich tat wohl, als ich dich den bewaffneten Männern über-
ließ in jener schwarzen Nacht. Erinnerst du dich an unsern ersten Tag, unter Zam-Zammah?«

»O ja«, sagte Kim. »Erinnerst du dich, wie ich vom Wagen
sprang, den ersten Tag, als ich eintrat …«

»In die Pforten des Wissens? Sicherlich. Und an den Tag,
wo wir Kuchen zusammen aßen, hinter dem Fluß bei Nucklao. Aha! Oft hast du für mich gebettelt, aber an dem Tage
bettelte ich für dich.«

»Mit gutem Grund«, meinte Kim. »Ich war damals ein
Schüler hinter den Pforten des Wissens und wie ein Sahib gekleidet. Vergiß nicht, Heiliger«, fuhr er scherzend fort, »ich
bin noch heute ein Sahib – durch deine Gunst.«

»Wahr. Und ein Sahib in sehr hoher Achtung. Komm in
meine Zelle, *chela*.«

»Wie kannst du das wissen?«

Der Lama lächelte. »Zuerst durch die Briefe des freundlichen Priesters, den wir in dem Lager der bewaffneten Männer
trafen; aber er ist jetzt in sein eigenes Land zurückgekehrt,
und ich habe das Geld an seinen Bruder geschickt.« Oberst
Creighton, der das Vertrauensamt übernommen hatte, als Vater Viktor mit den Mavericks nach England ging, war schwerlich des Kaplans Bruder. »Aber ich verstehe Sahibs-Briefe
nicht gut. Sie müssen mir übersetzt werden. Ich wählte einen
sichereren Weg. Oft, wenn ich von meiner Suche zurückkehrte zu diesem Tempel, der mir immer ein Nest war, kam
einer, der Erleuchtung sucht – ein Mann von Leh –, der, wie

er sagte, ein Hindu gewesen war – aber müde all dieser Götter.« Der Lama zeigte auf die Arhats hin.

»Ein fetter Mann?«, fragte Kim mit einem Zwinkern im Auge.

»Sehr fett. Ich bemerkte aber bald, daß sein Geist ganz und gar an nutzlose Dinge hingegeben war – wie Dämonen und Zauberformeln und Art und Gebräuche unseres Teetrinkens in den Klöstern, und auf welche Weise wir unsere Novizen einführen. Ein Mann, überschwenglich in Fragen; aber er war ein Freund von dir, *chela*. Er erzählte mir, daß du auf dem Weg zu großen Ehren als ein Schreiber wärest. Und ich sehe, du bist ein Arzt.«

»Ja – Schreiber bin ich, wenn ich ein Sahib bin, aber das wird beiseite getan, wenn ich zu dir als dein Schüler komme. Ich habe die Jahre vollendet, die für einen Sahib vorgeschrieben sind.«

»Gleichsam wie ein Novize?«, fragte der Lama, mit dem Kopf nickend. »Bist du von der Schule freigelassen? Ich möchte dich nicht unreif haben.«

»Ich bin ganz frei. Zur rechten Zeit nehme ich Dienste bei der Regierung als Schreiber ...«

»Nicht als ein Krieger, das ist gut.«

»Aber zuerst will ich wandern – mit dir. Deshalb bin ich hier. Wer bettelt jetzt für dich?« fuhr Kim rasch fort. Das Eis war dünn.

»Sehr oft bettle ich selbst; aber wie du weißt, bin ich selten hier, nur wenn ich komme, um wieder nach meinem Schüler zu sehen. Von einem Ende von Hind bis zum andern bin ich gereist zu Fuß und im *te-rain*. Ein großes und wundervolles Land! Aber wenn ich hier einkehre, ist es, als wäre ich in meinem lieben Bhotiyal.«

Er schaute sich mit Wohlgefallen in der kleinen sauberen Zelle um. Ein niedriges Polster war sein Sitz, auf dem er sich niederließ mit gekreuzten Beinen in der Stellung des Bodhisat, der aus Betrachtungen erwacht. Ein schwarzer, kaum zwanzig Zoll hoher Tisch von Teakholz, kupferne Teetassen tragend, stand vor ihm. In einer Ecke befand sich ein winziger Altar, ebenfalls aus schwerem, geschnitztem Teakholz, mit einer Statue des sitzenden Buddha aus vergoldetem Kupfer und einer Lampe, einer Weihrauchschale und zwei kupfernen Blumentöpfen davor.

»Der Hüter der Bildnisse in dem Wunderhaus erwarb Verdienst, indem er mir dies alles vor einem Jahr gab«, sprach der Lama, Kims Blick folgend. »Wenn man fern ist von seinem eigenen Lande, wecken solche Dinge Erinnerung: und wir müssen den Herrn verehren, denn er zeigte den Weg. Sieh!« Er wies auf einen sonderbar aufgebauten Haufen von gefärbtem Reis, der mit einem phantastischen Ornament aus Metall gekrönt war. »Als ich Abt war an meinem Ort – bevor ich besseres Wissen erlangte –, brachte ich täglich diese Gabe dar. Es ist die Opferspende des Universums an den Herrn. So bieten wir von Bhotiyal die ganze Welt täglich dem Vortrefflichen Gesetz dar. Und ich tue es auch jetzt noch, obwohl ich weiß, daß der Vortreffliche erhaben ist über alles Zupfen und Streicheln.« Er schnupfte aus seiner Dose.

»Es ist wohlgetan, Heiliger«, murmelte Kim, behaglich auf die Kissen sinkend, sehr glücklich und ziemlich müde.

»Und«, der alte Mann lachte in sich hinein, »ich male auch Bilder von dem Rad des Lebens. Alle drei Tage ein Bild. Ich war just damit beschäftigt – oder es kann auch sein, ich hatte gerade meine Augen ein bißchen zugemacht –, als sie mir deine Botschaft brachten. Es ist gut, daß du da bist: Ich will dir meine Kunst zeigen – nicht aus Stolz, aber weil du lernen mußt. Die Sahibs besitzen nicht *alle* Weisheit dieser Welt.«

Er zog unter dem Tisch ein Blatt sonderbar riechendes, gelbes chinesisches Papier, Pinsel und ein Täfelchen indischer Tusche hervor. In reinstem, schärfstem Umriß hatte er das Große Rad mit seinen sechs Speichen darauf gezeichnet, dessen Nabe die in einer Gestalt vereinten Tiere Schwein, Schlange und Taube bilden (Unwissenheit, Zorn und Wollust) und dessen einzelne Felder alle Himmel und Höllen und alle Wechselfälle menschlichen Lebens bedeuten. Es wird erzählt, daß der Bodhisat selbst es zuerst mit Reiskörnern in Staub zeichnete, um seinen Schülern den Zusammenhang der Dinge zu erklären. Viele Generationen haben es weitergebildet zu einer höchst wunderbaren Figur, voll von Hunderten kleiner Zeichen, deren jegliche Linie eine besondere Bedeutung hat. Wenige können diese Bildparabel deuten, und es gibt nicht zwanzig Menschen auf der ganzen Welt, die sie ohne Vorlage genau wiederzugeben vermöchten: und derer, die sie sowohl zeichnen als auch auslegen können, sind nur drei.

»Ich habe ein wenig zeichnen gelernt«, sagte Kim. »Aber dies ist ein Wunder über allen Wundern.«

»Ich habe seit vielen Jahren daran gemalt«, sprach der Lama. »Es gab eine Zeit, wo ich alles malen konnte von einem Lampenanzünden bis zum andern. Ich will dich die Kunst lehren – nach gebührender Vorbereitung; und ich will dir die Bedeutung des Rades erklären.«

»Nehmen wir dann den Pfad wieder auf?«

»Den Pfad und unsere Suche. Ich wartete nur auf dich. Es wurde mir klargemacht in hundert Träumen – vornehmlich in einem, der zu mir kam in der Nacht nach dem Tage, wo sich die Pforte des Wissens zum erstenmal hinter dir schloß –, daß ich ohne dich niemals meinen Fluß finden würde. Wieder und immer wieder, wie du weißt, wies ich das von mir, weil ich ein Blendwerk fürchtete. Deshalb wollte ich dich nicht mit mir nehmen, an dem Tage zu Lucknow, als wir die Kuchen aßen. Ich wollte dich nicht mit mir nehmen, bis die Zeit reif und günstig war. Von den Bergen bis zur See und von der See bis zu den Bergen bin ich gewandert, aber es war vergebens. Da gedachte ich der *Jâtaka*.«

Er erzählte Kim die Geschichte von dem Elefanten mit dem Beineisen, wie er sie den Jainpriestern so oft erzählt hatte.

»Weiteres Zeugnis braucht es nicht«, schloß er heiter. »Du warst als Hilfe gesendet. Als diese Hilfe schwand, führte meine Suche zu nichts. Deshalb wollen wir wieder zusammen ausziehen, und unsere Suche ist gesichert.«

»Und wohin gehen wir?«

»Was liegt daran, Freund der ganzen Welt? Die Suche, sage ich, ist gesichert. Wenn es sein soll, wird der Fluß zu unseren Füßen aus der Erde hervorbrechen. Ich erwarb Verdienst, als ich dich zu den Pforten des Wissens sandte und dir das Kleinod gab, das Weisheit heißt. Du kehrtest zurück, ich sah es eben jetzt, als ein Nachfolger Sakyamunis, des Arztes, dessen Altäre in Bhotiyal viele sind. Es ist genug. Wir sind zusammen, und alles ist wie vordem – Freund der ganzen Welt – Freund der Sterne – mein *chela*!«

Dann sprachen sie von weltlichen Dingen; aber es war merkwürdig, daß der Lama nie nach Einzelheiten des Lebens in St. Xavier fragte und nicht im geringsten darauf aus war, etwas von den Sitten und Gebräuchen der Sahibs zu hören. Sein Geist bewegte sich ganz in der Vergangenheit, und er erinnerte sich jeden Schrittes ihrer ersten wundervollen gemeinschaftlichen Reise, rieb sich dabei die Hände und lachte in sich hinein, bis er, sich zusammenrollend, in den plötzlichen Schlaf des hohen Alters sank.

Kim sah zu, wie der letzte staubige Sonnenschein aus dem Hofe schwand, und spielte mit seinem Geisterdolch und seinem Rosenkranz. Das Getöse von Benares, der ältesten aller Städte der Erde, die Tag und Nacht wach ist vor den Göttern, schlug rund um die Mauern, wie Brandung der See gegen einen Wellenbrecher. Hin und wieder schritt ein Jainpriester mit einer kleinen Opfergabe für die Götterbilder durch den Hof, seinen Weg vorher fegend, um kein lebendes Wesen zu zerstören. Eine Lampe blinkte auf, und die Laute eines Gebetes folgten. Kim schaute den Sternen zu, wie sie einer nach dem andern aufgingen in dem stillen, stickigen Dunkel, bis er in Schlaf fiel am Fuß des kleinen Altars. In dieser Nacht träumte er auf Hindustani, nicht ein Wort Englisch. –

»Heiliger, denke an das Kind, dem wir die Medizin gaben«, sagte Kim gegen drei Uhr morgens, als der Lama, auch aus Träumen erwachend, sogleich die Pilgerfahrt antreten wollte. »Der Jat wird mit dem Tageslicht hier sein.«

»Du hast wohl gesprochen. In meiner Eile würde ich ein Unrecht begangen haben.« Er setzte sich wieder auf die Kissen und nahm seinen Rosenkranz vor. »Alte Menschen sind wahrlich wie Kinder«, sagte er kläglich. »Sie wünschen etwas – siehe da! – es muß sogleich erfüllt werden, sonst werden sie zornig und weinen. Oft auf meiner Wanderschaft war ich bereit, mit dem Fuß zu stampfen, wenn ein Ochsenkarren mir den Weg versperrte, ja, selbst wenn es nur eine Staubwolke war. Das war nicht so, als ich noch ein Mann war – vor langer Zeit. Trotzdem ist es ungerecht ...«

»Aber Heiliger, du bist doch wirklich alt.«

»Das Ding ist geschehen. Eine Ursache ward in die Welt gesetzt, und wer, krank oder gesund, wissend oder unwissend, alt oder jung, könnte die Wirkung dieser Ursache zügeln? Steht das Rad still, wenn ein Kind es dreht – oder ein Trunkener? *Chela*, dies ist eine große und schreckliche Welt.«

»Ich finde sie gut.« Kim gähnte. »Ist etwas zu essen da? Ich habe seit gestern abend nicht gegessen!«

»Ich hatte vergessen, was du brauchst. Dort ist guter Tee von Bhotiyal und kalter Reis.«

»Weit können wir nicht wandern mit solchem Futter.« Kim spürte die ganze Lust eines Europäers nach Fleischnahrung, die in einem Jaintempel nicht zu haben ist. Doch statt sogleich mit der Bettelschale hinauszugehen, beruhigte er seinen Magen mit Klümpchen von kaltem Reis bis zur Morgendämmerung. Diese brachte der Farmer, redselig stotternd vor Dankbarkeit.

»In der Nacht brach sich das Fieber, und der Schweiß kam«, rief er. »Fühlt hier – seine Haut ist frisch und neu. Die Salztäfelchen haben ihm gut geschmeckt, und die Milch trank er mit Gier.« Er zog das Tuch vom Gesicht des Kindes, das Kim schläfrig anlächelte. Eine Gruppe von Jainpriestern, schweigend, aber ganz Aufmerksamkeit, hatte sich bei der Tempeltür gesammelt. Sie wußten, und Kim sah, daß sie wußten, wie der alte Lama seinen Schüler gefunden hatte. Höflich, wie sie sind, hatten sie sich während der Nacht weder durch Gegenwart, noch Wort, noch Bewegung aufgedrängt, wofür Kim sie nun bei Sonnenaufgang entschädigte:

»Danke den Göttern der Jains, Bruder«, sagte er, ohne die Namen dieser Götter zu wissen. »Das Fieber ist wirklich gebrochen.«

»Schaut! Seht!« Der Lama strahlte im Hintergrund seine Gastgeber der letzten drei Jahre an. »Gab es jemals solch einen *chela*? Er folgt unserm Herrn, dem Heiler.«

Nun erkennen die Jains offiziell alle Götter des Hinduglaubens an, ebensowohl wie den Lingam und die Schlange. Sie tragen die Schnur der Brahmanen und halten fest an allen Kastenvorschriften der Hindu. Aber weil sie den Lama kannten und liebten, weil er ein alter Mann war, weil er den Pfad suchte, weil er ihr Gast war und weil er nachts lange Gespräche mit dem Oberpriester führte – einem so freidenkenden Metaphysiker, wie nur je einer ein Haar in siebzig gespalten hat –, deshalb murmelten sie Zustimmung.

»Vergiß nicht«, Kim beugte sich über das Kind, »dieses Übel kann wiederkehren.«

»Nicht, wenn du das richtige Zaubermittel hast«, erwiderte der Vater.

»Aber wir gehen bald fort.«

»Wahr«, sprach der Lama, sich an alle Jains wendend. »Wir gehen jetzt zusammen auf die Suche, von der ich so oft geredet habe. Ich habe gewartet, bis mein *chela* reif war. Schaut ihn an! Wir gehen nach dem Norden. Niemals wieder werde ich auf diesen Ort meiner Ruhe blicken, o Männer des guten Willens.«

»Aber ich bin kein Bettler!« Der Farmer sprang auf, das Kind an sich pressend.

»Schweig. Störe den Heiligen nicht«, rief ein Priester.

»Geh«, flüsterte Kim. »Triff uns wieder unter der großen Eisenbahnbrücke, und um alle Götter unseres Pandschab willen, bring Essen mit – Curry, Hülsenfrucht, in Fett gebackene Kuchen und Zuckerwerk. Besonders Zuckerwerk. Beeile dich!«

Die Blässe des Hungers kleidete Kim gut, wie er dastand, schlank und schmächtig, in seinen dunkelfarbigen, wallenden Gewändern, eine Hand auf dem Rosenkranz, die andere wie zum Segen ausgestreckt, eine Stellung, die er dem Lama getreu nachmachte. Ein englischer Zuschauer hätte sagen können, daß er mehr einem jungen Heiligen auf buntem Glasfenster glich als einem Jungen im Wachsen, der schwach vor Hunger ist.

Lang und förmlich war der Abschied, dreimal beendet und dreimal von vorn begonnen. Der Sucher – jener, der den Lama vom fernen Tibet her nach diesem Zufluchtsort eingeladen hatte, ein haarloser Asket mit silberweißem Antlitz – nahm nicht daran teil, sondern weilte, wie immer, allein in Betrachtungen bei den Götterbildern. Die andern waren irdischer, nötigten dem alten Manne kleine Gaben auf – eine Beteldose, einen schönen neuen, eisernen Federkasten, einen Beutel für Eßwaren und dergleichen mehr –, warnten ihn vor den Gefahren der Welt draußen und prophezeiten ein glückliches Ende der Suche. Währenddessen hockte Kim, einsamer denn je, auf den Stufen und fluchte in St. Xavier-Ausdrücken vor sich hin.

»Aber es ist mein eigener Fehler«, schloß er. »Mit Mahbub aß ich Mahbubs Brot oder Lurgan Sahibs. In St. Xavier drei Mahlzeiten am Tage. Hier muß ich verdammt selber für mich sorgen. Außerdem bin ich jetzt schlecht trainiert. *Wie gern* äße ich jetzt eine Portion Rindfleisch! – Bist du fertig, Heiliger?«

Der Lama, beide Hände erhoben, stimmte einen letzten Segen in gewähltem Chinesisch an. »Ich muß mich auf deine Schultern lehnen«, sagte er, als die Tempelpforte sich hinter ihnen schloß. »Wir werden steif, glaube ich.«

Das Gewicht eines sechs Fuß hohen Mannes ist nicht leicht zu stützen durch Meilen volkreicher Straßen, und Kim, außerdem mit Bündeln und Päckchen für die Reise beladen, war froh, den Schatten der Eisenbahnbrücke zu erreichen.

»Hier essen wir«, sagte er kurz und bündig, als der Kamboh, blau gekleidet und lächelnd, in Sicht kam, einen Korb in der einen Hand, das Kind an der andern.

»Greift zu, Heilige!« rief er aus fünfzig Yard Entfernung. Sie standen auf der Sandbank unter dem ersten Brückenbogen, sicher vor den Blicken hungriger Priester. »Reis und gutes Curry, Kuchen, noch warm und gut gewürzt mit *hing* (Asafötida), Quark und Zucker. König meiner Felder«, dies zu seinem kleinen Sohn, »laß uns diesen heiligen Männern zeigen, daß wir Jats von Jullundur einen Dienst vergelten können. – Ich hatte gehört, daß die Jains nur essen, was sie selbst gekocht haben, aber wahrlich«, er blickte höflich weg über den breiten Strom hin, »wo kein Auge ist, ist keine Kaste.«

»Und wir«, sagte Kim, sich umdrehend und einen Blatteller für den Lama füllend, »sind erhaben über alle Kasten.«

Sie labten sich weidlich an der guten Speise, in Schweigen gehüllt. Erst, als er das letzte von dem klebrigen Süßstoff von seinem kleinen Finger abgeleckt hatte, bemerkte Kim, daß auch der Kamboh zur Reise gegürtet war.

»Wenn wir denselben Weg haben«, sagte er ohne Umstände, »gehe ich mit dir. Man findet nicht oft einen Wundertäter, und das Kind ist noch schwach. Aber *ich* bin kein schwaches Rohr.« Er hob seinen *lathi* auf – einen fünf Fuß langen Bambusstock, mit polierten Eisenringen beschlagen – und schwang ihn durch die Luft. »Man sagt, die Jats wären streitsüchtig, aber das ist nicht wahr. Nur wenn man uns in die Quere kommt, dann sind wir wie unsere Büffel.«

»So ist es«, sagte Kim. »Und ein guter Stock ist ein guter Beweis.«

Der Lama blickte friedlich stromaufwärts, wo in langer, rußiger Perspektive ohne Ende die Rauchsäulen von den Verbrennungsplätzen am Ufer aufsteigen. Dann und wann, ungeachtet aller behördlichen Verordnungen, trieb der Überrest eines halb verbrannten Leichnams vorbei in der vollen Strömung.

»Ohne dich«, sprach der Kamboh, das Kind an seine behaarte Brust ziehend, »wäre ich vielleicht heute dorthin gegangen – mit diesem hier. Die Priester sagen uns, daß Benares heilig ist – was niemand bezweifelt – und daß es begehrenswert ist, dort zu sterben. Aber ich kenne ihre Götter nicht, und sie verlangen Geld; und hat man ein Gebet verrichtet, so behauptet irgendein geschorener Kopf, es sei wirkungslos, wenn man nicht ein zweites spricht. Wasch dich hier! Wasch dich dort! Begieße dich, bade, trinke und streue Blumen – aber jedesmal bezahle die Priester. Nein, das Pandschab für mich, und die Erde des Jullundur-*doab* für die beste Scholle darauf.«

»Ich habe oft gesagt – in dem Tempel, glaube ich –, daß, wenn es sein muß, der Fluß zu unsern Füßen sich auftun wird. Deshalb wollen wir jetzt nach Norden gehen«, sagte der Lama, sich erhebend. »Ich erinnere mich eines lieblichen Ortes, von Fruchtbäumen umgeben, wo man in Betrachtungen wandeln kann – und wo die Luft kühler ist. Sie kommt von den Bergen und von dem Schnee der Berge.«

»Wie ist der Name des Ortes?« fragte Kim.

»Wie sollte ich das wissen? Warst du nicht – nein, das war, nachdem die Armee aus der Erde wuchs und dich fortführte. Ich lebte dort der Betrachtung in meinem Zimmer gegenüber dem Taubenschlag – außer wenn sie so endlos redete.«

»Oho! Die Frau von Kulu. Das ist bei Saharanpur.« Kim lachte.

»Wie führt der Geist deinen Meister? Wandert er zu Fuß, um früherer Sünden willen?« fragte der Jat vorsichtig. »Es ist ein weiter Weg bis Delhi.«

»Nein«, antwortete Kim. »Ich will um ein *tikkut* für den *te-rain* betteln.« In Indien bekennt man sich nicht zum Besitz von Geld.

»Dann, im Namen der Götter, laßt uns den Feuerwagen nehmen. Mein Sohn ist am besten in den Armen seiner Mutter aufgehoben. Die Regierung hat uns viele Steuern gebracht, aber ein Gutes gibt sie uns – den *te-rain,* der Freunde verbindet und die, die Sehnsucht haben, vereint. Ein wundervolles Ding ist der *te-rain.*«

Einige Stunden später drängten sie sich in den Zug hinein und schliefen während der Tageshitze. Der Kamboh quälte Kim mit zehntausend Fragen nach Wandel und Tun des Lama und bekam etliche merkwürdige Antworten. Kim war zufrieden, zu sein, wo er war, in die flache, nordwestliche Landschaft hinauszuschauen und mit der wechselnden Schar der Mitfahrenden zu schwätzen. Noch heute bedeuten Fahrkarten und deren Entwertung eine geheimnisvolle Bedrükkung für indische Landleute. Sie begreifen nicht, warum, wenn sie für ein Zauberpapier bezahlt haben, Fremde große Stücke aus dem Zauber herauszwicken dürfen. So gibt es lange und wütende Debatten zwischen den Reisenden und den eurasischen Schaffnern. Kim half dabei einige Male mit würdevollem Rat, um sich mit seiner Weisheit vor dem Lama und dem bewundernden Kamboh zu brüsten. Aber in Somna sandte das Schicksal ihm etwas zum Nachdenken: Hier stolperte, als der Zug schon in Bewegung war, ein ärmliches, mageres Männchen in den Wagen – ein Marathe, soweit Kim nach der spitzen Form des enganliegenden Turbans urteilen konnte. Sein Gesicht war zerschnitten, sein musselinenes Obergewand übel zerrissen und ein Bein verbunden. Er erzählte ihnen, daß ein Bauernwagen umgestürzt wäre und ihn beinahe erschlagen hätte. Er wollte jetzt nach Delhi, wo sein Sohn lebte. Kim betrachtete ihn genauer. Wenn er, wie er erzählte, auf der Erde hin und her gerollt wäre, so hätte seine Haut zerschrammt sein müssen. Aber alle seine Wunden schienen richtige Schnitte zu sein, und ein bloßer Sturz vom Wagen konnte einen Mann nicht so in Schrecken versetzen. Als er mit zitternden Fingern das zerrissene Gewand um seinen Hals festknüpfte, legte er ein Amulett bloß, von der Art, die man Herzstärker nennt. Nun sind Amulette etwas sehr Alltägliches, aber nicht solche, die an plattiertem Kupferdraht hängen, noch weniger solche von schwarzer Emaille auf Silber. Außer dem Lama und dem Kamboh war niemand in dem Abteil, das glücklicherweise ein altmodisches, abgeschlossenes war. Kim tat, als ob er sich auf der Brust kratzen wollte, und zog dabei sein eigenes Amulett heraus. Des Marathes Gesicht veränderte sich bei diesem Anblick völlig, und er legte sein Amulett frei auf die Brust.

»Ja«, fuhr er, zu dem Kamboh gewendet, fort, »ich war in Eile, und der Wagen, von einem Bastard geführt, geriet mit einem Rad in eine Wasserrinne, und außer dem Schaden, den ich nahm, ging eine volle Schüssel *tarkeean* verloren. Ich war kein Sohn des Zaubers (glücklicher Mann) an dem Tage.«

»Das war ein großer Verlust«, sagte der Kamboh zurückhaltend. Seine Erfahrungen in Benares hatten ihn mißtrauisch gemacht.

»Wer kochte es?« fragte Kim.

»Ein Weib.« Der Marathe hob die Augen.

»Aber jedes Weib kann *tarkeean* kochen«, sagte der Kamboh. »Es ist ein gutes Currygericht, soviel ich weiß.«

»O ja«, meinte der Marathe, »es ist ein gutes Currygericht.«

»Und billig«, sagte Kim. »Aber wie steht's mit der Kaste?«

»Oh, es gibt keine Kaste, wenn Männer *tarkeean* essen –

wollen«, erwiderte der Marathe in dem vorgeschriebenen Tonfall. »In wessen Dienst bist du?«

»In dem Dienst dieses Heiligen.« Kim zeigte auf den glücklichen, schläfrigen Lama, der mit einem Ruck bei dem vielgeliebten Wort erwachte.

»Ah, er ward vom Himmel gesendet, um mir zu helfen. Freund aller Welt ist er genannt. Auch Freund der Sterne nennt man ihn. Er wandelt als ein Arzt – da seine Zeit reif ist. Groß ist seine Weisheit.«

»Und ein Sohn des Zaubers«, sagte Kim halblaut, indes der Kamboh eilig eine Pfeife anzündete, aus Angst, daß der Marathe ihn anbetteln könnte.

»Und wer ist *das*?« fragte der Marathe, nervös seitwärts schielend.

»Einer, dessen Kind ich – wir geheilt haben und der uns sehr verpflichtet ist. – Setze dich ans Fenster, Mann von Jullundur. Hier ist ein Kranker.«

»Hm! *Ich* habe kein Verlangen, mit herumgelaufenen Landstreichern zusammenzusitzen. *Meine* Ohren sind nicht lang. *Ich* bin kein neugieriges Weib, das Geheimnisse belauschen will.« Der Jat ließ sich schwerfällig in eine entfernte Ecke fallen.

»Bist du so etwas wie ein Heilkundiger? Ich bin zehn League tief in Not«, jammerte, das Stichwort aufnehmend, der Marathe.

»Der Mann ist über und über zerschnitten und zerschunden«, gab Kim dem Kamboh zurück. »Ich will versuchen, ihn zu heilen. Niemand drängte sich zwischen dein Kind und mich.«

»Ich verdiene Tadel«, sagte demütig der Kamboh. »Ich schulde dir das Leben meines Sohnes. Du bist ein Wundertäter – ich weiß es.«

»Zeige mir die Schnitte.« Kim beugte sich über des Marathes Hals, vom Klopfen seines Herzens fast erstickend; denn dies war das Große Spiel im höchsten Grade. »Nun erzähle mir schnell deine Geschichte, Bruder, während ich einen Zauberspruch hersage.«

»Ich komme vom Süden, wo ich meine Arbeit hatte. Einen

von uns haben sie am Wege erschlagen. Hast du davon gehört?« Kim schüttelte den Kopf. Er wußte natürlich nichts von dem Vorgänger von E.23, der unten im Süden, in der Kleidung eines arabischen Händlers, tot gefunden worden war. »Nachdem ich einen gewissen Brief aufgetrieben hatte, den ich suchen sollte, machte ich mich fort. Ich entkam aus der Stadt und lief nach Mhow. So sicher fühlte ich mich, daß ich nicht einmal mein Gesicht änderte. In Mhow erhob ein Weib Klage gegen mich wegen Juwelendiebstahls in der Stadt, die ich eben verlassen hatte. Da merkte ich, daß die Meute hinter mir war. Aus Mhow entkam ich bei Nacht, indem ich die Polizei bestach, die bestochen war, mich ohne Verhör in die Hände meiner Feinde im Süden zu liefern. Darauf lag ich eine Woche lang in der alten Stadt Chitor, als Büßer in einem Tempel, aber ich konnte den Brief nicht loswerden, der mir zur Bürde wurde. Ich begrub ihn unter dem Stein der Königin zu Chitor, an dem Platz, der uns allen bekannt ist.«

Kim wußte nichts davon, aber nicht um die Welt hätte er die Erzählung unterbrochen.

»In Chitor, siehst du, war ich ganz auf Königsgebiet; denn Kota im Osten liegt außerhalb des Gesetzes der Königin, und Jaipur und Gwalior ebenfalls. Spione liebt man nicht, und Gerechtigkeit gibt es nicht. Ich wurde gejagt wie ein nasser Schakal, aber ich schlug mich durch bis Bandikui. Dort hörte ich, daß ich des Mordes angeklagt war in der Stadt, aus der ich eben kam – des Mordes an einem Knaben. Sie haben beides zur Stelle, die Leiche und den Zeugen.«

»Aber kann die Regierung nicht schützen?«

»Für uns von dem Spiel gibt es keinen Schutz. Wenn wir sterben, sterben wir. Unser Name wird in dem Buch ausgelöscht, das ist alles. In Bandikui, wo einer von uns lebt, suchte ich die Spur zu verwischen, indem ich mein Gesicht änderte und mich zum Marathe machte. So kam ich nach Agra und wollte nun nach Chitor zurück, um den Brief zu holen. So sicher dachte ich ihnen entwischt zu sein. Deshalb schickte ich niemandem ein *tar* (Telegramm), um anzugeben, wo der Brief sich befinde. Ich wollte alle Ehre für mich haben.«

Kim nickte. Diese Empfindung verstand er gut.

»Aber in Agra, als ich durch die Straßen ging, hielt mich ein Mann wegen Schulden an, brachte viele Zeugen vor und wollte mich auf der Stelle vor Gericht schleppen. Oh, sie sind schlau im Süden! Er gab mich als seinen Baumwollagenten an. Möge er in der Hölle dafür braten!«

»Und warst du das?«

»O Tor! Ich war der Mann, den sie wegen des Briefes suchten! Ich flüchtete mich durch den Schlachthof und kam bei dem Hause des Juden heraus, der Angst hatte vor einem Auflauf und mich weiterjagte. Ich kam zu Fuß bis Somna – ich hatte nur noch Geld zu einem *tikkut* bis Delhi –, und dort, als ich mit Fieber in einem Graben lag, sprang einer aus dem Gebüsch und stach mich und schlug mich und durchsuchte mich von Kopf bis Fuß. In Hörweite des *te-rain* geschah es!«

»Warum erschlug er dich nicht gleich?«

»So dumm sind sie nicht. Wenn ich in Delhi, auf Veranlassung von Advokaten, wegen erwiesener Mordtat verurteilt werde, so verfällt mein Leib dem Staat, der ihn fordert. Ich werde unter Bewachung zurückbefördert, und dann – sterbe ich langsam – als ein Beispiel für die andern von uns. Der Süden ist nicht mein Land. Ich renne im Kreise herum – wie eine einäugige Ziege. Seit zwei Tagen habe ich nichts gegessen. Ich bin gezeichnet«, er berührte den schmutzigen Verband seines Beines, »so daß sie mich in Delhi erkennen müssen.«

»Im *te-rain* bist du wenigstens sicher.«

»Sei ein Jahr in dem Großen Spiel und sage mir das dann wieder! In Delhi werden die Drähte gegen mich in Bewegung sein, jeder Riß, jeder Fetzen an meinem Leib wird beschrieben. Zwanzig, hundert – wenn nötig – werden bezeugen, daß ich den Knaben erschlug. Du kannst mir da auch nicht helfen!«

Kim kannte die Verfolgungskünste der Eingeborenen zur Genüge, um zu wissen, daß es so war, daß selbst der Leichnam des Knaben zur Stelle sein würde. Der Marathe krampfte ab und zu die Finger zusammen vor Schmerz. Der Kamboh stierte verdrossen aus seiner Ecke heraus; der Lama war über seinen Rosenkranz versunken; und Kim, nach ärztlicher Manier an des Mannes Hals herumtastend, dachte sich zwischen Zaubersprüchen seinen Plan aus.

»Hast du einen Zauber, um meine Gestalt zu verändern? Sonst bin ich ein toter Mann. Fünf – zehn Minuten bloß, wenn ich nicht so gehetzt gewesen wäre, dann hätte ich vielleicht ...«

»Ist er jetzt geheilt, Wundertäter?« fragte eifersüchtig der Kamboh. »Gesungen hast du lange genug.«

»Nein. Für seine Wunden gibt es, sehe ich, keine Heilung, außer wenn er drei Tage im Gewande eines *bairagi* sitzt.« Das ist eine allgemein übliche Buße, die oft irgendeinem fetten Handelsmann von seinem geistlichen Berater auferlegt wird.

»Ein Priester will immer wieder Priester machen«, war die Antwort. Nach der üblichen Art plump abergläubischen Volks konnte der Kamboh seine Zunge nicht vor Verhöhnung seiner Kirche hüten.

»Soll dein Sohn also ein Priester werden? Mir scheint, er muß wieder von meinem Chinin nehmen.«

»Wir Jats sind alle Büffel«, sagte der Jat, wieder kleinlaut werdend.

Kim strich eine Fingerspitze Bitternis auf die zutraulichen kleinen Lippen des Kindes. »Ich habe von dir nichts verlangt«, sagte er streng zu dem Vater, »als Speise. Mißgönnst du mir die? Ich will einen andern Menschen heilen. Habe ich deine Erlaubnis – Fürst?«

Des Mannes riesige Pratzen flogen flehend in die Höhe. »Nein – nein. Verspotte mich nicht so.«

»Es beliebt mir, diesen Kranken zu heilen. Du sollst Verdienst erwerben, indem du mir beistehst. Welche Farbe hat die Asche in deinem Pfeifenkopf? Weiß. Das ist günstig. Ist rohes Turmeric unter deinen Speiseresten?«

»Ich – ich ...«

»Öffne dein Bündel!«

Es enthielt die übliche Kollektion kleiner Abfälle: Stoffflikken, quacksalberische Medikamente, billige Jahrmarktsgeschenke, ein Tuch voll *atta* (graues, grob gemahlenes, einheimisches Mehl), Röllchen Bauerntabak, wohlfeile Pfeifenrohre und ein Pack Curry, alles in eine Decke gewickelt. Kim durchsuchte es mit der Miene eines weisen Zauberers, eine mohammedanische Beschwörung murmelnd.

»Dies ist Weisheit, die ich von den Sahibs lernte«, flüsterte er dem Lama zu; und wenn man an seine Erziehung bei Lurgan denkt, sprach er damit nur die Wahrheit. »Die Sterne verkünden ein großes Unheil im Schicksal dieses Mannes, das – das ängstigt ihn. Soll ich es verhindern?«

»Freund der Sterne, du hast in allen Dingen wohlgetan. Handle nach deinem Belieben. Ist es eine neue Heilung?«

»Schnell! mach schnell!« schnappte der Marathe. »Der Zug könnte anhalten!«

»Eine Heilung von dem Schatten des Todes«, sagte Kim, das Mehl des Kambohs mit den Resten von Holzkohle und Tabaksasche in dem rot-irdenen Pfeifengefäß mischend. E.23 nahm ohne Wort seinen Turban ab und schüttelte sein langes schwarzes Haar herunter.

»Das ist mein Essen – Priester«, grollte der Jat.

»Ein Büffel in dem Tempel! Hast du gewagt, herzusehen?« erwiderte Kim. »Ich muß heilige Geheimnisse vor Narren verrichten; aber hüte deine Augen! Bemerkst du schon einen Schleier davor? Ich rette das Kind und als Dank – oh, du Schamloser!« Der Mann wich vor dem scharfen Blick zurück, denn Kim sprach im vollsten Ernst. »Soll ich dich verfluchen, oder soll ich …«, er riß das äußere Tuch vom Bündel und warf es über den gesenkten Kopf. »Wage nur den leisesten Wunsch, herzublicken, und – und selbst ich kann dich nicht retten. Sitz still! Sei stumm!«

»Ich bin blind – stumm. Verfluche mich nicht! Ko – komm her, Kind, wir wollen Verstecken spielen. Schau nicht, mir zuliebe, unter dem Tuch hervor.«

»Ich sehe Hoffnung«, flüsterte E.23. »Was für einen Plan hast du?«

»Das kommt später«, sagte Kim, ihm das dünne Hemd ausziehend. E.23 zögerte, mit der Scheu des Nordwestlers vor Entblößung seines Körpers.

»Was heißt Kaste, wenn es an den Hals geht?« sprach Kim, das Hemd bis auf die Hüften niederstreifend. »Wir müssen dich ganz zu einem gelben Sadhu machen. Zieh dich aus – schnell, und schüttle das Haar über die Augen, während ich die Asche verteile. Jetzt noch ein Kastenzeichen auf deine Stirn.« Er nahm aus dem kleinen Tuschkasten unter seinem Gewand ein Täfelchen Karminlack.

»Bist du nur ein Anfänger?« sagte E.23, buchstäblich um das liebe Leben ringend, indem er seine Körperhüllen abstreifte und nackt, nur mit dem Hüftentuch, dastand, indes Kim ihm ein vornehmes Kastenzeichen auf die ascheschmierte Stirn kleckste.

»Seit zwei Tagen erst in das Spiel eingetreten, Bruder«, antwortete Kim. »Schmiere mehr Asche auf deine Brust.«

»Hast du einen Arzt – für kranke Perlen getroffen?« Er rollte sein langes, fest verschlungenes Turbantuch auf und wickelte es mit flinker Hand um und über seine Hüften, in den verzwickten Windungen eines Sadhugurtes.

»Ha! Erkennst du seine Hand? Er war eine Weile mein Lehrer. Wir müssen deine Beine verdecken. Asche heilt Wunden. Beschmiere sie nochmals.«

»Ich war früher einmal sein Stolz, aber du bist fast noch besser. Die Götter sind uns gnädig! Gib mir *das*.«

Es war eine Zinnbüchse mit Opiumpillen, die in dem Kram des Bündels zum Vorschein kam. E.23 schlang eine halbe Handvoll hinunter. »Sie sind gut gegen Hunger, Furcht und Erkältung. Und sie machen auch die Augen rot«, erklärte er. »Jetzt habe ich wieder Mut zum Spiel. Fehlt uns nur noch die Zange eines Sadhu. Was machen wir mit den alten Kleidern?«

Kim rollte sie fest zusammen und stopfte sie in die lockeren Falten seines Unterkleides. Mit gelber Ockerfarbe schmierte er breite Streifen auf Brust und Beine, auf den Untergrund von Mehl, Asche und Turmeric.

»Das Blut auf ihnen ist Grund genug, um dich an den Galgen zu bringen, Bruder.«

»Kann sein; aber nicht Grund genug, sie aus dem Fenster zu werfen. – Es ist fertig.« Seine Stimme klang hell vor Knabenfreude über die Verkleidung. »Wende dich um und schau, o Jat!«

»Die Götter mögen uns schützen«, rief der Kamboh, aus seiner Verhüllung auftauchend wie ein Büffel aus dem Schilf. »Aber – wo ist der Marathe geblieben? Was hast du getan?«

Kim war von Lurgan Sahib erzogen, und E.23 war dank seiner Tätigkeit kein schlechter Schauspieler. Statt des verängstigten zitternden Hausierers lümmelte da in der Ecke mit untergeschlagenen Beinen ein aschebeschmierter, ockergestreifter, dunkelhaariger Sadhu, die geschwollenen Augen – Opium wirkt schnell auf einen leeren Magen – leuchtend von Frechheit und tierischer Lust, Kims braunen Rosenkranz um den Hals und einen verschlissenen Fetzen geblümten Kattuns um die Schultern. Das Kind begrub das Gesicht in die Arme seines verblüfften Vaters.

»Schau auf, Prinzchen! Wir reisen mit Zauberern, aber dir werden sie nichts tun. Oh, weine nicht ... Wozu heute ein Kind heilen, wenn man es morgen mit Furcht töten will?«

»Das Kind wird Glück haben in seinem ganzen Leben, denn es hat einer großen Heilung beigewohnt. Als ich ein Kind war, machte ich schon Menschen und Pferde aus Ton.«

»Das habe ich auch schon gemacht«, piepte das Kind. »Und Sír Banás kommt in der Nacht hinten in unsere Küche und macht sie lebendig.«

»Du fürchtest dich also vor nichts, he, Prinz?«

»Ich habe mich gefürchtet, weil mein Vater sich fürchtete. Ich fühlte seine Arme zittern.«

»Oh, Hühnchen-Mann«, lachte Kim, und selbst der beschämte Jat lachte. »Ich habe diesen armen Hausierer geheilt. Er muß nun seinen Verdienst und seine Rechnungsbücher im Stich lassen und drei Nächte am Straßenrand sitzen, um die Bosheit seiner Feinde zu überwinden. Die Sterne sind gegen ihn.«

»Je weniger Wucherer, desto besser, sage ich. Aber Sadhu oder nicht Sadhu, er soll mir den Stoff um seine Schultern bezahlen.«

»So? Aber das da auf deiner Schulter ist dein Kind, das vor noch nicht zwei Tagen dem Scheiterhaufen verfallen war. Noch eins muß ich dir sagen. Ich machte diesen Zauber in deiner Gegenwart, weil die Not groß war. Ich änderte seinen

Leib und seine Seele. Aber, o Mann von Jullundur, wenn du jemals bei irgendeiner Gelegenheit dich dessen entsinnst, was du hier gesehen, sei es bei den Ältesten unter dem Dorfbaum oder in deinem eigenen Hause oder in Gegenwart deines Priesters, wenn er dein Vieh segnet, so wird eine Seuche unter deine Büffel kommen und eine Flamme auf dein Dach und Ratten in deine Korntenne und der Fluch unserer Götter über deine Felder, daß sie verdorren unter deinen Füßen und hinter deiner Pflugschar.« Dies war ein Teil einer alten Verwünschung, die Kim in den Tagen seiner Unschuld von einem Fakir am Taksalitor aufgeschnappt hatte. Sie verlor in seinem Munde an Bedrohlichkeit nichts.

»Höre auf, Heiliger! Aus Barmherzigkeit, höre auf!« rief der Jat. »Verfluche meinen Haushalt nicht. Ich sah nichts! Ich hörte nichts! Ich bin deine Kuh!« Und er begann, vor Kims nackten Füßen rhythmisch den Wagenboden zu schlagen.

»Aber da es dir vergönnt war, mir in der Angelegenheit beizustehen mit einem bißchen Mehl und ein wenig Opium und derlei Kleinigkeiten, die ich bei meiner Kunst zu verwenden dir die Ehre erwies, so werden die Götter dir dies vergelten durch einen Segen«, und er erteilte ihn endlich, zur unermeßlichen Erleichterung des Mannes. Es war einer, den er von Lurgan Sahib erlernt hatte.

Der Lama schaute hierbei aufmerksamer durch seine Brillengläser, als er es bei der Verkleidung getan hatte.

»Freund der Sterne«, sprach er schließlich, »du hast große Weisheit erworben. Hüte dich, daß sie nicht Stolz gebiert. Kein Mann, der das Gesetz vor Augen hat, wird übereilt von etwas reden, das er gesehen hat oder das ihm begegnet ist.«

»Nein – nein – wahrlich nicht«, rief der Bauer, voller Angst, daß der Meister es noch schlimmer machen könnte als der Schüler. E.23, mit erschlafftem Munde, gab sich ganz dem Opium hin, das für einen erschöpften Asiaten Fleisch, Tabak und Medizin zugleich ist.

So, im Schweigen ehrfürchtiger Scheu und großen Mißverstehens, fuhren sie in Delhi ein zur Zeit des Lampenanzündens.

Zwölftes Kapitel

Wer hat schon Heimweh gehabt nach der See,
Nach der endlosen Salzflut?
Nach dem Steigen und Halten und Gischten
Und Stürzen der Kämme?
Nach der schwellenden Glätte vor Sturm,
Grau, schaumlos, gewaltig?
Nach des Orkans tolläugiger Jagd
Oder leuchtender Stille?
Seiner See, die niemals gleich und
Doch immer die gleiche –
Seiner See, die sein Wesen erfüllt? –
So – so und nicht anders
Sehnen sich Berggeborene heim
Nach ihrem Gebirge!

»Ich habe mein Herz wiedergefunden«, sagte E.23 im Schutz des Tumults auf dem Bahnsteig. »Hunger und Furcht machen den Menschen irr, sonst hätte ich selber an diese Rettung denken müssen. Ich hatte recht. Sie sind auf der Jagd nach mir. Du hast meinen Kopf gerettet.«

Ein Trupp gelbbehoster, pandschabischer Polizisten unter Führung eines hastigen und schwitzenden jungen Engländers teilte das Gedränge an den Wagen. Hinter ihnen, unauffällig wie eine Katze, schlenderte eine kleine, fette Person, die wie ein Advokatenschreiber aussah.

»Schau, der junge Sahib liest von dem Papier ab. Mein Steckbrief ist in seiner Hand«, sagte E.23. »Sie gehen von Wagen zu Wagen wie Fischer, die einen Teich abfischen.«

Als die Prozession zu ihrem Abteil kam, war E.23 emsig dabei, seine Perlen abzubeten, mit gleichförmigem Ruck des Handgelenks, während Kim ihn verspottete, so berauscht zu sein, daß er seine geringelte Feuerzange, das besondere Abzeichen der Sadhus, verloren habe. Der Lama, tief in Betrachtung versunken, starrte vor sich hin, und der Farmer suchte unter verstohlenen Seitenblicken seine Sachen zusammen.

»Nichts hier als ein Packen heilige Bagage«, sagte der Engländer laut und schritt weiter unter einem unzufriedenen Gemurmel; denn einheimische Polizei bedeutet für die Eingeborenen in ganz Indien Vergewaltigung.

»Die Schwierigkeit«, flüsterte E.23, »liegt jetzt darin, zu telegraphieren, um den Ort anzugeben, wo ich den Brief versteckt habe, nach dem ich ausgeschickt wurde. In dieser Verkleidung kann ich nicht zum *tar*-Büro gehen.«

»Ist es nicht genug, daß ich deinen Kopf gerettet habe?«

»Nicht, wenn die Arbeit unvollendet bleibt. Hat dir der Heiler kranker Perlen das nie gesagt? Da kommt ein anderer Sahib! Ah!«

Dies war ein ziemlich großer Distriktspolizeiinspektor von gelblicher Gesichtsfarbe – umgeschnallt, behelmt, mit blanken Sporen und allem sonstigen Zubehör –, sich stolz gebärdend und seinen dunklen Schnurrbart zwirbelnd.

»Was für Narren sind diese Polizeisahibs«, sagte Kim belustigt.

E.23 blickte flüchtig unter seinen Lidern hervor. »Gut bemerkt«, murmelte er mit veränderter Stimme. »Ich gehe Wasser trinken. Halte mir meinen Platz.«

Er stolperte hinaus, dem Engländer fast in die Arme, und wurde in plumpem Urdu angefahren.

»*Tum mut*? Bist du betrunken? Du mußt nicht herumtorkeln, als ob die Delhi-Station dir allein gehörte, mein Freund.«

E.23, ohne einen Muskel seines Gesichts zu verziehen, antwortete mit einem Strom schmutzigster Schimpfwörter, worüber Kim natürlich entzückt war. Das erinnerte ihn an die Trommlerjungen und Kasernenfeger in Ambala in seiner schrecklichen ersten Schulzeit.

»Mein gutes Närrchen, *nickle-jao*!« kauderwelschte der Engländer. »Geh zurück in deinen Wagen.«

Schritt für Schritt unterwürfig zurückweichend, kletterte der gelbe Sadhu wieder in seinen Wagen, mit gedämpfter Stimme den D.S.P. bis in die fernste Nachkommenschaft verfluchend: beim Stein der Königin – hier sprang Kim beinahe hoch –, bei dem Schreiben unter dem Königinstein und bei einer ganzen Kollektion von Göttern mit völlig fremden Namen.

»Ich versteh nicht, was du sagst« – der Engländer wurde rot vor Zorn –, »aber es ist irgendeine verdammte Frechheit. Marsch, heraus mit dir!«

E.23 tat, als ob er nicht verstünde, und holte mit ernster Miene seine Fahrkarte vor, die der Engländer ihm ärgerlich aus der Hand riß.

»Oh, *zoolum*! Welche Gewalttätigkeit!« grollte der Jat aus seinem Winkel. »Noch dazu für so einen kleinen Spaß.« Er hatte über die Zungenfertigkeit des Sadhu teilnahmsvoll gegrinst. »Deine Zauber tun heute keine gute Wirkung, Heiliger!«

Der Sadhu folgte dem Polizisten, flehend und schmeichelnd. Der große Haufen der Reisenden, mit Bündeln und Kindern beschäftigt, hatte den Vorfall nicht beachtet. Kim schlüpfte hinter dem Sadhu heraus, denn es schoß ihm durch den Kopf, daß er vor drei Jahren bei Ambala diesen selben zornigen, dummen Sahib laute Anzüglichkeiten gegen eine gewisse alte Dame hatte vorbringen hören.

»Jetzt ist alles in Ordnung«, flüsterte der Sadhu, eingeklemmt in dem rufenden, schreienden, wirren Gedränge – einen persischen Windhund zwischen seinen Beinen und einen Käfig kreischender Falken, in Obhut eines Radschput-Falkners, im Rücken. »Jetzt ist er hin, um Nachricht über den Brief zu geben, den ich versteckt habe. Man sagte mir, er wäre in Peschawar. Ich hätte aber wissen können, daß er wie ein Krokodil ist – immer in einer anderen Furt. Aus der Gefahr hier hat er mich gerettet, aber mein Leben danke ich dir.«

»Ist er denn auch einer von uns?« Kim duckte sich unter der fettigen Achselhöhle eines Kameltreibers von Mewar und prallte gegen einen Trupp schwatzender Sikh-Matronen.

»Kein Geringerer als der größte. Wir haben beide Glück! Ich werde ihm berichten, was du getan hast. Ich bin sicher unter seinem Schutz.«

Er arbeitete sich aus dem Gedränge, das die Wagen belagerte, heraus und hockte sich auf die Bank am Telegraphen-büro.

»Geh zurück, damit dein Platz dir nicht genommen wird! Hab keine Sorge um das Werk, Bruder, oder um mein Leben. Du hast mir Zeit zum Aufatmen verschafft, und Strickland Sahib hat mich an Land gezogen. Wir werden vielleicht noch zusammen in dem Spiel arbeiten. Leb wohl!«

Kim eilte zu seinem Wagen: erleichtert, verwirrt, aber ein wenig verärgert, daß ihm der Schlüssel zu den Geheimnissen um ihn her fehlte.

›Ich bin nur ein Anfänger in dem Spiel, das ist sicher. *Ich* hätte mich nicht in Sicherheit bringen können wie der Sadhu. Er wußte, daß es am dunkelsten unter der Lampe ist. *Ich* hätte nicht daran gedacht, durch Flüche Mitteilungen zu machen … und wie gescheit war der Sahib! Immerhin … ich habe einem das Leben gerettet.‹ – »Wo ist der Kamboh geblieben, Heiliger?« flüsterte er, indem er seinen Platz in dem jetzt gedrängt vollen Abteil einnahm.

»Eine Furcht packte ihn«, antwortete der Lama mit einem Anflug gelinden Spottes. »Er sah dich in einem Augenblick den Marathe in einen Sadhu verwandeln, zum Schutz vor Unheil. Das fuhr ihm in die Glieder. Dann sah er den Sadhu geradeswegs in die Hände der *polis* fallen – alles die Wirkung deiner Kunst. Da raffte er seinen Sohn auf und floh, denn, sagte er, du habest einen friedlichen Handelsmann in einen Schreihals verwandelt, der unflätige Reden gegen die Sahibs führte, und er fürchtete ein ähnliches Schicksal. Wo ist der Sadhu?«

»Bei der *polis*«, sagte Kim; »… aber ich rettete doch des Kambohs Kind.«

Der Lama schnupfte ruhig.

»Ach, *chela*, sieh, wie betört du bist! Das Kind des Kambohs heiltest du, einzig und allein, um Verdienst zu erwerben. Auf den Marathe aber legtest du einen Zauber mit selbstgefälligem Gehaben – ich beobachtete dich – und mit Seitenblicken, um einen alten, alten Mann und einen törichten Bauern in Erstaunen zu setzen: daher Unheil und Argwohn.«

Kim beherrschte sich mit einer Anstrengung über sein Alter hinaus. Wie jeden jungen Burschen verdroß es ihn, bittere Pillen zu schlucken und falsch beurteilt zu werden, aber er sah sich in der Klemme. Der Zug rollte aus Delhi in die Nacht hinein.

»Es ist wahr«, murmelte er. »Wenn ich dich gekränkt habe, habe ich Unrecht getan.«

»Es ist mehr, *chela*. Du hast eine Tat in die Welt geschickt, und wie die Kreise eines in den Teich geworfenen Steines sich weiter und weiter verbreiten, so die Folgen deiner Tat, du kannst nicht wissen, wie weit.«

Diese Unwissenheit war sowohl gut für Kims Eitelkeit wie für den Seelenfrieden des Lama, wenn wir bedenken, daß zur selben Zeit ein chiffriertes Telegramm in Simla eintraf, das die Ankunft von E.23 in Delhi meldete und – was noch wichtiger war – den Verbleib eines Briefes, den zu entwenden er beauftragt gewesen war. Zufällig hatte auch gerade ein übereifriger Polizist einen wild entrüsteten Baumwollmakler aus Ajmer, als eines in einem fernen südlichen Staat begangenen Mordes verdächtigt, verhaftet, der sich nun auf dem Bahnsteig in Delhi vor einem gewissen Mr. Strickland rechtfertigte, indes E.23 sich auf Seitenwegen in das verschlossene Herz der Stadt Delhi hineinschlängelte. Innerhalb zweier Stunden erreichten mehrere Telegramme den zornigen Minister eines südlichen Staates mit der Meldung, daß jede Spur eines verwundeten Marathe verschwunden sei; und zur selben Zeit, als der gemächlich fahrende Zug bei Saharanpur hielt, schlug die letzte Welle des Steins, den Kim geholfen hatte aufzuheben, gegen die Stufen einer Moschee im fernen Raum – wo sie einen frommen Mann im Gebet störte.

Der Lama verrichtete das seine in umständlicher Weise neben einem taufeuchten Bougainvillea-Spalier in der Nähe des Bahnsteigs, beglückt durch den klaren Sonnenschein und die Gegenwart seines Schülers. »Wir wollen diese Dinge hinter uns lassen«, sprach er, auf die stählerne Maschine und die glitzernden Schienen weisend. »Das Rütteln des *te-rain*, obwohl er ein wundervolles Ding ist, hat meine Knochen zu Wasser gemacht. Von jetzt an wollen wir freie Luft atmen.«

»Laß uns nach dem Hause der Kulufrau gehen.« Kim schritt vergnüglich aus unter seinen Bündeln. Am frühen Morgen ist die Straße nach Saharanpur rein und duftig. Er gedachte der andersartigen Morgen in St. Xavier, und dies verdoppelte seine schon dreimal selige Zufriedenheit.

»Woher denn diese neue Hast? Verständige Menschen laufen nicht wie Kücken in der Sonne herum. Wir haben schon Hunderte und Hunderte von *kos* zurückgelegt, und bis jetzt war ich noch kaum einen Augenblick mit dir allein. Wie kannst du Belehrung empfangen im wüsten Gedränge? Wie kann ich, überschwemmt von einer Flut von Worten nachdenken über den Pfad?«

»Ihre Zunge ist also nicht kürzer geworden mit den Jahren?« Der Schüler lächelte.

»So wenig wie ihre Begier nach Zaubermitteln. Ich entsinne mich, als ich einst von dem Rad des Lebens redete« – der Lama tappte auf seiner Brust herum nach der letzten Zeichnung –, »da fragte sie nur nach den Teufeln, die Kindern nachstellen. Sie soll Verdienst erwerben, indem sie für unsern Unterhalt sorgt – über eine kleine Weile – bei einer späteren Gelegenheit – langsam, langsam. Jetzt wollen wir gemächlich wandern und warten auf die Kette der Dinge. Die Suche ist gesichert.«

So pilgerten sie in aller Ruhe zwischen und unter den blütevollen Fruchtgärten dahin – durch Aminabad, Sahaigunge, Akrola an der Furt und Klein-Phulesa – die Linie der Siwaliks immer im Norden und dahinter wieder die Schneegipfel. Nach langem, süßem Schlaf unter den scharf funkelnden Sternen kam die würdevoll lässige Wanderung durch erwachende Dörfer – die Bettelschale schweigend vorgehalten, aber die Augen schweifend von Himmelsrand zu Himmelsrand, ungeachtet des Gesetzes. Dann kehrte Kim barfüßig durch den weichen Staub zu seinem Meister zurück unter den Schatten eines Mangobaums oder den spärlicheren Schatten eines der weißen *siris* der Dun, und sie aßen und tranken in Ruhe. Um Mittag, nach einigem Plaudern und Umherschlendern, schliefen sie und traten erfrischt wieder in die Welt, wenn die Luft kühler war. Die Nacht fand sie in neues Gebiet vordringend, irgendeinem Dorf zu, das sie in dem flachen Land schon auf drei Stunden Entfernung sichten konnten, und vielerlei erörternd unterwegs auf der Straße.

Dort erzählten sie ihre Geschichte – eine neue jeden Abend, was Kim betraf – und wurden willkommen geheißen von dem Priester oder dem Dorfältesten nach dem Brauch des gastfreundlichen Ostens.

Wenn die Schatten kürzer wurden und der Lama sich schwerer auf Kim stützte, wurde das Rad des Lebens hervorgeholt, unter reinlich abgewischten Steinen glatt gelegt und Kreis auf Kreis mit einem langen Strohhalm erklärt. Hier saßen die Götter in der Höhe – und sie waren Träume von Träumen. Hier war unser Himmel und die Welt der Halbgötter – Reiter, die zwischen den Bergen kämpften. Hier waren die Qualen, den Tieren zugefügt – Seelen, die die Leiter empor- oder niedersteigen und deren Wege man darum nicht durchkreuzen soll. Hier waren die Höllen, heiße und kalte, und die Wohnorte gefolterter Geister. Möge der *chela* studieren die Leiden, die aus Unmäßigkeit entstehen – geschwollener Magen und brennende Eingeweide! Und gehorsam, mit gesenktem Kopf und flinkem, braunem Finger dem Erklärer folgend, studierte der *chela*; wenn sie aber an die Menschenwelt kamen, die, fruchtlos betriebsam, just über den Höllen liegt, folgte er nur noch zerstreut: denn draußen am Wege drehte sich das Rad selbst, essend, trinkend, feilschend, liebend, zankend – warmen Lebens voll. Oft nahm der Lama die lebendigen Bilder zum Gegenstand seines Textes und forderte Kim – zu früh! – auf, zu beachten, wie das Fleisch tausend und tausend Gestalten annimmt, begehrenswerte und verabscheuenswerte nach Menschenbegriffen, aber in Wahrheit nichtig, so oder so; und wie der dumme Geist, sklavisch gebunden an Eber, Taube und Schlange – lüstern nach Betelnuß, nach einem neuen Joch Ochsen, nach Weibern oder Königsgunst –, verurteilt ist, dem Körper zu folgen durch alle die Himmel und alle die Höllen und den Weg immer wieder von neuem zu machen. Zuweilen schaute ein armer Mann oder eine Frau dem Ritual – denn das war es für sie – zu, wenn die große gelbe Karte entfaltet wurde, und warf

251

eine Blume oder eine Handvoll Cowries auf den Rand. Es genügte diesen Demütigen, einem Heiligen begegnet zu sein, der vielleicht geneigt sein würde, sie in sein Gebet einzuschließen.

»Heile sie, wenn sie krank sind«, sagte der Lama, wenn Kims Tatendrang wach wurde. »Heile sie, wenn sie Fieber haben, aber wende niemals Zaubermittel an. Gedenke dessen, was den Marathe befiel.«

»Alles Tun ist also vom Übel?« erwiderte Kim, unter einem großen Baum an der Gabelung der Dun-Straße liegend und den kleinen Ameisen zuschauend, die ihm über die Hand liefen.

»Sich der Tat zu enthalten ist wohlgetan – es sei denn, sie werde getan, um Verdienst zu erwerben.«

»Hinter den Pforten des Wissens lehrte man uns, sich der Tat zu enthalten, sei eines Sahibs unwürdig. Und ich bin ein Sahib.«

»Freund der ganzen Welt«, der Lama blickte Kim gerade ins Gesicht, »ich bin ein alter Mann, der sich an Bildern erfreut wie Kinder. Für die, die dem Pfad folgen, gibt es weder Schwarz noch Weiß, weder Hind noch Bhotiyal. Wir alle sind Seelen, die Erlösung suchen. Welche Weisheit du auch bei den Sahibs erlernt haben magst, wenn wir meinen Fluß erreichen, wirst du von allem Wahn befreit werden – an meiner Seite. Hai! meine Knochen ächzen nach dem Flusse, wie sie ächzten im *te-rain*; aber mein Geist sitzt über den Knochen und wartet. Die Suche ist gesichert.«

»Du hast mir geantwortet. Ist es erlaubt, eine Frage zu stellen?«

Der Lama neigte sein stattliches Haupt.

»Drei Jahre lang habe ich dein Brot gegessen – du weißt es. Heiliger, woher kam …?«

»Es ist viel Reichtum, wie Menschen es nennen, in Bhotiyal«, erwiderte gelassen der Lama. »Daheim an meinem Ort genieße ich das Wahnbild der Ehre. Ich fordere, was ich brauche. Mit den Rechnungen habe ich nichts zu tun. Das ist Sache des Klosters. Ai! Die schwarzen hohen Sitze in dem Kloster und die Novizen alle in Reih und Glied!«

Und er erzählte, mit dem Finger im Staube zeichnend, von dem großartigen, prachtvollen Ritual in lawinengeschützten Kathedralen; von Prozessionen und Teufelstänzen; von der Verwandlung von Mönchen und Nonnen in Schweine; von heiligen Städten, fünfzehntausend Fuß hoch in der Luft; von Ränken zwischen Kloster und Kloster; von Stimmen in den Bergen und von der geheimnisvollen Fata Morgana, die über harschem Schnee tanzt. Er sprach sogar von Lhasa und von dem Dalai-Lama, den er gesehen und angebetet hatte.

Jeder vollendete lange Tag wuchs hinter Kim zu einer Schranke, die ihn von seiner Rasse und seiner Muttersprache abschnitt. Unversehens fing er an, wieder in der Landessprache zu denken und zu träumen, und mechanisch machte er die Zeremonien des Lama beim Essen, Trinken und dergleichen mit. Die Gedanken des alten Mannes wandten sich mehr und mehr seinem Kloster zu, so wie seine Blicke den unerschütterlichen Schneebergen folgten. Sein Fluß machte ihm keine Sorge. Ab und zu nur starrte er lange Zeit auf einen Busch oder Zweig, erwartend, wie er sagte, daß die Erde sich spalte und ihre Segnung von sich gebe; aber er war zufrieden, mit seinem Schüler zu sein, behaglich im linden Wind, der von der Dun her weht. Dies war nicht Ceylon, nicht Buddh Gaya oder Bombay, auch nicht die grasüberwachsenen Ruinen, auf denen er anscheinend vor zwei Jahren herumgestolpert war. Er sprach von diesen Plätzen wie ein Gelehrter, dem Eitelkeit fremd ist, wie ein Sucher, der in Demut wandelt, wie ein alter Mann, weise und maßvoll, das Wissen beleuchtend durch hellen, inneren Einblick. Nach und nach, unzusammenhängend, jede Geschichte anknüpfend an irgend etwas, was man unterwegs sah, erzählte er von all seinen Wanderungen auf und ab in Indien; und Kim, der ihn geliebt hatte, ohne zu wissen warum, liebte ihn jetzt aus hundert guten Gründen. So waren sie glückselig beieinander, enthielten sich, wie die Regel vorschreibt, böser Worte und begieriger Wünsche, aßen mäßig, lagen nicht auf hohen Betten und trugen keine reichen Gewänder. Ihr Magen zeigte ihnen die Zeit an, und das Volk gab ihnen zu essen, wie man zu sagen pflegt. Sie waren hochgeehrte Gäste in den Dörfern Aminabad, Sahaigunge, Akrola an der Furt und Klein-Phulesa, wo Kim den seelenlosen Weibern einen Segen erteilte.

Aber Neuigkeiten reisen schnell in Indien, und nur zu bald kam aus den Ährenfeldern ein weißbärtiger Diener dahergeschlurft, ein dünner, dürrer Oorya, der einen Korb mit Früchten – Kabultrauben und goldenen Orangen – trug und sie bat, seiner Herrin, die traurig in ihrem Gemüt sei, weil der Lama sie so lange vernachlässigt hatte, die Ehre ihrer Gegenwart zu schenken.

»Nun entsinne ich mich«, sprach der Lama, als sei ihm die ganze Sache fremd gewesen. »Sie ist tugendhaft, aber unmäßig im Reden.«

Kim saß auf der Kante eines Futtertrogs und erzählte den Kindern eines Dorfschmiedes Märchen.

»Sie will nur wieder um einen Sohn mehr für ihre Tochter bitten«, sagte er. »Ich habe sie nicht vergessen. Laß sie Verdienst erwerben. Sag ihr, wir würden kommen.«

Sie wanderten durch die Felder, elf Meilen in zwei Tagen, und wurden am Ziel mit Aufmerksamkeiten überschüttet; denn die alte Dame hielt auf Gastfreundschaft nach altem Brauch und zwang auch ihren Schwiegersohn dazu, der unter dem Pantoffel seines Weibervolkes stand und sich seinen Frieden erkaufte mit Geld, das er vom Wucherer borgte. Das Alter hatte weder ihre Zunge noch ihr Gedächtnis geschwächt, und von einem diskret vergitterten oberen Fenster, in Hörweite von einem Dutzend Dienern, rief sie Kim Schmeicheleien entgegen, die ein europäisches Auditorium in peinlichste Verlegenheit gestürzt haben würden.

»Aber du bist noch immer der schamlose Bettelbube vom *parao*«, schrillte sie. »Ich habe dich nicht vergessen. Wasch dich und iß. Der Vater vom Sohn meiner Tochter ist ein wenig ausgegangen, und wir armen Frauen gelten nichts und sind stumm.«

Zum Beweise scheuchte sie den ganzen Haushalt mit einem Wortschwall schonungslos auf, bis Speise und Trank gebracht waren; und am Abend – dem rauchduftenden Abend, kupfer- und türkisfarbig über den Feldern – beliebte es ihr, ihren Palankin bei qualmigem Fackellicht in den unordentlichen Vorhof tragen zu lassen; und hier, hinter nicht allzu dicht geschlossenen Vorhängen, schwätzte sie.

»Wäre der Heilige allein gekommen, würde ich ihn ganz anders empfangen haben; aber mit diesem Schelm, wer kann da vorsichtig genug sein?«

»Maharani«, sagte Kim, wie immer den pomphaftesten Titel wählend, »ist es meine Schuld, daß kein anderer als ein Sahib – ein *polis*-Sahib – die Maharani, deren Gesicht er …«

»Tschitt! Das war auf der Pilgerfahrt. Wenn wir reisen – du kennst das Sprichwort.«

»… die Maharani eine Herzbrecherin nannte und eine Spenderin des Entzückens?«

»Das noch zu wissen! Wahrhaftig. Das tat er. Das war zur Zeit der Blüte meiner Schönheit.« Sie schüttelte sich wie ein zufriedener Papagei über einem Stück Zucker. »Nun erzähle mir von deinem Gehen und Kommen – so viel, als man anhören kann, ohne sich zu schämen. Wie viele Mädchen und wessen Weiber hängen an deinen Augenwimpern? Du kommst von Benares? Ich wollte dieses Jahr wieder dorthin, aber meine Tochter – wir haben nur zwei Söhne. Phaii! Das ist die Wirkung dieser niedrigen Ebene. In Kulu sind die Männer Elefanten. Aber ich wollte deinen Heiligen bitten – tritt beiseite, Schelm – um einen Zauber gegen höchst beklagenswerte Kolik mit Blähungen, die meiner Tochter Ältesten immer zur Mangozeit befällt. Vor zwei Jahren gab er mir ein mächtiges Zaubermittel.«

»Oh, Heiliger«, rief Kim, strahlend vor Wonne über das klägliche Gesicht des Lama.

»Es ist wahr. Ich gab ihr eins für Blähungen.«

»Für Zähne – Zähne – Zähne«, fuhr die alte Dame dazwischen.

»Heile sie, wenn sie krank sind«, zitierte Kim mit Behagen, »aber wende niemals Zaubermittel an. Gedenke dessen, was den Marathe befiel.«

»Das war vor zwei Regenzeiten; sie ermüdete mich mit ihrer unaufhörlichen Zudringlichkeit.« Der Lama stöhnte, wie der ungerechte Richter vor ihm gestöhnt haben mag. »So ge-

255

schieht es – merke das, mein *chela* –, daß selbst die, die dem Pfad folgen wollen, beiseite gedrängt werden durch müßige Weiber. Drei volle Tage, als das Kind krank war, redete sie auf mich ein.«

»Arri! Und zu wem sonst sollte ich reden? Des Knaben Mutter wußte nichts, und der Vater – in den Nächten des kalten Wetters war es –: ›Bete zu den Göttern‹, sagte er, wahrhaftig, drehte sich um und schnarchte.«

»Ich gab ihr den Zauber. Was soll ein alter Mann tun?«

»Sich der Tat zu enthalten ist wohlgetan – außer wenn wir Verdienst erwerben wollen.«

»O *chela*, wenn du mich verlässest, bin ich ganz allein.«

»Die Milchzähne bekam er jedenfalls leicht«, sagte die alte Dame. »Aber ein Priester ist wie der andere.«

Kim hustete streng. So jung er war, verdroß ihn ihr unhöfliches Geschwätz. »Den Weisen zur Unzeit belästigen heißt Unheil heraufbeschwören.«

»Wir haben einen sprechenden *mynah* über den Ställen, der genau den Ton des Hauspriesters nachahmt.« Dieser Dolchstoß wurde begleitet von dem wohlbekannten Schütteln des juwelengeschmückten Zeigefingers. »Mag sein, daß ich die Ehrerbietung gegen meine Gäste vergaß, aber wenn ihr *ihn* gesehen hättet, wie er die Fäuste in den Leib drückte, der wie ein halb ausgewachsener Kürbis war, und schrie: ›Hier tut es weh!‹, so würdet ihr mir verzeihen. Ich war schon halb entschlossen, die Arznei von dem *hakim* zu nehmen. Er verkauft sie billig, und sicherlich, ihn macht sie so fett wie Schiwas eigenen Bullen. *Er* versagt einem seine Heilmittel nicht, aber ich war ängstlich für das Kind wegen der ungünstigen Farbe der Flaschen.«

Der Lama hatte sich unter dem Schutz dieses Monologes in die Dunkelheit verflüchtigt, in der Richtung nach dem für ihn bereiteten Raum.

»Du hast ihn erzürnt, scheint es«, sagte Kim.

»O nein, er ist müde, und ich dachte nicht daran in meiner Großmuttersorge. – Nur eine Großmutter sollte ein Kind überwachen. Mütter sind nur zum Gebären gut. – Morgen, wenn er sieht, wie meiner Tochter Sohn gewachsen ist, wird er mir den Zauber schreiben. Dann mag er auch die Medikamente des neuen *hakim* beurteilen.«

»Wer ist der *hakim*, Maharani?«

»Ein Wanderer wie du, aber ein höchst ehrenwerter Bengale von Dacca – ein Meister der Medizin. Er befreite mich von einer Beklemmung nach Fleischgenuß durch eine kleine Pille, die wie ein losgelassener Teufel wühlte. Er reist jetzt umher und verkauft Präparate von großem Wert. Er besitzt sogar Papiere, in Angrezi gedruckt, die bezeugen, was er getan hat für schwachrückige Männer und schlaffe Weiber. Er ist seit vier Tagen hier, aber als er hörte, daß ihr kommen würdet – *hakims* und Priester sind wie Schlange und Tiger in der ganzen Welt –, hat er sich, glaube ich, versteckt.«

Während sie Atem schöpfte nach diesem Ausbruch, murmelte der alte Diener, der ungestraft am Rande des Fackelscheins sitzen durfte: »Dieses Haus ist ein Pferch für Scharlatane und – Priester. Laß den Knaben aufhören, Mangofrüchte zu essen … aber wer kann vernünftig reden mit einer Großmutter?« Er erhob die Stimme respektvoll: »Sahiba, der *hakim* schläft nach seinem Mahl. Er ist in dem Raum hinter dem Taubenstall.«

Kim saß gesträubt wie ein witternder Terrier. Einen Bengalen, der in Kalkutta studiert hatte, einen zungenfertigen Arzneikrämer aus Dacca auszustechen und niederzuschwätzen, das mußte einen köstlichen Spaß geben. Es ziemte sich nicht, daß der Lama, und beiläufig auch er selbst, durch so einen Kerl verdrängt wurde. Er kannte die sonderbaren Inserate in Mischmaschenglisch auf der Rückseite der einheimischen Zeitungsblätter. Die Jungen in St. Xavier hatten sie oft heimlich mitgebracht, um sich mit ihren Kameraden darüber lustig zu machen, denn die Ausdrucksweise dankbarer Patienten, die ihre Krankheitserscheinungen lang und breit schildern, ist immer von naiver Komik. Der Oorya, nicht unwillig, einen Schmarotzer durch den andern loszuwerden, schlich sich fort nach dem Taubenschlag.

»Ja«, sagte Kim mit gemessener Geringschätzung, »ihr Betriebskapital besteht aus einem bißchen gefärbten Wasser und sehr viel Unverschämtheit. Ihre Opfer sind heruntergekommene Könige und überfütterte Bengalen. Ihr Gewinn besteht in Kindern – die nicht geboren werden.«

Die alte Dame gluckste vor Lachen. »Sei nicht neidisch. Zaubersprüche sind besser, eh? *Ich* habe das nie geleugnet. Sieh, daß dein Heiliger mir am Morgen einen guten Spruch schreibt.«

»Nur Unwissende leugnen« – eine schwere fette Stimme quoll aus dem Dunkel, als eine Gestalt auftauchte und sich niederhockte –, »nur Unwissende leugnen den Wert der Zaubersprüche. Nur Unwissende leugnen den Wert von Arzneimitteln.«

»Eine Ratte fand ein Stück Turmeric. Sprach sie: ›Ich will einen Spezereiladen eröffnen‹«, gab Kim zurück.

Das Gefecht war nun regelrecht eröffnet, und sie hörten die alte Dame sich aufrichten, um gespannt zuzuhören.

»Des Priesters Sohn weiß die Namen seiner Amme und dreier Götter. Spricht er: ›Hört mich, oder ich verfluche euch bei drei Millionen Göttern.‹« Zweifellos, dieser Unsichtbare hatte etliche Pfeile in seinem Köcher. Er fuhr fort: »Ich bin nur ein Lehrer des Alphabets. Ich habe alle Weisheit der Sahibs gelernt.«

»Die Sahibs werden nie alt. Sie tanzen und spielen wie Kinder, wenn sie Großväter sind. Eine starkrückige Brut«, piepste die Stimme im Innern des Palankins.

»Ich habe auch die Medikamente, die den Andrang im Kopf lösen bei hitzigen, zornigen Männern. *Siná*, wohl gemischt, wenn der Mond im rechten Haus steht; gelbe Erde habe ich – *arplan* von China, das einem Manne seine Jugend wiedergibt, zum Staunen seiner eigenen Familie; Safran von Kaschmir und den besten Salep von Kabul. Viele Menschen starben, bevor ...«

»Das glaube ich gern«, sagte Kim.

»Sie kannten den Wert meiner Heilmittel. Ich gebe *meinen* Kranken nicht nur die Tinte, mit der ein Zauber geschrieben ist, sondern starke und reinigende Arzneien, die über das Übel herfallen und mit ihm ringen.«

»Sehr gewaltig tun sie das«, seufzte die alte Dame.

Die Stimme ließ eine endlose Geschichte vom Stapel von

Mißgeschick und Fehlschlägen, verziert mit vielen Anklagen gegen die Regierung. »Nur mein Schicksal, das alles beherrscht, ist schuld, daß ich nicht im Dienst der Regierung angestellt bin. Ich habe einen akademischen Grad von der großen Schule zu Kalkutta – wohin vielleicht der Sohn dieses Hauses gehen wird.«

»Gewiß soll er das. Wenn unseres Nachbars Balg in wenigen Jahren ein F.A. werden konnte« (sie gebrauchte die englische Bezeichnung, die sie oft gehört hatte), »wieviel leichter werden so kluge Kinder, wie ich sie kenne, Preise davontragen im reichen Kalkutta.«

»Noch niemals«, sprach die Stimme, »habe ich solch ein Kind gesehen! Geboren in günstiger Stunde, für ein langes Leben bestimmt – er ist beneidenswert! –, wenn nur diese Kolik nicht wäre, die, ach, verwandelt in schwarze Cholera, ihn fortraffen kann wie ein Täubchen.«

»*Hai mai!*« rief die alte Dame. »Kinder zu loben bringt Unglück, sonst würde ich gern dieser Rede zuhören. Aber die Rückseite des Hauses ist unbewacht, und selbst in dieser sanften Luft merken die Menschen leicht, daß sie Männer und Weiber sind, man weiß das ... Der Vater des Kindes ist auch nicht zu Hause, und ich muß *chowkedar* (Wächter) spielen auf meine alten Tage. Los! auf! Hebt den Palankin auf. Laßt den *hakim* und den jungen Priester unter sich ausmachen, ob Zauber oder Medizin besser ist. Ho! faules Volk, schafft Tabak her für die Gäste – ich mache die Runde ums Haus.«

Der Palankin schwankte davon, von zerstreuten Fackeln und einer Horde von Hunden begleitet. Zwanzig Dörfer in der Runde kannten die Sahiba – ihre Schwächen, ihre Zunge und ihre große Mildtätigkeit. Zwanzig Dörfer betrogen sie, nach unverdenklichem Brauch, aber keiner würde innerhalb ihrer Gerichtsbarkeit auch nur das geringste gestohlen oder geraubt haben. Nichtsdestoweniger führte sie ihre Inspektionszüge mit großem Trara aus; den Lärm, der dabei gemacht wurde, konnte man halbwegs bis nach Mussoorie hören.

Kim war zurückhaltend, wie ein Augur sein muß, wenn er

einem andern begegnet. Der *hakim*, noch am Boden hockend, schob ihm freundlichen Fußes seine Wasserpfeife hin, und Kim sog an dem guten Kraut. Die Zuschauer erwarteten eine ernsthafte, fachgemäße Debatte und vielleicht ein wenig ärztliche Behandlung gratis.

»Vor Unwissenden von Medizin zu reden ist ebenso verlorene Mühe, als einem Pfau das Singen beizubringen«, sagte der *hakim*.

»Wahre Höflichkeit«, echote Kim, »besteht sehr oft in Gleichgültigkeit.«

Dies waren, wohlgemerkt, Redensarten, um Eindruck zu erwecken.

»Hi! Ich habe ein Geschwür am Bein«, rief ein Küchenjunge. »Sieh es dir an!«

»Geht! Macht euch fort!« sagte der *hakim*. »Ist es hier Sitte, geehrte Gäste zu belästigen? Ihr drängt euch herum wie Büffel.«

»Wenn die Sahiba wüßte ...«, begann Kim.

»Ai! Ai! Kommt fort. Die sind Fleisch für unsere Herrin. Wenn die Koliken ihres jungen Scheitans kuriert sind, dürfen wir armen Leute vielleicht büßen ...«

»Die Herrin fütterte dein Weib, als du dem Geldverleiher den Schädel eingeschlagen hattest und im Gefängnis saßest. Wer sagt etwas gegen sie?« Der alte Diener zwirbelte grimmig seinen weißen Schnurrbart in dem jungen Mondlicht. »*Ich* bin verantwortlich für die Ehre dieses Hauses. Geht!« Und er trieb die Leute vor sich her.

Sagte der *hakim*, kaum mehr als die Worte mit seinen Lippen formend: »Wie befinden Sie sich, Mr. O'Hara? Ich bin hocherfreut, Sie wiederzusehen.«

Kims Hand umklammerte den Pfeifenstiel. Irgendwo auf freier Straße würde er vielleicht nicht erstaunt gewesen sein; aber hier, in diesem stillen Stauwasser des Lebens, war er nicht auf Hurree Babu gefaßt. Es verdroß ihn auch, daß er übertölpelt war.

»Aha! Ich sagte es Euch in Lucknow: *resurgam* – ich werde wieder auferstehen, und Ihr werdet mich nicht erkennen. Wieviel hattet Ihr doch gewettet – eh?«

Er kaute lässig an ein paar Kardamomkernen, atmete aber unruhig.

»Aber, Babuji, was führt Euch hierher?«

»Ah! *Das* ist die Frage, wie Shakespeare sagt. Ich komme, um Euch zu gratulieren zu Eurer außerordentlich wirkungsvollen Leistung in Delhi. Oah! Ich sage Euch, wir alle sind stolz auf Euch. Es war sehr flott und geschickt. Unser gemeinschaftlicher Freund – er ist ein alter Freund von mir. Er ist in einigen verdammt kritischen Lagen gewesen. Jetzt wird er wohl wieder in ähnlichen sein. Er erzählte es mir; ich erzählte es Mr. Lurgan, und er freut sich, daß Ihr so nette Fortschritte macht. Das ganze Departement ist erfreut.«

Zum erstenmal in seinem Leben durchschauerte Kim die reine, stolze Freude (die nichtsdestoweniger zur tödlichen Fallgrube werden kann) an einem Lob von höherer Stelle – bestrickendem Lob von einem, der gleiche Arbeit tat und geschätzt war von allen Kollegen. Die Welt bietet nichts, was sich mit dieser Freude messen könnte. Aber, rief der Orientale in ihm: Babus reisen nicht, um Komplimente auszuteilen.

»Erzähle deine Geschichte, Babu«, sagte er mit Würde.

»Oah, es ist nichts. Nur daß ich in Simla war, als das Telegramm eintraf, bezüglich dessen, was unser gemeinsamer Freund verborgen hatte, und der alte Creighton ...« Er sah Kim an, um zu beobachten, wie er diese Dreistigkeit aufnehmen würde.

»Der Oberst-Sahib«, korrigierte der Schüler von St. Xavier.

»Natürlich. Er fand mich gerade nicht stark beschäftigt, und ich mußte runter nach Chitor, um diesen verfluchten Brief zu holen. Ich liebe den Süden nicht – zuviel Eisenbahnfahrt; aber ich bezog gute Reisevergütung. Haha! Ich traf auf dem Rückweg unsern ›Gemeinsamen‹ in Delhi. Er lag gerade still und sagte, Sadhuverkleidung gefiele ihm ausgezeichnet. Nun, da hörte ich, was Ihr getan habt, so gut, so schnell, wie es der Augenblick befahl. Ich sage unserm gemeinschaftlichen Freund, Ihr schießt den Vogel ab, beim Zeus! Es war großartig. Ich komme, um Euch das zu sagen.«

»Hm!«

Die Frösche waren laut in den Gräben und der Mond am

Untergehen. Irgendein gefühlvoller Diener war herausgekommen, um sich mit der Nacht zu unterhalten und eine Trommel zu schlagen. Kims nächste Frage war in der Landessprache.

»Wie konntest du uns folgen?«

»Oah! Das war nichts. Ich weiß von unserm gemeinsamen Freund, daß ihr nach Saharanpur geht. So gehe ich auch. Rote Lamas sind nicht eben unauffällige Persönlichkeiten. Ich kaufe mir meinen Arzneikasten, und ich bin wirklich ein sehr guter Arzt. Ich gehe nach Akrola an der Furt und höre alles über euch, und rede hier und rede dort. Das gewöhnliche Volk weiß, was ihr tut. Ich erfahre, daß die gastfreundliche alte Dame die *dooli* schickte. Sie haben hier viele Erinnerungen an die Besuche des alten Lama. Ich weiß, alte Damen können die Finger nicht lassen von Arzneien. So bin ich Doktor und – Ihr hört meiner Geschichte zu? *Ich* denke, sie ist sehr gut. Mein Wort darauf, Mister O'Hara, sie wissen alles von Euch und dem Lama auf fünfzig Meilen weit – das ganze Volk. So bin ich gekommen. Habt Ihr etwas dagegen?«

»Babuji«, sagte Kim, in das breite, grienende Gesicht aufblickend, »ich bin ein Sahib.«

»Mein lieber Mister O'Hara ...«

»Und ich hoffe das Große Spiel zu spielen.«

»Ihr seid gegenwärtig mein Untergebener im Departement.«

»Warum also redest du wie ein Affe auf dem Baum? Männer laufen einem nicht nach von Simla her und verkleiden sich um ein paar süßer Worte willen. Ich bin kein Kind. Sprich Hindi und laß uns an das Dotter des Eies kommen. Du bist hier – und von zehn Worten, die du sprichst, ist nicht eines wahr. Warum bist du hier? Gib eine gerade Antwort!«

»Das ist so sehr störend bei den Europäern, Mister O'Hara. *Ihr* solltet das in Eurem Alter doch wissen.«

»Aber ich will es wissen«, sagte Kim lachend. »Wenn es das Spiel ist, kann ich vielleicht helfen. Wie kann ich etwas tun, wenn du um die Sache einen *bukh* machst (herumstammelst)?«

Hurree Babu langte nach der Pfeife und sog, bis sie wieder gurgelte.

»Nun will ich einheimisch sprechen. Sitze still, Mister O'Hara ... Es betrifft den Stammbaum eines weißen Hengstes.«

»Noch? Das ist ja längst zu Ende.«

»Wenn jedermann tot ist, ist das Große Spiel zu Ende. Nicht früher. Höre mich an bis zum Schluß. Es waren fünf Könige, die einen plötzlichen Krieg vorbereiteten vor drei Jahren, als Mahbub Ali dir den Stammbaum eines weißen Hengstes gab. Infolge der Nachrichten, und ehe sie bereit waren, überfiel sie unsere Armee.«

»Jawohl – achttausend Mann mit Kanonen. Ich erinnere mich der Nacht.«

»Aber der Krieg wurde nicht energisch durchgeführt. Das ist so üblich bei der Regierung. Die Truppen wurden zurückgezogen, weil man die fünf Könige für eingeschüchtert hielt; und es ist auch nicht billig, Soldaten zu füttern da oben zwischen den hohen Pässen. Hilás und Bunár – Radschas mit Kanonen – übernahmen es für einen gewissen Preis, die Pässe gegen alles vom Norden Kommende zu bewachen. Sie beteuerten Furcht und Freundschaft zugleich.« Kichernd brach er ab und fuhr auf englisch fort: »Selbstverständlich erzähle ich Euch dies nicht offiziell; nur um die politische Situation zu beleuchten, Mister O'Hara. Offiziell bin ich weit entfernt, eine Handlung meiner Vorgesetzten zu kritisieren. Nun fahre ich fort. – Der Regierung gefiel das; sie sucht stets Unkosten zu vermeiden; und es wurde ein Vertrag geschlossen, daß Hilás und Bunár für soundso viel Rupien monatlich die Pässe bewachen sollten, sobald die Truppen der Regierung zurückgezogen wären. Um diese Zeit – es war, als wir beide uns zuerst trafen – wurde ich, der Teehändler in Leh gewesen war, Zahlmeister bei der Armee. Beim Abzug der Truppen wurde ich zurückgelassen, um die Kulis zu löhnen, die neue Wege in den Bergen anlegen sollten. Dieses Wegebauen war ein Teil des Vertrages zwischen Bunár, Hilás und der Regierung.«

»So – und dann?«

»Ich sage Euch, es war abscheulich kalt da oben nach der Sommerzeit«, sagte Hurree Babu zutraulich. »Jede Nacht war ich in Angst, daß diese Bunárleute mir die Kehle abschneiden würden wegen der Geldkiste. Meine eingeborene Sepoygarde, die lachte mich aus! Bei Zeus! Ich war ein so furchtsamer Mann. Lassen wir das. Ich fahre fort ... Ich meldete wiederholte Male, daß diese zwei Könige sich dem Norden verkauft hätten, und Mahbub Ali, der noch weiter nordwärts war, bestätigte das völlig. Es geschah nichts. Nur meine Füße erfroren, und eine Zehe fiel ab. Ich meldete, daß die Wege, für die ich die Arbeiter bezahlte, für die Füße von Fremden und Feinden angelegt würden.«

»Für?«

»Für die Russen. Die Sache war ein bekannter Scherz unter den Kulis. Da wurde ich hinuntergerufen, um mit der Zunge zu melden, was ich wußte. Mahbub kam auch in den Süden. Und nun schaut! Dieses Jahr nach der Schneeschmelze« – er schauderte von neuem – »kommen zwei Fremde unter dem Vorwand, wilde Ziegen schießen zu wollen. Sie führen Flinten mit sich, aber auch Ketten und Wasserwaagen und Kompasse.«

»Oho! Die Sache wird klarer.«

»Sie werden von Hilás und Bunár gut aufgenommen. Sie machen große Versprechungen. Sie reden von Schenkungen, mit einem Mundwerk, als ob sie Kaiser wären. Talauf, talab gehen sie und sprechen: ›Hier ist ein Platz, um eine Schanze zu bauen; hier könnt ihr ein Fort hinsetzen; hier könnt ihr die Straße gegen eine Armee behaupten‹ – dieselben Straßen, für die ich monatlich die Rupien auszahlte. Die Regierung weiß es, tut aber nichts. Die drei anderen Könige, die *nicht* für Bewachung der Pässe bezahlt sind, berichten durch Eilboten über den Treubruch von Bunár und Hilás. Als all das Unheil geschehen ist, seht Ihr – als diese beiden Fremden mit den Wasserwaagen und Kompassen den fünf Königen eingeredet haben, daß eine große Armee morgen oder übermorgen die Pässe überschwemmen wird – Gebirgler sind alle Narren –, da kommt Befehl an mich, Hurree Babu: ›Geh nach Norden und schau, was diese Fremden tun.‹ Ich sage zu Creighton Sahib: ›Dies ist doch kein Prozeß, daß wir umherlaufen, um Beweise aufzutreiben … ‹« Mit einem Ruck fiel er wieder in sein Englisch zurück: »›Bei Zeus‹, sage ich, ›warum, in Teufels Namen, gebt Ihr nicht irgendeinem braven Manne inoffiziellen Befehl, sie zu vergiften, um ein Exempel zu statuieren? Es ist, wenn Ihr die Bemerkung gestattet, eine höchst tadelnswerte Schlappheit von Eurer Seite.‹ Und Oberst Creighton – lachte mich aus. Das kommt alles von Eurem verdammten englischen Hochmut. Ihr denkt, es wagt niemand zu konspirieren; das ist alles Unsinn.«

Kim rauchte langsam und bedachte die Sache, soweit er sie übersah, in seinem flinken Geist.

»So gehst du also, um den Fremden zu folgen?«

»Nein – um ihnen zu begegnen. Sie kommen nach Simla, um ihre Hörner und Köpfe zum Präparieren nach Kalkutta zu schicken. Die Herren sind sehr jagdlustig, und die Regierung gewährt ihnen Spezialvergünstigungen. Natürlich, das tun wir immer. Das ist unser britischer Stolz.«

»Was ist denn aber von ihnen zu fürchten?«

»Bei Zeus, sie sind keine Schwarzen. Mit schwarzem Volk kann ich natürlich alles mögliche anfangen. Sie sind Russen und höchst skrupellose Gesellen. Ich – ich möchte nichts mit ihnen zu tun haben ohne einen Zeugen.«

»Würden sie dich töten?«

»Oah, das ist nichts. Ich bin Herbert Spencer-Anhänger genug, hoffe ich, um einer Kleinigkeit wie dem Tod, der doch einmal mein Los ist, entgegenzugehen, wißt Ihr. Aber – aber sie könnten mich prügeln.«

»Warum?«

Hurree Babu schnappte ungeduldig mit den Fingern. »*Natürlich* werde ich mich ihrem Lager zugesellen in supernumerärer Eigenschaft, vielleicht als Dolmetscher oder als Blödsinniger, oder als Hungerleider oder so etwas. Und dann muß ich, denke ich, aufschnappen, was ich kann. Das ist nicht schwieriger für mich, als bei der alten Dame den Onkel Doktor zu spielen. Nur – nur – seht Ihr, Mister O'Hara, ich bin unglücklicherweise Asiate, was in mancher Beziehung ein bedenklicher Nachteil ist. Und *außerdem* bin ich Bengale – ein furchtsamer Mann.«

»Gott schuf den Hasen und den Bengalen. Was ist da dabei?« sagte Kim, das Sprichwort zitierend.

»Es ist eine Frage der Evolution. Naturnotwendigkeit, denke *ich*, aber das Faktum bleibt dennoch in seinem ganzen *cui bono* bestehen. Ich bin, oh, schrecklich furchtsam! – Ich erinnere mich, einmal auf dem Wege nach Lhasa wollten sie mir den Kopf abschneiden. (Nein, ich bin niemals nach Lhasa gekommen.) Ich setzte mich nieder und weinte, Mister O'Hara, ich hatte ein Vorgefühl von chinesischer Folter. Ich nehme nicht an, daß diese zwei Gentlemen mich foltern werden, aber ich möchte doch lieber für alle möglichen Zufälle mit europäischem Beistand im Notfall versorgt sein.« Er hustete und spuckte das Kardamom aus. »Es ist ein vollständig inoffizielles Verlangen, auf das Ihr ›Nein, Babu‹ antworten könnt. Wenn Ihr nicht gerade dringende Verabredungen mit Eurem alten Mann vorhabt, könnt Ihr ihn vielleicht etwas – vom Wege ablenken; vielleicht kann ich seine Phantasie ein wenig ködern – ich möchte mit Euch in amtlicher Berührung bleiben, bis ich diese jagdlustigen Burschen finde. Ich habe eine große Meinung von Euch, seitdem ich meinen Freund in Delhi traf. Und ich will Euren Namen auch meinem offiziellen Bericht einverleiben, sobald die Angelegenheit endgültig entschieden ist. Das wird eine ansehnliche Feder auf Eurem Hut. Dies ist es, weshalb ich wirklich gekommen bin.«

»Hm! Das Ende der Geschichte, denke ich, mag wahr sein, aber wie steht es mit der Einleitung?«

»Von den fünf Königen? Oah, da steckt allerhand Wahrheit drin, ein gut Teil mehr, als Ihr ahnt«, sagte Hurree ernsthaft. »Ihr kommt mit, he? Ich gehe von hier geradeswegs in die Dun. Sie ist wunderschön grün, mit bunten Wiesen. Ich werde nach Mussoorie gehen – nach dem guten, alten Munsoorie Pahar, wie die Herren und Damen sagen. Dann durch Rampur nach Chini. Das ist der einzige Weg, den sie kommen können. Ich warte nicht gern in der Kälte, aber warten müssen wir auf sie. Ich will mit ihnen nach Simla gehen. Der eine Russe, wißt Ihr, ist ein Franzose, und ich spreche mein Französisch ganz flott. Ich habe Freunde in Chandernagor.«

»*Er* würde sich sicherlich freuen, die Berge wiederzusehen«, sagte Kim nachdenklich. »Diese letzten zehn Tage hat er kaum von etwas anderem gesprochen. Wenn wir zusammen gehen ... «

»Oah! Wir können uns unterwegs ganz fremd bleiben, wenn Euer Lama das vorzieht. Ich werde vier oder fünf Meilen vorausgehen. Eile hat Hurree nicht, das ist eine europäische Erfindung, haha!, und Ihr folgt mir nach. Zeit haben wir genug. Sie werden spionieren und vermessen und Karten zeichnen, natürlich. Ich werde morgen gehen und Ihr am folgenden Tag, wenn es Euch beliebt. Eh? Überlegt es Euch bis morgen. Bei Zeus, es ist schon jetzt beinahe Morgen!« Er gähnte ausgiebig und trollte sich ohne ein weiteres Wort zu seiner Schlafstelle. Aber Kim schlief wenig und dachte in Hindustani:

›Mit Recht nennt man das Spiel groß! Vier Tage war ich Küchenjunge in Quetta, der Frau des Mannes aufwartend, dem ich das Buch stahl. Und das war ein Teil des Großen Spiels! Vom Süden her – Gott weiß wie weit – kam der Marathe und spielte auf Leben und Tod das Große Spiel. Jetzt soll ich weit, weit nach dem Norden hinauf, wiederum in dem Großen Spiel. Wahrlich, es läuft wie ein Weberschiffchen durch ganz Hind. Und meinen Anteil und meine Freude daran«, er lächelte in die Dunkelheit, »verdanke ich dem Lama. Auch Mahbub Ali – auch Creighton Sahib, aber am meisten dem Heiligen. Er hat recht – eine große und eine wundervolle Welt – und ich bin Kim – Kim – Kim – allein – Einer – in der Mitte von allem. Aber ich will diese Fremden mit ihren Ketten und Wasserwaagen sehen ... ‹

»Was war das Ergebnis der Unterhaltung gestern abend?« fragte der Lama nach beendetem Gebet.

»Es kam ein umherstreifender Verkäufer von Medikamenten – ein Schmarotzer der Sahiba –, ich bewies ihm durch Argumente und Gebete, daß unsere Zauber mehr sind als seine gefärbten Wässer.«

»O weh! Meine Zauber! Ist die tugendhafte Frau noch immer auf einen neuen erpicht?«

»Ganz besonders.«

»Dann muß er geschrieben werden, oder sie macht mich taub mit ihrem Lärm.« Er tastete nach seinem Federkasten.

»In den Ebenen«, sagte Kim, »ist immer zuviel Volk. In den Bergen, denke ich mir, gibt es weniger Menschen.«

»Oh! Die Berge und der Schnee auf den Bergen!« Der Lama riß ein winziges Stück Papier ab, just so groß, daß es in ein Amulett hineingehen konnte. »Aber was weißt du von den Bergen?«

»Sie sind sehr nahe.« Kim stieß die Tür auf und schaute auf die lange ruhevolle Kette des Himalaja, glühend in Morgengold. »Nur einmal, im Kleide eines Sahib, setzte ich einen Fuß hinein.«

Der Lama schnüffelte sehnsüchtig in den Wind.

»Wenn wir nach Norden gehen« – Kim richtete die Frage an die aufgehende Sonne –, »würde dann nicht viel Mittagshitze vermieden werden, wenn wir wenigstens zwischen den niedrigeren Bergen wandern würden? – Ist der Zauber geschrieben, Heiliger?«

»Ich habe die Namen von sieben albernen Teufeln geschrieben – keiner von ihnen ist ein Staubkörnchen im Auge wert. So ziehen törichte Frauen uns ab von dem Pfad!«

Hurree Babu kam hinter dem Taubenschlag hervor und wusch seine Zähne mit ostentativem Ritual. Vollfleischig, schwerhüftig, stiernackig und tiefstimmig, nahm er sich nicht eben aus wie ein ›furchtsamer Mann‹, Kim gab ihm ein fast unmerkliches Zeichen, daß alles im besten Zuge sei, und als die Morgentoilette beendet war, kam Hurree Babu herbei, um dem Lama in blumenreicher Sprache seine Ehrerbietung zu erweisen. Sie aßen natürlich jeder für sich, und danach nahm die alte Dame, mehr oder weniger hinter einem Fenster verborgen, die Kapitalfrage der Kolik, von grünen Mangofrüchten verursacht, wieder auf. Die ärztlichen Kenntnisse des Lama waren natürlich nur sympathetischer Art. Er glaubte, daß der Dung von einem schwarzen Pferde, mit Schwefel gemischt und in eine Schlangenhaut gewickelt, ein kräftiges

Mittel gegen Cholera sei; aber der Symbolismus interessierte ihn weit mehr als die Wissenschaft. Hurree Babu stimmte diesen Ansichten mit bestrickender Höflichkeit bei, so daß der Lama ihn einen sehr liebenswürdigen Arzt nannte. Hurree Babu erwiderte, daß er nur ein unerfahrener Stümper in den Mysterien wäre, aber er wisse wenigstens – und dafür danke er den Göttern –, wann er sich in Gegenwart eines Meisters befinde. Er selbst hätte seinen Unterricht bei den Sahibs erhalten, die keine Unkosten scheuen, in den herrlichen Lehrsälen von Kalkutta; aber er sei stets der erste, anzuerkennen, daß es eine Weisheit gäbe hinter der Weisheit dieser Erde – die hohe und einsame Erleuchtung der Meditation. Kim schaute neidvoll zu. Der Hurree Babu, den er kannte – schmierig, geschwätzig, ängstlich –, war verschwunden; verschwunden auch der unverschämte Arzneikrämer von gestern abend. Geblieben war – höflich, fein, aufmerksam – ein gesetzter und gelahrter Sohn der Erfahrung, kundig aller Widrigkeiten des Lebens, Weisheit sammelnd von den Lippen des Lama. Die alte Dame vertraute Kim an, daß diese gewählten Auseinandersetzungen über ihren Horizont gingen. Sie liebte Zaubermittel, mit viel Tinte geschrieben, die man mit Wasser abwaschen und verschlucken konnte, und damit gut. Wozu sonst waren die Götter nütze? Sie liebte Männer und Frauen und sprach von ihnen – von kleinen Königen, die sie früher gekannt hatte; von ihrer eigenen Jugend und Schönheit; von den Überfällen durch Leoparden und von den Tollheiten asiatischer Liebe; von Steuererhebung, Pachtzinsen und Begräbniszeremonien, von ihrem Schwiegersohn (dies mit nicht mißzuverstehenden Anspielungen), von der Zärtlichkeit der Jungen und der Rücksichtslosigkeit der Alten. Und Kim, ebenso interessiert am Leben dieser Welt wie sie, die er bald verlassen mußte, hockte, die Füße unter den Saum seines Gewandes gezogen, und lauschte begierig, indes der Lama alle Heiltheorien, die Hurree Babu vorbrachte, eine nach der andern zunichte machte.

Am Mittag hing sich der Babu seinen messingbeschlagenen Medizinkasten um, nahm seine Gala-Patent-Lederschuhe in die eine, einen lustig aussehenden, blau und weißen Sonnenschirm in die andere Hand und zog ab, nordwärts, nach der Dun zu, wo, wie er sagte, von den kleineren Königen jener Gegend nach ihm verlangt würde.

»Wir wollen in der Kühle des Abends gehen, *chela*«, sagte der Lama. »Dieser Doktor, bewandert in Physik und Höflichkeit, bestätigt, daß das Volk in diesen Vorbergen fromm und gutherzig ist und sehr eines Lehrers bedarf. In ganz kurzer Zeit – sagt der *hakim* – finden wir kühle Luft und den Geruch der Pinien.«

»Ihr geht in die Berge? Und auf der Kulustraße? Oh, dreifach Glückliche!« schrillte die alte Dame. »Wäre ich nicht so überladen mit der Sorge um daheim, ich würde in den Palankin steigen ... aber das wäre unschicklich, und meine Reputation wäre hin. Hoho! Ich kenne den Weg – jeden Schritt auf dem Wege kenne ich. Ihr werdet überall Mildtätigkeit finden – hübschen Leuten versagt man sie nicht. Ich will Mundvorrat bestellen. Einen Diener, der euch auf den Weg bringt. Nein? Dann will ich euch wenigstens noch gutes Essen kochen.«

»Was für eine Frau ist die Sahiba!« rief der weißbärtige Oorya, als ein Lärm in den Küchenräumen losbrach. »Sie hat nie einen Freund vergessen: sie hat nie einen Feind vergessen in all ihren Jahren. Und ihre Kocherei – uah!« Er rieb sich den schmächtigen Leib.

Da waren Kuchen, da war Zuckerwerk, da gab es kaltes Huhn, mit Reis und Pflaumen in Stücken gekocht – genug, um Kim wie ein Maultier zu beladen.

»Ich bin alt und überflüssig«, sagte sie. »Niemand liebt mich mehr – und niemand respektiert mich – aber wenige können es mir gleichtun, wenn ich die Götter anrufe und mich an meine Kochtöpfe hocke. Kommt wieder, o Leute guten Willens. Heiliger und Schüler, kommt wieder. Das Zimmer ist immer bereit; der Willkomm ist immer bereit ... Paß auf, daß die Weiber deinen *chela* nicht zu sehr verfolgen. *Ich* kenne die Frauen von Kulu. Gib acht, *chela*, daß er dir nicht davonläuft, wenn er seine Berge wieder riecht ... Hai! Dreh den Reisbeutel nicht verkehrt um ... Segne den Haushalt, Heiliger, und vergib deiner Dienerin ihre Dummheiten.«

Sie wischte sich ihre roten alten Augen mit einem Zipfel ihres Schleiers und gluckste durch die Kehle.

»Weiber schwatzen«, sagte der Lama schließlich, »aber das ist Weiberschwäche. Ich gab ihr einen Zauber. Sie ist auf dem Rad und ganz in dem Schein dieses Lebens befangen, aber nichtsdestoweniger, *chela*, ist sie tugendhaft, freundlich, gastfrei – mit vollem und eifrigem Herzen. Wer darf sagen, daß sie nicht Verdienst erwirbt?«

»Nicht ich, Heiliger«, sagte Kim, den reichlichen Proviant fester auf die Schultern bindend. »In meinem Kopf – hinter meinen Augen – habe ich mir ein Bild zu machen versucht von so einer, ganz befreit von dem Rad – nichts begehrend, nichts verursachend – einer Nonne, sozusagen.«

»Und, o Kobold?« Der Lama lachte beinahe laut.

»Ich kann das Bild nicht machen.«

»Ich auch nicht. Aber vor ihr liegen noch viele, viele Millionen von Leben. Sie wird in jedem vielleicht ein wenig Weisheit erlangen.«

»Und wird sie auf diesem Wege vergessen, Schmorfleisch mit Safran zu kochen?«

»Deine Gedanken sind auf unwürdige Dinge gerichtet. Aber geschickt ist sie. Ich fühle mich ganz gestärkt. Wenn wir die Vorberge erreichen, werde ich noch kräftiger sein. Der *hakim* sprach wahr, als er mir heute morgen sagte: Ein Hauch von den Schneegipfeln bläst zwanzig Jahre weg vom Leben eines Mannes. Wir wollen hinaufgehen in die Berge – die hohen Berge – hinauf zu dem Rauschen des Schneewassers und dem Rauschen der Bäume – für eine kleine Weile. Der *hakim* sagte, wir könnten jederzeit wieder in die Ebenen zurückkehren, denn wir werden ja die herrlichen Plätze nur streifen. Der *hakim* ist voller Gelehrsamkeit, aber keineswegs stolz. Ich sprach zu ihm – während du mit der Sahiba redetest – von einem gewissen Schwindelgefühl, das meinen Hinterkopf in der Nacht befällt, und er sagte, das käme von übermäßiger Hitze und würde durch die kühle Luft geheilt. Bei näherem Nachdenken wunderte ich mich, daß ich nicht an ein so einfaches Heilmittel gedacht hatte.«

»Hast du ihm auch von deiner Suche erzählt?« fragte Kim,

ein wenig eifersüchtig. Er wollte den Lama durch seine eignen Worte lenken – nicht durch die Kniffe von Hurree Babu.

»Sicherlich. Ich erzählte ihm meinen Traum und wie ich Verdienst erwarb, indem ich veranlaßte, daß du Wissen erlangtest.«

»Du hast nicht gesagt, daß ich ein Sahib bin?«

»Wozu? Ich habe dir viele Male gesagt, wir sind nur zwei Seelen, die Rettung suchen. Er sagte – und darin hat er recht –, daß der Fluß des Heils hervorbrechen wird, wie ich träumte – vor meinen Füßen, wenn es so sein soll. Da ich den Weg fand, siehst du, der mich befreien soll von dem Rad, soll ich mich dann sorgen, wie ich den Weg finde durch die Felder der Erde, die Schein sind? Das wäre sinnlos. Ich habe meine Träume, Nacht für Nacht wiederholt; ich habe die *Jâtaka*; und ich habe dich, Freund der ganzen Welt. Es war geschrieben in deinem Horoskop, daß ein Roter Stier auf einem grünen Feld – ich habe es nicht vergessen – dich zu Ehren bringen sollte. Wer sonst als ich sah diese Prophezeiung erfüllt? Wahrlich, ich war das Werkzeug. Du wirst mir meinen Fluß finden, dafür in Wiederkehr das Werkzeug sein. Die Suche ist gesichert!«

Er wandte sein elfenbeingelbes Antlitz, heiter und ruhevoll, den lockenden Bergen zu; sein Schatten glitt ihm langhin voraus im Staube.

Dreizehntes Kapitel

Wer hat schon Heimweh gehabt nach der See,
nach den herrischen Wogen –
Nach dem Beben und Stampfen und Roll'n,
eh das Bugspriet emportaucht –
Droben Gewölk des Passats,
saphirenes Dröhnen darunter –
Nach der Windmeute, lauernd in Kliffs,
und dem Donner der Segel?
Seiner See, stets wechselnd an Wundern
und immer ein Wunder –
Seiner See, die sein Wesen erfüllt? –
So – so und nicht anders
Sehnen sich Berggeborene heim
nach ihrem Gebirge!

›Wer in die Berge geht, geht zur Mutter.‹

Sie hatten die Siwaliks durchquert und die halbtropische Dun, Mussoorie im Rücken gelassen und strebten nordwärts auf den schmalen Gebirgswegen. Tag um Tag gerieten sie tiefer in die gedrängten Berge, und Tag um Tag sah Kim mit an, wie Manneskraft im Lama wuchs. In den Terrassen der Dun hatte er auf der Schulter des Knaben gelehnt, bereit, jede Rast am Wege zu nutzen. Vor dem großen Aufstieg nach Mussoorie riß er sich zusammen wie ein alter Jäger, der vertrautes Revier sichtet, und statt erschöpft hinzusinken, schwang er die langen Gewänder um sich, tat mit beiden Lungen tiefen Zug in der diamantklaren Luft und schritt aus, wie nur ein Gebirgler es kann. Kim, im Flachland geboren, im Flachland gewachsen, schwitzte und keuchte verwundert. »Das ist *mein* Land«, sagte der Lama. »Neben Such-zen ist dies flacher als ein Reisfeld.« Und mit stet ausgreifenden Schritten aus den Lenden heraus strebte er aufwärts. Aber beim steilen Abstieg, dreitausend Fuß in drei Stunden, lief er vollends weg von Kim, dem der Rücken vom Einhalten schmerzte und die große Zehe fast abgeschnitten wurde von der Bastschnur seiner Sandale. Durch die schattengetigerten riesigen Deodarforste, durch Eichenwälder, mit Farnen gefiedert und geschmückt, durch Birken, Stechpalmen, Rhododendren und Kiefern, hinaus auf sonnverbranntes, schlüpfriges Gras der kahlen Berghänge und wieder in Waldkühle hinein, bis die Eiche wich vor Bambus und Palme des Tals, schwang der Lama unermüdlich die Beine.

Zurückblickend im Zwielicht auf die mächtigen Kämme hinter ihm und den schwachen, dünnen Faden des Wegs, den sie gekommen waren, entwarf er alsbald, mit dem unternehmenden Weitblick des Gebirglers, neue Märsche für den Morgen; oder er hielt auf dem Joch einer Paßhöhe, nach Spiti und Kulu hin, und streckte sehnsüchtig die Hände gegen die Schneegipfel am Horizont. In der Morgendämmerung glänzten sie zartrot über tiefblau, wenn Kedarnath und Badrinath – Könige dieser Wildnis – das erste Sonnenlicht fingen. Den ganzen Tag lang lagen sie wie geschmolzenes Silber unter der Sonne und legten abends wieder ihr Geschmeide an. Anfangs atmeten sie sänftiglich auf die Wanderer her, willkommene Winde zum Klettern über irgendeinen gigantischen Eberrükken; aber nach wenigen Tagen, in Höhe von neun- oder zehntausend Fuß, begannen die Lüfte zu schneiden, und Kim gestattete den Bergbewohnern eines Dorfes gnädigst, sich Heil zu erwerben, indem sie ihm einen groben Düffelrock schenkten. Der Lama war mild erstaunt, daß jemand Einwände haben könne gegen die messerscharfen Brisen, die ihm die Jahre von den Schultern gelöst.

»Das sind nur Hügel, *chela*. Kalt wird es erst, wenn wir in die richtigen Berge kommen.«

»Luft und Wasser sind gut, und das Volk ist fromm, aber das Essen ist sehr schlecht«, murrte Kim; »und wir laufen, als wären wir toll – oder Engländer. Es friert auch in der Nacht.«

»Ein wenig, mag sein; nur gerade genug, daß alte Knochen sich auf die Sonne freuen. Wir müssen nicht immer in weichen Betten und fettem Essen schwelgen.«

»Wir könnten wenigstens auf dem Wege bleiben.«

Kim, Kind des Flachlands, hegte ein unbedingtes Wohlwollen für den gutgetretenen Pfad, der sich, kaum sechs Fuß breit, durch die Berge schlängelte; der Lama jedoch, als Tibetaner, konnte nicht widerstehen, Abkürzungen über Vorsprünge und steile Gerölle einzuschlagen. Wer in den Bergen aufgewachsen sei, erklärte er seinem hinkenden Schüler, könne den Verlauf eines Gebirgspfades voraussagen, und wenn etwa tiefhängende Wolken dem Fremden, der sich mit Abkürzungen nicht auskenne, hinderlich wären, so könnten sie doch einem erfahrenen Mann nicht das geringste anhaben. So, nach langen Stunden einer Kletterei, die man in zivilisierten Ländern als recht anständige alpinistische Leistung bezeichnet hätte, stießen sie, über einen Bergsockel und seitlich über ein paar Erdrutsche hinwegkeuchend, durch einen Wald in einem Winkel von fünfundvierzig Grad wieder auf den Weg. Ihm entlang lagen die Dörfer des Bergvolks – Erd- und Lehmhütten, Gebälk hie und da, roh mit der Axt behauen – wie Schwalbennester an den Steilhängen haftend, zusammengekuschelt auf winzigen Flächen in halber Höhe eines dreitausend Fuß tiefen Absturzes, in einem Winkel zwischen Klippen gedrängt, der jeglichen Windstoß wie im Trichter fing; oder der Sommerweide wegen auf schmalem Joch kauernd, das im Winter zehn Fuß tief unter Schnee lag. Und das Volk – das blaßgelbe, schmutzige, düffelbekleidete Volk mit kurzen nackten Beinen und Gesichtern fast wie Eskimos – kam in Trupps heraus und betete an. Das Flachland, sanft und freundlich, hatte den Lama als einen heiligen Mann unter heiligen Männern behandelt. Aber das Hochland verehrte ihn als den Vertrauten aller Teufel. Sie huldigten einem fast völlig entstellten Buddhismus, überwuchert von einer Naturanbetung, phantastisch wie ihre Landschaft, vielgestaltig wie der Stufenbau ihrer winzigen Felder; aber sie erkannten den großen Hut, den klappernden Rosenkranz und die kostbaren chinesischen Texte als eine große Macht an, und somit ehrten sie auch den Mann unter dem Hut.

»Wir sahen dich herunterkommen über die schwarzen Brüste von Eua«, sagte ein Betah, der ihnen eines Abends Käse, saure Milch und steinhartes Brot gab. »Wir kommen nicht oft dahin – außer wenn kalbende Kühe sich im Sommer verirren.

Ein tückischer Wind ist dort zwischen den Steinen, der Menschen hinwirft an den stillsten Tagen. Aber was kümmern sich Leute wie ihr um den Teufel von Eua!«

Und nun begann Kim, weh bis in jede Fiber, schwindlig vom Abwärtsschauen, fußwund von engen Spalten, in denen die Zehen verzweifelt sich anklammerten, dennoch Freude an den Tagesmärschen zu finden – gleiche Freude wie ein Knabe in St. Xavier, der im Wettlauf siegt, am Beifall der Freunde. Die Berge ließen ihn den *ghi* und Zuckertalg aus den Knochen schwitzen; die trockene Luft, auf der Höhe rauher Pässe in Stößen eingesogen, stärkte und weitete seinen Brustkorb, und die schrägen Steigungen schufen neue harte Muskeln in Wade und Schenkel.

Sie meditierten oft über das Rad des Lebens – um so mehr, als sie jetzt, wie der Lama sagte, frei wären von seinen sichtbaren Versuchungen. Wenn sie nicht gerade einen Adler sahen oder zuweilen fern am Berghang einen grabenden und wühlenden Bären, oder bei der Dämmerung in einem stillen Tal jählings einen grimmigen gefleckten Leoparden sichteten, der eben dabei war, eine Geiß zu verschlingen, oder dann und wann einen bunten Vogel, so waren sie allein mit den Winden und dem Gras, das unterm Winde sang. Die Weiber in den rauchigen Hütten, über deren Dächern die beiden vorbeikamen, wenn sie bergab stiegen, waren unfreundlich und schmutzig, Ehefrauen vieler Gatten, alle von Kröpfen entstellt. Die Männer waren Holzschläger, wenn sie nicht Ackerbauern waren – sanftmütig und von unglaublicher Einfalt. Und damit angenehme Unterhaltung nicht fehle, sandte ihnen das Schicksal den höflichen Doktor aus Dacca, den sie unterwegs einholten und der für sein Essen mit Salben gegen Kröpfe bezahlte, sowie mit guten Ratschlägen, die Frieden stifteten zwischen Männern und Weibern. Er schien diese Berge ebenso wie alle Bergdialekte zu kennen und schilderte dem Lama die Lage des Landes gen Ladakh und Tibet. Er sagte, sie könnten ja jeden Augenblick in die Ebenen zurückkehren; inzwischen wäre für die, die Berge liebten, der Weg dort hinüber vielleicht sehr ergötzlich. Das kam nicht alles auf einmal zutage, aber gelegentlich, bei abendlichem Zusammentreffen auf den steinernen Dreschtennen, wenn nach beendeter Behandlung der Patienten der Doktor rauchte und der Lama schnupfte, während Kim den winzigen Kühen zuschaute, die auf den Dächern grasten, oder seine Seele seinen Augen nachflog über die tiefblauen Gründe zwischen Bergkette und Bergkette hin. Und heimliche Gespräche gab es in den dunklen Gehölzen, wenn der Doktor Kräuter suchte und Kim als knospender Arzt ihn begleitete.

»Ihr seht, Mister O'Hara, ich weiß nicht, was zum Teufel noch mal ich tun werde, wenn ich unsere jagdlustigen Freunde treffe; aber wenn Ihr gütigst in Sicht meines Sonnenschirmes bleiben wollt, der ein ausgezeichneter Anhaltspunkt für Katasterarbeiten ist, so wird mir wesentlich wohler sein.«

Kim sah hinaus in die Wildnis von Bergspitzen. »Dies ist nicht mein Land, *hakim.* Leichter, eine Laus in einem Bärenfell zu finden, scheint mir.«

»Oah, das ist gerade meine Stärke. Eile gibt es für Hurree nicht. Vor kurzem waren sie in Leh. Sie sagten, sie wären mit ihren Hörnern und Köpfen und allem von Karakorum heruntergekommen. Ich fürchte nur, sie haben alle ihre Briefe und kompromittierenden Dinge von Leh aus zurückgeschickt in russisches Territorium. Natürlich werden sie so weit wie möglich nach dem Osten gehen, – just um zu zeigen, daß sie niemals in den Weststaaten waren. Ihr kennt die Berge nicht?« Er kratzte mit einem Zweig auf der Erde. »Schaut her! Sie hätten eigentlich über Srinagar oder Abbottabad hereinkommen müssen. *Das* wäre ihr kürzester Weg – am Fluß herunter, bei Bunji und Astor. Aber sie haben im Westen Unfug getrieben. So« – er zog eine Linie von links nach rechts – »so marschieren und marschieren sie weiter nach Osten, nach Leh (ah! es ist kalt dort), und den Indus hinab nach Han-lé (ich kenne den Weg) und dann hinunter, seht Ihr, nach Bushahr und ins Chinital. Das habe ich durch den Vorgang der Elimination festgestellt, und auch, indem ich die Leute, die ich so flott kuriere, ausfragte. Unsere Freunde haben sich lange genug herumgetrieben, um Eindruck zu hinterlassen; so sind sie weitbekannt. Ihr werdet sehen, ich fange sie irgendwo im Chinital. Bitte, haltet ein Auge auf meinen Sonnenschirm.«

Der Sonnenschirm nickte wie eine windbewegte Glockenblume talabwärts und um die Berghänge herum, und der Lama und Kim, die nach dem Kompaß marschierten, holten ihn immer wieder ein, wenn er zur Abendzeit Salben und Pulver verkaufte. »Wir kamen auf dem und dem Wege.« Der Lama deutete mit lässigem Finger rückwärts auf die Bergketten, und der Sonnenschirm erging sich in Komplimenten.

Sie kreuzten einen verschneiten Paß in kaltem Mondlicht, und der Lama, Kim gutmütig neckend, watete hindurch bis an die Knie wie ein Baktrien-Kamel, diese zottige, schneegewohnte Gattung, die man im Kaschmir-Serail trifft. Sie tauchten durch Wächten Pulverschnees und überschritten beschneite Schieferfelsen, hinter denen sie vor einem Sturm Zuflucht in einem Lager von Tibetanern suchten, die ihre winzigen Schafe, jedes mit einem Sack Borax beladen, zu Tal trieben. Sie kamen auf grasige, immer noch schneebefleckte Bergschultern, durch Wald, und wieder auf Gras. Aber all ihr Wandern machte keinerlei Eindruck auf Kedarnath und Badrinath; und erst nach tagelangen Märschen konnte Kim, hoch auf einem Hügelchen von nur zehntausend Fuß, sehen, daß ein Schulterknochen oder ein Horn der beiden großen Herren seinen Umriß, wenn auch kaum merklich, verändert hatte.

Zuletzt betraten sie eine Welt für sich – ein Tal voll Ablagerungen, dessen Höhenzüge aus dem bloßen Schutt und Geröll an den Knien der Berge gebildet waren. Hier brachte ein Tagesmarsch sie scheinbar nicht weiter, als der gehemmte Fuß eines Schläfers ihn in einem Alptraum trägt. Sie umkletterten stundenlang mühevoll einen Buckel, und siehe da, es war nur die Vorstufe eines Vorsockels des Hauptsockels. Ein Wiesenrund entpuppte sich, wenn sie es erreicht hatten, als ein weites Tafelland, das sich bis fern ins Tal dehnte. Drei Tage später war es nur eine undeutliche Erdfalte südwärts.

»Hier leben gewiß die Götter«, sagte Kim, überwältigt von dem Schweigen und dem gewaltigen Ziehen und Schweifen der Wolkenschatten nach Regen. »Das ist kein Ort für Menschen!«

»Vor langer, langer Zeit«, sprach der Lama wie zu sich selbst, »wurde der Herr gefragt, ob die Welt ewig bestehen würde. Hierauf gab der Erhabene keine Antwort ... Als ich in Ceylon war, bestätigte das ein weiser Sucher aus der Lehre, die in Pali geschrieben ist. Sicherlich, seit wir den Weg zur Freiheit kennen, wäre diese Frage nutzlos, aber – sieh, und erkenne Wahn, *chela*! Dies sind die wahren Berge! Sie sind wie meine Berge bei Such-zen. Keine sind wie sie!«

Über ihnen, noch unendlich hoch über ihnen, türmte die Erde sich gegen die Schneegrenze empor, wo von Ost nach West über Hunderte von Meilen hin, wie mit dem Lineal abgeschnitten, die letzten verwegenen Birken abbrachen. Darüber, in Blöcken und Zacken gedrängt, strebten die Felsen, ihre Häupter über den weißen Dunst zu recken. Darüber wieder, wandellos seit Anbeginn der Welt, doch sich wandelnd nach jeglicher Laune von Licht und Gewölk, lag frei der ewige Schnee. Sie konnten Flecken und Tupfen sehen auf seinem Antlitz, wo Sturm und wandernde Wirbel Tänze drehten. Unter ihnen, wo sie standen, zog sich der Wald, blaugrünes Tuch, Meilen und Meilen weit hinab; unter dem Wald lag ein Dorf im Gesprenkel terrassenförmiger Felder und steilen Weidegehegs; unter dem Dorf, wußten sie, obwohl just ein Gewitter dort braute und grollte, stürzte ein Abhang zwölf- oder fünfzehnhundert Fuß in das feuchte Tal hinab, wo die Ströme sich sammeln, die die Mütter des jungen Sutlej sind.

Wie gewöhnlich hatte der Lama Kim auf Viehpfaden und Nebenwegen weit von der Hauptstraße fortgeführt, auf der Hurree Babu, dieser ›furchtsame Mann‹, drei Tage vorher sich durch einen Gewittersturm durchgerungen hatte, dem neun unter zehn Engländern respektvoll aus dem Wege gegangen wären. Hurree war kein Schütze – das Knacken eines Gewehrabzugs ließ ihn die Farbe wechseln –, aber er war, wie er selbst sich ausgedrückt hatte, ›ein flotter Ausschreiter‹, und er hatte mittels eines billigen Fernglases das ausgedehnte Tal mit einigem Erfolg durchstöbert. Überdies sind Zelte aus weißem Segeltuch im Grünen weithin sichtbar. Auf der Dreschtenne von Ziglaur sitzend, hatte Hurree Babu, aus einer Entfernung von zwanzig Meilen Adlerflugs und vierzig Meilen Wegs, alles gesehen, was er sehen wollte: nämlich zwei kleine Pünktchen, die sich an einem Tag just unterhalb der Schneelinie befanden und am nächsten sich um etwa sechs Zoll an der Berglehne weiter hinabbewegt hatten. Erst einmal eingearbeitet und in Bewegung gesetzt, konnten seine nackten, fetten Beine erstaunliche Strecken bewältigen; und während der Lama und Kim noch in einer undichten Hütte in Ziglaur lagen, um das Unwetter vorübergehen zu lassen, war ein nasser, schmieriger, aber unentwegt lächelnder Bengale eben im Begriff, sich mit den künstlichsten Phrasen seines feinsten Englisch bei zwei durchweichten, verschnupften Fremden anzubiedern. Er war, wilde Pläne in seinem Kopf wälzend, just beim letzten Blitzschlag des Gewitters angekommen, der eine Tanne gerade gegenüber ihrem Lager zersplittert hatte, und konnte angesichts dieses Ereignisses die Schar der erschreckten Gepäckkulis leicht davon überzeugen, daß der Tag für weitere Reise ungünstig wäre, so daß sie alle wie auf Verabredung ihre Lasten abgeworfen und sich davongemacht hatten. Sie waren Untertanen eines Bergradschas, der ihre Dienste, wie üblich, zugunsten seiner Privatkasse vermietete; und zum Überfluß hatten die fremden Sahibs sie auch noch mit ihren Flinten bedroht. Die meisten von ihnen kannten Flinten und Sahibs von alters her: Sie waren Pfadfinder und *shikarris* aus den nördlichen Tälern, eifrige Bären- und Gemsenjäger; aber so waren sie alle in ihrem ganzen Leben noch nicht behandelt worden. Jetzt nahm der Wald sie an seine Brust und gab sie trotz Flüchen und Rufen nicht wieder heraus. Der Babu hatte nun nicht mehr nötig, sich blödsinnig zu stellen oder sonst eine der Listen anzuwenden, die er sich ausgedacht hatte, um gut aufgenommen zu werden. Er wrang seine nassen Kleider aus, zog die Patentlederschuhe an, öffnete den blau und weißen Sonnenschirm, und mit gezierter Haltung, während ihm das Herz bis zum Hals klopfte, stellte er sich vor als: »Agent Seiner Königlichen Hoheit, des Radschas von Rampur, meine Herren. Was kann ich für Sie tun, bitte?«

Die Herren waren entzückt. Der eine war augenscheinlich

ein Franzose, der andere ein Russe, aber sie sprachen nicht viel schlechter Englisch als der Babu. Sie baten um seinen freundlichen Beistand. Ihre eingeborenen Diener hatten sie in Leh krank zurückgelassen, sie waren weitergeeilt, um ihre Jagdbeute nach Simla zu schaffen, ehe die Felle von Motten zerfressen wären. Sie trugen ein Empfehlungsschreiben bei sich – der Babu salaamte orientalisch – an alle Beamten der Regierung. Nein, sie hatten keine andere Jagdgesellschaft *en route* getroffen. Sie brauchten niemand. Sie hatten eine Menge Proviant. Sie wünschten nur, so bald wie möglich weiterzukommen. Darauf erspähte Hurree Babu einen kauernden Gebirgler zwischen den Bäumen, und mit wenigen Worten und etwas Silber (im Staatsdienst kann man nicht knausern, obschon Hurrees Herz ob solcher Verschwendung blutete) brachte er die elf Kulis nebst drei Mitläufern wieder zum Vorschein. Der Babu, meinten sie, könne wenigstens Zeuge ihrer Unterjochung sein.

»Mein königlicher Herr – es wird ihm sehr peinlich sein; diese Leute sind eben nur gemeines Volk und gröblich unwissend. Wenn Euer Gnaden diesen leidigen Zwischenfall gütigst übersehen wollen, würde es mich sehr glücklich machen. Der Regen wird bald aufhören, dann können wir aufbrechen. Sie haben gejagt, wie? Das ist eine tolle Leistung!«

Er hüpfte behende von einem *kilta* zum andern und tat so, als ob er jeden dieser kegelförmigen Körbe zurechtrücken wollte. Der Engländer steht in der Regel nicht auf vertraulichem Fuße mit dem Asiaten, aber er würde einem diensteifrigen Babu nicht über die Hand schlagen, wenn er zufällig einen mit roter Ölleinwand umwickelten *kilta* umgekippt hätte. Andererseits würde er einen Babu, und wäre er noch so dienstbeflissen, nicht zum Trinken nötigen oder einladen, Fleisch mit ihm zu essen. Die Fremden taten dies alles und stellten viele Fragen – meistens Weiber betreffend –, und Hurree gab heitere und natürliche Antworten. Sie gaben ihm ein Glas mit einer weißlichen ginähnlichen Flüssigkeit, und dann noch eins, und nicht lange, so verließ ihn sein gemessenes Benehmen. Er wurde plump indiskret und erging sich in den ungehörigsten Ausdrücken gegen die Regierung, die ihm die Erziehung eines weißen Mannes aufgezwungen, aber das Gehalt eines weißen Mannes versagt hätte. Er schwatzte lang und breit von Unterdrückung und Unrecht, bis ihm die Tränen über die Backen liefen um das Elend seines Landes. Dann stolperte er davon, südbengalische Liebeslieder singend, und sank auf einen nassen Baumstumpf hin: das jämmerlichste Produkt der englischen Herrschaft in Indien, das sich ausländischen Augen darbieten konnte.

»So sind sie alle«, sagte der eine Sportsmann auf französisch zum andern. »Wenn wir in das richtige Indien kommen, wirst du es selbst sehen. Seinen Radschah möchte ich wohl besuchen. Man könnte da ein geeignetes Wort sprechen. Möglich, daß er von uns gehört hat und uns gefällig sein möchte.«

»Wir haben keine Zeit. Wir müssen, so rasch es geht, nach Simla kommen«, erwiderte der andere. »Ich für mein Teil wünschte, wir hätten unsere Berichte von Hilás oder wenigstens von Leh zurückgeschickt.«

»Die englische Post ist besser und sicherer. Bedenke, daß sie uns alle Erleichterungen versprochen haben, und bei Gott! sie machen es uns wirklich leicht! Ist das nun unglaubliche Dummheit?«

»Es ist Hochmut – Hochmut, der bestraft zu werden verdient und bestraft werden wird.«

»Ja? Gegen einen Kollegen vom Kontinent in unserm Spiel zu kämpfen, das ist doch noch was. Da ist ein Risiko dabei; aber diese Leute – bah! Es ist zu einfach.«

»Hochmut – nichts als Hochmut, mein Freund.«

›Was zum Teufel nutzt es nun, daß Chandernagor so nahe bei Kalkutta liegt‹, dachte Hurree Babu, mit offenem Munde schnarchend, ›wenn ich ihr Französisch nicht verstehen kann. Sie reden auch ganz ungewöhnlich schnell. Es wäre viel besser gewesen, ihnen ihre verdammten Gurgeln abzuschneiden.‹

Als er sich wieder blicken ließ, klagte er über Kopfschmerzen, zeigte sich reuevoll und gab mit vielen Worten seiner Befürchtung Ausdruck, in der Trunkenheit indiskret gewesen zu sein. Er liebte die englische Regierung – sie war die Quelle aller Wohlfahrt und Ehre, und sein Herr in Rampur war durchaus derselben Meinung. Hierauf begannen die beiden ihn zu verspotten und seine vorigen Reden zu wiederholen, bis der arme Babu, Schritt für Schritt aus seiner Verschanzung herausgetrieben, mit öligem Lächeln und vielsagendem Grienen und neunmal schlauem Blinzeln sich gezwungen sah – die Wahrheit zu sprechen. Als Lurgan später von dieser Geschichte erfuhr, bedauerte er laut, nicht an Stelle der blöden, achtlosen Kulis gewesen zu sein, die, mit Strohmatten über den Köpfen und das Regenwasser in ihre Fußstapfen plantschend, das Unwetter abwarteten. Alle die Sahibs, die sie kannten – derb gekleidete Männer, die Jahr für Jahr fröhlich immer wieder in ihre Lieblingsnester hier oben kamen –, hatten Diener, Ordonnanzen und Köche, die oft Gebirgler waren. Diese Sahibs hier reisten ohne jedes Gefolge. Folglich waren es arme Sahibs, und unwissende; denn kein Sahib, der seine fünf Sinne hatte, ließ sich von einem Bengalen beraten. Aber dieser von irgendwoher erschienene Bengale wußte mit ihrem Dialekt umzugehen und hatte ihnen Geld gegeben. An selbstverständliche schlechte Behandlung durch Leute ihrer eigenen Farbe gewöhnt, argwöhnten sie irgendwo eine Falle und hielten sich bereit, fortzulaufen, sobald sich Gelegenheit dazu bot.

Durch die frisch gewaschene, von köstlichen Erdgerüchen dampfende Luft führte der Babu dann die Kolonne bergab – bald stolz an der Spitze der Kulis, bald demütig hinter den Fremden gehend. Seine Gedanken waren zahlreich und mannigfach und würden seine Gefährten ungemein interessiert haben. Aber er war ein angenehmer Führer, stets beflissen, auf die Schönheiten des Gebietes seines königlichen Herrn aufmerksam zu machen. Er bevölkerte die Berge mit allem, was seine Gefährten zu morden wünschten – mit Steinbock, Schraubhornziege und Bären durch Elischas Gunst. Er redete über Botanik und Ethnologie mit unschuldigster Verkehrtheit, und sein Schatz an einheimischen Legenden – er war seit fünfzehn Jahren Vertrauensagent des Staates, muß man bedenken – war unerschöpflich.

»Dieser Kerl ist wahrhaftig ein Original«, sagte der größere der beiden Fremden. »Er gleicht dem Alptraum eines Wiener Kuriers.«

»Er repräsentiert *in petto* das Indien des Übergangs – das monströse Zwittertum von Ost und West«, erwiderte der Russe. »*Wir* verstehen mit Orientalen umzugehen.«

»Er hat sein eigenes Vaterland verloren und kein neues dafür bekommen. Er haßt seine Eroberer gründlich. Hör zu, er vertraute mir gestern abend an … «

Unter dem gestreiften Sonnenschirm strengte Hurree Babu Kopf und Ohr an, um dem schnellzüngigen Französisch zu folgen, und hielt daneben beide Augen auf einen *kilta* voller Karten und Dokumente gerichtet – einen besonders großen, doppelt mit rotem Öltuch umwickelt. Er wollte durchaus nicht stehlen. Er wollte nur wissen, was es zu stehlen gäbe, und – beiläufig, wie er verduften könnte, wenn er es gestohlen hätte. Er dankte allen Göttern von Hindustan und Herbert Spencer, daß einige stehlenswerte Dinge da waren.

Am zweiten Tag stieg der Weg steil auf zu einer grasigen Höhe überm Wald; und hier, um Sonnenuntergang, trafen sie einen betagten Lama an – die Fremden nannten ihn einen Bonzen –, der mit gekreuzten Beinen vor einer geheimnisvollen, mit Steinen festgehaltenen Karte saß, die er einem jungen Manne erklärte, augenscheinlich einem Neophyten von ungewöhnlicher, wenngleich ungewaschener Schönheit. Der gestreifte Sonnenschirm war schon von weither in Sicht gewesen, und Kim hatte vorgeschlagen, auszuruhen, bis er sie erreichte.

»Ha!« rief Hurree Babu, erfinderisch wie der gestiefelte Kater: »Da ist ein eminent heiliger Mann dieser Gegend. Vermutlich Untertan meines königlichen Herrn.«

»Was macht er da? Es ist höchst sonderbar.«

»Er erklärt ein heiliges Bild – *alles* mit der Hand gemalt.«

Die beiden Männer standen barhäuptig in der tief über das vergoldete Gras herflutenden Nachmittagssonne. Die verdrossenen Kulis, froh der Unterbrechung, standen still und warfen ihre Ladung ab.

»Schau«, sagte der Franzose, »es ist wie ein Bild der Geburt einer neuen Religion – der erste Lehrer und der erste Schüler. Ist er Buddhist?«

»Von irgendeiner untergeordneten Art«, meinte der andere. »In den Bergen gibt es keine wahren Buddhisten. Aber sieh dir die Falten seines Gewandes an. Und seine Augen – wie unverschämt! Warum kommt einem dabei das Gefühl daran, daß wir noch ein so junges Volk sind?« Der Sprecher hieb leidenschaftlich auf das hohe Unkraut ein. »Wir haben noch nirgendwo unsere Spur geprägt. Nirgendwo! *Das*, verstehst du, beunruhigt mich.« Er blickte finster auf das friedliche Gesicht des Lama und die monumentale Ruhe seiner Haltung.

»Hab Geduld. Wir werden unsere Spur noch gemeinsam prägen – wir und ihr junges Volk. Inzwischen zeichne lieber sein Bild ab.«

Der Babu trat in hochmütiger Haltung heran, die durchaus nicht im Einklang stand mit seiner ehrerbietigen Sprache und seinem Blinzeln gegen Kim.

»Heiliger, dies sind Sahibs. Meine Medizin heilte den einen von Rheumatismus, und ich gehe mit nach Simla, um seine Genesung zu überwachen. Sie möchten gern dein Bild sehen ...«

»Die Kranken zu heilen ist immer gut«, sprach der Lama. »Dies ist das Rad des Lebens, dasselbe, das ich dir in der Hütte in Ziglaur zeigte, als der Regen fiel.«

» ... und sie möchten dich es erklären hören.«

Die Augen des Lama leuchteten auf bei der Aussicht auf neue Zuhörer. »Es ist gut, den Höchst Vortrefflichen Pfad zu deuten. Haben sie Kenntnis des Hindi, so wie der Hüter der Bildnisse?«

»Ein wenig, vielleicht.«

Hierauf, einfach wie ein Kind, das sich in ein neues Spiel vertieft, bog der Lama den Kopf zurück und begann mit voller Stimme die Anrufung, die der Lehrer des göttlichen Heils der Lehre vorausgehen läßt. Die Fremden lauschten, auf ihre Alpenstöcke gelehnt. Kim, demütig am Boden hockend, beobachtete das rote Sonnenlicht auf ihren Gesichtern und das Ineinander und Nebeneinander ihrer langen Schatten. Sie trugen unenglische Ledergamaschen und sonderbare Gürtel-riemen, die ihn dunkel an die Bilder in einem Buch der Bibliothek von St. Xavier erinnerten: ›Abenteuer eines jungen Naturforschers in Mexiko‹ hatte es geheißen. Ja, sie sahen ganz ähnlich aus wie der prachtvolle Mr. Sumichrast in dieser Erzählung und durchaus nicht wie die ›höchst skrupellosen Gesellen‹, als die Hurree Babu sie angekündigt hatte. Die erd-farbenen Kulis hockten stumm und ehrerbietig in zwanzig bis dreißig Yard Entfernung, und der Babu, dessen leichtes Gewand wie eine Feldfahne in der kühlen Brise flatterte, stand da mit der Miene des glücklichen Besitzers.

»Das sind die Leute«, flüsterte Hurree Kim zu, indes das Ritual fortschritt und die beiden Weißen dem Grashalm folgten, der von der Hölle zum Himmel und wieder zurück wies. »Alle ihre Bücher sind in dem großen *kilta* mit dem ro-ten Deckel – Bücher, Berichte und Karten -, und ich habe ei-nen Königsbrief gesehen, den entweder Hilás oder Bunár ge-schrieben hat. Sie bewahren ihn sehr sorgsam. Sie haben nichts zurückgesendet von Leh oder Hilás; das ist sicher.«

»Wer ist bei ihnen?«

»Nur die *beegar*-Kulis. Sie haben keine Diener. Sie sind ganz für sich, sie kochen ihr Essen selbst.«

»Aber was soll ich tun?«

»Warte ab und sieh. Nur, wenn mir etwas Menschliches be-gegnet, so weißt du, wo die Papiere sind.«

»Diese Sache läge besser in Mahbub Alis Hand als in der eines Bengalen«, meinte Kim verächtlich.

»Es gibt mehr Wege zur Liebsten als an der Wand rauf.«

»Seht hier die Hölle, für Habsucht und Geiz bestimmt. Auf der einen Seite von der Begierde, auf der andern Seite der Ungeduld flankiert.« Der Lama wurde warm bei seinem Vor-trag, und einer der Fremden zeichnete ihn in dem rasch schwindenden Licht.

»Das genügt«, sagte der Mann plötzlich brüsk. »Ich kann ihn nicht verstehen, aber ich will das Bild haben. Er ist ein besserer Künstler als ich. Frag ihn, ob er es verkaufen will.«

»Er sagt ›Nein, Sar‹«, erwiderte der Babu. Der Lama würde natürlich ebensowenig seine Karte einem Zufallsbekannten überlassen haben, wie ein Erzbischof die heiligen Gefäße seiner Kathedrale verpfänden würde. Tibet ist voll von billigen Darstellungen des Rades; aber der Lama war ein Künstler und überdies ein reicher Abt in seiner Heimat.

»Vielleicht in drei Tagen oder vier, oder zehn, wenn ich spüre, daß der Sahib ein Sucher ist und von gutem Verständnis, werde ich selbst ihm ein anderes malen. *Dieses* aber ist für die Unterweisung eines Novizen bestimmt. Sage ihm das, *hakim.*«

»Er will es gleich haben – für Geld.«

Der Lama schüttelte langsam sein Haupt und begann das Rad zusammenzufalten. Der Russe seinerseits sah nur einen schmutzigen alten Mann, der um ein schmutziges Stück Papier schacherte. Er zog eine Handvoll Rupien aus der Tasche und haschte, halb scherzend, nach der Karte, die – da sie der Lama festhielt – zerriß. Ein leises Murmeln des Entsetzens kam von den Kulis her. Einige von ihnen waren aus Spiti und auf ihre Art gute Buddhisten. Der Lama erhob sich bei der Kränkung; seine Hand faßte nach dem schweren eisernen Federkasten, der die Waffe des Priesters ist, und der Babu tanzte vor Aufregung.

»Nun siehst du es – siehst du es, warum ich Zeugen haben wollte. Es sind höchst skrupellose Gesellen. Oh, Sar! Sar! Ihr dürft einen heiligen Mann *nicht* schlagen!«

»*Chela!* Er hat das geschriebene Wort entweiht!«

Es war zu spät. Ehe Kim ihn abwehren konnte, schlug der Russe den alten Mann voll ins Gesicht. Im nächsten Augenblick rollte er kopfüber den Berg hinab, mit Kim an der Kehle. Der Schlag hatte alle unbekannten irischen Teufel in des Knaben Blut wachgerufen, und der plötzliche Fall seines Feindes tat das übrige. Der Lama, halb betäubt, sank auf die Knie; die Kulis flohen mit ihren Lasten so rasch bergan, wie Talbewohner über die Ebene laufen. Sie hatten unsagbaren Frevel geschaut und mußten sich aus dem Staube machen, ehe die Götter und Teufel der Berge Rache nahmen. Der Franzose stürzte, nach seinem Revolver tappend, auf den Lama zu, mit der unklaren Idee, ihn als Geisel für seinen Gefährten festzuhalten. Ein Schauer von kantigen Steinen – Gebirgler sind scharfe Schützen – trieb ihn fort, und ein Kuli von Ao-chung riß den Lama mit in die Flucht hinein. Das alles kam so schnell wie die jähe Dunkelheit des Hochgebirgs.

»Sie haben das Gepäck mitgenommen und alle Flinten«, brüllte der Franzose und feuerte blindlings in das Zwielicht.

»Ruhig, Sar! Ruhig! Schießt nicht! Ich laufe zu Hilfe.« Und Hurree, den Abhang hinunterstampfend, warf sich buchstäblich über den entzückten und erstaunten Kim, der just damit beschäftigt war, den Kopf eines atemlosen Feindes gegen einen Felsen zu schmettern.

»Geh zurück zu den Kulis«, flüsterte der Babu ihm ins Ohr. »Sie haben das Gepäck. Die Papiere sind in dem *kilta* mit dem roten Deckel, aber schau in allen nach. Nimm ihre Papiere und besonders den *murasla* (Königsbrief). Geh! Der andere kommt!«

Kim kletterte aufwärts. Eine Revolverkugel schlug neben ihm an einen Felsen, und er kauerte sich zusammen wie ein Rebhuhn.

»Wenn Ihr schießt«, schrie Hurree nach oben, »werden sie herunterkommen und uns vernichten. Den andern Herrn habe ich gerettet, Sar. Das ist ganz besonders gefährlich.«

›Bei Zeus!‹ dachte Kim angestrengt auf englisch. ›Das ist eine verdammt kritische Lage, aber es ist Notwehr, denke *ich.*‹ Er faßte nach Mahbub Alis Geschenk auf seiner Brust, und unsicher – er hatte die Waffe noch nie gebraucht, abgesehen von einigen Versuchsschüssen in der Wüste von Bikaner – drückte er ab.

»Was habe ich gesagt, Sar!« Der Babu schien in Tränen. »Kommt hier herunter und helft mir, ihn aufzuwecken. Wir sind alle in einer schlimmen Lage, sage ich Euch.«

Das Schießen hörte auf. Schritte kamen gestolpert, und Kim stieg schnell weiter hinauf durch die Dunkelheit, fluchend wie ein Eingeborener und fauchend wie eine Katze.

»Haben sie dich verwundet, *chela*?« rief der Lama über ihm.

»Nein. Und du?« Er tauchte in ein Dickicht verkrüppelter Föhren.

»Unverwundet. Komm weg. Wir gehen mit diesen Leuten nach Shamlegh-under-the-Snow.«

»Aber nicht, bevor wir Gerechtigkeit geübt haben«, rief eine Stimme. »Ich habe die Flinten der Sahibs, alle vier. Wir wollen hinunter.«

»Er schlug den Heiligen – wir sahen es! Unser Vieh wird unfruchtbar werden – unsere Weiber werden aufhören zu gebären! Der Schnee wird auf uns niedergleiten, wenn wir heimgehen ... Zu allem, was sonst schon auf uns drückt.«

Das kleine Föhrengebüsch hallte wider von Kuligeschrei – voller Bestürzung, und in ihrem Entsetzen waren sie zu allem fähig. Der Mann aus Ao-chung knackte ungeduldig am Abzugshahn seines Gewehrs und wollte hinuntersteigen.

»Warte ein wenig, Heiliger; sie sind noch nicht weit fort; warte, bis ich wiederkomme.«

»Es ist diese Person, die Unrecht erlitten hat«, sprach der Lama, die Hand an die Stirn legend.

»Eben darum«, war die Antwort.

»Wenn diese Person es übersieht, sind eure Hände rein. Überdies, ihr erwerbt Verdienst durch Gehorsam.«

»Warte«, beharrte der Mann, »wir wollen nachher alle zusammen nach Shamlegh gehen.«

Einen Augenblick, just so lange, wie man braucht, um eine Patrone in einen Hinterlader zu stecken, zögerte der Lama. Dann stand er auf und legte einen Finger auf des Mannes Schulter.

»Hast du gehört? *Ich* sage, es soll nicht getötet werden – ich, der Abt von Such-zen war. Trägst du Verlangen, als Ratte wiedergeboren zu werden, oder als Schnecke unter dem Efeu – als Wurm im Bauche des niedrigsten Tieres? Ist es dein Wunsch, zu ...«

Der Mann aus Ao-chung fiel auf seine Knie, denn die Stimme dröhnte wie ein tibetanisches Teufelsgong.

»Ai! Ai!« schrien die Spiti-Männer, »verwünsche uns nicht – verwünsche ihn nicht. Es war nur sein Eifer, Heiliger! ... Wirf das Gewehr weg, Narr!«

»Unwille um Unwille! Übel um Übel! Es soll nicht getötet werden. Laßt die Priesterschläger in die Sklaverei ihrer eigenen Taten gehen. Gerecht und untrüglich ist das Rad und weicht nicht ein Haarbreit ab! Sie werden noch viele Male wiedergeboren werden – in Qual.« Sein Kopf sank herunter, und er stützte sich schwer auf Kims Schulter.

»Ich kam nahe an großes Unrecht, *chela*«, flüsterte er in dem toten Schweigen unter den Föhren. »Ich war in Versuchung, die Kugel loszulassen; und wahr ist es, in Tibet würde ein schwerer und langsamer Tod ihr Los gewesen sein ... Er schlug mich ins Gesicht ... auf das Fleisch ...« Er glitt schweratmend auf den Boden nieder, und Kim hörte das überanstrengte Herz klopfen und aussetzen.

»Haben sie ihn zu Tode getroffen?« fragte der Ao-chung-Mann, indes die andern stumm dabeistanden.

Kim kniete in tödlicher Angst neben dem Körper. »Nein«, rief er endlich leidenschaftlich, »es ist nur Schwäche.« Dann besann er sich, daß er ein weißer Mann war und daß weißer Männer Hilfsmittel in seiner Hand waren. »Öffnet die *kiltas*! Die Sahibs haben vielleicht eine Arznei.«

»Oho! Die kenne ich«, lachte der Mann aus Ao-chung. »Nicht umsonst war ich fünf Jahre lang Yankling Sahibs *shikarri*, um jene Medizin nicht zu kennen. Ich habe sie auch geschmeckt. Schaut her!«

Er zog aus seiner Brust eine Flasche billigen Whiskys, wie er in Leh an Reisende verkauft wird, und flößte geschickt ein wenig zwischen des Lama Zähne.

»So machte ich es, als Yankling Sahib sich bei Astor den Fuß verstauchte. Oho! Ich habe schon in ihre Körbe geschaut – in Shamlegh wollen wir ehrlich teilen. Gebt ihm etwas mehr. Es ist gute Medizin. Fühlt, sein Herz geht schon besser. Legt seinen Kopf nieder und reibt ihm die Brust ein wenig. Wenn er etwas gewartet hätte, während ich mit den Sahibs abrechnete, wäre das nicht passiert. Aber vielleicht werden die Sahibs uns hier aufstöbern. Dann wäre es doch keine Sünde, sie mit ihren eigenen Flinten totzuschießen, eh?«

»Einer hat sein Teil, denke ich«, sagte Kim zwischen den Zähnen. »Ich trat ihm in die Weichen, als wir bergab rollten. Wollte, ich hätte ihn getötet!«

»Man hat gut tapfer sein, wenn man nicht in Rampur lebt«, sagte einer, dessen Hütte nur wenige Meilen von dem baufälligen Palaste des Radschas lag. »Wenn wir uns einen schlechten Namen bei den Sahibs machen, wird uns keiner mehr als *shikarris* anstellen.«

»Oh, aber dies sind keine Angrezi-Sahibs, nicht freundliche Männer wie Fostum Sahib oder Yankling Sahib. Dies sind Fremde – sie können nicht Angrezi sprechen wie Sahibs.«

Der Lama hustete, richtete sich auf und griff nach seinem Rosenkranz.

»Es soll nicht getötet werden«, murmelte er. »Gerecht ist das Rad! Übel um Übel ...«

»Nein, Heiliger. Wir sind alle hier.« Der Ao-chung-Mann streichelte schüchtern des Lama Füße. »Keiner soll getötet werden, wenn du es nicht befiehlst. Ruhe ein wenig. Wir wollen hier ein kleines Lager machen, und später, wenn der Mond aufgeht, gehen wir nach Shamlegh-under-the-Snow.«

»Nach einem Schlag«, sagte ein Spiti-Mann weise, »ist es das beste, zu schlafen.«

»Es ist so eine Art Schwindelgefühl in meinem Hinterkopf und ein Drücken. Laß mich den Kopf auf deinen Schoß legen, *chela*. Ich bin ein alter Mann, aber nicht frei von Leidenschaft ... Wir müssen über die Ursache der Dinge nachdenken.«

»Gebt ihm eine Decke. Ein Feuer dürfen wir nicht anzünden, sonst würden die Sahibs es sehen.«

»Besser ist es, nach Shamlegh zu gehen, nach Shamlegh wird uns niemand folgen.«

Dies bemerkte der ängstliche Mann aus Rampur.

»Ich war Fostum Sahibs *shikarri*, und ich bin Yankling Sahibs *shikarri*. Ich wäre jetzt bei Yankling Sahib, wenn es nicht diese verfluchte *beegar* (die *corvée*) gäbe. Zwei Männer sollen unten mit Gewehren aufpassen, daß die Sahibs nicht neue Torheiten machen. *Ich* will diesen Heiligen nicht verlassen.«

Sie setzten sich etwas entfernt vom Lama nieder und, nachdem sie eine Weile gelauscht hatten, ließen sie eine Wasserpfeife rundgehen, deren Gefäß eine alte Whiskyflasche war. Das Glimmen der roten Kohle, als die Pfeife von Hand zu Hand ging, warf seinen Schein auf die schmalglänzenden Augen, die hohen chinesischen Backenknochen und die stierhaften Gurgeln, die halb in den dunklen Düffelfalten um ihre

Schultern verschwanden. Sie sahen aus wie Kobolde aus einer Zauberhöhle, wie eine heimliche Versammlung von Berggeistern. Und während sie sprachen, wurden die Stimmen der Schneewässer rundherum allgemach schwächer, denn der Nachtfrost hemmte die Rinnsale und fror sie fest.

»Wie er aufstand gegen uns!« sagte ein Spiti-Mann bewundernd. »Ich erinnere mich, wie ein alter Steinbock vor sieben Jahren, oben auf Ladakh zu, den Dupont Sahib in die Schulter geschossen hatte, genauso hochging. Dupont Sahib war ein guter *shikarri*.«

»Nicht so gut wie Yankling Sahib.« Der Mann aus Aochung tat einen Zug aus der Whiskyflasche und ließ sie rundgehen. »Nun hört mich – wenn kein anderer denkt, es besser zu wissen.«

Die Herausforderung wurde nicht angenommen.

»Wenn der Mond aufgeht, gehen wir nach Shamlegh. Dort wollen wir das Gepäck ehrlich unter uns teilen. Ich bin zufrieden mit dieser kleinen neuen Flinte und allen Patronen.«

»Sind die Bären nur gefährlich, wenn sie dich treffen?« fragte einer der Kameraden, an der Pfeife ziehend.

»Nein, aber Moschusfelle sind jetzt sechs Rupien das Stück wert, und deine Weiber können das Segeltuch von den Zelten und etwas Kochgeschirr bekommen. Wir wollen das alles in Shamlegh abmachen, vor Morgengrauen. Dann gehen wir alle unserer Wege und vergessen, daß wir jemals diese Sahibs gesehen oder Dienst bei ihnen genommen haben. Wer kann dann noch sagen, daß wir ihr Gepäck gestohlen haben?«

»Das ist gut für dich, aber was wird unser Radschah sagen?«

»Wer soll es ihm erzählen? Diese Sahibs, die unsere Sprache nicht sprechen, oder der Babu, der uns für seine eigenen Zwecke Geld gegeben hat? Wird *er* eine Armee gegen uns führen? Welcher Beweis bleibt übrig? Was wir nicht brauchen, werfen wir nach Shamlegh-Kessel hinunter, wo bis jetzt kein Mensch hingekommen ist.«

»Wer ist in Shamlegh diesen Sommer?« Der Ort war nur eine Alm mit drei oder vier Hütten.

»Das Weib von Shamlegh. *Sie* liebt die Sahibs nicht, das wissen wir. Die andern können durch kleine Geschenke gewonnen werden, und hier ist genug für uns alle.« Er tätschelte die feiste Rundung des nächsten Korbes.

»Aber – aber ...«

»Ich sage euch, sie sind keine wahren Sahibs. Alle ihre Felle und Köpfe sind im Basar von Leh gekauft. *Ich* kenne die Zeichen. Ich zeigte sie euch schon auf dem letzten Marsch.«

»Wahr. Es sind alles gekaufte Köpfe und Felle. Einige hatten sogar schon Motten.«

Das war ein schlaues Argument, und der Ao-chung-Mann kannte seine Leute.

»Im schlimmsten Fall werde ich es Yankling Sahib erzählen. Er ist ein lustiger Mann und wird lachen. Wir tun keinem Sahib, den wir kennen, etwas zuleide. Aber *die* hier sind Priesterschläger. Sie haben uns erschreckt. Wir sind geflohen! Wer weiß, wo wir das Gepäck fallen ließen? Meint ihr, Yankling Sahib wird der Polizei da unten erlauben, über seine Hügel zu laufen und sein Wild aufzustören? Es ist ein weiter Weg von Simla nach Chini und weiter noch von Shamlegh bis Shamlegh-Kessel.«

»So sei es; aber ich trage den großen *kilta*. Den Korb mit dem roten Deckel, den die Sahibs jeden Morgen selbst packten.«

»Das ist ein Beweis, daß sie keine wahren Sahibs sind«, sagte der verschlagene Shamlegh-Mann. »Wer hat jemals gehört, daß Fostum Sahib oder Yankling Sahib oder selbst der kleine Peel Sahib, der in der Nacht aufsitzt, um Serus zu schießen – ich sage, wer hat je gehört, daß diese Sahibs in die Berge gekommen wären ohne einen Koch von da unten und einen Träger und – und alles mögliche gutbezahlte, hochnäsige und tyrannische Volk in ihrem Gefolge? Was können sie uns anhaben? Was ist's mit dem *kilta*?«

»Nichts. Nur, daß er voll ist mit geschriebenem Wort – Bücher und Papiere, in die sie selbst geschrieben haben, und sonderbare Werkzeuge, wie zum Gottesdienst.«

»Shamlegh-Kessel wird sie alle aufnehmen.«

»Wahr! Aber wenn wir damit die Götter der Sahibs beleidigen? Ich möchte mit dem geschriebenen Wort nicht so umgehen. Und ihre metallenen Götzenbilder kenne ich erst recht nicht. Das ist keine Beute für einfache Bergleute.«

»Der alte Mann schläft noch. Hst! Wir wollen seinen *chela* fragen.« Der Ao-chung-Mann stärkte sich nochmals und schwoll vor Führerstolz.

»Wir haben hier«, flüsterte er, »einen *kilta*, dessen Eigenschaften wir nicht kennen.«

»Aber ich kenne sie«, sagte Kim vorsichtig. Der Lama atmete in leichtem, natürlichem Schlaf, und Kim hatte über Hurrees letzte Worte nachgedacht. Als ein Spieler des Großen Spiels war er gerade jetzt geneigt, dem Babu alle Hochachtung zu zollen. »Es ist ein *kilta* mit rotem Deckel, voll mit wunderbaren Dingen, die Toren nicht in Händen haben sollten.«

»Sagte ich es nicht? Sagte ich es nicht?« rief der Träger jenes Ballens. »Glaubst du, es wird uns verraten?«

»Nicht, wenn ihr es mir gebt. Ich will den Zauber austreiben. Sonst kann es großes Unheil bringen.«

»Ein Priester holt sich immer sein Teil.« Der Whisky demoralisierte den Ao-chung-Mann.

»Mir liegt nichts daran«, antwortete Kim mit der Schlauheit seines Mutterlandes. »Teilt es unter euch und seht, was kommt.«

»Nicht ich. Ich habe nur Spaß gemacht. Gib den Befehl. Es ist mehr als genug für uns alle da. Wir gehen mit Tagesanbruch nach Shamlegh.«

Sie besprachen immer von neuem ihre simplen kleinen Pläne, und Kim schauerte vor Kälte und Stolz. Der Humor der Situation kitzelte das Irische und das Orientalische in seiner Seele. Da saßen die Sendlinge der gefürchteten nördlichen Macht, in ihrem eigenen Lande vielleicht so groß wie Mahbub oder Oberst Creighton hier, plötzlich hilflos auf dem Trockenen. Einer von ihnen, das wußte er persönlich, würde für einige Zeit lahm sein. Königen hatten sie Versprechungen gemacht, und heute nacht lagen sie irgendwo da unten, ohne Karte, ohne Nahrung, ohne Zelt, ohne Gewehre – und, abgesehen von Hurree Babu, ohne Führer. Und dieser Zusammenbruch ihres Großen Spieles (Kim fragte sich, wem sie wohl darüber berichten würden), dieser jähe Absturz in die Nacht war weder durch eine List Hurree Babus noch durch einen Anschlag Kims gekommen, sondern auf die schönste, einfachste und unvermeidlichste Art, ebenso wie damals die

Gefangennahme von Mahbubs Fakirfreunden durch den eifrigen jungen Polizeibeamten in Ambala.

›Da liegen sie – ohne alles; und, bei Zeus, es ist kalt! Und hier bin ich mit all ihren Sachen. Oh, die werden wütend sein! Hurree Babu tut mir leid.‹

Das Mitleid hätte sich Kim sparen können, denn wenn der Bengale in diesem Augenblick auch im Fleische empfindlich litt, so war er doch im Geiste obenauf und hochgemut. Eine Meile bergabwärts, an der Grenze des Kiefernwaldes, traktierten zwei halberfrorene Männer – einer von heftigen Schmerzen geplagt – sich gegenseitig mit heftigen Beschuldigungen und schimpften nebenbei auf den Babu, der vor Schrecken erstarrt schien. Sie forderten von ihm einen Operationsplan. Er erklärte, daß sie froh sein könnten, überhaupt noch lebendig zu sein; daß ihre Kulis, falls sie nicht heimlich hinter ihnen herschlichen, jetzt nicht mehr zu erreichen wären; daß der Radschah, sein Herr, neunzig Meilen weg wäre und weit entfernt, ihnen Geld und Gefolge nach Simla zu geben, sie vielmehr ins Gefängnis sperren würde, wenn er erführe, daß sie einen Priester geschlagen hätten. Er verbreitete sich weitläufig über diese Sünde und ihre Folgen, bis sie ihm befahlen, von etwas anderem zu reden. Ihre einzige Hoffnung, sagte er darauf, wäre unauffällige Flucht von Dorf zu Dorf, bis sie zivilisierte Gegenden erreichten; und zum hundertsten Male, in Tränen aufgelöst, richtete er an die hohen Sterne die Frage, warum die Sahibs ›einen heiligen Mann geschlagen‹ hätten.

Zehn Schritte in das knarrende Dunkel würden genügt haben, um Hurree aus ihrem Bereich zu bringen – zu Obdach und Speise des nächsten Dorfes, wo glattzüngige Ärzte seltene Gäste waren. Aber er zog es vor, Kälte, Magenknurren, Schimpfreden und gelegentliche Püffe in Gesellschaft seiner verehrten Dienstgeber zu erdulden. Gegen einen Baumstumpf gekuschelt, schnaufte er kummervoll.

»Und hast du bedacht«, fragte der Nichtverwundete heftig, »was für ein Schauspiel wir geben werden, wenn wir durch diese Berge kriechen, zwischen diesen Ureinwohnern herum?«

Hurree Babu hatte die letzten Stunden an nichts anderes gedacht; aber die Frage war nicht an seine Adresse gerichtet.

»Wir können nicht weit kommen, ich kann kaum gehen«, stöhnte Kims Opfer.

»Vielleicht wird der heilige Mann barmherzig sein in versöhnlicher Liebe, Sar – sonst …«

»Ich verspreche mir ein besonderes Vergnügen davon, meinen Revolver in diesen jungen Bonzen zu entleeren, sobald ich ihn wieder treffe«, war die unchristliche Antwort.

»Revolver! Rache! Bonze!« Hurree kroch in sich zusammen. Der Krieg schien von neuem auszubrechen. »Denkst du nicht an unsern Verlust? Das Gepäck! Unsere Sachen!« Er hörte den Sprecher buchstäblich auf dem Grase tanzen vor Wut. »Alles, was wir mit hatten! Alles, was wir gesammelt haben! Unser Gewinn! Die Arbeit von acht Monaten! Begreifst du, was das heißt? Natürlich: ›*Wir* verstehen mit Orientalen umzugehen!‹ Oh, du hast es gut gemacht!«

Sie zankten sich in verschiedenen Sprachen. Hurree lächelte. Kim war bei den *kiltas*, und in den *kiltas* lagen acht Monate guter Diplomatie. Es war nicht möglich, sich mit dem Knaben in Verbindung zu setzen, aber man konnte sich auf ihn verlassen. Im übrigen konnte er, Hurree, die Regie der Reise durch die Berge derart führen, daß Hilás, Bunár und noch vierhundert Meilen Hügelstraße die Geschichte genau behalten würden, mindestens für eine Generation. Männer, die nicht einmal ihre eigenen Kulis im Zaum halten können, werden in den Bergen nicht respektiert, und der Gebirgler hat einen sehr lebhaften Sinn für Humor.

›Wenn ich es selbst getan hätte‹, dachte Hurree, ›hätte es nicht besser gehen können; und wenn ich es recht bedenke, bei Zeus! habe ich es natürlich selbst arrangiert. Wie schnell ich das gemacht habe! Just, als ich eben den Hügel hinunterrannte, hab ich mir's ausgedacht. Die Beleidigung war ein Zufall, aber ich allein – ha! – habe sie richtig ausgenutzt. Man bedenke den moralischen Effekt auf dieses unwissende Volk! Keine Verträge – keine Papiere – keine geschriebenen Dokumente – und *ich* als Dolmetsch für sie! Wie ich mit dem Oberst lachen will! Ich wünschte, ich hätte auch ihre Papiere: Aber man kann nicht gleichzeitig an zwei Orten im Raum sein. Das ist axiomatisch.‹

Vierzehntes Kapitel

Mein Bruder kniet (so spricht Kabir)
Nach Heidenart vor Stein und Erz;
Aus seiner Stimme redet mir
Mein eigner nieerhörter Schmerz.
Sein Gott ist durch das Schicksal sein,
Sein Beten aller Welt – und mein.

Kabir

Bei Mondaufgang brachen die vorsichtigen Kulis auf. Der Lama, erfrischt durch den Schlaf und den Alkohol, bedurfte nur der Stütze von Kims Schulter, um vorwärts zu kommen, schweigend und rasch ausschreitend. Eine Stunde lang gingen sie über das schiefergesprenkelte Grasland, bogen dann um die Schulter eines gewaltigen Felsvorsprungs und stiegen in ein neues Gebiet auf, wo jede Aussicht auf das Chinital versperrt war. Ein riesiger Weidegrund stieg fächerförmig auf bis zum ewigen Schnee; an seinem unteren Saume lag ein flaches Stück Land, etwa einen halben Morgen groß, auf dem ein paar Erd- und Holzhütten standen. Hinter diesen – denn nach Gebirgsart waren sie an den äußersten Rand geklebt – fiel der Grund jählings zweitausend Fuß steil ab nach Shamlegh-Kessel, wohin noch nie ein Mensch seinen Fuß gesetzt hat.

Die Männer machten keine Anstalten, den Raub zu teilen, ehe sie nicht den Lama in dem besten Raum des Platzes gebettet sahen, betreut von Kim, der ihm auf mohammedanische Art die Füße massierte.

»Wir werden Essen schicken«, sagte der Ao-chung-Mann, »und den *kilta* mit dem roten Deckel. Bei Tagesanbruch wird nichts mehr dasein, was gegen uns zeugen könnte. Wenn irgend etwas in dem *kilta* nicht gebraucht wird – schau hier!«

Er deutete durch das Fenster, das sich öffnete gegen den Raum, der mit schneegespiegeltem Mondlicht erfüllt war, und warf eine leere Whiskyflasche hinaus.

297

»Unnütz, auf den Fall zu horchen. Hier ist das Ende der Welt«, sagte er und schwankte davon. Der Lama schaute hinaus, eine Hand gegen jede Seite des Fensters gestützt, mit Augen, die wie gelbe Opale glänzten. Aus der gewaltigen Tiefe vor ihm hoben sich weiße Spitzen sehnsüchtig in das Mondlicht empor. Alles andre war finster wie das Dunkel des Weltraums zwischen Sternen.

»Dies«, sagte er langsam, »sind wirklich meine Berge. So sollte ein Mann wohnen, hoch über der Welt, geschieden von Lüsten, weite Gedanken denkend.«

»Ja; wenn er einen *chela* hat, der ihm Tee bereitet und eine Decke unter den Kopf faltet und kalbende Kühe hinausjagt.«

Eine rauchige Lampe brannte in einer Nische, aber das volle Mondlicht überleuchtete sie, und in dem Doppelschein bewegte sich Kim, über Proviantsack und Teegeschirr sich beugend, wie ein schlanker Geist.

»Ai! Nun habe ich mein Blut sich abkühlen lassen, und immer noch klopft und trommelt mein Kopf, und ein Reif liegt mir um den Hinterkopf.«

»Kein Wunder. Es war ein starker Schlag. Möge der, der ihn austeilte ...«

»Ohne meine eigene Leidenschaft wäre nichts Böses geschehen.«

»Was für Böses? Du hast die Sahibs vom Tode gerettet, den sie hundertmal verdienten.«

»Du hast die Lehre nicht gut gelernt, *chela.*« Der Lama legte sich zur Ruhe auf eine gefaltete Decke, indes Kim in seinen abendlichen Verrichtungen fortfuhr. »Der Schlag war nur ein Schatten auf einem Schatten. Böses in sich selbst – meine Beine sind seit einigen Tagen etwas müde! – begegnete Bösem in mir – Zorn, Wut und der Lust, Böses zu vergelten. Dies rang in meinem Blut, weckte Unruhe in meinem Magen und betäubte meine Ohren.« Hier nahm er den heißen Becher aus Kims Hand und trank zeremoniös den frischgebrühten Tee. »Wäre ich leidenschaftslos gewesen, so würde der böse Schlag nur körperliches Übel verursacht haben – eine Schramme oder eine Beule, die Schein sind. Aber mein Geist war *nicht* abgeklärt, sondern stürzte sich blindlings in eine

Lust, die Spiti-Männer nicht vom Töten abzuhalten. Im Kampfe gegen diese Lust wurde meine Seele gezerrt und zerrissen, schlimmer als durch tausend Schläge. Erst als ich die Segnungen wiederholt hatte« (er meinte die buddhistischen Seligpreisungen), »gewann ich Ruhe. Aber das Böse, das durch die Schwäche dieses Augenblicks in mich gepflanzt wurde, wirkt sich bis zu Ende aus. Gerecht ist das Rad und weicht nicht um Haaresbreite ab! Lerne die Lehre, *chela*!«

»Sie ist zu hoch für mich«, murmelte Kim. »Mir geht es noch durch und durch. Ich bin froh, daß ich den Mann verletzt habe.«

»Ich fühlte das, als ich dort unten im Walde auf deinen Knien schlief. Es beunruhigte mich in meinen Träumen — das Böse in deiner Seele wirkte hinüber in meine. Doch auf der andern Seite« – er machte seinen Rosenkranz los – »habe ich Verdienst erworben, indem ich zwei Leben rettete – das Leben derer, die mir Unrecht taten. Nun muß ich in die Ursache der Dinge schauen. Das Schiff meiner Seele schwankt.«

»Schlafe und stärke dich wieder. Das ist das weiseste.«

»Ich meditiere: Es ist nötiger, als du weißt.«

Stunde um Stunde, bis zum Morgengrauen, bis das Mondlicht auf den hohen Gipfeln verblich und das, was wie ein schwarzer Gürtel um die Flanken der fernen Berge erschienen war, sich als zartgrüner Wald erwies, starrte der Lama unentwegt auf die Wand. Ab und zu stöhnte er. Draußen vor der verriegelten Tür, wo ausgetriebene Rinder sich vor ihrem alten Stall sammelten, gaben sich die Leute von Shamlegh und die Kulis dem Genuß der Beute in Saus und Braus hin. Der Mann aus Ao-chung war ihr Anführer, und nachdem sie einmal die Konserven der Sahibs geöffnet und Geschmack daran gefunden hatten, gab es kein Halten mehr. Die Kleider der Fremden endeten auf dem Kehricht drunten in Shamlegh-Kessel.

Als Kim nach einer Nacht voll böser Träume in die Morgenkühle hinausschlich, um sich die Zähne zu putzen, nahm eine Frau von heller Hautfarbe, mit türkisenbesetztem Kopfschmuck, ihn beiseite.

»Die andern sind fort. Sie ließen dir diesen *kilta*, wie es versprochen war. Ich mag keine Sahibs leiden, aber du wirst uns zum Dank einen Zauber machen. Wir wollen nicht, daß unser kleines Shamlegh einen schlechten Namen bekommt wegen des – Vorfalls. Ich bin das Weib von Shamlegh.« Sie sah ihn von oben bis unten an mit kühnen, glänzenden Augen, ungleich dem üblichen verstohlenen Blick der Gebirglerinnen.

»Sicherlich. Aber es muß im geheimen geschehen.«

Sie hob den schweren *kilta* wie ein Spielzeug auf und warf ihn in ihre eigene Hütte.

»Geh hinaus und verriegle die Tür. Laß keinen nahe kommen, bis ich fertig bin«, sagte Kim.

»Aber nachher – werden wir miteinander reden?«

Kim stürzte den Inhalt des *kiltas* auf den Boden – eine Kaskade von Meßinstrumenten, Büchern, Diarien, Briefen, Karten und sonderbar duftender einheimischer Korrespondenz. Ganz zuletzt kam ein gestickter Beutel, der ein versiegeltes, vergoldetes und bemaltes Dokument barg, derart, wie Könige es einander senden. Kim hielt vor Entzücken den Atem an und überschlug die Situation vom Sahibsstandpunkt aus.

›Die Bücher brauche ich nicht. Logarithmen noch dazu – zur Vermessung, vermutlich.‹ Er legte sie beiseite. ›Die Briefe verstehe ich nicht, aber Oberst Creighton wird sie verstehen. Sie müssen alle dableiben. Die Karten – sie zeichnen bessere Karten als ich – natürlich auch. Alle die Eingeborenenbriefe – oho! – und vor allem der *murasla*.‹ Er schnüffelte an dem gestickten Beutel. ›Der muß von Hilás oder Bunár sein, und Hurree Babu hat wahr gesprochen. Bei Zeus! Das ist ein feiner Fang. Wollte, daß Hurree das wüßte ... Das übrige muß zum Fenster raus.‹ Er betastete einen prächtigen Prismakompaß und die glänzende Spitze eines Theodoliten. Aber immerhin, ein Sahib konnte doch nicht stehlen, und die Dinger mochten später unangenehme Beweisstücke werden. Er suchte jeden beschriebenen Fetzen, jede Karte und die Eingeborenenbriefe zusammen und machte ein glattes Paket daraus. Die drei verschlossenen Bücher mit Metallbeschlägen und fünf verschlissene Taschenbücher legte er beiseite.

›Die Briefe und den *murasla* muß ich unter meinem Rock

und Gürtel tragen, und die handgeschriebenen Bücher müssen in den Proviantsack. Er wird sehr schwer werden. Nein, ich glaube, sonst ist nichts mehr da. Alles andre haben die Kulis in den *khud* geworfen. *Das* ist also in Ordnung. Jetzt kommst du dran!‹ Er packte den *kilta* wieder voll mit allem, was er dalassen wollte, und hob ihn auf das Fensterbrett. In tausend Fuß Tiefe lag eine lange, träge, bauschige Nebelbank, noch unberührt von der Morgensonne. Wiederum tausend Fuß darunter war ein hundertjähriger Föhrenwald. Er konnte die grünen Wipfel wie ein Moosbett liegen sehen, wenn ein Windstoß die Wolke zerblies.

›Nein! Ich glaube nicht, daß *dir* jemand nachsteigt.‹

Der wirbelnde Korb spie im Fallen seinen Inhalt aus. Der Theodolit schlug gegen eine vorspringende Klippe und zersprang wie eine Granate; die Bücher, Tintenfässer, Tuschkasten, Kompasse und Lineale stoben sekundenlang umher wie ein Bienenschwarm. Dann verschwanden sie; und sosehr auch Kim, halb aus dem Fenster hängend, seine jungen Ohren anstrengte, kein Laut kam aus dem Abgrund herauf.

›Nicht für fünfhundert – nicht für tausend Rupien könnte man sie kaufen‹, dachte er bedauernd. ›Es war sehr verschwenderisch; aber ich habe alles andere – alles, was sie gearbeitet haben –, hoffe ich. Jetzt, wie zum Teufel kann ich Hurree Babu benachrichtigen, und *was*, zum Teufel, soll ich tun? Und mein alter Mann ist krank. Ich muß die Briefe in Öltuch wickeln – das ist das erste –, sonst werden sie feucht … Und ich bin ganz allein!‹ Er machte ein säuberliches Paket, indem er das steife, klebrige Öltuch an den Ecken umschlug; sein Vagabundenleben hatte ihn so methodisch gemacht wie einen alten Jäger. Dann verstaute er mit besonderer Sorgfalt die Bücher auf dem Grund des Proviantsacks.

Die Frau rüttelte an der Tür.

»Du hast keinen Zauber gemacht«, sagte sie, umherblickend.

»Es ist nicht nötig.« Kim hatte die versprochene Plauderei völlig vergessen. Die Frau lachte ungeniert über seine Verlegenheit.

»Nicht nötig – für dich. Du kannst einen Zauber machen

mit einem Wink deines Auges. Aber denk an uns armes Volk, wenn du fort bist! Sie waren gestern nacht alle zu betrunken, um auf ein Weib zu hören. Du bist nicht betrunken?«

»Ich bin ein Priester.« Kim hatte sich wieder gefaßt, und da die Frau nichts weniger als unschön war, hielt er es für das beste, die Situation für seine Zwecke auszunützen.

»Ich habe sie gewarnt«, sagte sie, »daß die Sahibs zornig sein werden und der Sache nachgehen und einen Bericht an den Radschah machen werden. Und der Babu ist auch bei ihnen, und Schreiber haben lange Zungen.«

»Ist das alles, was dich beunruhigt?« Der Plan stieg fix und fertig vor seinem Geiste auf, und er lächelte verführerisch.

»Nicht alles«, erwiderte das Weib, die harte braune, ganz mit silbergefaßten Türkisen bedeckte Hand ausstreckend.

»Ich kann das in einem Atemzug erledigen«, fuhr er schnell fort. »Der Babu ist derselbe *hakim* (du hast von ihm gehört?), der in den Bergen bei Ziglaur herumwanderte. Ich kenne ihn.«

»Für Lohn wird er alles verraten. Sahibs können keinen Gebirgler vom andern unterscheiden, aber Babus haben Augen für Männer – und Weiber.«

»Bring ihm ein Wort von mir.«

»Für dich würde ich alles tun.«

Er nahm das Kompliment ruhig an, wie es sich für Männer gebührt in einem Lande, wo die Frauen den Hof machen, riß ein Blatt aus einem Notizbuch und schrieb mit einem unverlöschlichen Patentbleistift in plumpem Shikast – der Schrift, die böse kleine Buben gebrauchen, wenn sie Unfug an die Wände schmieren: ›Ich habe alles, was sie geschrieben haben: ihre Kartenzeichnungen und viele Briefe. Vor allem den *murasla*. Sage mir, was ich tun soll. Ich bin in Shamlegh-under-the-Snow. Der alte Mann ist krank.‹

»Bring ihm das. Es wird ihm den Mund verschließen. Er kann noch nicht weit sein.«

»Allerdings nicht. Sie sind noch in dem Wald hinter dem Vorsprung. Unsere Kinder sind hinunter, um auf sie aufzupassen, als das Licht kam, und haben heraufgerufen, wenn sie weitergingen.«

Kim machte ein erstauntes Gesicht; aber vom Rande der Schafweide her kam ein schriller, habichtähnlicher Schrei. Ein Hütekind hatte ihn aufgenommen von einem Bruder oder einer Schwester an der andern Seite des Abhangs, der das Tal von Chini beherrschte.

»Meine Gatten sind auch dort beim Holzsammeln.« Sie zog eine Handvoll Walnüsse aus ihrem Busen, brach eine säuberlich auf und begann zu essen. Kim tat, als ob er nicht das geringste verstünde.

»Kennst du den Sinn der Walnuß nicht – Priester?« fragte sie schmeichelnd und reichte ihm die Schalenhälften.

»Ein guter Gedanke!« Er schob das Papierstückchen rasch zwischen beide. »Hast du ein bißchen Wachs, um sie über diesem Brief zusammenzukleben?«

Die Frau seufzte laut, und Kim lenkte ein.

»Es gibt keinen Lohn, ehe der Dienst vollbracht ist. Bring das dem Babu und sage, der Sohn des Zaubers schicke es.«

»Ai! Gewiß, gewiß! Ein Zauberer – der aussieht wie ein Sahib.«

»Nein: Sohn des Zaubers; und frage, ob du eine Antwort bringen sollst.«

»Wenn er aber zudringlich wird? Ich – ich fürchte mich.«

Kim lachte. »Er ist sicherlich sehr müde und sehr hungrig. Die Berge machen kühle Bettgenossen. Hai, meine …«, er hatte es auf der Zunge, ›Mutter‹ zu sagen, verwandelte es aber in ›Schwester‹, »… du bist eine kluge und verständige Frau. Mittlerweile wissen alle Dörfer, was den Sahibs zugestoßen ist – eh?«

»Sicher. Um Mitternacht war die Neuigkeit in Ziglaur, und morgen früh muß sie in Kotgarh sein. Beide Dörfer werden sich ärgern und fürchten.«

»Nicht nötig. Sage den Dörfern, sie sollen die Sahibs gut füttern und in Frieden ziehen lassen. Wir müssen sie möglichst still aus unsern Tälern fortschaffen. Stehlen ist ein Ding – töten ein anderes. Der Babu wird verstehen, und es werden keine Klagen hinterdrein kommen. Sei flink. Ich muß meinen Meister pflegen, wenn er aufwacht.«

»So sei es. Nach dem Dienst – sagtest du? – kommt der

Lohn. Ich bin das Weib von Shamlegh, und ich werde vom Radschah gehalten. Ich bin keine gewöhnliche Kindergebärerin. Shamlegh ist dein: Huf und Horn und Haut, Milch und Butter. Nimm oder laß es bleiben.«

Sie wandte sich resolut bergwärts, der Morgensonne, fünfzehnhundert Fuß über ihnen, entgegen. Ihre silbernen Halsketten klirrten auf ihrer breiten Brust. Diesmal dachte Kim in der Landessprache, indes er die Öltuchecken seines Pakets mit Wachs festklebte:

›Wie kann ein Mann dem Pfad folgen oder dem Großen Spiel, wenn er ewig von Weibern bedrängt wird? Erst war das Mädchen in Akrola an der Furt, und dann die Frau des Küchenjungen hinter dem Taubenschlag – die andern nicht zu rechnen –, und jetzt kommt diese hier! Als ich ein Kind war, war das gut und schön, aber jetzt bin ich ein Mann, und sie wollen mich nicht als Mann betrachten. Walnüsse! Hoho! In der Ebene sind es Mandeln!‹

Er ging aus, um im Dorf Almosen zu sammeln – nicht mit der Bettelschale, die war für das Flachland gut, sondern wie ein Fürst. Die Sommerbevölkerung von Shamlegh besteht nur aus drei Familien – vier Weibern und acht oder neun Männern. Sie waren sämtlich vollgestopft mit Büchsenfleisch und allem, was trinkbar war, von Ammoniak-Chinin bis zu weißem Wodka, denn sie hatten ihren vollen Anteil an der nächtlichen Beute gehabt. Die hübschen Zelttücher vom Kontinent waren längst zerschnitten und verteilt, und Patent-Bratpfannen aus Aluminium lagen umher.

Sie betrachteten die Anwesenheit des Lama als einen vollkommenen Schutz gegen alle schlimmen Folgen und brachten, ohne eine Spur von Gewissensbissen, Kim vom Besten, was sie hatten, bis zu einem Trunk *chang*, dem Gerstenbier, das von Ladakh kommt. Dann tauten sie in der Sonne draußen auf und saßen, die Füße über unendlichen Abgründen baumelnd, schwatzend, lachend und rauchend herum. Sie beurteilten Indien und dessen Regierung einzig nach ihren Erfahrungen mit wandernden Sahibs, denen sie oder ihre Freunde als *shikarris* gedient hatten. Kim bekam Geschichten zu hören von angeschossenen Steinböcken und wilden Ziegen, gejagt von Sahibs, die seit zwanzig Jahren in ihren Gräbern lagen – jede Einzelheit gleichsam nach rückwärts angeleuchtet, wie sich die Zweige eines Baumwipfels gegen den Blitz abhoben. Sie erzählten ihm von ihren mancherlei Krankheiten und, wichtiger noch, von den Krankheiten ihrer winzigen, trittsicheren Rinder; von Ausflügen bis nach Kotgarh, wo die fremden Missionare wohnen, und sogar noch weiter bis nach dem wunderbaren Simla, wo die Straßen mit Silber gepflastert sind und jeder, sieh nur, Dienst bekommen kann bei den Sahibs, die in zweirädrigen Wagen herumfahren und Geld mit Schaufeln austeilen. Dann gesellte sich, ernst und in Gedanken vertieft, schweren Schrittes wandelnd, der Lama dem Geplauder unter den Traufen, und sie machten ihm ausgiebig Platz. Die dünne Luft erfrischte ihn; er saß am Rande des Abgrunds mit ihnen und warf, wenn die Rede stockte, Steine in die Leere. Dreißig Meilen Adlerflug entfernt lag die nächste Bergkette, zernarbt und durchfurcht und gesprenkelt mit kleinen Flecken von Buschwerk – Wäldern in Wahrheit, jeder einen dunklen Tagesmarsch groß. Hinter dem Dorf schnitt der Berg Shamlegh selbst alle Aussicht nach Süden ab. Man saß gleichsam in einem Schwalbennest unterm Dachgiebel der Welt.

Von Zeit zu Zeit streckte der Lama seine Hand aus und wies mit ein paar leisen Worten auf den Weg nach Spiti und nordwärts über den Parungla.

»Drüben, wo die Berge am dichtesten stehen, liegt Dech'en« (er meinte Han-lé), »das große Kloster. s'Tag-stan-ras-ch'en erbaute es, und von ihm geht diese Sage.« Und er erzählte sie: eine phantastische Geschichte, überhäuft mit Zauberei und Wundern, die Shamlegh den Atem verschlug. Sich etwas nach Westen wendend, spähte er nach den grünen Hügeln von Kulu und suchte Kailung unter den Gletschern. »Denn von dort kam ich in den alten, alten Tagen. Von Leh kam ich, über den Baralachi.«

»Ja – ja, wir kennen das«, sagten die weitgewanderten Shamlegh-Leute.

»Und ich schlief zwei Nächte bei den Priestern von Kailung. Dies sind die Berge meiner Lust! Schatten, gesegnet über allen Schatten! Dort öffneten sich meine Augen für diese Welt; dort wurden mir meine Augen geöffnet über diese Welt; dort fand ich Erleuchtung, und dort gürtete ich meine Lenden für meine Suche. Aus den Bergen kam ich – den hohen Bergen und den starken Winden. Oh, gerecht ist das Rad!« Er segnete sie nacheinander – die großen Gletscher, die nackten Felsen, die gehäuften Moränen und Schiefergeschiebe; dürres Hochland, verborgenen Salzsee, uralte Stämme und fruchtbares, wasserdurchschäumtes Tal, eins nach dem andern, wie ein sterbender Mann sein Volk segnet, und Kim staunte über seine Leidenschaftlichkeit.

»Ja – ja. Nichts gleicht unsern Bergen«, sagten die Leute von Shamlegh. Und sie fingen zu staunen an, wie ein Mensch in den heißen, schrecklichen Ebenen leben könne, wo die Rinder so groß sind wie Elefanten, unfähig, an einem Berghang zu pflügen; wo Dorf an Dorf stößt auf hundert Meilen weit, wie sie gehört hatten; wo die Leute gleich truppweise auf Diebstahl ausziehen und die Polizei noch vollends wegschleppt, was die Räuber übriggelassen haben.

So verstrich der stille Vormittag, und als er vorbei war, kam Kims Botin von dem steilen Weidegrund herab, so ruhigen Atems, wie sie ausgezogen war.

»Ich habe dem *hakim* eine Nachricht geschickt«, erklärte Kim, als sie sich zum Gruß verneigte.

»Er hat sich mit den Götzendienern zusammengetan? Nein – ich erinnere mich, er vollzog eine Heilung an einem von ihnen. Er hat Verdienst erworben, wenngleich der Geheilte seine Kraft auf Böses verwendete. Gerecht ist das Rad! Was ist mit dem *hakim*?«

»Ich fürchtete, daß du verletzt wärst, und – und ich wußte, daß er ein weiser Mann ist.« Kim nahm die zugeklebten Walnußschalen und las auf der Rückseite seines Zettels in Englisch: ›*Geehrtes empfangen. Kann momentan nicht fort von gegenwärtiger Gesellschaft, da ich sie nach Simla bringen muß. Hoffe, danach wieder zu Euch zu stoßen. Zwecklos, wütende Gentlemen weiter zu begleiten. Kehre auf gleichem Wege zurück, den Ihr kamt, und werde Euch einholen. Hochbefriedigt über Korrespondenz, dank meiner Voraussicht.*‹ – »Er schreibt, Heiliger, er will den Götzendienern entwischen und zu uns zurückkehren. Sollen wir also eine Weile in Shamlegh warten?«

Der Lama schaute lange und liebevoll auf die Berge und schüttelte den Kopf.

»Das darf nicht sein, *chela*«. Mit meinem äußeren Leibe wünsche ich es, aber es ist verboten. Ich habe die Ursache der Dinge geschaut.«

»Warum? Die Berge gaben dir doch deine Kraft zurück, Tag für Tag? Denke, wir waren schwach und hinfällig dort unten in der Dun.«

»Ich wurde stark, um Übel zu tun und um zu vergessen. Ein Zänker und Raufbold war ich in den Bergen.« Kim verbiß ein Lächeln. »Gerecht und vollkommen ist das Rad und weicht nicht um Haaresbreite ab. Als ich ein Mann war – vor langer Zeit –, machte ich eine Pilgerfahrt zu Guru Ch'wan unter den Pappeln« (er deutete auf Bhutan zu), »wo sie das Heilige Roß hüten.«

»Still, seid still!« sagte ganz Shamlegh im Kreise. »Er spricht von Jam-lin-nin-k'or, dem ›Roß, das in einem Tag rund um die Welt gehen kann‹.«

»Ich spreche nur zu meinem *chela*, sagte der Lama mit gelindem Tadel, und sie schmolzen zurück wie Morgenreif auf Südgiebeln. »Ich suchte in jenen Tagen nicht Wahrheit, sondern das Geschwätz des Dogmas. Alles Wahn! Ich trank das Bier und aß das Brot von Guru Ch'wan. Am nächsten Tage sprach einer: ›Wir ziehen zum Kampf gegen Sangor Gutok unten im Tal, um auszumachen (merke wieder, wie Begierde an Zorn gebunden ist!), welcher Abt im Tale herrschen und den Gewinn von den Gebetbüchern haben soll, die sie in Sangor Gutok drucken.‹ Ich ging, und wir kämpften einen Tag lang.«

»Aber wie, Heiliger?«

»Mit unsern langen Federkästen, wie ich dir hätte zeigen können ... Ich sage, wir kämpften unter den Pappeln, beide Äbte und alle Mönche, und einer spaltete mir die Stirn bis auf den Knochen! Sie!« Er schob seinen Hut zurück und zeigte eine verschrumpfte, silbrige Narbe. »Gerecht und vollkommen ist das Rad! Gestern juckte die Narbe, und nach

fünfzig Jahren dachte ich – ein Weilchen in Wahn befangen
– wieder daran, wie ich sie erhielt, und an das Gesicht dessen,
der mich verwundete. Es folgte das, was du sahst – Streit und
Torheit. Gerecht ist das Rad! Der Schlag des Götzendieners
fiel auf die Narbe. Da ward ich erschüttert in meiner Seele;
meine Seele ward verdunkelt, und das Schiff meiner Seele
schwankte auf den Wassern des Wahns. Nicht eher, als bis ich
nach Shamlegh kam, konnte ich über die Ursache der Dinge
meditieren und die treibenden Graswurzeln des Bösen auf-
spüren. Ich bemühte mich die ganze lange Nacht.«

»Aber, Heiliger, du bist unschuldig an allem Bösen. Möge
ich dein Opfer sein!«

Kim war ehrlich betrübt über den Kummer des alten Mannes, und Mahbub Alis Redewendung entschlüpfte ihm un-
willkürlich.

»Mit der Morgendämmerung«, fuhr der Lama ernster fort,
und der Rosenkranz klapperte zwischen den bedächtigen Bemerkungen, »kam Erleuchtung. Hier ist sie … Ich bin ein alter Mann … in den Bergen geboren, in den Bergen gewachsen, und soll doch nie wieder niedersitzen in meinen Bergen.
Drei Jahre wanderte ich durch Hind, aber – kann Erde stärker sein als Mutter Erde? Mein törichter Leib sehnte sich
nach den Bergen und dem Schnee auf den Bergen, von dort
unten herauf. Ich habe gesagt, und es ist wahr, meine Suche
ist gesichert. So wandte ich mich von dem Hause der Kulufrau bergwärts, überredet durch mich selbst. Den *hakim* trifft
kein Vorwurf. Er – der Begierde folgend – sagte voraus, daß
die Berge mich stark machen würden. Sie machten mich
stark, um Böses zu tun, um meine Suche zu vergessen. Ich er-
götzte mich am Leben und an der Lust des Lebens. Ich begehrte, steile Abhänge zu ersteigen. Ich schaute umher, sie zu
finden. Ich maß die Stärke meines Leibes – was Sünde ist –
an den hohen Bergen. Ich verspottete dich, als dein Atem
kurz wurde unter Jamnotri. Ich lachte dich aus, als du das Gesicht abwandtest vom Schnee auf dem Paß.«

»Aber was war da Schlimmes dabei? Ich war ängstlich. Es
war gerecht. Ich bin kein Gebirgler; und ich liebte dich um
deiner neuen Stärke willen.«

»Mehr als einmal, ich erinnere mich wohl«, er stützte seine Wange kummervoll in die Hand, »suchte ich dein und des *hakims* Lob für die bloße Kraft meiner Beine. So folgte Böses auf Böses, bis der Becher voll war. Gerecht ist das Rad! Ganz Hind erwies mir für drei Jahre alle Ehren. Von dem Brunnen der Weisheit in dem Wunderhause bis« – er lächelte – »bis zu einem kleinen Kind, das bei einer großen Kanone spielte, bereitete die Welt mir meinen Weg. Und warum?«

»Weil wir dich lieb hatten. Es ist nur das Fieber von dem Schlag. Ich selber bin noch krank und aufgeregt.«

»Nein! Es geschah, weil ich auf dem Pfad war – gestimmt gleich einer *si-nen* (Zimbel) auf den Willen des Gesetzes. Ich wich ab von dieser Satzung. Der Einklang wurde gebrochen: folgte die Strafe. In meinen eigenen Bergen, an der Grenze meines eigenen Landes, just an der Stelle meiner bösen Begierde kommt der Schlag – hier!« (Er berührte seine Stirn.) »Gleichwie ein Novize geschlagen wird, wenn er die Becher nicht richtig stellt, so wurde ich geschlagen, der Abt war von Such-zen. Kein Wort, siehst du, sondern ein Schlag, *chela*.«

»Aber die Sahibs kannten dich nicht, Heiliger!«

»Wir paßten gut zusammen. Unwissenheit und Begierde trafen Unwissenheit und Begierde unterwegs, und sie erzeugten Zorn. Der Schlag war ein Zeichen für mich, der ich nicht besser bin als ein verlaufener Yak, daß mein Platz nicht hier ist. Wer die Ursache einer Handlung lesen kann, ist auf halbem Weg zur Freiheit! ›Zurück auf den Pfad‹, sagt der Schlag. ›Die Berge sind nicht für dich. Du kannst nicht Freiheit wählen und zugleich in Knechtschaft gehen zu den Wonnen des Lebens.‹«

»Hätten wir doch nie den dreimal verfluchten Russen getroffen!«

»Unser Herr selber kann das Rad nicht rückwärts drehen. Und um des Verdienstes willen, das ich erworben hatte, wird mir noch ein anderes Zeichen.« Er griff in sein Gewand und zog das Rad des Lebens hervor. »Sieh! Ich betrachtete dieses, nachdem ich meditiert hatte. Nicht mehr als meines Fingernagels Breite blieb ungerissen durch den Götzendiener.«

»Ich sehe.«

»So groß denn ist die Spanne meines Lebens in diesem Leibe. Ich habe dem Rad gedient in all meinen Tagen. Jetzt dient das Rad mir. Ohne das Verdienst, das ich erworben habe, indem ich dich auf den Weg führte, würde mir jetzt noch ein anderes Leben auferlegt worden sein, bevor ich meinen Fluß gefunden hätte. Ist es klar, *chela*?«

Kim starrte auf die roh zerstörte Karte. Von links nach rechts in der Diagonale ging der Riß: von dem Elften Hause, wo Begierde dem Kind Entstehung gibt (so wird es von den Tibetanern gezeichnet), hinüber durch die Menschen- und Tierwelt, bis zum Fünften Hause – dem leeren Haus der Sinne. Die Logik war unwiderleglich.

»Bevor unser Herr Erleuchtung gewann«, der Lama faltete mit Ehrfurcht alles wieder zusammen, »nahte ihm die Versuchung. Auch mir nahte die Versuchung, aber es ist vorüber. Der Pfeil fiel in den Ebenen – nicht in den Bergen. Darum: was treiben wir hier?«

»Sollen wir nicht wenigstens auf den *hakim* warten?«

»Ich weiß, wie lange ich noch lebe in diesem Körper. Was kann ein *hakim* tun?«

»Aber du bist ganz krank und erschüttert. Du kannst nicht gehen.«

»Wie kann ich krank sein, wenn ich Freiheit sehe?« Er richtete sich unsicher auf die Füße.

»Dann muß ich Essen holen aus dem Dorfe. Oh, der mühselige Weg!« Kim fühlte, daß auch er der Ruhe bedurfte.

»Es ist der Wille des Gesetzes. Laß uns essen und gehen. Der Pfeil fiel in den Ebenen ... aber ich gab der Begierde nach. Mach dich fertig, *chela*.«

Kim wandte sich zu der Frau mit dem Türkisenkopfschmuck, die inzwischen müßig Kieselsteine über den Felshang geworfen hatte. Sie lächelte sehr freundlich.

»Ich fand ihn wie einen verirrten Büffel im Kornfeld – den Babu; schnaubend und niesend vor Erkältung. Er war so hungrig, daß er seine Würde vergaß und mir schöne Worte machte. Die Sahibs haben nichts.« Sie streckte die leere Handfläche aus. »Der eine hat arge Bauchschmerzen. Dein Werk?«

Kim nickte mit glänzenden Augen.

»Ich sprach zuerst mit dem Bengalen – und dann mit den Leuten eines nahen Dorfes. Die Sahibs werden Nahrung erhalten, soviel sie brauchen – und die Leute werden kein Geld fordern. Die Beute ist bereits verteilt. Dieser Babu redet Lügen zu den Sahibs. Warum verläßt er sie nicht?«

»Weil er ein großes Herz hat.«

»Noch nie hatte ein Bengali ein größeres als eine taube Walnuß. Aber gleichviel – seht, was Walnüsse betrifft – nach Dienst kommt Lohn. Ich habe gesagt, das Dorf ist dein.«

»Schade darum«, begann Kim. »Noch eben erst habe ich mir in meinem Herzen so schön ausgedacht ...« Unnütz, die in solchen Fällen üblichen Redensarten zu wiederholen. Er seufzte tief. »Aber mein Meister, von einer Vision geführt ...«

»Huh! Was können alte Augen andres sehen als eine volle Bettelschale?«

»... wendet sich von diesem Dorfe wieder den Ebenen zu.«

»Bitte ihn zu bleiben.«

Kim schüttelte den Kopf. »Ich kenne meinen Heiligen und seinen Zorn, wenn man ihm widerstrebt«, erwiderte er mit Nachdruck. »Seine Flüche erschüttern die Berge.«

»Schade, daß sie ihn nicht vor einem Loch im Kopfe schützten! Ich hörte, daß du der Tigerherzige warst, der den Sahib niederwarf. Laß ihn noch ein wenig weiterträumen. Bleib!«

»Bergfrau«, sagte Kim mit Strenge, die jedoch das weiche Oval seines Gesichts nicht härter machte, »diese Dinge sind zu hoch für dich.«

»Die Götter seien uns gnädig! Seit wann sind Männer und Weiber etwas anderes als Männer und Weiber?«

»Ein Priester ist ein Priester. Er sagt, er will noch in dieser Stunde gehen. Ich bin sein *chela*, und ich gehe mit ihm. Wir brauchen Speise für den Weg. Er ist ein geehrter Gast in allen Dörfern, aber« – ein echtes Knabengrinsen verklärte sein Gesicht – »das Essen hier ist gut. Gib mir etwas.«

»Und wenn ich dir nichts gebe? Ich bin das Weib dieses Dorfes.«

»Dann verwünsche ich dich – ein bißchen – nicht viel, aber genug, daß du daran denkst.« Er mußte wieder lächeln.

»Du hast mich schon verwünscht mit deinen gesenkten Augenlidern und deinem erhobenen Kinn. Flüche? Was kümmern mich Worte?« Sie preßte die Hände auf ihren Busen. »Aber ich will nicht, daß du im Unwillen gehst und Schlechtes denkst über mich – Sammlerin von Kuhdung und Gras in Shamlegh, aber dennoch ein Weib, das etwas ist.«

»Ich denke nichts«, sagte Kim, »als daß ich sehr ungern gehe, weil ich sehr müde bin, und daß wir Speise brauchen. Hier ist der Sack.«

Das Weib riß ihn zornig an sich. »Ich war eine Närrin«, sagte sie. »Wer ist deine Frau in den Ebenen? Hell oder schwarz? Auch ich hatte einmal eine helle Haut. Lachst du? Einmal, vor langer Zeit, wenn du es glauben magst, schaute ein Sahib mich günstig an. Einmal, vor langer Zeit, trug ich europäische Kleider in dem Missionshaus drüben.« Sie deutete gen Kotgarh hin. »Einmal, vor langer Zeit, war ich *Kerlis-ti-an* und sprach Englisch, wie die Sahibs sprechen. Ja. Mein Sahib sagte, er würde wiederkommen und mich heiraten – ja, heiraten. Er ging fort – ich hatte ihn gepflegt, als er krank war –, aber er kam nie wieder. Da sah ich, daß die Götter der *Kerlistians* lügen, und ich ging wieder zu meinem eigenen Volk ... Ich habe seitdem nie wieder meine Augen auf einen Sahib gerichtet. (Lache nicht über mich. Der Anfall ist schon vorüber, kleines Priesterchen.) Dein Gesicht und dein Gang und deine Rede erinnerten mich an meinen Sahib, obwohl du nur ein wandernder Bettler bist, dem ich Almosen gebe. Mich verfluchen? Du kannst weder fluchen noch segnen!« Sie stemmte ihre Hände in die Hüften und lachte bitter. »Deine Götter sind Lügen; deine Taten sind Lügen; deine Worte sind Lügen. Es gibt keine Götter unter all den Himmeln. Ich weiß es ... Aber einen Augenblick dachte ich, mein Sahib sei wiedergekommen, und er war mein Gott. Ja, einst machte ich Musik auf einem *piano* im Missionshaus in Kotgarh. Jetzt gebe ich Almosen an Priester, die *heathen* sind.« Sie schloß mit dem englischen Wort und band den bis an den Rand vollen Sack zu.

»Ich warte auf dich, *chela*«, sagte der Lama, gegen den Türpfosten lehnend.

Die Frau überflog mit den Augen die hohe Gestalt. »Er – gehen! Er kommt keine halbe Meile weit. Wohin sollen alte Knochen wandern?«

Kim, schon aufgeregt genug über den Verfall des Lama und besorgt wegen des Gewichts des Sackes, verlor seine Fassung.

»Was geht es dich an, Weib böser Voraussage, wohin er geht?

»Nichts – aber dich, Priester mit dem Sahibsgesicht. Willst du ihn auf deinen Schultern tragen?«

»Ich gehe in die Ebenen. Niemand darf mich an meiner Rückkehr hindern. Ich habe gerungen mit meiner Seele, bis ich kraftlos wurde. Der törichte Leib ist verbraucht, und wir sind fern von den Ebenen.«

»Schau hin!« sagte sie einfach und trat zurück, um Kim seine gänzliche Hilflosigkeit erblicken zu lassen. »Verfluche mich. Vielleicht gibt ihm das Kraft. Mach einen Zauber! Ruf deinen großen Gott an. Du bist ein Priester.« Sie wandte sich ab.

Der Lama hatte sich schlaff hingehockt, sich immer noch an dem Pfosten haltend. Ein alter Mann erholt sich nicht, wie ein Knabe, in einer Nacht von einer solchen Erschütterung. Schwäche beugte ihn zur Erde, aber seine Augen, die an Kim hingen, waren lebendig und flehend.

»Es wird alles wieder gut werden«, sagte Kim. »Die dünne Luft schwächt dich. Wir gehen gleich! Es ist die Bergkrankheit. Ich fühle mich auch ein bißchen übel …«, und er kniete nieder und tröstete ihn mit einfachen Worten, wie sie ihm just auf die Lippen kamen. Dann kehrte die Frau zurück, straffer aufgerichtet denn je.

»Deine Götter können nicht helfen, he? Versuche meine! *Ich* bin das Weib von Shamlegh.« Sie stieß einen heiseren Ruf aus, und herbei kamen aus einer Kuhhürde ihre beiden Gatten und drei andere Männer mit einer *dooli*, der rohen Tragbahre der Bergbewohner, die sie zum Krankentransport und für Staatsvisiten gebrauchen. »Dieses Vieh«, sie ließ sich

313

nicht einmal herab, die Männer anzuschauen, »ist dein, solange du bedarfst.«

»Aber wir wollen nicht den Weg nach Simla gehen. Wir wollen den Sahibs nicht nahe kommen«, rief der erste Gatte.

»Sie werden nicht fortlaufen wie die andern und auch kein Gepäck stehlen. Zwei von ihnen kenn ich als Schwächlinge. Geht an die hinteren Tragstangen, Sonoo und Taree!« Sie gehorchten eiligst. »Niedriger jetzt! Und hebt den alten Mann hinein! Ich will auf das Dorf und eure tugendhaften Weiber achtgeben, bis ihr wiederkommt.«

»Wann wird das sein?«

»Fragt die Priester! Belästigt mich nicht! Legt den Proviantsack an die Füße, damit das Gleichgewicht besser verteilt ist.«

»O Heiliger, deine Berge sind freundlicher als unsere Ebenen!« rief Kim erleichtert, als der Lama zu der Tragbahre stolperte. »Es ist ein wahres Königsbett – ein Platz der Ehre und Ruhe. Und wir danken es ...«

»... einem Weib von böser Voraussage. Ich brauche deinen Segen so wenig wie deine Flüche. Es ist *mein* Befehl und nicht deiner. Hebt auf und fort! Hier! Hast du Geld für den Weg?«

Sie winkte Kim nach ihrer Hütte und bückte sich nach einer abgenutzten englischen Schatulle unter ihrer Schlafstatt.

»Ich brauche nichts«, sagte Kim, ärgerlich, wo er hätte dankbar sein sollen. »Ich bin schon beladen genug mit Gunstbezeigungen.«

Sie blickte mit einem seltsamen Lächeln auf und legte ihre Hand auf seine Schulter. »Danke mir wenigstens! Ich bin häßlich von Gesicht und eine Bergfrau, aber, wie deine Rede geht: ich habe Verdienst erworben. Soll ich dir zeigen, wie die Sahibs danken?« Und ihre harten Augen wurden weicher.

»Ich bin nur ein wandernder Priester«, sagte Kim, und seine Augen glänzten den ihrigen Antwort. »Du brauchst weder meinen Segen noch meine Flüche.«

»Nein. Aber warte einen kleinen Augenblick – du kannst die *dooli* mit zehn Schritten einholen –, *wenn* du ein Sahib wärst, soll ich dir zeigen, was du dann tun würdest?«

»Und wenn ich es errate?« sagte Kim, und sie mit dem Arm

umfassend, küßte er sie auf die Wange und fügte auf englisch hinzu: »Danke dir sehr, mein Liebling.«

Küssen ist bei den Asiaten in der Tat etwas Unbekanntes; das mochte der Grund sein, daß sie sich mit weit offenen Augen und erschrecktem Gesicht zurückbog.

»Das nächste Mal«, fuhr Kim fort, »mußt du deiner Heidenpriester nicht so sicher sein. Nun sag ich dir Lebewohl.« Er hielt, nach englischer Art, seine Hand hin. Sie nahm sie mechanisch. »Leb wohl, mein Liebling!«

»Leb wohl, und – und ...«, Wort auf Wort erinnerte sie sich ihres Englisch wieder, »du wirst wiederkommen? Leb wohl, und – *der* Gott segne dich!«

Eine halbe Stunde später, als die knarrende Bahre den Bergweg hinaufschwankte, der von Shamlegh nach Südosten führt, sah Kim eine winzige Gestalt an der Hüttentür mit einem weißen Lappen winken.

»Sie hat Verdienst erworben vor allen andern«, sagte der Lama. »Denn einem Menschen auf den Weg zur Freiheit zu verhelfen ist fast so viel, als wenn sie ihn selbst gefunden hätte.«

»Hm«, machte Kim nachdenklich, das Geschehene erwägend. »Vielleicht habe ich auch Verdienst erworben ... Wenigstens hat sie mich nicht wie ein Kind behandelt.« Er hakte sein Gewand fest, vorn, wo er die Karten und Dokumente verwahrt hielt, rückte den kostbaren Proviantsack zu Füßen des Lama zurecht, legte die Hand auf den Rand der Bahre und faßte Schritt mit dem langsamen Trott der knurrenden Ehemänner.

»Auch diese erwerben Verdienst«, sagte der Lama nach drei Meilen Wegs.

»Mehr als das, sie werden in Silber bezahlt werden«, meinte Kim. Das Weib von Shamlegh hatte es ihm gegeben, und es war nur in der Ordnung, folgerte er, daß ihre Männer es zurückverdienten.

Fünfzehntes Kapitel

Ich wiche vor keinem Kaiser nicht,
Vor keinem König und King,
Der dreifachen Krone beugt' ich mich nicht,
Doch dies ist ein ander Ding!
Ich kämpfe nicht mit den Mächten der Luft.
Schildwachen, ungesäumt,
Laßt die Zugbrücke fallen!
Er ist Herr von uns allen,
Der Träumer, der Wahrheit träumt.
        ›Die Geisterbelagerung‹

Zweihundert Meilen nördlich von Chini, auf dem blauen Schiefergestein von Ladakh, liegt Yankling Sahib, der lustige Mann, wütend durch ein Fernglas über die Kämme hin spähend nach einer Spur von seinem Lieblingsträger – einem Mann aus Ao-chung. Aber dieser Treulose treibt sich mit einer neuen Mannlicher-Flinte und zweihundert Patronen anderswo herum und schießt Moschustiere für den Markt; und in der nächsten Saison wird Yankling Sahib zu hören bekommen, wie schwer krank er gelegen habe.

Durch die Täler von Bushahr hinauf – die weitschauenden Adler des Himalaja entweichen vor seinem neuen, blau-weiß gestreiften Sonnenschirm – eilt ein Bengale, einst fett und wohl aussehend, jetzt mager und wetterverschlissen. Er hat den Dank zweier ehrenwerter Ausländer erhalten, die er mit unleugbarer Geschicklichkeit nach dem Tunnel von Mashobra gelotst hat, der zu der großen und heiteren Hauptstadt Indiens führt. Es war nicht seine Schuld, daß er sie, durch feuchte Nebel am Sehen verhindert, an der Telegraphenstation und der europäischen Kolonie von Kotgarh vorbeigeführt hatte. Es war nicht seine Schuld, sondern die der Götter, von denen er so fesselnd zu plaudern wußte, daß er sie über die Grenze von Nahan geleitet hatte, wo der Radschah dieses Staates sie für desertierte englische Soldaten hielt. Hurree Babu sprach so lange von der Größe und dem Ruhm seiner Begleiter in ihrem eigenen Lande, bis das einfältige Königlein lächelte. Er redete in gleicher Weise zu jedem, der fragte: oftmals – laut – und mit Variationen. Er erbettelte Speise, sorgte für Unterkunft, erwies sich als geschickter Arzt bei einer Verletzung der Leistengegend – solch einer Prellung, wie man sie wohl durch Hinabrollen eines felsenübersäten Berghanges in der Dunkelheit davontragen kann – kurz, machte sich in jeder Beziehung unentbehrlich. Der Beweggrund zu seiner Hilfsbereitschaft gereichte ihm zur Ehre. Gleich Millionen von Mitsklaven betrachtete er Rußland als den großen Befreier im Norden. Er war ein furchtsamer Mann. Er hatte gefürchtet, seine illustren Dienstherren nicht schützen zu können vor dem Zorn einer aufgeregten Landbevölkerung. Ihm selbst war es ziemlich gleichgültig, ob ein heiliger Mann geschlagen würde oder nicht, aber ... Er war von Herzen dankbar und aufrichtig erfreut, daß ihm vergönnt war zu tun, was in seinen ›schwachen Kräften‹ stand, um ihr Abenteuer – abgerechnet den Verlust ihres Gepäcks – zu einem erfolgreichen Ende zu führen. Die Schläge hatte er vergessen, leugnete, daß es überhaupt zu Schlägen gekommen sei in jener unheilvollen ersten Nacht unter den Föhren. Er forderte weder rückständigen Lohn noch Kostgeld; aber, wenn sie ihn dessen würdig hielten, würden sie ihm ein Zeugnis schreiben? Es könnte ihm später nützlich sein, wenn andere, ihre Freunde, über die Pässe kämen. Er bat sie, seiner in ihrer künftigen Größe zu gedenken, denn er sei der ›untertänigsten Meinung‹, daß auch er, Mohendro Lal Dutt, M. A. von Kalkutta, ›dem Staate einen kleinen Dienst erwiesen‹ hätte.

Sie schrieben ihm ein Zeugnis, lobten seine Höflichkeit, Hilfsbereitschaft und seine nie fehlende Sicherheit als Führer. Er schob es in seinen Gürtel und schluchzte vor Rührung – sie hatten so manche Gefahr zusammen bestanden. Er führte sie am hohen Mittag durch die menschenwimmelnde Hauptstraße Simlas zur Vereinsbank von Simla, wo sie ihre Identität wiederzuerlangen hofften. Dann verschwand er wie ein Abendwölkchen überm Jakko.

Seht ihn dort: zu dünn geworden, um zu schwitzen, zu eilig,

um die Medikamente in seinem kleinen messingbeschlagenen Koffer feilzubieten – die Höhe von Shamlegh erklimmend, ein rechtschaffener, braver Mann. Seht ihn zur Mittagsstunde, allen Babutums ledig, rauchend auf einem Bett, indes eine Frau mit türkisenbesetztem Kopfschmuck südostwärts deutet über das kahle Grasland hin. Tragbahren, sagt sie, kämen nicht so schnell vorwärts wie einzelne Männer, aber seine Vögel könnten doch jetzt schon in der Ebene sein. Der heilige Mann habe nicht bleiben wollen, sosehr Lispeth ihm auch zugeredet habe. Der Babu stöhnt schwer, gürtet seine schmächtigen Lenden und ist wieder auf und davon. Er liebt es nicht, nach Dunkelwerden zu wandern; aber seine Tagesmärsche – es ist niemand da, um sie in ein Buch einzutragen – würden so manchen, der seine Rasse zu verspotten pflegt, in Erstaunen setzen. Freundliche Dörfler, die sich des Arzneiverkäufers von Dacca vor zwei Monaten erinnern, geben ihm Schutz gegen die bösen Geister der Wälder. Er träumt von den Göttern Bengalens, von Universitätslehrbüchern und der Königlichen Gesellschaft der Mathematik und Naturwissenschaften, London, England. In der Morgendämmerung zieht der auf und ab hüpfende blau-weiße Sonnenschirm weiter.

Am Rande der Dun, Mussoorie weit im Rücken, die golddunstige Ebene vor sich, hält eine abgenutzte Tragbahre, in der – alle Berge wissen es – ein kranker Lama liegt, der einen Fluß zu seiner Heilung sucht. Dörfer haben sich fast geschlagen um die Ehre, die Bahre zu tragen, denn nicht nur hat der Lama ihnen Segnungen gegeben, sondern sein Schüler auch gutes Geld – ein volles Drittel von Sahibspreisen. Zwölf Meilen täglich hat die *dooli* gemacht, die fettigen, abgeriebenen Enden der Tragstangen zeigen es, auf Wegen, die Sahibs nur selten benutzen. Über den Nilangpaß im Sturm, wo der treibende Schneestaub jede Falte im Gewande des regungslosen Lama füllte; zwischen den schwarzen Hörnern des Raieng, wo sie das Pfeifen der wilden Ziegen durch die Wolken hörten; in ermüdendem Gleiten auf schiefrigem Grunde, krampfhaft festgehalten zwischen Schulter und zusammengepreßtem Kiefer in den gefährlichen Windungen des Abkürzungspfades unterhalb Bhagirati, schwankend und knarrend in langsamem

Trott bergab in das Tal der Wasser, eilig hin über die dampfenden Gründe dieses Engtals, aufwärts wieder und hinaus, den brüllenden Sturzbächen von Kedernath entgegen; um die Mittagszeit niedergestellt im schattigen Dunkel gastlicher Eichenwälder, wieder weiter von Dorf zu Dorf in der Dämmerungskühle, wo auch dem Frömmsten ein Fluch über ungeduldige heilige Männer nicht zu verübeln ist, oder bei Fackellicht, wo selbst die Furchtlosesten an Geister denken – so hat die *dooli* endlich ihre letzte Station erreicht. Die kleinen Gebirgler schwitzen in der ungewohnten Hitze der unteren Siwaliks und sammeln sich um die Priester, um ihren Segen und ihre Bezahlung zu erhalten.

»Ihr habt Verdienst erworben«, sagt der Lama. »Verdienst, größer, als ihr wißt. Und ihr kehrt zurück zu den Bergen«, seufzt er.

»Sicherlich. Zu den hohen Bergen, so bald wie möglich.« Die Träger reiben sich die Schultern, trinken Wasser, spukken es wieder aus und binden ihre Strohsandalen fest. Kim – das Gesicht müde und abgezehrt – zahlt mit kleinem Silbergeld aus seinem Gürtel, hebt den schweren Proviantsack heraus, zwängt ein Öltuchpaket – es sind heilige Schriften – unter sein Gewand auf die Brust und hilft dem Lama auf die Füße. Frieden ist wieder in den Augen des alten Mannes; er fürchtet nicht mehr, daß die Berge niederstürzen und ihn zerschmettern könnten, wie in der schrecklichen Nacht, als der überschwemmte Strom sie zurückhielt.

Die Männer heben die *dooli* auf und entschwinden dem Blick zwischen dem Buschwerk.

Der Lama hebt die Hand gegen den Wall des Himalaja. »Nicht unter euch, o Gesegnete unter allen Bergen, fiel der Pfeil Unseres Herrn! Und niemals wieder werde ich eure Luft atmen!«

»Aber du bist zehnmal stärker in dieser guten Luft hier«, sagt Kim, denn seiner müden Seele tut der Anblick der ährenreichen, sanften Ebene wohl. »Hier oder hierherum fiel der Pfeil, ja. Wir wollen sehr langsam gehen, vielleicht ein *kos* den Tag, denn die Suche ist gesichert. Aber der Sack wiegt schwer.«

»Ah! Unsere Suche ist gesichert. Ich bin aus großer Versuchung hervorgegangen.«

Sie wanderten jetzt höchstens zwei Meilen täglich, und Kims Schultern trugen die ganze Last – die Last eines alten Mannes, die Last des schweren Proviantsacks samt den Büchern, die Last der Schriften auf seiner Brust und die Last aller Obliegenheiten des Tages. Er bettelte im Morgengrauen, legte die Decken zurecht für die beschaulichen Andachtsstunden des Lama, hielt das müde Haupt auf seinem Schoß während der Mittagshitze, fächelte die Fliegen weg, bis ihn das Handgelenk schmerzte, bettelte wieder am Abend und rieb des Lama Füße, der ihm lohnte mit der Verheißung baldiger Freiheit – für heute – morgen – oder spätestens übermorgen.

»Nie gab es so einen *chela*! Ich zweifle zuweilen, ob Ananda treuer sorgte für Unsern Herrn. Und du bist ein Sahib? Als ich ein Mann war – vor langer Zeit –, vergaß ich das. Jetzt blicke ich oft auf dich, und jedesmal erinnere ich mich, daß du ein Sahib bist. Es ist sonderbar.«

»Du hast gesagt, es gibt weder Schwarz noch Weiß. Was plagst du mich mit solcher Rede, Heiliger? Laß mich den andern Fuß reiben. Es quält mich. Ich bin *kein* Sahib. Ich bin dein *chela*, und mein Kopf ist schwer auf meinen Schultern.«

»Noch ein wenig Geduld! Wir erreichen Freiheit zusammen. Dann werden wir, ich und du, an dem fernen Ufer des Stromes, zurückblicken auf unser Leben, wie wir in den Bergen unsere Tagesmärsche hinter uns liegen sahen. Vielleicht war auch ich einmal ein Sahib.«

»War nie ein Sahib gleich dir, ich schwöre es.«

»Ich bin sicher, der Hüter der Bildnisse in dem Wunderhaus war in vergangenem Leben ein sehr weiser Abt. Aber selbst seine Brille macht meine Augen nicht sehend. Es fallen Schatten, wenn ich scharf sehen möchte. Gleichviel – wir kennen die Tücken des armen törichten Leichnams – Schatten, der sich wieder in Schatten wandelt. Ich bin gefesselt durch die Täuschung von Zeit und Raum. Wie weit kamen wir heute im Fleisch?«

»Vielleicht ein halbes *kos.*« Dreiviertel einer Meile; und es war ein mühseliger Marsch.

»Ein halbes *kos.* Ha! Ich wanderte zehntausendmaltausend im Geiste. Wie wir alle eingebunden und eingewickelt und eingeschlossen sind in diese sinnlosen Dinge!« Er schaute auf seine abgezehrte, blaugeäderte Hand, der die Perlen so schwer wurden. »*Chela,* hast du nie den Wunsch, mich zu verlassen?«

Kim dachte an das Öltuchpaket und die Bücher im Proviantsack. Wenn irgendein Berufener ihn von diesen befreien könnte, mochte seinetwegen das Große Spiel sich selber spielen, ihn würde es nicht kümmern. Sein Kopf war heiß und müde, und ein Husten, der aus der Brust kam, quälte ihn.

»Nein«, antwortete er fast streng. »Ich bin weder ein Hund noch eine Schlange, daß ich beiße, wo ich gelernt habe zu lieben.«

»Du bist zu besorgt um mich.«

»Auch das nicht. Doch habe ich in einer Angelegenheit gehandelt, ohne dich zu fragen. Ich habe durch das Weib, das uns heute morgen die Ziegenmilch gab, eine Botschaft an die Kulufrau geschickt, daß du ein wenig schwach wärest und eine Tragbahre brauchtest. Ich machte mir Vorwürfe im Geist, daß ich es nicht gleich tat, als wir in die Dun kamen. Wir wollen hierbleiben, bis die Tragbahre kommt.«

»Ich bin es zufrieden. Sie ist eine Frau mit einem Herzen von Gold, wie du sagst, aber eine Schwätzerin – ein bißchen eine Schwätzerin.«

»Sie wird dich nicht belästigen. Ich habe auch dafür gesorgt. Heiliger, mein Herz ist sehr schwer wegen meiner vielen Unachtsamkeiten gegen dich.« Ein hysterisches Zucken stieg in seine Kehle. »Ich habe dich zu weit gehen lassen; ich habe nicht immer gute Nahrung für dich gebracht; ich habe die Hitze nicht bedacht; ich habe mit den Leuten auf der Straße geredet und dich allein gelassen. Ich habe – ich habe ... *Hai mai!* Aber ich liebe dich ... und es ist nun alles zu spät ... ich war ein Kind. Oh, warum war ich nicht ein Mann!« Überwältigt von Anstrengung, Müdigkeit und der für seine Jugend zu schweren Last, brach Kim zu des Lama Füßen schluchzend zusammen.

»Was ist das für eine Torheit!« sagte der alte Mann sanft. »Du bist nie um eines Haares Breite abgewichen vom Wege des Gehorsams. Mich vernachlässigt? Kind, ich habe von deiner Kraft gelebt wie ein alter Baum von dem Kalk einer neuen Mauer, Tag auf Tag, seit wir von Shamlegh herunterkamen, habe ich Stärke von dir gestohlen. *Dadurch*, nicht durch irgendeine Verfehlung von dir, bist du schwach geworden. Es ist der Körper – der dumme, törichte Körper –, der jetzt spricht. Nicht die sichere Seele. Tröste dich! Erkenne wenigstens die Teufel, gegen die du kämpfest! Sie sind erdgeboren – Kinder des Wahns. Wir wollen zu der Frau von Kulu gehen. Sie mag Verdienst erwerben, indem sie uns Obdach gibt und besonders mich pflegt. Du sollst frei herumlaufen, bis deine Kräfte wiederkehren. Ich hatte den törichten Leib vergessen. Wenn einer zu tadeln ist, bin ich es. Aber wir sind zu nahe den Pforten der Erlösung, um Unrecht abzuwägen. Ich könnte dich loben, aber was braucht es das? In kurzer Zeit – in sehr kurzer Zeit – werden wir über allem Wozu sein.«

Und so liebkoste und tröstete er Kim mit weisen Sprüchen und gewichtigen Textstellen über dieses in seinem Wesen meist nicht erkannte Tier, unseren Körper, der, obwohl nur eine Täuschung, dennoch sich aufspielen will als die Seele – so den Weg verdunkelnd und eine Unzahl unnützer Teufel heraufbeschwörend.

»Hai! Hai! Laß uns von der Kulufrau sprechen. Meinst du, sie wird einen neuen Zauber für ihre Enkel verlangen? Als ich ein junger Mann war, vor sehr langer Zeit, war ich von solchen und anderen leeren Einbildungen geplagt, und ich ging zu einem Abte, einem sehr weisen Mann und einem Sucher nach Wahrheit, obwohl ich das damals nicht wußte. Sitz auf und höre, Kind meiner Seele! Ich erzählte meine Geschichte. Sprach er zu mir: ›*Chela*, wisse dies! Es gibt viele Lügen in der Welt und nicht wenige Lügner, aber keine Lügner sind so schlimm wie unsere Körper – es seien denn die Empfindungen unserer Körper.‹ Dies erwägend, fühlte ich mich beruhigt. Und in seiner großen Güte erlaubte er mir, Tee in seiner Gegenwart zu trinken. Erlaube du mir jetzt, Tee zu trinken, denn ich bin durstig.«

Mit Lachen unter Tränen küßte Kim dem Lama die Füße und bereitete den Tee.·

»Du stützest dich auf mich, Heiliger, mit dem Körper; ich aber stütze mich auf dich mit etwas anderem. Weißt du es?«

»Mag sein, ich habe es erraten«, und die Augen des Lama zwinkerten. »Wir müssen das ändern.« –

Alsdann, mit Stoßen und Knarren und großer Gewichtigkeit, kam nichts Geringeres angewackelt als der Lieblingspalankin der Sahiba, zwanzig Meilen dem Lama entgegengesandt, unter der Führung des graubärtigen alten Ooryadieners; und als sie alle zusammen die unordentliche Ordnung des langen, weißen, geräuschvollen Hauses hinter Saharanpur erreicht hatten, traf der Lama seine Maßregeln.

Sprach die Sahiba vergnüglich von einem der oberen Fenster herab, nach den üblichen Liebenswürdigkeiten: »Was nützt es, wenn eine alte Frau einem alten Manne Ratschläge gibt? Ich sagte dir – ich *sagte* dir, Heiliger, du müßtest ein Auge auf deinen *chela* haben! Wie hast du es getan? Antworte mir nicht! *Ich* weiß Bescheid. Er ist den Weibern nachgelaufen. Sieh seine Augen an – hohl und eingesunken – und die verräterische Linie von der Nase abwärts! Er ist ausgesogen! Pfui! Pfui! Und noch dazu ein Priester!«

Kim blickte auf, zu übermüdet, um zu lächeln, und schüttelte verneinend den Kopf.

»Scherze nicht«, sagte der Lama, »jene Zeit ist vorüber. Wir sind hier wegen großer Bedrängnis. Eine Krankheit der Seele ergriff mich in den Bergen und ihn eine Krankheit des Leibes. Seit der Zeit habe ich von seiner Kraft gelebt – ihn aufzehrend.«

»Kinder alle beide – jung wie alt«, schnaufte sie, aber enthielt sich aller weiteren Späße. »Möge die Gastfreundschaft hier euch wiederherstellen. Warte ein wenig, und ich will hinunterkommen, um von den schönen, hohen Bergen zu schwätzen.«

Um die Abendzeit – ihr Schwiegersohn war zurückgekehrt, und sie brauchte daher den Hof nicht zu inspizieren – hörte sie aufmerksam dem zu, was der Lama ihr mit leiser Stimme erklärte. Die beiden alten Häupter nickten weise gegeneinander. Kim war in ein Zimmer getaumelt, in dem ein Bett stand, und lag in bleiernem Schlaf. Der Lama hatte ihm verboten, Decken herzurichten oder Speise zu holen.

»Ich weiß – ich weiß! Wer wüßte es besser als ich?« plapperte sie. »Wir, die wir niedersteigen zu den Feuer-*ghats,* wir klammern uns an die Hände derjenigen, die heraufsteigen von dem Flusse des Lebens mit vollen Wasserkrügen – ja, bis an den Rand vollen Wasserkrügen. Ich tat dem Knaben Unrecht. Er lieh dir seine Stärke? Es ist wahr, wir Alten verzehren die Jungen täglich. Jetzt müssen wir ihn wieder zu Kräften bringen.«

»Du hast schon oft Verdienst erworben ...«

»*Mein* Verdienst? Was ist es? Alter Sack voll Knochen, der Curry für Männer kocht, die nicht fragen: ›Wer hat es gekocht?‹ Ja, wenn mein Verdienst für meinen Enkel aufbewahrt werden könnte ...«

»Für den, der Leibschmerzen hatte?«

»Zu denken, daß der Heilige *das* noch weiß! Das muß ich seiner Mutter erzählen. Es ist eine ganz besondere Ehre! ›Der, der Leibschmerzen hatte‹ – das wußte der Heilige wirklich noch. Sie wird stolz sein.«

»Mein *chela* ist mir, was den Unerleuchteten ein Sohn ist.«

»Sag lieber Enkel! Mütter haben nicht die Weisheit unserer Jahre. Wenn ein Kind schreit, denken sie, der Himmel fällt ein. Aber eine Großmutter ist weit genug entfernt von dem Schmerz des Gebärens wie von dem Vergnügen, die Brust zu geben, um genau zu wissen, ob ein Kind aus purer Bosheit schreit oder weil es Blähungen hat. Und da du gerade wieder von Blähungen redest – es könnte sein, daß ich den Heiligen, als er zuletzt hier war, beleidigte, weil ich ihn zu sehr um Zauber quälte.«

»Schwester«, sagte der Lama, die Form der Anrede wählend, die ein buddhistischer Mönch zuweilen gegenüber einer Nonne gebraucht, »wenn Zauber dich beruhigen können ...«

»Sie sind besser als zehntausend Ärzte.«

»Ich sage, wenn Zauber dich beruhigen, dann will ich, der ich Abt von Such-zen war, so viele machen, wie du begehrst. Ich habe nie dein Antlitz gesehen ...«

»*Das* würden selbst die Affen, die unsere Mispeln stehlen, für keinen Verlust halten. Hi! Hi!«

»Aber du hast, wie der, der dort schläft«, er nickte nach der geschlossenen Tür des Gastzimmers hin, »gesagt hat, ein Herz von Gold ... Und im Geist ist er mir ein wahrer Enkel.«

»Gut! Ich bin des Heiligen Kuh!« Dies war purer Hinduismus, aber der Lama beachtete es nicht. »Ich bin alt, ich habe Söhne im Fleisch geboren! Oh! Einst konnte ich den Männern gefallen! Jetzt kuriere ich sie.« Er hörte ihre Armspangen klirren, als wenn sie die Arme entblößte, um zuzugreifen. »Ich will den Knaben zu mir nehmen und ihn in Schlaf bringen und ihn füttern und ihn ganz gesund machen. Hai! Hai! Wir alten Leute verstehen auch noch etwas.«

So geschah es, daß Kim, als er mit schmerzenden Gliedern die Augen öffnete und nach der Küche gehen wollte, um seines Meisters Essen zu holen, sich einer verschleierten Gestalt an der Tür, neben dem grauen Diener, gegenübersah, die ihm den Weg versperrte und ihm genau vorzählte, was er auf keinen Fall tun dürfe.

»Was willst du haben? – Nichts sollst du haben. Was? Ein verschlossener Koffer, in dem heilige Bücher sind? Oh, das ist etwas anderes. Der Himmel verhüte, daß ich mich zwischen einen Priester und seine Gebete stelle! Er soll gebracht werden, und du sollst den Schlüssel behalten.«

Sie schoben den Koffer unter sein Bett, und mit einem Stöhnen der Erleichterung schloß er Mahbubs Pistole, das Öltuch-Briefpaket und die Tagebücher ein. Seltsamerweise hatte das Gewicht auf seinen Schultern ihn weniger gedrückt als das auf seiner armen Seele. Sein Genick schmerzte nachts unter dieser Last.

»Du hast eine Krankheit, die ungewöhnlich ist bei der Jugend von heutzutage«, sprach die Sahiba, »denn die Jugend hat verlernt, sich um die Alten zu kümmern. Schlaf ist das Heilmittel für dich, und gewisse Tränke.« Und Kim war froh, wieder in die Leere zu versinken, die ihn halb ängstigte, halb besänftigte.

Sie braute Tränke in einer asiatisch-mysteriösen Art von Laboratorium–Flüssigkeiten, die pestilenzialisch rochen und noch schlimmer schmeckten. Sie beugte sich über Kim, bis sie hinuntergewürgt waren, und war unerschöpflich in Fragen, wenn sie wieder heraufkamen. Sie erließ ein Verbot, daß niemand den Vorhof betreten dürfe, und bekräftigte es durch einen bewaffneten Wächter. Er war zwar über siebzig Jahre alt, und sein Schwert bestand eigentlich nur aus Griff und Scheide; aber er repräsentierte die Autorität der Sahiba, und beladene Wagen, schwatzende Diener, Kälber, Hunde, Hennen und dergleichen hatten einen weiten Bogen zu machen. Nachdem der Körper gesäubert war, suchte sie unter der Menge armer Verwandter (Haushunde nennt man sie hierzulande), die die Hintergebäude bevölkerten, die Witwe eines Vetters hervor, die darin geübt war, was Europäer, die nichts davon verstehen, Massage nennen. Und sie beide packten Kim, schoben ihn ostwärts und westwärts, auf daß die geheimnisvollen Erdströmungen, die den menschlichen Leib durchrieseln, mithülfen statt hinderten, und nahmen ihn stückweise einen ganzen Nachmittag vor – Knochen für Knochen, Muskel für Muskel, Sehne für Sehne und schließlich Nerv für Nerv. Zu einer unzurechnungsfähigen breiigen Masse geknetet, halb hypnotisiert durch das ewige Flattern und Zurechtrücken der unbehaglichen *chudders*, die ihre Augen verhüllten, glitt Kim zehntausend Meilen tief in Schlummer – sechsunddreißig Stunden lang – Schlaf, der sich einsaugte wie Regen nach der Dürre.

Dann fütterte sie ihn, und das Haus wirbelte von ihrem Lärm. Sie befahl, Hühner zu schlachten; sie ließ Gemüse herbeischaffen, daß der brave, schwerfällige Gärtner schwitzte, der fast so alt war wie sie selbst; sie nahm Gewürze und Milch und Zwiebeln, und kleine Fische aus den Bächen, forderte Zitronen zu Scherbett, Wachteln aus der Erdgrube, briet Hühnerlebern am Spieß mit geschnittenem Ingwer dazwischen.

»Ich habe etwas von dieser Welt gesehen«, sprach sie über den gedrängten Schüsseln, »es gibt nur zwei Arten von Frauen darin; die, die dem Manne die Stärke nehmen, und die, die sie ihm zurückgeben. Einst gehörte ich zu den ersten, jetzt zu den letzten. Nein – spiele nicht das Priesterchen mit mir! Es war nur ein Scherz; aber wenn er dir jetzt nicht gefällt, wird er dir gefallen, wenn du wieder auf der Heerstraße bist. Kusine« – dies zu der armen Verwandten, die nicht müde wurde, die Mildtätigkeit ihrer Schutzherrin auszuposaunen –, »seine Haut fängt an zu blühen wie die eines frisch gestriegelten Pferdes. Unsere Arbeit gleicht dem Polieren von Juwelen, die vielleicht einem Tanzmädchen hingeworfen werden – eh?«

Kim saß aufrecht und lächelte. Die furchtbare Schwäche hatte er abgeschüttelt wie einen alten Schuh. Seine Zunge juckte wieder nach loser Rede, während vor kaum einer Woche noch jedes kleinste Wort sie wie mit Asche verklebt hatte. Der Schmerz im Genick (er mußte sich von dem Lama angesteckt haben) war verschwunden mitsamt dem heftigen Kopfweh und dem üblen Geschmack im Munde. Die beiden alten Frauen, nun ein bißchen, aber nicht viel, vorsichtiger mit ihren Schleiern, gluckten so lustig wie die Hennen, die pickend durch die offene Tür hereingekommen waren.

»Wo ist mein Heiliger?« fragte Kim.

»Hör ihn! Deinem Heiligen geht es gut«, schnappte sie ärgerlich, »obwohl das nicht *sein* Verdienst ist. Wüßte ich einen Zauber, um ihn weise zu machen, würde ich meine Juwelen versetzen und ihn kaufen. Gutes Essen, das ich selbst gekocht, auszuschlagen – zwei Nächte in den Feldern herumzurennen mit leerem Bauch – und zuletzt in einen Bach zu fallen – nennst du *das* Heiligkeit? Und dann, wenn er das Stückchen von meinem Herzen, das du mir übriggelassen hast, mit Angst fast gebrochen hat, spricht er, er habe Verdienst erworben. Oh, alle Männer sind sich gleich! Aber das ist noch nicht genug – er sagt mir, daß er befreit von jeder Sünde ist. *Ich* hätte ihm das sagen können, bevor er sich über und über naß machte! Jetzt ist er wohlauf – dies geschah vor einer Woche –, aber solche Heiligkeit kann mir gestohlen bleiben! Ein Baby von drei Jahren würde sich nicht so anstellen. Beunruhige dich nicht um den Heiligen! Wenn er nicht gerade in unsern Bächen herumwatet, bewacht er dich mit beiden Augen.«

»Ich erinnere mich nicht, ihn gesehen zu haben. Ich erinnere mich nur, daß die Nächte und die Tage vorbeigingen wie schwarze und weiße Gitter, immer auf und zu. Ich war nicht krank; ich war nur müde.«

»Eine Lethargie, die von Rechts wegen ein paar Jahre später kommen sollte. Aber jetzt ist alles vorüber.«

»Maharani«, begann Kim, aber nach einem Blick in ihre Augen wandelte er diesen Titel in das Wort der tiefsten Liebe, »Mutter, ich schulde dir mein Leben. Wie soll ich dir danken? Zehntausend Segnungen über dein Haus, und ...«

»Das Haus mag ungesegnet bleiben.« (Es ist unmöglich, den Ausdruck, den die alte Dame gebrauchte, genau wiederzugeben.) »Danke den Göttern als Priester, wenn du willst, mir aber danke, wenn du danken willst, wie ein Sohn. Lieber Himmel! Habe ich dich geschoben und gehoben und beklopft und deine zehn Zehen gedreht, um mir Textsprüche an den Kopf werfen zu lassen? Irgendwo muß dich ja eine Mutter zu ihrem Herzeleid geboren haben! Wie hast du *ihr* gedankt – Sohn?«

»Ich hatte keine Mutter, meine Mutter«, sagte Kim. »Sie starb, sagte man mir, als ich noch klein war.«

»*Hai mai!* Dann kann also niemand sagen, daß ich sie irgendeines Rechts beraubt habe, wenn – wenn du wieder auf die Wanderschaft gehst und dieses Haus nur eins unter Tausenden ist, die du zum Obdach nimmst und vergissest nach einem leicht hingeworfenen Segen. Gleichviel. Ich brauche keinen Segen, sondern – sondern ...« Sie stampfte mit dem Fuß gegen die arme Verwandte: »Trage die Schüsseln ins Haus! Was sollen die abgestandenen Speisen hier, o Weib von bösem Geist?«

»Ich ha-habe auch einen Sohn geboren zu meiner Zeit, aber er starb«, wimmerte die gebeugte Schwestergestalt hinter dem *chudder.* »Du weißt, daß er starb! Ich wartete nur auf den Befehl, die Platte fortzunehmen.«

»*Ich* bin das Weib von bösem Geist«, rief die alte Dame reuevoll. »Wir, die wir niedersteigen zu den *chattris*« (den großen Sonnenschirmen über den Feuer-*ghats*, wo die Priester ihre letzten Gebühren erheben), »klammern uns hart an die Träger der *chattis.*« (Wasserkrüge – junges Volk, gefüllt mit Lebenslust, meinte sie; ein etwas plumpes Wortspiel). »Wenn man nicht mittanzen kann beim Feste, muß man eben aus dem Fenster schauen, und Großmutterspielen nimmt alle Zeit eines Weibes in Anspruch. Dein Meister gibt mir jetzt alle Zauber, die ich für den Ältesten meiner Tochter wünsche, aus dem Grunde – nicht wahr? –, weil er jetzt ganz frei von Sünde ist. Der *hakim* ist seither sehr heruntergekommen. Er geht herum und vergiftet meine Diener, da er nichts Besseres hat.«

»Welcher *hakim,* Mutter?«

»Derselbe Daccamann, der mir die Pille gab, die mich in drei Stücke riß. Vor einer Woche tauchte er auf wie ein verlaufenes Kamel und versicherte, daß du und er wie Blutsbrüder gewesen seid da oben auf Kulu zu, und tat so, als habe er große Sorge um deine Gesundheit. Er war sehr mager und hungrig; ich gab Befehl, ihn auch zu füttern – ihn und seine Sorge!«

»Ich möchte ihn sehen, wenn er hier ist.«

»Er ißt fünfmal am Tage und schneidet meinen Knechten Eiterbeulen auf, um sich selber vor einem Schlaganfall zu schützen. Er ist so voll Sorge um deine Gesundheit, daß er den ganzen Tag nicht von der Küchentür weicht und Brosamen aufschnappt. Er wird klebenbleiben. Wir werden ihn nicht wieder los.«

»Schicke ihn mir, Mutter« – der Schelm blitzte wieder in Kims Augen auf –, »ich will es versuchen.«

»Ich will ihn schicken, aber ihn abzuschütteln ist vergebliche Mühe. Wenigstens war er so vernünftig, den Heiligen aus dem Bach zu fischen und dadurch, wie der Heilige *nicht* sagte, Verdienst zu erwerben.«

»Er ist ein sehr weiser *hakim.* Schicke ihn zu mir, Mutter.«

»Priester, der Priester lobt? Ein Wunder! Wenn er aber dein Freund ist (ihr zanktet euch bei eurem letzten Zusammensein!), dann will ich ihn hier mit Pferdestricken anbinden und – und ihm hinterher ein Kastenessen geben, mein Sohn … Stehe auf und sieh dir die Welt an! Dies Imbettliegen ist die Mutter von siebzig Teufeln … mein Sohn! Mein Sohn!«

Sie trottete fort, um einen Taifun im Kochhaus zu entfesseln, und fast noch in ihrem Schatten rollte der Babu herein, bis an die Schultern wie ein römischer Imperator gekleidet, frisiert wie Titus, barhäuptig, mit neuen Patentlederschuhen, in bester Verfassung seiend, Freude und Begrüßungen ausschwitzend.

»Bei Zeus, Mister O'Hara, ich bin riesig froh, Euch wiederzusehen. Ich will freundlichst die Tür schließen. Schade, daß Ihr krank seid. Seid Ihr sehr krank?«

»Die Papiere – die Papiere aus dem *kilta*. Die Karten und der *murasla*!« Er hielt ungeduldig den Schlüssel hin; denn es brannte ihm auf der Seele, den Raub loszuwerden.

»Ihr habt ganz recht. Dienstlich vollkommen korrekte Haltung. Habt Ihr alles?«

»Alles Handgeschriebene aus dem *kilta* habe ich genommen. Das übrige habe ich den Berg hinuntergeworfen.« Er konnte das Umdrehen des Schlüssels im Schloß hören, das klebrige Schlürfen des schweren Öltuchballens und ein schnelles Rascheln von Papieren. Er hatte unsinnige Qualen gelitten in dem Bewußtsein, daß all dieses während der untätigen Tage der Krankheit unter ihm gelegen hatte – eine Last, die er nicht loswerden konnte. Deshalb floß ihm das Blut im ganzen Leibe wieder leichter, als Hurree, sich wie ein Elefant aufrichtend, ihm jetzt die Hand schüttelte.

»Das ist fein! Das ist hochfein, Mister O'Hara! Ihr habt – haha! – den ganzen Sack voll diplomatischer Kniffe mit Stumpf und Stil stibitzt. Sie sagten mir, die Arbeit von acht Monaten sei ihnen durch die Lappen gegangen! Bei Zeus, sie haben mich verprügelt! ... Sieh da, der Brief von Hilás!« Er las laut ein paar Zeilen höfisches Persisch, das die Sprache offizieller und inoffizieller Diplomatie ist. »Mister Radschah Sahib hat just seinen Fuß in die Höhle gesetzt. Er wird offiziell zu erklären haben, wie, zum Teufel, er dazu kommt, dem Zaren Liebesbriefe zu schreiben. Und da sind sehr allerliebste Karten ... und da sind drei oder vier Premierminister dieser reizenden Gegend in die Korrespondenz verwickelt. Bei Gott, Sir! Die britische Regierung wird die Thronfolge in Hilás und Bunár ändern und neue Thronerben ernennen. ›Niederträchtigster Verrat‹ ... aber Ihr versteht nicht – eh?«

»Ist alles in deinen Händen?« fragte Kim. Nichts andres kümmerte ihn.

»Ihr könnt darauf wetten, daß ich alles habe.« Er verstaute den ganzen Fund rings an seinem Körper, wie nur Orientalen es können. »Soll alles an das Departementsbüro gehen! Die alte Dame meint, ich wäre hier ein bleibendes Inventarstück geworden, aber ich gehe jetzt stracks los mit dem Zeug – augenblicklich. Mister Lurgan wird nicht wenig stolz sein. Ihr seid offi-zi-ell mein Untergebener, aber ich werde Euern Namen meinem mündlichen Rapport einverleiben. Schade, daß wir keine schriftlichen Rapporte machen dürfen! Wir Bengalen sind großartig in der exakten Wissenschaft.« Er warf den Schlüssel zurück und zeigte den leeren Koffer.

»Gut. Das ist gut. Ich war sehr müde. Mein Heiliger war auch krank. Und fiel er wirklich in …«

»Oah, ja. Ich bin sein guter Freund, sage ich Euch. Er benahm sich höchst sonderbar, als ich Euch nachkam, und ich dachte, er hätte vielleicht die Papiere. Ich folgte ihm deshalb in seinen Meditationen, und auch, um ethnologische Fragen mit ihm zu diskutieren. Ihr müßt wissen, ich bin jetzt hier nur eine sehr unbedeutende Persönlichkeit im Vergleich zu seinen Zaubermitteln. Bei Zeus, O'Hara! Wißt Ihr, daß er mit Krämpfen behaftet ist? Ja, was ich Euch sage! Katalepsie – wenn nicht Epilepsie! Ich fand ihn in einem solchen Zustand unter einem Baum, *in articulo mortem,* und er sprang auf und lief in einen Bach, und ohne mich wäre er ertrunken. Ich zog ihn heraus.«

»Weil ich nicht da war!« sagte Kim. »Er hätte sterben können.«

»Ja, hätte sterben können. Aber nun ist er trocken und behauptet, eine Transfiguration erlebt zu haben.« Der Babu tippte vielsagend an seine Stirn. »Ich machte Notizen über seine Darlegungen für die Akademie der Wissenschaften – *in posse.* Ihr müßt Euch dranhalten und gesund werden und nach Simla kommen. Bei Lurgan will ich Euch meine ganze Geschichte erzählen. Es war großartig. Ihre Hosenböden waren *ganz* zerrissen, und der alte Nahan Radschah hielt sie für europäische desertierte Soldaten.«

»Oh, die Russen? Wie lange waren sie mit dir zusammen?«

»Einer war ein Franzose. Oh, Tage und Tage und Tage! Jetzt meint alles Bergvolk, daß alle Russen Bettler sind. Bei Zeus! Nicht einen verdammten Lappen hatten sie, wenn ich ihnen nicht dazu verhalf. Und ich erzählte den einfachen Leuten – oah! *solche* Geschichten und Anekdoten. Beim alten Lurgan will ich Euch alles erzählen, wenn Ihr raufkommt. Wir wollen – ah! – eine lustige Nacht haben. Darauf können wir beide stolz sein! Ja, und sie schrieben mir ein Zeugnis. Ein rechter Leckerbissen! Ihr hättet sie auf der Vereinsbank sehen sollen, wie sie sich ausweisen wollten! Dank dem allmächtigen Gott, daß Ihr ihre Papiere erwischtet! Ihr könnt jetzt nicht ordentlich lachen; aber wenn Ihr wieder gesund seid, werdet Ihr lachen. Jetzt will ich stracks nach der Eisenbahn und fort. Ihr sollt alle Anerkennung haben für Euer Spiel. Wann kommt Ihr mir nach? Wir sind sehr stolz auf Euch, wenn Ihr uns auch in große Furcht versetztet. Und besonders Mahbub.«

»Ah, Mahbub! Und wo ist er?«

»Verkauft Pferde – hier in der Nachbarschaft natürlich.«

»Hier! Warum? Sprich langsam. Es ist mir noch immer benommen im Kopf.«

Der Babu schielte scheu an seiner Nase herab. »Ja, seht Ihr, ich bin ein furchtsamer Mann und liebe nicht Verantwortlichkeit. Ihr wart krank, seht Ihr, und ich wußte nicht, wo, zum Teufel, alle die Papiere steckten und wie viele da waren. Als ich nun hier ankam, schickte ich heimlich ein Telegramm an Mahbub – er war in Meerut bei den Rennen – und melde ihm, wie die Dinge stehen. Er kommt an mit seinen Leuten, berät mit dem Lama, und dann schimpft er mich einen Narren und ist sehr grob ...«

»Aber warum? Warum?«

»Das frage *ich* auch. Ich regte nur an, daß, wenn jemand die Papiere gestohlen hätte, ich irgendeinen guten, starken, braven Mann haben möchte, um sie wieder zu stehlen. Schaut, sie sind von höchster Wichtigkeit, und Mahbub Ali wußte nicht, wo Ihr wart.«

»Mahbub Ali sollte stehlen im Hause der Sahiba? Du bist toll, Babu!« sagte Kim mit Entrüstung.

»Ich mußte die Papiere haben. Gesetzt den Fall, sie hatte sie gestohlen? Es war lediglich eine rein praktische Anregung, denke *ich*. Es gefällt Euch nicht, he?«

Ein einheimisches – nicht wiederzugebendes – Sprichwort drückte den vollen Umfang von Kims Mißbilligung aus.

»Gut« – Hurree zuckte mit den Schultern –, »über Gschmack läßt sich nicht streiten. Mahbub war auch ärgerlich. Er hat hier herum Pferde verkauft, und er sagt, die alte Dame ist durchaus *pukka* (tadellos) und würde solche unnoble Dinge nicht tun. Es geht *mich* nichts mehr an. Ich habe die Papiere, und die Anwesenheit von Mahbub war immerhin eine moralische Stütze für mich. Ich sage Euch, ich bin ein furchtsamer Mann, aber, auf die eine oder andere Art, je furchtsamer ich bin, je mehr gerate ich in verdammt kritische Situationen. Daher war ich froh, daß Ihr mit mir nach Chini gingt, und bin froh, daß Mahbub hier in der Nähe war. Die alte Dame ist zuweilen sehr ungehalten auf mich und meine wundervollen Pillen.«

»Allah sei gnädig!« rief Kim belustigt, auf seinen Ellbogen gestützt, »was für ein Wundertier ist ein Babu! Und der Mann ging allein – wenn er gehen konnte – mit beraubten und wütenden Ausländern!«

»Oah, das war nichts, als sie erst mit Prügeln fertig waren; wenn aber die Papiere verlorengegangen wären, wäre es verdammt ernst geworden. Mahbub hat mich ja beinahe auch geprügelt und immerzu mit dem Lama zusammengesteckt. In Zukunft werde ich bei meinen ethnologischen Untersuchungen bleiben. Nun lebt wohl, Mister O'Hara. Wenn ich mich beeile, kann ich noch den Nachmittagszug um 4 Uhr 25 nach Ambala erreichen. Es wird hübsch, wenn wir alle bei Mister Lurgan unsere Geschichten erzählen. Ich werde offiziell berichten, daß es Euch besser geht. Adieu, mein lieber Kamerad, und wenn Ihr nächstens wieder aufgeregt seid, dann gebraucht, bitte, nicht mohammedanische Ausdrücke in tibetanischer Kleidung.«

Er schüttelte zweimal Kim die Hände – ein Babu vom Scheitel bis zur Sohle – und öffnete die Tür. Sobald das Sonnenlicht auf sein noch triumphierendes Gesicht fiel, war er wieder der unterwürfige Quacksalber von Dacca.

›Er beraubt sie‹, dachte Kim, seinen eigenen Anteil an dem Spiel vergessend, ›er überlistet sie, er belügt sie wie ein Bengale. Sie geben ihm ein *chit* (ein Zeugnis). Er macht sie überall zum Gespött, mit Gefahr seines Lebens – *ich* würde nicht zu ihnen hinuntergegangen sein nach den Pistolenschüssen –, und dann sagt er, er sei ein furchtsamer Mann … ja, ein *furchtbarer* Mann ist er. Ich muß wieder in die Welt hinaus.‹

Anfangs bogen sich Kims Beine wie schlechte Pfeifenrohre, und Flut und Strom der durchsonnten Luft betäubten ihn. Er hockte sich an die weiße Mauer, und sein Geist irrte hin und her zwischen den Vorfällen auf der langen *dooli*-Reise, den Schwächeanfällen des Lama und – jetzt, wo die Anregung des Gesprächs fehlte – dem Mitleid mit sich selbst, davon er, wie so viele Kranke, einen reichlichen Vorrat hatte. Das geschwächte Hirn scheute vor der Berührung mit der Außenwelt zurück, wie ein junges, zum erstenmal wundgeriebenes Pferd vor dem Sporn. Es war genug, vollauf genug, daß der Raub aus dem *kilta* aus seinen Händen, aus seinem Besitz fort war. Er versuchte, an den Lama zu denken – wie er wohl in den Bach geraten war –, aber die Größe der Welt, wie er sie durch das Hoftor sah, verdrängte alle zusammenhängenden Gedanken. Dann blickte er auf die Bäume, die weiten Felder, die strohgedeckten Hütten, zwischen den Ähren geborgen – blickte mit fremden Augen, die unfähig waren, Gestalt und Umfang und Zweck der Dinge zu begreifen – starrte wohl eine halbe Stunde lang. Dabei war ihm, obschon er es nicht in Worte fassen konnte, als wäre seine Seele außer Verbindung mit seiner Umgebung – ein Zahnrad außer Verbindung mit jeglicher Maschinerie, ja, genau wie das müßige Zahnrad einer der billigen Zuckermühlen, irgendwo in einem Winkel. Die Lüfte fächelten über ihn, die Papageien schrien nach ihm, der Lärm des bevölkerten Hauses hinter ihm – Geschwätz, Befehle, Schelten – schlug an taube Ohren.

›Ich bin Kim. Ich bin Kim. Und was ist Kim?‹ Seine Seele wiederholte es wieder und wieder.

Er wollte nicht weinen – hatte sich nie in seinem Leben weniger zum Weinen aufgelegt gefühlt –, aber plötzlich tropften dumme Tränen an seiner Nase herunter – und mit einem fast hörbaren Knack fühlte er das Räderwerk seines Wesens sich aufs neue gegen die Welt draußen erschließen. Gegenstände, die einen Augenblick zuvor ohne Sinn vor dem Auge gestanden hatten, glitten in ihre richtigen Beziehungen. Straßen waren zum Gehen da, Häuser zum Wohnen, Rinder zum Weiden, Felder zum Pflügen, Männer und Frauen, um mit ihnen zu reden. Alles war wahr und wirklich – fest auf die Füße gestellt – vollkommen verständlich – Stoff von seinem Stoff – nicht mehr, nicht weniger. Er schüttelte sich wie ein Hund, dem eine Fliege im Ohr sitzt, und schlenderte aus dem Tor. Die Sahiba, der wachsame Augen diese Neuigkeit meldeten, sprach: »Laßt ihn gehen. Mein Teil habe ich getan. Mutter Erde muß das übrige tun. Wenn der Heilige zurückkehrt von seiner Meditation, sagt es ihm.«

Eine halbe Meile entfernt stand vor einem jungen Feigenbaum auf einem kleinen Hügel, einem Lugaus über frisch gepflügte Flächen, ein leerer Ochsenwagen. Kims Augenlider, in der weichen Luft gebadet, wurden schwer, als er ihm nahe kam. Der Grund war reiner, guter Boden – nicht neues Grün, das, lebend, schon auf halbem Weg zum Tode ist – nein, hoffnungsschwerer Boden, der den Samen alles Lebens birgt. Er fühlte ihn zwischen den Zehen, liebkoste ihn mit den Händen, und Glied für Glied, wollüstig seufzend, streckte er sich in voller Länge aus im Schatten des aus Holz genagelten Karrens. Und Mutter Erde war so treu wie die Sahiba. Sie durchhauchte ihn und gab wieder, was er verloren durch langes Liegen im Bett, abgeschlossen von ihren guten Strömungen. Sein Kopf lag willenlos an ihrer Brust, seine geöffneten Hände ergaben sich ihrer Kraft. Der vielwurzelige Baum über ihm und selbst das tote, von Menschenhand gefügte Holz daneben wußten, was er suchte, besser als er selbst. Stunde auf Stunde lag er in Tiefen, tiefer als Schlaf.

Gegen Abend, als der Staub heimkehrender Viehherden den ganzen Horizont rauchig machte, kamen der Lama und Mahbub Ali, beide zu Fuß, vorsichtig auftretend; man hatte ihnen im Hause gesagt, wohin Kim gegangen sei.

»Allah! Was für Narrenstreiche hier im offenen Felde«, murmelte der Pferdehändler. »Er hätte hundertmal totgeschossen werden können – aber dies ist nicht die Grenze.«

»Und«, sagte der Lama, oft gesagten Spruch wiederholend, »einen solchen *chela* gab es noch nie. Mäßig, höflich, klug, von verträglichem Gemüt, ein frohes Herz auf der Wanderschaft, nichts vergessend, gelehrt, wahrhaftig und gefällig. Groß ist sein Lohn!«

»Ich kenne den Knaben – wie ich schon sagte.«

»Und besaß er schon immer alle diese Vorzüge?«

»Einige davon – aber einen Rothutzauber, um ihn übermäßig wahrheitsliebend zu machen, habe ich bis jetzt nicht gefunden. Sicherlich ist er hier gut gepflegt worden.«

»Die Sahiba hat ein Herz von Gold«, sagte der Lama ernsthaft. »Sie betrachtet ihn wie ihren Sohn.«

»Hmpf! Halb Hind scheint das zu tun. Ich wollte nur nachsehen, ob der Knabe nicht zu Schaden gekommen sei und sich wieder frei bewegen könne. Wie du weißt, waren er und ich alte Freunde in den ersten Tagen eurer gemeinschaftlichen Pilgerfahrt.«

»Dies ist ein Band zwischen uns.« Der Lama setzte sich nieder. »Wir sind am Ende der Pilgerfahrt.«

»Du hast es dir nicht zu danken, daß die deine nicht vor einer Woche noch viel gründlicher zu Ende ging. Ich hörte, was die Sahiba sagte, als wir dich auf das Lager trugen.« Mahbub lachte und zupfte seinen frisch gefärbten Bart.

»Ich meditierte über andere Dinge in jener Zeitwelle. Der *hakim* von Dacca unterbrach meine Meditationen.«

»Sonst« – dies wurde anstandshalber in Paschtu gesagt – »würdest du deine Meditationen auf der schwülen Seite der Hölle beendet haben – denn ein Ungläubiger und ein Götzendiener bist du, trotz deiner Kindereinfalt. – Aber nun, Rothut, was soll jetzt geschehen?«

»Noch heute nacht«, die Worte kamen langsam, zitternd in Triumph, »noch heute nacht wird er frei sein, wie ich es bin, von jeder Spur von Sünde – friedvoll, wie ich es bin, wenn er diesen befreiten Körper vom Rad der Dinge löst. Ich habe ein

Zeichen«, er legte die Hand auf die zerrissene Karte an seiner Brust, »daß meine Zeit kurz ist; ihn aber werde ich erlöst haben für alle Zeiten. Erinnere dich, ich habe Erkenntnis erreicht, wie ich dir vor nur drei Nächten gesagt habe.«

›Es muß wahr sein, was der Tirah-Priester sagte, als ich seines Vetters Weib gestohlen hatte, daß ich ein *sufi* (Freidenker) bin, denn hier sitze ich und höre mir die unglaublichste Blasphemie an‹, sprach Mahbub zu sich selbst. – »Ja, ich erinnere mich der Geschichte. Daraufhin geht er dann ein in *Jannatu l'Adn* (den Garten Eden). Aber wie? Willst du ihn totschlagen oder ersäufen in dem wunderbaren Fluß, aus dem der Babu dich herauszog?«

»Ich wurde aus keinem Fluß herausgezogen«, sagte der Lama einfach. »Du hast vergessen, was geschah. Ich fand den Fluß durch Erkenntnis.«

»Oh, ah, richtig!« stotterte Mahbub zwischen höchlicher Entrüstung und kolossaler Belustigung. »Ich hatte den genauen Hergang vergessen. Du fandest ihn durch Erkenntnis.«

»Und zu sagen, daß ich ihm das Leben nehmen wolle, ist – nicht eine Sünde, sondern einfach Wahnsinn. Mein *chela* half mir zu dem Fluß. Es ist sein Recht, von Sünde gereinigt zu werden – mit mir.«

»Ah, er braucht Reinigung! Aber nachher, alter Mann – nachher?«

»Was, unter allen Himmeln, liegt daran? Nirwana ist ihm sicher – erleuchtet –, wie ich es bin.«

»Gut gesprochen. Ich fürchtete, er würde Mohammeds Roß besteigen und davonfliegen.«

»Nein – er muß hinausgehen als ein Lehrer.«

»Aha! Jetzt begreife ich! Das ist der richtige Weg für das Füllen. Gewiß, er muß hinausgehen als ein Lehrer. Er wird zum Beispiel einigermaßen nötig als Schreiber im Staatsdienst gebraucht.«

»Dazu wurde er vorbereitet. Ich erwarb Verdienst dadurch, daß ich Almosen gab zu seinem Besten. Eine gute Tat stirbt nicht. Er half mir bei meiner Suche. Ich half ihm bei der seinen. Gerecht ist das Rad, o Roßhändler vom Norden.

Laß ihn ein Lehrer sein: laß ihn ein Schreiber sein – was tut's? Er wird Freiheit erreicht haben am Ende. Das übrige ist Wahn.«

»Was tut's? Wo ich ihn in sechs Monaten bei mir jenseits Balkh haben muß! Ich komme, dank diesem Hühnchen von Babu, hier an mit zehn lahmen Pferden und drei starkrückigen Männern, um einen kranken Jungen mit Gewalt aus dem Hause einer alten Vettel zu entführen – und nun muß ich, scheint's, zusehen, wie ein junger Sahib in Allah weiß welchen götzendienerischen Himmel aufgewunden wird durch diesen alten Rothut! Und ich gelte doch auch ein bißchen was als Spieler im Spiel! Aber der verrückte Alte hat den Jungen lieb; und so muß ich schon vernünftigerweise auch ein bißchen verrückt sein.«

»Für wen betest du?« fragte der Lama, indes das rauhe Paschtu in den roten Bart brummelte.

»Einerlei! Aber, da ich nun verstehe, daß der Junge, des Paradieses sicher, doch in Regierungsdienst treten kann, bin ich beruhigt. Ich muß zu meinen Pferden. Es wird dunkel. Weck ihn nicht auf. Mich gelüstet's nicht, dich von ihm Meister nennen zu hören.«

»Aber er *ist* mein Schüler. Was sonst?«

»Er hat es mir gesagt.« Mahbub schluckte seinen Anfall von Verdruß hinunter und erhob sich lachend. »Ich bin nicht vollständig deines Glaubens, Rothut – wenn solche Kleinigkeit dich kümmert.«

»Das tut nichts«, sagte der Lama.

»Ich dachte es mir. Deshalb wird es dir nicht schaden – sündenfrei, frisch gewaschen und dreiviertel ertrunken obendrein –, wenn ich dich einen guten Mann, einen sehr guten Mann nenne. Wir haben vier oder fünf Abende miteinander geredet, und wenn ich auch ein Roßtäuscher bin, kann ich doch, wie man zu sagen pflegt, Heiligkeit über die Beine eines Gauls hinaus bemerken. Ja, ich lasse mir's sogar gefallen, daß unser Freund aller Welt seine Hand zuerst in deine legt. Behandle ihn gut und dulde, daß er als ein Lehrer in die Welt zurückkehrt, wenn du – seine Beine gebadet hast, falls das die richtige Medizin für das Füllen ist.«

»Warum nicht selber dem Pfad folgen und so den Knaben begleiten?«

Mahbub starrte verblüfft über die erhabene Unverschämtheit dieser Frage, auf die er jenseits der Grenze mit etwas Schlimmerem als Schlägen geantwortet haben würde. Dann kitzelte der Humor der Sache seine weltliche Seele.

»Sachte – sachte – immer ein Fuß nach dem andern, wie der lahme Wallach in Ambala über die Hindernisse setzte. Ich komme vielleicht später ins Paradies – ich habe da herum zu tun – große Geschäfte – und ich danke sie deiner Einfalt. Du hast niemals gelogen?«

»Wozu?«

»Oh, Allah, höre ihn! ›Wozu‹ in dieser Deiner Welt! Noch je einem Menschen wehe getan?«

»Einmal – mit einem Federkasten – bevor ich weise war.«

»So? Ich denke um so besser von dir. Deine Lehren sind gut. Du hast einen Mann, den ich kenne, vom Pfad des Unrechts abgewendet.« Er lachte unbändig. »Er kam hierher in bester Absicht, ein *dacoity* (gewalttätiger Hauseinbruch) zu verüben. Ja, zu schneiden, rauben, töten und fortzuschleppen, was er haben wollte.«

»Eine große Torheit!«

»Oh, schwarze Schande dazu! So dachte er, nachdem er dich gesehen hatte, dich – und einige andere, Männlein und Weiblein. So ließ er davon ab; und jetzt geht er, um einen großen, fetten Babumann durchzuprügeln.«

»Ich verstehe nicht.«

»Allah verhüte es! Es gibt Männer, die stark im Wissen sind, Rothut. Deine Kraft ist noch stärker. Bewahre sie – ich denke, du wirst es tun. Wenn der Junge dir kein guter Diener ist, reiß ihm die Ohren ab.«

Seinen breiten Bokhariot-Gürtel einhakend, stampfte der Pathan in die Dämmerung hinein, und der Lama kam so weit aus seinen Wolken herab, um dem breiten Rücken nachzuschauen.

»Diese Person ermangelt der Höflichkeit und wird getäuscht durch den Schatten des Scheins. Aber er sprach gut von meinem *chela*, der jetzt zum Empfang seines Lohnes berufen ist. Ich will das Gebet beten – Erwache, o Glücklicher vor allen vom Weibe Geborenen. Erwache! Er ist gefunden!«

Kim tauchte herauf aus Brunnentiefen, und der Lama bewachte sein behagliches Gähnen und schnappte geziemend mit den Fingern, um böse Geister abzuwehren.

»Ich habe hundert Jahre geschlafen. Wo …? Heiliger, bist *du* schon lange hier? Ich ging fort, um dich zu suchen, aber« – er lachte schläfrig – »ich schlief unterwegs ein. Ich bin jetzt ganz gesund. Hast du gegessen? Laß uns ins Haus gehen. Seit vielen Tagen habe ich nicht für dich gesorgt. Und die Sahiba hat dich gut gepflegt? Wer rieb deine Beine? Wie ist's mit der Mattigkeit, dem Magen und dem Nacken und dem Hämmern in den Ohren?«

»Fort – alles fort. Weißt du nicht?«

»Ich weiß nichts; nur, daß ich dich eine Ewigkeit nicht gesehen habe. Was soll ich wissen?«

»Seltsam, daß die Erkenntnis dich nicht erreichte, da doch alle meine Gedanken zu dir gingen.«

»Ich kann dein Gesicht nicht sehen, aber deine Stimme tönt wie ein Gong. Hat die Sahiba dich durch ihre Kochkunst wieder jung gemacht?«

Er spähte nach der mit gekreuzten Beinen ruhenden Gestalt, die sich schwarz wie Jett gegen die zitronenfarbene Lichtflut abhob. So sitzt der steinerne Bodhisat da, der niederblickt auf die Patent-Drehkreuze am Eingang des Lahore-Museums.

Der Lama blieb ruhig. Die sanfte, rauchige Stille des indischen Abends hüllte sie dicht ein, unterbrochen nur von dem Klicken des Rosenkranzes und einem schwachen *clop-clop* von Mahbubs sich entfernenden Schritten.

»Höre mich! Ich bringe neue Kunde.«

»Aber laß uns …«

Die lange, gelbe Hand schoß vor, Schweigen gebietend. Gehorsam zog Kim die Füße unter den Rand seines Gewandes.

»Höre mich! Ich bringe neue Kunde! Die Suche ist beendet. Jetzt kommt die Vergeltung … Also … Da wir zwischen den Bergen waren, lebte ich von deiner Kraft, bis der junge

Zweig sich beugte und nahezu brach. Als wir aus den Bergen herauskamen, war ich unruhig um dich und um anderes, das ich in meinem Herzen barg. Dem Schiff meiner Seele fehlte die Führung; ich konnte nicht in die Ursache der Dinge schauen. So übergab ich dich der tugendhaften Frau ganz und gar. Ich nahm keine Speise. Ich trank kein Wasser. Aber noch immer sah ich nicht den Weg. Sie wollten mir Nahrung aufdrängen und riefen vor meiner verschlossenen Tür. Da zog ich mich zurück in eine Höhlung unter einem Baum. Ich nahm nicht Speise. Ich nahm nicht Wasser. Ich saß in Meditation zwei Tage und zwei Nächte, meinen Geist läuternd, einatmend und ausatmend in der vorgeschriebenen Weise ... In der zweiten Nacht – so groß war mein Lohn – löste die weise Seele sich von dem törichten Leib und erging sich frei. Dies habe ich nie zuvor erreicht, obwohl ich oft auf der Schwelle davor stand. Beachte wohl, denn es ist ein Wunder!«

»Ein Wunder wirklich! Zwei Tage und zwei Nächte ohne Essen! Wo war die Sahiba?« flüsterte Kim halblaut.

»Ja, meine Seele erging sich frei, und wie ein Adler kreisend, sah sie in Wahrheit, da war kein Teshoo Lama, noch eine andere Seele. Wie ein Tropfen sich zum Wasser hinzieht, so zog meine Seele sich hin zu der Großen Seele, die über allen Dingen ist. In dem Augenblick, hocherhoben in Betrachtung, sah ich ganz Hind, von Ceylon in der See bis zu den Bergen, und meine eigenen bunten Felsen zu Such-zen. Ich sah jedes Dorf, jedes Lager bis ins kleinste, wo wir jemals gerastet. Ich sah sie zu gleicher Zeit und am gleichen Ort, denn sie waren im Innern der Seele. Daran erkannte ich, daß die Seele sich erhoben hatte über den Wahn von Zeit und Raum und Dingen. Daran erkannte ich, daß ich frei war. Ich sah dich in deinem Bette liegen, und ich sah dich den Berg hinabfallen unter dem Götzendiener – zu gleicher Zeit, am gleichen Orte, in meiner Seele, die, wie ich sage, die Große Seele berührt hatte. Auch sah ich den törichten Körper von Teshoo Lama unten liegen, und der *hakim* von Dacca kniete daneben und schrie ihm ins Ohr. Dann war meine Seele ganz allein, und ich sah nichts, denn ich selbst war alles, da ich die Große Seele erreicht hatte. Und ich meditierte tausend, tausend

Jahre, ohne Leidenschaft, wohl gewahr der Ursache aller Dinge. Dann rief eine Stimme: ›Was soll aus dem Knaben werden, wenn du tot bist?‹ Und ich ward in mir hin und her geworfen in Mitleid für dich; und ich sprach: ›Ich will zurückkehren zu meinem *chela*, auf daß er den Weg nicht verfehle.‹ Darauf riß diese meine Seele, welche die Seele von Teshoo Lama ist, mit Sträuben und Trauern, mit Schmerzen und Todespein unsäglich sich los von der Großen Seele. Wie das Ei aus dem Fisch, wie der Fisch aus dem Wasser, wie das Wasser aus der Wolke, wie die Wolke aus der schweren Luft, so löste sich, so sprang heraus, so stürzte fort, so dampfte auf die Seele von Teshoo Lama aus der Großen Seele. Dann rief eine Stimme: ›Der Fluß! Gib acht auf den Fluß!‹ Und ich blickte hinab auf die große Welt, die war, wie ich sie zuvor gesehen – eins in der Zeit, eins im Raum –, und ich sah deutlich den Fluß des Pfeils zu meinen Füßen. Zu der Stunde ward meine Seele gehemmt durch ein oder anderes Böses, von dem ich nicht voll gereinigt war, und es lastete auf meinen Armen und wand sich um meine Brust; aber ich schüttelte es ab und trieb fort wie ein Adler in meinem Flug zu dem Ort meines Flusses. Um deinetwillen schob ich Welt auf Welt beiseite. Ich sah den Fluß unter mir – den Fluß des Pfeils – und, hinabsteigend, seine Wasser sich schließen über mir; und siehe da! Ich war wieder in dem Körper von Teshoo Lama, aber frei von Sünde; und der *hakim* von Dacca hielt meinen Kopf hoch in den Wassern des Flusses. Der Fluß ist hier! Er ist hinter dem Mangohain hier – gleich hier!«

»Allah *kerim*! Oh, gut, daß der Babu da war! Warst du sehr naß?«

»Warum sollte ich darauf achten? Ich entsinne mich, der *hakim* war besorgt für den Körper von Teshoo Lama; er zog ihn aus dem heiligen Wasser mit seinen Händen, und dann kam dein Roßhändler vom Norden mit Männern und einem Bett, und sie hoben den Körper auf das Bett und trugen ihn zu dem Haus der Sahiba.«

»Was sagte die Sahiba?«

»Ich meditierte in diesem Körper und hörte nicht. So ist die Suche denn beendet. Um des Verdienstes willen, das ich erwarb, ist der Fluß des Pfeiles hier. Zu unsern Füßen brach er hervor, wie ich es sagte. Ich habe ihn gefunden. Sohn meiner Seele, ich habe meine Seele zurückgerungen von der Schwelle der Freiheit, um dich frei zu machen von aller Sünde – wie ich frei bin und sündenlos. Gerecht ist das Rad! Gewiß ist unsere Erlösung. Komm!«

Er kreuzte die Hände in seinem Schoß und lächelte, wie ein Mensch lächeln mag, der Erlösung gewonnen hat für sich und die, die er liebt.

Anmerkungen

Die von Rudyard Kipling stammenden Erläuterungen stehen, wie im englischen Original, jeweils in Klammern hinter dem betreffenden Begriff im Verlauf des Romans. Ebenso haben wir in vorliegender Ausgabe die vom Autor gebrauchten fremdsprachigen Ausdrücke, zum Beispiel in Sanskrit, Hindustani, Urdu oder Paschtu, beibehalten und *kursiv* gesetzt. Hierüber sowie u. a. über historische Ereignisse und geographische Besonderheiten Britisch-Indiens und für die Romanhandlung wichtige religiöse Bräuche des Brahmanismus (Hinduismus), Buddhismus und Islam geben die folgenden Anmerkungen dem interessierten Leser Auskunft.

5 *Kamakura:* bedeutender buddhistischer Wallfahrtsort in Japan, südwestlich von Jokohama, mit bronzenem Buddhastandbild aus dem Jahre 1252.

Pandschab: englisch Punjab, das Fünfstromland. Im Nordwesten des indischen Subkontinents gelegen, hatte das Pandschab eine äußerst wechselvolle Geschichte, da es den Eroberern seit Alexander dem Großen (vgl. 3. Anm. zu S. 41) als Pforte zu Indien diente. So wurde es von Persern, Baktriern, Parthern und Ghasnawiden besetzt und gehörte schließlich zum Mogulreich. Im 17. Jahrhundert bildete sich im Gebiet des Pandschab der Staat der Sikhs (vgl. 2. Anm. zu S. 27) heraus. Obwohl 1846 im Vertrag von Lahore, der Hauptstadt des Pandschab, die Unabhängigkeit des Landes von den Briten anerkannt worden war, annektierten sie es bereits drei Jahre später. Diese historischen Begebenheiten verleihen Rudyard Kiplings Roman, dessen Handlung im ausgehenden 19. Jahrhundert spielt, ein prägendes Kolorit. Damals waren über die Hälfte der Einwohner des Pandschab Mohammedaner, zahlenmäßig gefolgt von Hindus und Sikhs. 1947 fiel der westliche Teil des Landes an Pakistan, während der östliche ein indischer Unionsstaat wurde.

Firozpur: englisch Ferozepore, britisch-indische Distriktshauptstadt im Pandschab mit dem damals größten Fort und Waffenarsenal Indiens.

6 *ne varietur:* verneinender Konjunktiv der dritten Person Singular von lateinisch ›variare‹, ›er möge sich nicht verändern‹. Es könnte sich bei dem Schriftstück, wie der Kontext (vgl. auch S. 102ff.) vermuten läßt, um ein Austrittsdokument aus einer Freimaurerloge, die besonders in den britischen Staaten sehr verbreitet waren, handeln. Ein solches Ausscheiden, die sogenannte Deckung, war nur bedingt möglich – der gedeckte Freimaurer war nur von den Veranstaltungen der Loge befreit, blieb aber Logenbruder bis zum Tode – und war mit der eidlichen Verpflichtung verbunden, nichts über die Tätigkeit der Freimaurer zu verraten. Hierauf könnten sich die Worte ›ne varietur‹ unter dem Namenszug im Sinne einer Beschwörungsformel beziehen.

7 *Harun ar-Raschid* (763/766–809): fünfter abbasidischer Kalif; dient oft, u. a. in den ›Erzählungen aus den tausendundein Nächten‹, als Beispiel orientalischer Pracht- und Machtentfaltung.

8 *Deodarstämme:* Gemeint ist das Holz von Cedrus deodara, einer in den westlichen Himalajaregionen wachsenden Zedernart.

ghi: in ölartigem Zustand befindliche, gereinigte Büffelmilch.

9 *Moti-Basar:* der Perlen-Basar.

Urdu: sehr stark persisch durchsetzte, mit arabischen Zeichen geschriebene Sprache der indischen Mohammedaner; eine Mundart des Hindustani.

10 *Joß:* ein chinesischer Gott.

11 *Sahib:* Herr; die in Britisch-Indien und anderen orientalischen Ländern damals übliche Anrede für Europäer.

stupas: buddhistische Sakralbauten zum ehrenden Gedächtnis an den Religionsstifter Buddha (6. Jh. v. u. Z.) und zur Bewahrung von Reliquien.

viharas: Bei den Wiharas handelt es sich um buddhistische oder jainistische (vgl. 3. Anm. zu S. 27) Klosteranlagen, die in Indien häufig in der Nähe von Stupas zu finden sind. Um einen großen Mittelraum gruppieren sich die Mönchszellen.

Dewas: hier in der Bedeutung ›Dämonen‹; ursprünglich eine indoiranische Götterbezeichnung.

Bodhisat: svw. Bodhisattva, d. h. der sich vor seiner Erleuchtung befindliche Buddha, der, von der Erkenntnis bereits durchdrungen, ihrer aber noch nicht bewußt ist. Den Bodhisattva zeichnen zehn Tugenden oder Vollkommenheiten aus: Mitleid und Almosenspende, sittliches Verhalten, Verlassen der Welt, Klugheit, Geisteskraft, Geduld, Wahrheitsliebe, Entschlußkraft, Freundlichkeit und Gleichmut.

Sakyamuni: identisch mit Schakjamuni, ›der Weise aus dem Geschlecht der Schakja‹; Beiname Buddhas.

12 *Maya:* oder Mājā, Frau des Fürsten Schuddhodana von Schakja und Mutter des späteren Buddha.

Ananda: ein Jünger Buddhas.

13 *Asita:* erster Lehrer des späteren Buddha am Fürstenhof zu Schakja.

Simeon: ein im Neuen Testament, Lukas 2,25, erwähnter Greis, der in Jesu den erhofften Messias sah.

Devadatta: Nach der Legende handelte es sich um einen Vetter Buddhas, der die erste buddhistische Gemeinde zu spalten versuchte. Mit seinem Namen wurden später oft auch andere Gegner der Lehre Buddhas belehnt.

Kusinagara: Unermüdlich durch das Land Magadha (Ḍihar) ziehend und seine Lehre verkündend, soll Buddha im achtzigsten Lebensjahr (etwa 477 v. u. Z.) in Kuschinagara – unweit der Grenze zu Nepal – verstorben sein.

Meditation unter dem Bodhibaum: Nachdem Buddha im Alter von neun-

undzwanzig Jahren sein fürstliches Elternhaus und seine Familie verlassen hatte, um in der Einsamkeit die Wahrheit zu suchen, kam ihm
nach sieben Jahren unter einem Feigenbaum die Erleuchtung: Bodhi,
die ihm seinen Namen als Religionsstifter eintrug. Noch heute wird
den Pilgern in Buddh Gaya dieser Feigenbaum als Bodhi- oder Bo-
baum gezeigt.

14 *Kapilavastu:* Hauptstadt des im Nordosten Indiens gelegenen kleinen
Landes Schakja. Um die Mitte des 6. Jahrhunderts v. u. Z. wurde dort
Siddhartha, später Buddha genannt, als Sohn des Fürsten Schuddho-
dana geboren.

Buddh Gaya: Gemeint ist der Ort, wo Buddha unter einem Feigenbaum die Erleuchtung empfing. Vgl. 5. Anm. zu S. 13.

wir vom Reformierten Gesetz: Um 630 kam der Buddhismus nach Tibet
und verbreitete sich in der Form des Lamaismus. Unter Tsong-kha-pa
(1356–1418) wurde eine Reformation durchgeführt, die eine straffere
Mönchszucht und Neuerungen im Kultus beinhaltete. Es kam zur
Herausbildung der Ge-lug-pa, der gelben Sekte oder Kirche. Der Lamaismus war nunmehr geprägt durch Verbindung von geistlicher und
weltlicher Macht, von prunkvollen Zeremonien und machtvollen
kirchlichen Festen.

16 *Jaina-Tempel:* Vgl. 3. Anm. zu S. 27.

18 *Padma Samthora:* die Lotosblume (Nelumbo nucifera), zur Gattung
der Wasserrosen gehörend, mit langgestielten, auftauchenden Blättern und langgestielten Blüten mit vielblätteriger Krone, weiß und
rosenrot schattiert; wie in der ägyptischen und assyrischen Kunst,
so auch in Indien oft als Ornament in Friesen mit religiöser Sym-
bolik gebraucht.

20 *Schiwa:* einer der bedeutendsten Götter des Hinduismus, der sich
durch volkstümliche Kulte und Riten besonderer Popularität erfreut.
Er wird als Herr des Universums, sowohl hilfreich-freundlich als auch
machtvoll-drohend, als Zerstörer des Bestehenden und zugleich
Schöpfer des Neuen angesehen. Dadurch daß er zerstört, schafft er
Raum für Zeugung und sichert den Fortbestand der Menschen. Somit
wird Schiwa auch in der Gestalt des Phallus (Linga) als Zeugungsgott
verehrt. Sein Reittier, der weiße Stier Nandi, ist Symbol der Fruchtbar-
keit.

Curry: scharfgewürztes indisches Reisgericht.

21 *nach Landessitte trank:* Die Inder trinken, ohne das Gefäß mit den Lippen zu berühren.

22 *chela:* Schüler.

25 *Anna:* Münze in Britisch-Indien, etwa einem Penny entsprechend;
16 Anna = 1 Rupie.

Hookah: oder Huka, die indische Wasserpfeife.

26 *Rupie:* indische Silbermünze mit einem Feingehalt von 0,97 Gramm;
im 16. Jahrhundert erstmals geprägt, seit 1843 von den Engländern in
ganz Indien verbreitet.

27 *Hindu:* Anhänger des Brahmanismus, zu dem sich etwa zwei Drittel der indischen Bevölkerung bekennen. Grundmerkmal ihrer Religion ist die Sehnsucht nach Erlösung von Leben und Leiden sowie allen künftigen Verkörperungen. Vgl. auch 1. Anm. zu S. 20 und 1. Anm. zu S. 55.

Sikh: Angehöriger einer nordwestindischen Religionsgemeinschaft bäuerlich-kriegerischer Stämme. Hauptanliegen ist die Vereinigung von Hinduismus und Islam, wobei der besondere brahmanische Ritus und das Kastenwesen abgelehnt werden. Begründer der Sikh-Religion war Nanak (1469–1538). Religiöses Zentrum ist bis heute die Stadt Amritsar (vgl. 1. Anm. zu S. 35). Der von Govind Singh (1666 bis 1708) gegründete Sikh-Staat, der das Pandschab umfaßte und unter Randschit Singh (1780–1839) seine größte Ausdehnung hatte, wurde 1849 von den Engländern annektiert. Wenn die Sikhs danach auch zeitweilig den Briten wertvolle Militärhilfe leisteten, blieben sie doch ein bedeutender Faktor in der indischen Unabhängigkeitsbewegung.

Jaina: Angehöriger des Jaina-Glaubens, einer Religionsrichtung, die von Vardhamāna Mahāvīra im 6. Jahrhundert v. u. Z. gestiftet wurde und ähnlich wie der Buddhismus die Weltüberwindung durch sittliches Wohlverhalten lehrt.

Kaste: Die ursprünglich im Brahmanismus gelehrten vier Kasten sind: die Brahmanen (Priesterkaste), die Kschatriya (Kriegerkaste), die Vaischya (Bauern und Kaufleute) und die Schudra (dienende Kaste). Daneben bestehen noch über dreitausend berufsmäßig gegliederte Unterkasten (jāti).

Mittlerer Pfad: Der Hīnajāna-Buddhismus vertritt den von Buddha gelehrten Weg, sich aus dem Kreislauf der Wiedergeburten (Samsāra) zu lösen, und beruht auf den grundlegenden ›vier edlen Wahrheiten‹: 1. Leben ist Leiden. 2. Ursache des Leidens ist ›Durst‹ (Verlangen). 3. Freisein vom ›Durst‹ ermöglicht Aufhebung des Leidens. 4. Der Weg zur Aufhebung des Leidens ist der ›edle achtgliedrige Pfad‹: rechte Ansicht, rechter Entschluß, rechtes Wort, rechte Tat, rechtes Leben, rechtes Streben, rechtes Denken und rechtes Sichversenken (Meditation).

Hadschi: ehrenvolle Anrede und Bezeichnung für einen frommen Mohammedaner, der eine Pilgerfahrt nach Mekka unternommen hat.

29 *Peschawar:* Hauptstadt der britisch-indischen Nordwest-Provinz und Handelsplatz östlich vom Khaiber-Paß. Obwohl eine starke Garnison existierte, war die Gegend infolge von Grenzkonflikten ein häufiger Unruheherd.

31 *Pforte der Harpyien:* Anspielung auf die mit den Sirenen verwandten geflügelten Todesdämonen der griechischen Mythologie, die plötzlich erscheinen und den Ahnungslosen entführen.

32 *Kafilas:* Karawanen.

35 *Amritsar:* Stadt im Pandschab, die 1547 von den Sikhs gegründet und zu ihrem religiösen Zentrum wurde. In dem dortigen Goldenen Tempel bewahren die Sikhs ihr göttlich verehrtes Heiliges Buch auf – das von Ardschun Mal (1583–1606) zusammengestellte ›Adi Granth‹, welches in Hindi abgefaßt ist und über dreitausend religiöse Hymnen enthält.

Mian Mir: eigentlich Vorort von Lahore mit britischer Garnison; wird hier als Beispiel für eine nahe gelegene Eisenbahnstation gebraucht.

36 *Sepoy:* eingeborener Soldat der britischen Kolonialarmee in Indien.

37 *Sirkar:* Regiment.

Afridi: Angehörige eines kriegerischen Stammes in Afghanistan, der besonders um Kabul und in der Landschaft Chost anzutreffen war.

38 *Jehannum:* Hölle.

Radschas: Könige, Fürsten.

39 *tikkut:* landläufige Bezeichnung für Fahrschein; wohl von englisch ›tikket‹ abgeleitet.

40 *pan:* Gemeint ist der Betelbissen oder -priem, der in Südostasien häufig als Anregungsmittel gebraucht wird. Hauptbestandteil sind kleine Stücke der Alkaloide enthaltenden Betelnuß, des Samens der Arekapalme. Vgl. auch 2. Anm. zu S. 194.

Gunga: der Ganges, der heilige Fluß der Inder. Es besteht die Vorstellung, daß die irdische Gunga die Fortsetzung der himmlischen Milchstraße ist.

41 *naik:* Korporal.

pan-Saft: Betelsaft; der beim Kauen des Betelpriemes reichlich fließende Speichel ist rot gefärbt. Vgl. auch 1. Anm. zu S. 40.

Alexander der Große (356–323 v. u. Z.): König von Mazedonien und Begründer der Epoche des Hellenismus. Nachdem Alexander Ägypten und Persien unterworfen hatte, wandte er sich im Sommer 327 v. u. Z. nach Indien, überschritt den Indus und besiegte im Mai 326 den indischen Herrscher Poros. Obwohl er bereits im darauffolgenden Jahr Indien wieder verließ und zurück nach Persien ging, künden noch heute Bauwerke in Pakistan und den Nordwest-Regionen Indiens vom Wirken Alexanders.

42 *Om mane padme hum:* ›Om, du Kleinod im Lotos‹ Es handelt sich um das Hauptgebet des Lamaismus, wobei ›Kleinod‹ als die buddhistische Lehre und ›Lotos‹ als die Welt gedeutet wird. ›Om‹ ist die symbolisierte Bezeichnung des Veda, des Weltganzen.

45 *kos:* Streckenmaß in Indien; ein Ko entspricht zwei englischen Meilen oder etwa dreitausend Metern.

Dogcart: engl., wörtlich ›Hundekarren‹; ein zweirädriger Einspänner mit einem besonderen Abteil für Jagdhunde.

54 *rêl:* die Eisenbahn; in die Landessprache von englisch ›rail‹ übernommen.

———

55 *Krischna:* in Gestalt des Hirtengottes und Vernichters des Dämonen-
königs Kamsa die achte Inkarnation Wischnus, des neben Schiwa (vgl.
1. Anm. zu S. 20) bedeutendsten Gottes des Hinduismus. Dadurch daß
der alte vedische Gott Wischnu mit dem volkstümlichen Krischna in
Verbindung gebracht wurde, nahm die Wischnu-Verehrung, der
Wischnuismus, breite Ausmaße an. Wischnu wurde nunmehr zum
Schöpfer und Allerhalter, zum Welt- und Menschenlenker, der in viel-
fältiger Gestalt in Erscheinung tritt. Selbst in Buddha sah man schließlich eine Wischnu-Verkörperung.

Prayag: Vgl. Anm. zu S. 221.

57 *Tagen des Aufstands:* Gemeint ist der sogenannte Sepoyaufstand von
1857 bis 1859. Ausgehend von unzufriedenen eingeborenen Soldaten
der Garnison Mirat, wurden die Unruhen bald zum Volksaufstand,
indem sich bäuerliche, kleinbürgerliche und vorproletarische Schich-
ten Nordwest- und Zentralindiens im Kampf gegen die britische
Kolonialpolitik anschlossen. Einheimische Fürsten übernahmen oftmals die Führung, da sie ihre Machtstellung durch das koloniale
Annexionsbestreben Englands bedroht sahen. Mit der blutigen Nie-
derwerfung des Aufstandes wurde die Ostindische Kompanie aufgelöst und das indische Protektorat in eine englische Kronkolonie um-
gewandelt (1858).

60 *Kardamom:* Früchte der Gattung Elettaria cardamomum, eines Schilf-
gewächses, dessen Samen ätherische Öle enthält; findet in der Bäcke-
rei, als Gewürz und zur Likörherstellung Verwendung.

61 *büt-parast:* Götzendiener.

63 *Mangowälder:* Der in Indien heimische Mangobaum, Mangifera in-
dica, gehört zur Gattung der immergrünen Anakardiazeen, wird zehn
bis fünfzehn Meter hoch und besitzt fleischige, wohlschmeckende
Früchte, die Mangopflaumen.

64 *schwarze Jahr:* Der Beginn des Sepoyaufstandes im Jahre 1857 ist gemeint. Vgl. Anm. zu S. 57.

65 *Mem-Sahib:* Herrin.

Kaiser-i-Hind: Kaiserin von Indien. Es handelt sich um Victoria
(1819–1901), Königin von Großbritannien und Irland, die nach dem
Tod des letzten Mogul-Schahs 1877 den Kaisertitel übernahm. Ihr
fünfzigstes Regierungsjubiläum, worauf hier angespielt wird, beging
sie 1887.

66 *Ressaldar-Majore:* eingeborene Offiziere der britischen Kolonialarmee
in Indien.

68 *ghi:* Vgl. 2. Anm. zu S. 8.

69 *Bhoosa:* geschnittenes Stroh.

Chumars: Schuster.

Bunnias: Angehörige einer niederen Berufskaste (jāti).

70 *Yard:* englisches Längenmaß; ein Yard entspricht drei Fuß oder etwa
0,91 Meter.

73 *takkus:* wohl verballhornte Form von engl. ›tax‹, die Steuer.

---

75 *Khalsa:* arabische Bezeichnung für den von Govind Singh im 17. Jahrhundert gegründeten Sikh-Staat auf dem Gebiet des Pandschab; vgl. auch 2. Anm. zu S. 27.

83 *Zemindars:* Gutsbesitzer.
Oudh: auch Audh; fruchtbare, seenreiche Landschaft im Norden Indiens, seit 1856 englischer Kolonialbesitz.

85 *Buddh Gaya:* Vgl. 2. Anm. zu S. 14.
shraddha: Totenfeier.

86 *ruth:* große, von Ochsen gezogene Kutsche.

87 *sitar:* indische Laute mit breitem, langem Hals und einer unterschiedlichen Anzahl Saiten, die gezupft oder auch gestrichen wird.

89 *Cowrie:* Die Porzellanschnecke oder Kauri (Cypraea moneta) diente früher in Indien – wie auch in Afrika und Indonesien – als ›Muschelgeld‹. Eine Rupie entsprach fünftausend Kauri.

90 *shabash:* Ausruf des Erstaunens.

91 *zenana:* Harem. Wohlhabende Inder konnten sich einen Harem zulegen, jedoch nur eine einzige Frau war ihre rechtmäßige Gattin.

92 *Dalhousie:* von den Engländern ausgebauter Höhenkurort im Himalaja.

95 *Alle Frauen ... Salomo:* Gemeint ist die Schwatzhaftigkeit der Frauen mit Anspielung auf Altes Testament, Prediger Salomo 5,1: ›Sei nicht schnell mit deinem Munde, und laß dein Herz nicht eilen, etwas zu reden vor Gott; denn Gott ist im Himmel und du auf Erden; darum laß deiner Worte wenig sein.‹

96 *ferashes:* Diener.
Mavericks: irisches Regiment, das in Britisch-Indien stationiert war.

97 *Sligo-Port:* Hafen in der irischen Grafschaft Sligo.
Dublin-Bai: Bucht der Irischen See bei Dublin.

102 *Skapulier:* Schulterumhang bei verschiedenen Mönchskutten; hier wohl ›Kragen‹ gemeint.
›ne varietur‹-Pergament: Vgl. Anm. zu S. 6.

104 *kabarri:* Gebrauchtwaren.
Jadoo-Gher: Freimaurerloge.

105 *pukka:* echt, richtig.

113 *Abakus:* Spielbrett oder Rechentafel der antiken Griechen und Römer.
in partibus: lat., in den Gegenden der Ungläubigen; war als Beifügung zu einem Namen – zum Beispiel bei einem Bischof, aber auch bei katholischen Schulen – in Missionsgebieten gebräuchlich.

117 *lusus naturae:* lat., ein Naturspiel.

118 *Parsi:* oder Parsen, in Indien lebende Anhänger der Lehre des iranischen Religionsstifters Zarathustra (zwischen 1000 und 500 v. u. Z.).

120 *Od:* landläufiges Schimpfwort.
Kayeth: Schriftgelehrte.

121 *pulton:* Schelm.

122 *Nucklao:* auch Laknau; andere Bezeichnung für Lucknow, Stadt im Norden Indiens.

Be –: Gemeint ist ›Belait‹, d. h. Europa.

127 *Tirthanker:* Sekte der Jainas; vgl. 3. Anm. zu S. 27.

131 *Pie:* eine Kupfermünze.

132 *hoondies:* Wechsel, Schuldscheine.

Pathan: Bewohner Afghanistans, auch Paschtun genannt.

137 *Bhotiyal:* Tibet.

140 *Hai mai:* Ausruf der Verwunderung.

Kismet: im Islam das dem Menschen von Allah vorherbestimmte Schicksal, gegen das kein Aufbegehren möglich ist.

142 *ticca-garri:* Fuhrwerk, zweispänniger Wagen.

143 *Aufstand:* der Sepoyaufstand; vgl. Anm. zu S. 57.

147 *Punkahs:* große Fächer, die zur Luftzirkulation in indischen Häusern dienten.

Haura: englisch Howrah; britisch-indische Distriktshauptstadt in der Provinz Bengalen.

Monghyr: auch Mongir oder Mungir; Stadt am Ganges, für die Herstellung von Waffen in Britisch-Indien bekannt.

Shillong: die heutige Hauptstadt des indischen Unionsstaates Assam.

Oudh: Vgl. 2. Anm. zu S. 83.

Dekan: welliges Hochland der vorderindischen Halbinsel, das infolge des tropischen Monsunklimas reiche Bodenerträge aufweist.

Cinchona: China- oder Fieberrindenbäume; zur Gattung der Rubiazeen gehörende, fünfzehn bis fünfundzwanzig Meter hohe Urwaldbäume, die wegen ihres Alkaloidgehaltes in Plantagen angebaut werden.

148 *Palankin:* leichter Reisewagen.

151 *Huneefa:* zauberkundige Besitzerin eines Mädchenhauses in Lucknow.

Scheitan: der Satan.

152 *Simla:* britisch-indische Distriktshauptstadt in den Vorbergen des Himalaja, nordöstlich von Ambala gelegen; seit 1864 Sommerresidenz des britischen Vizekönigs.

154 *Mazandaran:* iranische Provinz am Kaspischen Meer.

Patiala: englisch Puttiala, britisch-indischer Staat mit gleichnamiger Hauptstadt im Pandschab, nordwestlich von Delhi gelegen.

rêl: hier: Landstraße.

157 *Türkisendoktor:* Gemeint ist Mr. Lurgan in Simla, ein Mitarbeiter Oberst Creightons. (Vgl. hierzu S. 176 ff.)

159 *Eblis:* Engel der Finsternis.

160 *Jang-i-Lat Sahib:* Oberbefehlshaber.

bhang: ein berauschendes Getränk.

Punkah: Vgl. 1. Anm. zu S. 147.

162 *chinesische Tinte:* Durch Verbrennen einer Mischung von Sesamöl, Lack und Schweinefett wird Ruß gewonnen, der mit Leim eingedickt und in feste Form gebracht wird. Hinzugesetztes Wasser bringt die chinesische Tusche dann wieder in eine schreibfähige Konsistenz.

Balkh: Landschaft am Amu-Darja, identisch mit dem Baktrien der Antike; seit 1841 zu Afghanistan gehörend.

164 *Jehannum:* Hölle.

167 *Kabuli:* Einwohner der Provinz Kabul in Afghanistan.

168 *te-rain:* hier: Lokomotive.

169 *Perlendoktor:* Vgl. Anm. zu S. 157.

170 *Jain:* Vgl. 3. Anm. zu S. 27.

Sunnit: Angehöriger der orthodoxen Glaubensrichtung des Islam. Diese beruht auf den fünf ›Pfeilern der Religion‹: 1. Glaube an den einen Gott und an Mohammed als seinen Propheten. 2. Pflicht, fünfmal täglich nach ritueller Waschung das Gebet zu verrichten. 3. Entrichtung einer dem Einkommen entsprechenden Almosensteuer. 4. Fasten im neunten Monat (Ramadan). 5. Wallfahrt nach Mekka. Die Sunniten erkennen neben dem Koran die Sunna – die Überlieferungsgeschichte der Worte und Taten Mohammeds – als kanonische Glaubensgrundlage an, worin sie sich u. a. von den Schiiten unterscheiden.

Tirah: Landschaft in der Nordwest-Provinz Britisch-Indiens, an der Grenze zu Afghanistan gelegen; vorwiegend von Sikhs (vgl. 2. Anm. zu S. 27) bewohnt, im Gegensatz zu der mohammedanischen Bevölkerung Afghanistans, worauf hier angespielt wird.

171 *Schneekamele:* Gemeint ist das Trampeltier (Camelus ferus), das in Wüsten und Steppen Westchinas und der Mongolei lebt, zwei Höcker und ein sehr dickes Fell besitzt und völlig kälteunempfindlich ist.

Bhotiyal: Tibet.

172 *Allah kerim!:* arab., Gott ist groß!

174 *Deodarstämme:* Vgl. 1. Anm. zu S. 8.

Tonga: zweirädriger Karren.

Land der fünf Flüsse: das Pandschab, vgl. 2. Anm. zu S. 5.

177 *Moschus:* begehrter Duftstoff, der aus einem Drüsensekret des männlichen Moschustieres (Moschus moschiferus), einer von Kaschmir bis Nordostsibirien vorkommenden geweihlosen Hirschart, gewonnen wird.

Sandelholz: Gemeint ist Sandelöl (Oleum santali) – ein als Duftstoff verwendetes ätherisches Öl, das durch Destillation aus dem Holz des Sandelbaumes (Santalum album) hergestellt wird.

Jasminöl: ein aus den Blüten des im Himalaja wachsenden Jasminum officinale gewonnenes ätherisches Öl.

178 *khandas:* Lanzen.

kuttars: Dolche.

179 *shaitan:* Scheitan, Teufel.

180 *Phonograph:* die 1878 von Thomas Alva Edison (1847–1931) erfundene ›Sprechmaschine‹, das spätere Grammophon.

185 *Dasim:* Es handelt sich um den von den ›Teufelsanbetern‹, einer kurdischen Religionsgemeinde der Jesiden, verehrten Satan, der im Auftrage Gottes die Welt beherrschen solle.

186 *Rutti:* altes indisches Massemaß.

Balasrubin: ein blaß- oder rosenroter Rubin, auch Balais genannt.

188 *Maharani:* große Königin.

Babu: eigtl. Fürst, später im alltäglichen Sprachgebrauch in der Bedeutung ›Herr‹.

191 *Angrezi:* Englisch.

192 *vakils:* Agenten.

Manipur: britisch-indisches Fürstentum im Osten von Assam.

193 *Sukkur:* in der Indusniederung gelegene Stadt, heute zu Pakistan gehörend.

Galle: Hafenstadt an der Südspitze Ceylons, dem heutigen Sri Lanka.

M. A.: engl., Master of Arts, d. h. Magister der philosophischen Fakultät; in England und seinen Kolonien der akademische Grad eines Gelehrten mit Lehrbefähigung.

Wordsworth' ›Exkursion‹: Es handelt sich um das Poem ›Der Ausflug‹ (1814) des englischen Dichters William Wordsworth (1770–1850).

›Lear‹ und ›Julius Cäsar‹: Gemeint sind die bekannten Tragödien ›King Lear‹ und ›Julius Caesar‹ von William Shakespeare.

Burke: Edmund Burke (1729–1797), englischer politischer Schriftsteller.

Hare: Julius Charles Hare (1795–1855), englischer religiöser Schriftsteller.

194 *Ad interim:* lat., einstweilen, unterdessen.

pan-Blatt: Aus Stückchen der Betel- oder Arekanuß und gelöschtem Kalk, eingerollt in Blätter des Betelpfeffers, wird der Betelpriem hergestellt. Vgl. auch 1. Anm. zu S. 40.

Chinin: das fiebersenkende, spezifisch bei Malaria wirkende Hauptalkaloid des Chinarindenbaumes; vgl. auch 7. Anm. zu S. 147.

Ekka: hier: Mietdroschke.

196 *Tuticorin:* Hafenstadt in Tamil Nadu am Golf von Mannar.

Ceylon: das heutige Sri Lanka.

Pali: älteste Form des Sanskrit, findet sich noch in den buddhistischen Liturgien von Sri Lanka, Burma und Thailand.

Devadatta: Vgl. 3. Anm. zu S. 13.

Jâtaka: buddhistische Wiedergeburtserzählung. Den religiösen Kern, der Lehrmeinungen Buddhas enthält, stellen die Gāthās dar – Verse in Pali –, die später mit einer Rahmenhandlung in Prosa versehen wurden. Diese märchenhaft erzählten Prosateile sind die eigentlichen Jâtakas. (Siehe auch ›Buddhistische Märchen‹, hrsg. von Johannes Mehlig, Insel-Verlag Leipzig, 1982.)

197 *Ananda:* Vgl. 2. Anm. zu S. 12.

198 *Ressaldar:* Vgl. Anm. zu S. 66.

199 *Königin:* Gemeint ist Königin Victoria; vgl. 2. Anm. zu S. 65.

201 *Karachi:* Karatschi, unweit der Indus-Mündungen am Arabischen Meer gelegen, damals Hauptstadt der Provinz Sind in Britisch-Indien, seit 1947 zu Pakistan gehörend.

Quetta: Hauptstadt der britisch-indischen Provinz Baluchistan, nahe der afghanischen Grenze; war als reger Handelsort mit Afghanistan und Iran bekannt.

Monsunferien: Gemeint ist die schulfreie Zeit zu Beginn des Sommermonsuns, wobei feuchte Luftmassen vom Meer zum Land die indische Halbinsel überqueren und sich abregnen. Der Sommermonsun setzt Mitte Juni ein und endet Mitte Oktober.

Jakko: Berg bei Simla.

Koran: Das heilige Buch des Islam. Wie schon der Name besagt – Koran bedeutet wörtlich ›Rezitation‹ –, werden die Suren in der Moschee nicht einfach vorgelesen, sondern von einem ›Koran-Rezitator‹ kunstvoll deklamiert.

Mullah: oder Molla, ein islamischer Theologe.

202 *Bikaner:* englisch Bikaneer, auch Beikanir; Hauptstadt des gleichnamigen britisch-indischen Vasallenstaates in Radschputana.

Jaisalmer: englisch Jeysalmir, auch Dschaisalmir; britisch-indischer Vasallenstaat mit gleichnamiger befestigter Hauptstadt in der Wüste Thar.

Jang-i-Lat Sahib: Oberbefehlshaber.

lakh: einhunderttausend.

203 *Seïstan:* auch Sagistan, in der Antike Sakastana; Grenzgebiet zwischen Iran und Afghanistan, fiel durch Verträge 1872 und 1905 an diese beiden Staaten.

Emir von Afghanistan: Die Herrscher Afghanistans legten sich seit der Eroberung des Thrones (1834) durch Dost Mohammed (um 1798–1863) den Titel ›Emir‹ zu. Hier ist dessen Enkel Abd ur Rahman (um 1840–1901) gemeint. Später wurde der Herrschertitel in ›Schah‹ geändert.

204 *Jodhpur:* damals bedeutendster Radschputana-Staat in Britisch-Indien am Rande der Wüste Thar; heute bekannt als Dschodpur im indischen Unionsstaat Radschastan.

206 *moslemische Erzbischof:* Es könnte sich um eine Anspielung auf den Ägypter Mohammed Abduh (1849–1905) handeln, der sich berufen glaubte, den Islam von bestimmten Dogmen zu reinigen und ihm zu einer Weltvorherrschaft zu verhelfen. In Indien dagegen waren zu jener Zeit Bemühungen im Gange, einen Ausgleich zwischen Islam und Hinduismus zu erreichen.

207 *F.R.S.:* engl., Fellow of the Royal Society, d. i. Mitglied der Königlichen Akademie der Wissenschaften.

211 *Lemuel:* im Alten Testament König von Massa; vgl. Sprüche Salomos, 31. Kapitel. Hier insbesondere Anspielung auf Vers 3: ›Laß nicht den Weibern deine Kraft, und gehe die Wege nicht, darin sich die Könige verderben!‹

212 *Dschinns:* Geister, meist menschenfeindlich gesinnt; nach altarabischer, vom Islam übernommener Vorstellung erscheinen sie in wechselnder Gestalt.

213 *Nekromantin:* Geisterbeschwörerin.

214 *Kafirs:* Ungläubige.

Spencer: Herbert Spencer (1820–1903), englischer Philosoph und Soziologe. Hier offenbar Bezug auf seine These, daß die Wissenschaft nicht das Wesen der Wirklichkeit, sondern nur deren Erscheinungen erkennen könne.

215 *sufi:* Von Rudyard Kipling nur mit ›Freidenker‹ erläutert, ist die eigentliche Bedeutung des Wortes doch umfassender. Bei den Anhängern des Sufismus handelt es sich um Vertreter einer mystischen Richtung des Islam, die u. a. Gedankengut des Neuplatonismus, Brahmanismus und Buddhismus verarbeiten. Ihr Ziel ist die mystische Versenkung in Gott, das ›Einswerden mit Gott‹ in ekstatischer Verzückung. Der im 12. Jahrhundert gegründete Sufi- oder Derwischorden besteht heute noch.

Düffelstoff: ein flauschiger Wollstoff.

218 *Tantrismus:* magische Form indischer Religionen, besonders einiger hinduistischer Sekten, mit okkulten Riten; war vor allem im Mittelalter volkstümlich verbreitet. Die Tantraliteratur umfaßt Sanskrittexte verschiedenen Alters, die noch nicht völlig erforscht sind, und spiegelt eine magische Weltauffassung wider.

Ladakh: gebirgige Grenzlandschaft in Kaschmir.

219 *Supernumerär:* eigtl. Überzähliger; ein auf Probe Eingestellter.

221 *Allahabad:* Die ältere Bezeichnung ist Prayâga oder Prayag – ein hinduistischer Wallfahrtsort am Ganges.

222 *Sarnath:* ein buddhistischer Wallfahrtsort nördlich von Benares; er befindet sich an der Stelle des Wildparkes, wo Buddha seine erste Predigt hielt.

Pahari: Gebirgsbewohnerin.

223 *Ajmer:* Stadt in dem britisch-indischen Vasallenstaat Jaipur.

Arhat: für den Hinayāna-Buddhisten die letzte und höchste Stufe der Selbstvervollkommnung vor dem Eingehen ins Nirwana (vgl. 3. Anm. zu S. 337).

224 *Rindfleisch:* Im Hinduismus spielt die Verehrung der Kuh eine besondere Rolle; ihr Fleisch darf nicht gegessen werden.

226 *Leh:* Handelsstadt in Kaschmir mit zahlreichen buddhistischen Klöstern; damals Hauptstadt der Landschaft Ladakh.

227 *Das Eis war dünn:* Er befürchtet, daß der Lama mit seinen Fragen hinter Kims Anstellung beim englischen Geheimdienst kommen könne.

Bodhisat: Vgl. 5. Anm. zu S. 11.

Teakholz: gold- bis dunkelbraunes, dauerhaftes südostasiatisches Holz.

229 *Jâtaka:* Vgl. 5. Anm. zu S. 196.

230 *Sakyamuni:* Vgl. 6. Anm. zu S. 11.

231 *Fleischnahrung ... in einem Jaintempel nicht zu haben:* Die Jainas sind Vegetarier, da ihr überspitzter pazifistischer Glaube ihnen sogar das Töten von Tieren untersagt.

232 *den Lingam und die Schlange:* Bezug auf Schiwa (vgl. 1. Anm. zu S. 20), der mit von Schlangen hochgewundenen Haaren dargestellt und als Zeugungsgott in der Gestalt des Linga (des Phallus) verehrt wird.

Schnur der Brahmanen: Zur Kleidung der Angehörigen der obersten Kaste des Hinduismus, der Brahmanen, gehört die heilige Schnur, auch Opferschnur genannt, die von der linken Schulter nach der rechten Hüfte abfällt.

233 *hing (Asa fötida):* auch Asant oder Teufelsdreck genannt. Es handelt sich um den getrockneten Milchsaft der Wurzeln des Stink-Asants und des Steckenkrauts, riecht knoblauchartig und wirkt beruhigend und krampflösend sowie gegen Darmparasiten.

234 *Jullundur-doab:* das Reich oder Land Jullundur.

236 *Marathe:* auch Mahratte; Angehöriger einer aus einem Kriegerstamm hervorgegangenen hinduistischen Kaste, die besonders in der Umgebung von Bombay anzutreffen ist.

tarkeean: Gemüsecurry.

237 *League:* englisches Längenmaß, knapp dreieinhalb Meilen entsprechend.

238 *Mhow:* in den Ausläufern des Vindhya-Gebirges gelegene Stadt im heutigen indischen Unionsstaat Madhja Pradesch.

Chitor: Gemeint ist Chitorgarh im heutigen Radschastan.

Kota: Hauptstadt des gleichnamigen britisch-indischen Vasallenstaates in Radschputana.

Gesetzes der Königin: die englische Rechtsprechung unter Königin Victoria (1819–1901), die seit 1877 auch Kaiserin von Indien war.

Jaipur und Gwalior: britisch-indische Vasallenstaaten in Zentralindien.

Bandikui: östlich von Jaipur gelegen.

Agra: die 1559 von dem Mogulkaiser Akbar (1542–1605) zur Residenz erhobene Stadt südlich von Delhi.

240 *bairagi:* heiliger Mann.

Turmeric: Gelbwurz, Curcuma longa, ein Ingwergewächs; es enthält Kurkumin, einen natürlichen gelben Farbstoff, und wurde zum Färben von Baumwolle und Lebensmitteln, zum Beispiel Curry, verwendet.

242 *Sadhu:* Frommer, Heiliger; Bezeichnung für hinduistische Wandermönche, die sich oft auch als Wahrsager und Kurpfuscher versuchten; heutzutage Ehrentitel in Indien.

246 *tar-Büro:* Telegraphen- oder Fernmeldeamt.

D.S.P.: engl., District Superintendent of Police, d.i. Distriktspolizeiinspektor.

247 *Krokodil … Furt:* in der Bedeutung ›dort auftauchen, wo man es nicht vermutet‹.

Mewar: britisch-indischer Vasallenstaat im westlichen Teil Zentralindiens.

248 *polis:* Polizei; im landessprachlichen Dialekt abgeleitet von englisch ›police‹.

249 *Bougainvillea:* zur Gattung der Nyktaginazeen gehörende dornige Sträucher mit zarten, meist pinkfarbenen Blüten.

250 *kos:* Vgl. 1. Anm. zu S. 45.

Siwaliks: die im Vorland des Himalaja gelegenen Siwalik-Berge, nördlich von Ambala und Saharanpur.

siris: der Gummibaum (Ficus elastica), in Indien fünfundzwanzig bis dreißig Meter hoch werdend.

Dun: Ebene bei Saharanpur.

252 *Cowries:* Vgl. Anm. zu S. 89.

Lhasa: Hauptstadt von Tibet und buddhistischer Wallfahrtsort. Die Stadt ist in drei Zonen eingeteilt und birgt im Inneren den Tempel Dschowotang, auf dem Potala-Hügel befindet sich der Palast des Dalai-Lama.

253 *Dalai-Lama:* Oberhaupt des Lamaismus, wird als ›lebender Buddha‹ angesehen; vgl. auch 3. Anm. zu S. 14.

Buddh Gaya: Vgl. 2. Anm. zu S. 14.

hohe Betten: Der Buddhist ist angehalten, der Erde zunächst, also auf einem niedrigen Lager zu schlafen. Nach dem neunten Gebot für buddhistische Mönche sind auch bequeme Lagerstätten untersagt.

254 *parao:* Rastplatz.

255 *Maharani:* große Königin.

der ungerechte Richter: Bezug auf Neues Testament, Lukas 18, 3–6: ›Es war aber eine Witwe in derselbigen Stadt, die kam zu ihm und sprach: ,Rette mich von meinem Widersacher!' Und er wollte lange nicht. Darnach aber dachte er bei sich selbst: ,Ob ich mich schon vor Gott nicht fürchte, noch vor keinem Menschen scheue, dieweil aber mir diese Witwe soviel Mühe machet, will ich sie retten, auf daß sie nicht zuletzt komme und betäube mich.' Da sprach der Herr: ,Höret hie, was der ungerechte Richter saget!'‹

256 *mynah:* Papagei.

hakim: Arzt.

Schiwa: Vgl. 1. Anm. zu S. 20.

258 *Siná:* Möglicherweise ist Sinapis nigra, der schwarze Senf, gemeint, woraus man das ätherische Senföl und Senfmehl herstellte. Es diente in der Medizin als Reizmittel für Haut, Lunge und Kreislauf.

Safran: Es handelt sich hier um das Safran- oder Ochsenkreuzpflaster aus Wachs, Harzen und Safranpulver, das hautreizend und schmerzlindernd wirkt.

Salep: Aus gebrühten und dann getrockneten Knollen von Orchideen wird Salepschleim gewonnen, der bei Durchfallserkrankungen Anwendung finden kann.

259 *F. A.:* engl., Fellow of Arts, d. i. Mitglied der philosophischen Fakultät.

261 *... wie Shakespeare sagt:* Anspielung auf Shakespeares Tragödie ›Hamlet‹.

262 *dooli:* Tragsessel, Sänfte.

265 *in supernumerärer Eigenschaft:* in der Bedeutung eines über die bestimmte Dienstzahl hinaus Angestellten, eines Beamtenanwärters.

266 *cui bono:* lat., wem nützt es.

Rampur: nordöstlich von Simla gelegen, im heutigen indischen Unionsstaat Himatschal Pradesch.

Chini: kleine Stadt östlich von Rampur, nahe der tibetanischen Grenze.

267 *Chandernagor:* auch Tschandanagar; damals unbedeutende französische Kolonie in der Nähe Kalkuttas.

272 *Jâtaka:* Vgl. 5. Anm. zu S. 196.

273 *Such-zen:* des Lamas Kloster in den hohen Bergen Tibets.

274 *Kedarnath und Badrinath:* in der Landschaft Garhwal, dem Quellgebiet des Ganges, gelegene Gipfel des Himalaja, fast siebentausend Meter hoch.

276 *ghi:* Vgl. 2. Anm. zu S. 8.

Ehefrauen vieler Gatten: Die Polyandrie war besonders in Tibet und den angrenzenden Himalajastaaten verbreitet. Meist heiratete eine Frau mehrere Brüder.

277 *Karakorum:* an der tibetanisch-nordindischen Grenze gelegenes Gebirge in Kaschmir.

am Fluß herunter: dem Indus folgend.

278 *Baktrien-Kamel:* Camelus bactrianus. Es ist zweihöckerig, besitzt ein dichtes Haarkleid und wird als Last- und Zugtier in den Steppen und Gebirgen Mittel- und Ostasiens verwendet. Als Haustier ist es in diesen öden Gegenden äußerst wertvoll, denn es liefert Wolle zur Bekleidung, Fleisch und Milch zur Ernährung sowie Wärme durch Verbrennen des getrockneten Dunges.

279 *Borax:* Tinkal, der natürlich vorkommende Borax, ist eine Borverbindung und findet sich in kristalliner Form im Schlamm und an den Ufern tibetanischer Seen. Es wird bei der Herstellung von Glas, Email und Glasuren verwendet.

Lehre ... in Pali: Vgl. 3. Anm. zu S. 196.

Sutlej: englische Bezeichnung für den in Tibet entspringenden Satledsch, der nach 1450 Kilometern in den Indus mündet; er hat für die Bewässerung des Pandschab große Bedeutung.

280 *shikarris:* Jäger.

281 *en route:* frz., unterwegs, auf der Reise.

kilta: ein im Himalaja gebräuchlicher geflochtener Korb mit Deckel, in dem die Eingeborenen Lasten transportieren.

283 *Elischa:* Sohn des Javan und Urenkel Noahs; vgl. Altes Testament, 1. Mose 10,4.

284 *Alptraum eines Wiener Kuriers:* Bedeutung unklar.

in petto: ital., im Herzen, im Sinn; auch: in geheimer Absicht.

Bonze: buddhistischer Priester oder Mönch.

Neophyt: eigtl. ein neubekehrter Erwachsener der christlichen Urgemeinde; hier: neuer Glaubensgenosse.

286 *beegar-Kulis:* Bettel- oder Mietkulis.

Sar: Herr.

288 *Wüste von Bikaner:* Gemeint ist die Wüste Thar in dem britisch-indischen Vasallenstaat Bikaner; heute zum indischen Unionsstaat Radschastan, an der Grenze zu Pakistan, gehörend.

Shamlegh-under-the-Snow: engl., Shamlegh-unterm-Schnee, eine die meiste Jahreszeit tief verschneite kleine Ortschaft im Himalaja.

291 *beegar:* Bettel- oder Mietdienst.

corvée: frz., Fronarbeit.

293 *Seru:* Es ist der Serau oder die Ziegenantilope gemeint, ein wiederkäuender Paarhufer, der die Gebirge von Kaschmir und Burma bis nach Südsibirien bewohnt.

296 *axiomatisch:* hier: einleuchtend.

297 *Kabir* (1440–1518): indischer Dichter und Begründer einer Sekte, die Hinduismus und Islam verschmelzen wollte.

Morgen: altes Flächenmaß für die Größe eines Ackers, der an einem Morgen umgepflügt werden konnte, in Deutschland zwischen 25 und 122 Ar; das in Britisch-Indien gebräuchliche Biggha entsprach 13 bis 32 Ar.

300 *Diarien:* Tagebücher, Notizhefte, Taschenkalender.

murasla: Königsbrief; auch im Sinne von Beglaubigungsschreiben eines Herrschers.

Theodolit: Instrument zum Bestimmen von Horizontal- und Vertikalwinkeln; findet bei der Höhenmessung Anwendung.

301 *khud:* Abgrund, Tiefe.

303 *betrunken … Priester:* Für den buddhistischen Mönch gelten die zehn Vorschriften: nicht töten, nicht stehlen, nicht lügen, keusch leben, keine geistigen Getränke zu sich nehmen, nicht zu unerlaubten Zeiten essen, Lustbarkeiten meiden, sich nicht schmücken, nicht in bequemem Bett schlafen und kein Geld annehmen. Die ersten fünf sollten auch von buddhistischen Laien eingehalten werden.

304 *Ammoniak-Chinin:* Extrakt aus Chinarinde mit Ammoniak oder anderen aromatischen Zusätzen, als Chinatinktur ein bitteres appetitanregendes Magenmittel.

vom Kontinent: aus Europa.

305 *Kailung:* Gemeint ist der heilige Berg Kailāsa im Himalaja, der Sitz der Götter Schiwa und Kubera.

307 *Bhutan:* britisch-indischer Staat im Himalaja, an der Grenze zu Tibet.

309 *Yak:* der in Tibet heimische, Wüstensteppen bewohnende Grunzochse (Bos mutus).

312 *Ker-lis-ti-an:* Christin.

heathen: engl., Heide, heidnisch.

316 *dreifache Krone:* Gemeint ist die Tiara, die mützenförmige Papstkrone mit drei Kronreifen.

Mannlicher-Flinte: ein 1885 von Ferdinand Ritter von Mannlicher (1848–1904) konstruiertes Mehrladegewehr.

Nahan: Stadt und Gebiet in den südlichen Ausläufern des Himalaja, etwa fünfzig Kilometer nordöstlich von Ambala.

317 *M. A.:* Vgl. 3. Anm. zu S. 193.

     Jakko: Berg bei Simla.

320 *Ananda:* Vgl. 2. Anm. zu S. 12.

324 *Feuer-ghats:* Steintreppen am Ufer des Ganges, auf denen die rituellen Totenverbrennungen der Hindus vorgenommen werden.

325 *des Heiligen Kuh … Hinduismus:* Der Widerspruch besteht darin, daß die Hindus die Kuh als heiliges Tier im Brahmanismus verehren, der Lama jedoch Buddhist war.

326 *chudders:* Gesichtsschleier.

330 *frisiert wie Titus:* Anspielung auf die kurzgelockte Frisur des römischen Kaisers Titus Flavius Vespasianus (39–81).

     Zar: Es handelt sich um Nikolaus II. (1868–1918), der von 1894 bis 1917 Zar von Rußland war.

331 *Katalepsie:* im Verlauf der Schizophrenie und des psychogenen Dämmerzustandes vorkommende Antriebsstörung, bei der gegebene Stellungen des Körpers statuenhaft beibehalten werden.

     Epilepsie: die Fallsucht, ein hirnorganisches Leiden mit ausgeprägten Krampfanfällen der Muskulatur.

     in articulo mortem: lat., in tödlicher Bedrängnis.

     Transfiguration: Verklärung.

     in posse: lat., mit Können.

332 *Meerut:* auch Mirat; nordöstlich von Delhi gelegene Stadt.

334 *dooli-Reise:* Reise mit der Tragbahre.

336 *Rothutzauber:* bezieht sich auf die rote Kopfbedeckung des Lama.

     Paschtu: Landessprache in Afghanistan; sie ist indogermanischer Herkunft mit persischen und arabischen Einflüssen.

337 *Tirah-Priester:* Vermutlich ist ein Priester der Sikhs in der Landschaft Tirah gemeint; vgl. auch 3. Anm. zu S. 170.

     sufi: Vgl. 1. Anm. zu S. 215.

     Nirwana: Im Buddhismus wird hierunter ein seelischer Zustand verstanden, in dem der Wille zum Erlöschen und damit die Quelle allen Leidens zum Versiegen gebracht wird. Nirwana bedeutet Erlösung im irdischen Leben und befreit zugleich den Erlösten bei seinem Tode vom Kreislauf der Wiedergeburten, so daß er in die ewige Ruhe des völligen Nichts eingehen kann.

340 *Jett:* aus Gagat, einer bituminösen Braunkohle, hergestellter, tiefschwarz glänzender Schmuck.

     Bodhisat: Vgl. 5. Anm. zu S. 11.

342 *Allah kerim!:* arab., Gott ist groß!

Lieferbare Literatur in der
Verlagsgruppe Kiepenheuer

William Butler Yeats
Autobiographien

Aus dem Englischen übertragen von Susanne Schaup. Herausgegeben und mit einem Nachwort von Wolfgang Wicht. Mit 5 Fotos

Insel-Verlag Anton Kippenberg, Leipzig
1. Auflage. 472 Seiten. Leinen 12,80 M. LSV 7323
Bestellangaben: 787 219 9 / Yeats, Autobiographien

Als hätte er mehrere Leben, nennt Yeats seine Erinnerungen Autobiographien.
William Butler Yeats (1865–1939) ist ein gewissenhafter Chronist und genauer Erzähler nicht nur seiner Jugenderinnerungen, sondern auch seiner literarischen Erfolge, die ihn als Mitbegründer des irischen Nationaltheaters ausweisen.
Yeats hatte großen Einfluß auf das geistige Leben seiner Zeit und stand in enger Beziehung zu vielen Zeitgenossen wie Oscar Wilde, George Bernard Shaw, Paul Verlaine, August Strindberg, Aubrey Beardsley, George Moore und anderen.
In seinen autobiographischen Texten werden sie wieder lebendig.

›Ich habe alles Gute, was ich weiß, und alles Böse ausgesprochen und nichts verschwiegen, was zum Verständnis nötig ist.‹

Friedrich Nicolai
›Kritik ist überall, zumal in Deutschland nötig‹

Satiren und Schriften zur Literatur. Herausgegeben und mit Nachwort, Anmerkungen sowie Register von Wolfgang Albrecht. Mit 20 zeitgenössischen Abbildungen

Gustav Kiepenheuer Verlag Leipzig und Weimar
1. Auflage. 582 Seiten. Leinen 17,50 M. LSV 7102
ISBN 3-378-00118-6
Bestellangaben: 812 139 7 / Nicolai, Kritik 18. Jh.

Goethes 1774 erschienener Roman ›Die Leiden des jungen Werthers‹ war buchstäblich ein Welterfolg und löste ein wahres ›Werther-Fieber‹ aus, das in einigen Fällen sogar zum Selbstmord schwärmerischer Leser und Leserinnen führte. Diese von Goethe nicht beabsichtigte Wirkung veranlaßte Nicolai zu einer parodistisch-satirischen Gegenerzählung, in der er die Lebenshaltung der Stürmer und Dränger kritisiert. Nicolais hier veröffentlichtes Werk gehört zu den fulminantesten Anti-Wertheriaden; die einzige übrigens, auf die Goethe reagierte …

Lesen Sie in dem vorliegenden Sammelband mehr über den ebenso berühmten wie umstrittenen Buchhändler, Verleger, Kritiker und Romanautor Christoph Friedrich Nicolai, der zu den Hauptvertretern der deutschen Aufklärungsbewegung gehörte.

István Ráth-Végh
Die Komödie des Buches

Aus dem Ungarischen übertragen von Erika Széll.
Mit Illustrationen von Líviusz Gyulai

Gustav Kiepenheuer Verlag Leipzig und Weimar
1. Auflage. 344 Seiten. Leinen 19,80 M. LSV 7262
Bestellangaben: 788 463 2 / Ráth-Végh, Komœdie

Mörder aus Liebe zum Buch

›Überschreitet die Sammelleidenschaft die Grenzen des Normalen, wird sie zur Sammelwut der Besessenen. Unter ihnen gibt es Menschen, die sich in der wahnsinnigen Sucht, ihren Sammeltrieb zu befriedigen, über alle moralischen und gesetzlichen Schranken hinwegsetzen. Der Sammler wird zum Verbrecher, zum Dieb oder sogar zum *Mörder*.
Diebstahl und Hehlerei in Verbindung mit Büchern kann man noch irgendwie mit einer Leidenschaft erklären, die auf falsche Wege geraten ist. Aber jeden wird tiefe Bestürzung erfüllen, wenn er erfährt, daß sammelnde Bibliophilen aus Liebe zu den Büchern morden. Fürchterliche Abgründe tun sich hier vor uns auf, ...‹

Lesen Sie mehr über ›das Ungeheuer von Barcelona‹ und andere Seltsamkeiten und Seltenheiten aus der Welt des Buches!